1-1

초등 수학

팩토

단원별 계산력 수학

7단원

9까지의 수

매스티안

1. 9까지의 수

· 0~9까지 수
· 1 큰 수와 1 작은 수
· 수의 크기 비교

5. 50까지의 수
· 50까지 수
· 수의 크기 비교

1-2

1. 100까지의 수
· 100까지 수
· 수의 크기 비교
· 짝수와 홀수

1. 세 자리 수
· 세 자리 수
· 수의 크기 비교

1 9까지의 수

Teaching Guide

수는 '일, 이, 삼, …'과 같이 한자로 읽는 경우와 '하나, 둘, 셋, …'과 같이 우리말로 읽는 경우가 있습니다. 수를 셀 때 단위를 붙여서 읽게 되면 아이들이 '연필 삼 자루', '오늘은 세 일'과 같이 잘못 읽는 경우가 생깁니다. 따라서 처음 수를 배울 때 단위를 붙이지 않고 "일, 이, 삼, 사, …" 또는 "하나, 둘, 셋, 넷, …"과 같이 수만 세도록 합니다. 수 읽기는 수 쓰기를 배운 다음에 가르칩니다. 이때 수는 상황에 따라서 다르게 읽힌다는 것을 알려 주고, 여러 가지 상황 속에서 수를 읽는 연습을 하여 자연스럽게 익히도록 해 줍니다.

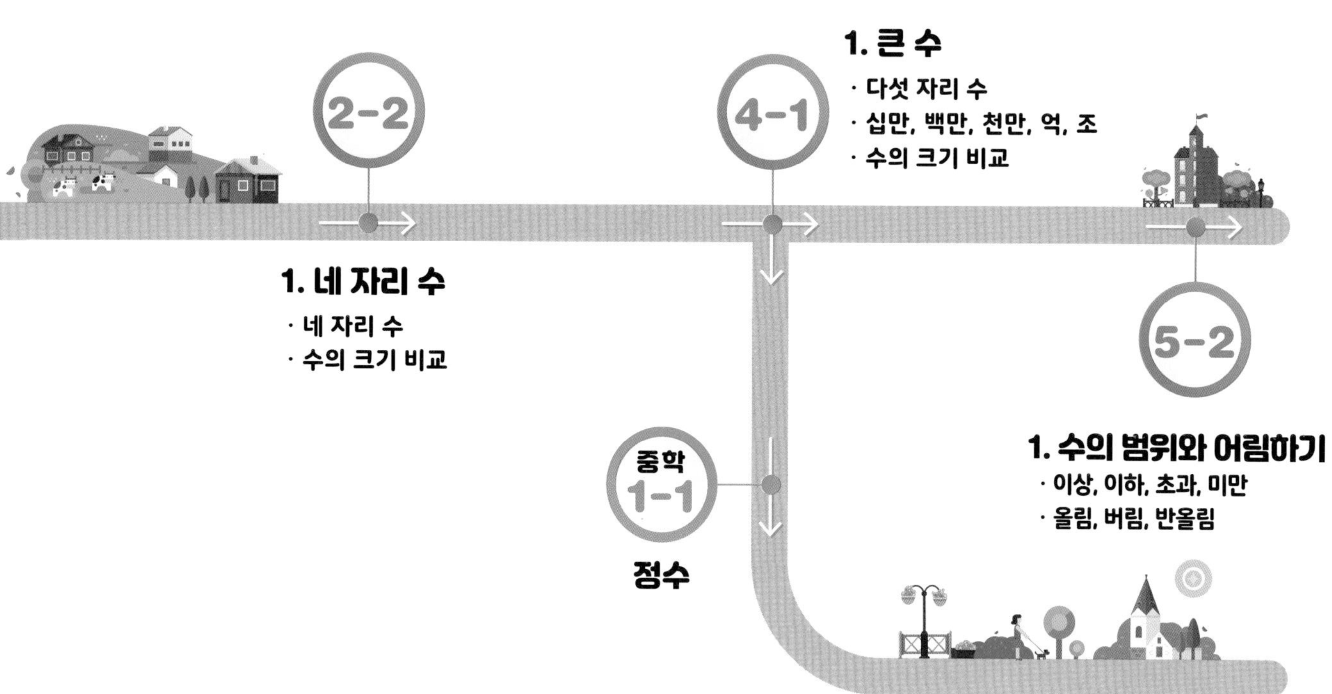
2-2
1. 네 자리 수
· 네 자리 수
· 수의 크기 비교
4-1
1. 큰 수
· 다섯 자리 수
· 십만, 백만, 천만, 억, 조
· 수의 크기 비교
중학 1-1
정수
5-2
1. 수의 범위와 어림하기
· 이상, 이하, 초과, 미만
· 올림, 버림, 반올림

공부한 날짜

1 일차
5까지의 수 알아보기
월 일
2 일차
9까지의 수 알아보기
월 일
3 일차
몇째 알아보기
월 일

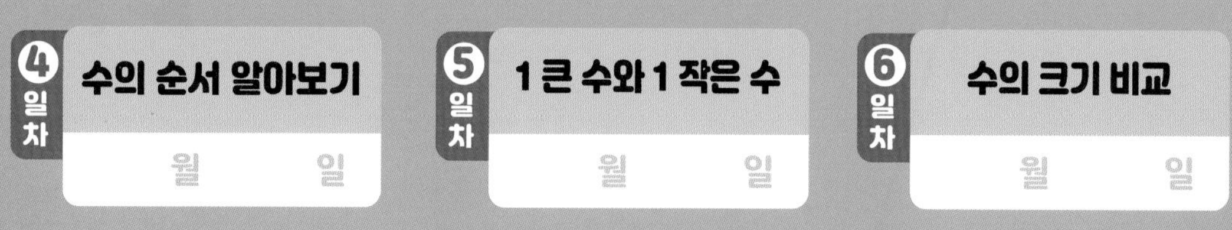
4 일차
수의 순서 알아보기
월 일
5 일차
1 큰 수와 1 작은 수
월 일
6 일차
수의 크기 비교
월 일

7 일차
응용 문제
월 일
8 일차
형성 평가
월 일
9 일차
단원 평가
월 일
참 잘했어요!
잘했어! 최고야!

01 5까지의 수 알아보기

정답 02쪽

5까지의 수 알아보기

●	1	하나	일
● ●	2	둘	이
● ● ●	3	셋	삼
● ● ● ●	4	넷	사
● ● ● ● ●	5	다섯	오

1 수를 세어 알맞게 이어 보세요.

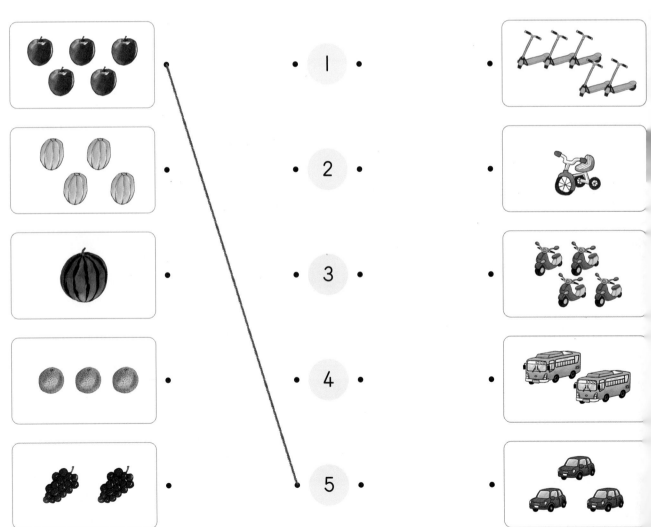

사과 5개	1	킥보드 5대
참외 4개	2	세발자전거 1대
수박 1개	3	스쿠터 4대
귤 3개	4	버스 2대
포도 2송이	5	자동차 3대

2 그림의 수만큼 ○를 그리고, 알맞은 수에 ○표 하세요.

(오징어)	○					1 2 3 4 5
(거북)	○	○				1 2 3 4 5
(조개)						1 2 3 4 5
(문어)						1 2 3 4 5
(불가사리)						1 2 3 4 5
(물고기)						1 2 3 4 5

3 수를 읽으며 똑같이 따라 써 보세요.

1	1	1	1						
하나, 일									
2	2	2	2						
둘, 이									
3	3	3	3						
셋, 삼									
4	4	4	4						
넷, 사									
5	5	5	5						
다섯, 오									

일	일	일	일	1	하나	하나	하나	하나
이	이	이	이	2	둘	둘	둘	둘
삼	삼	삼	삼	3	셋	셋	셋	셋
사	사	사	사	4	넷	넷	넷	넷
오	오	오	오	5	다섯	다섯	다섯	다섯

4 알맞은 수를 써 보세요.

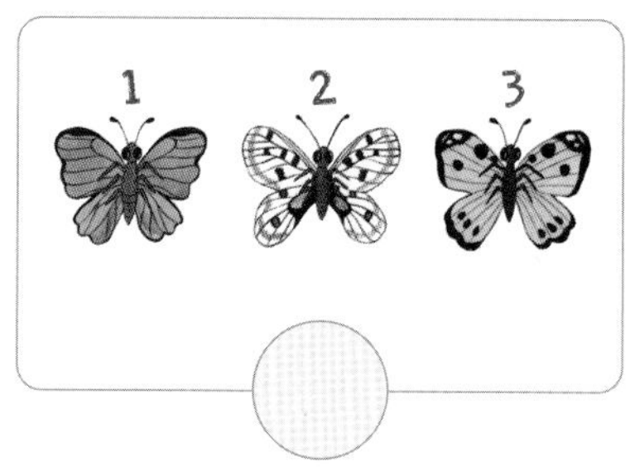

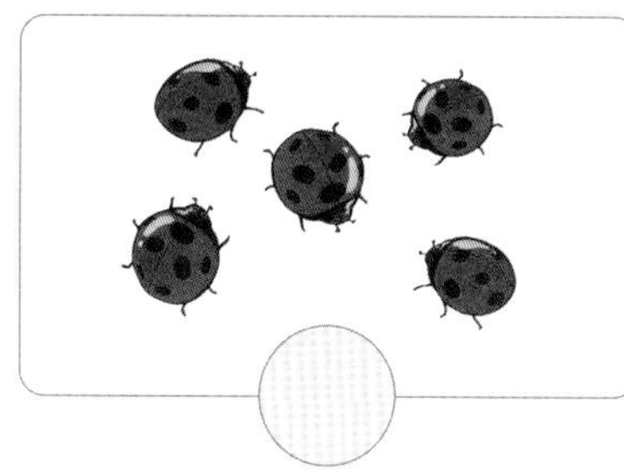

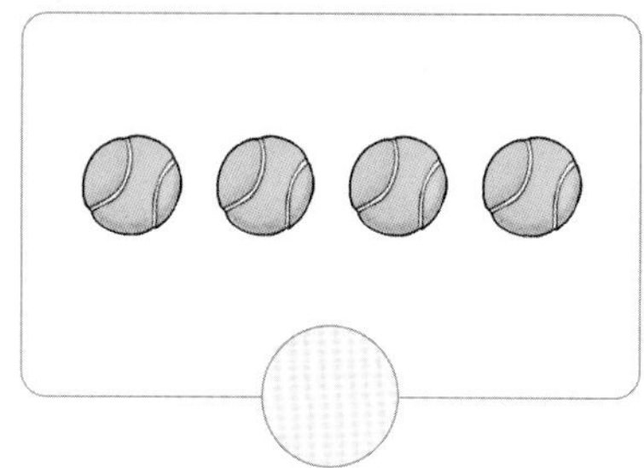

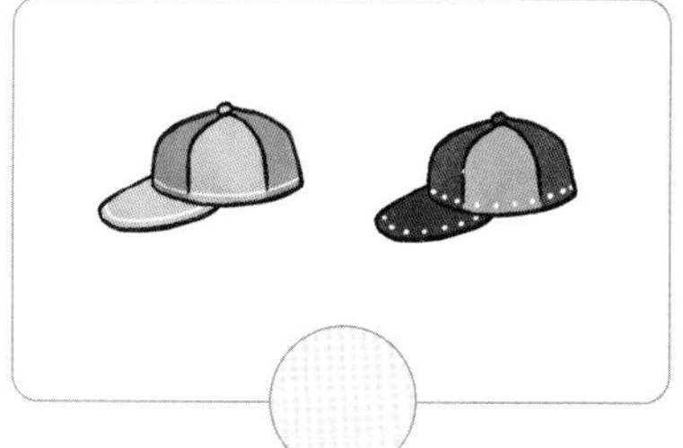

02 9까지의 수 알아보기

정답 03쪽

9까지의 수 알아보기

● ● ● ● ● ●	6	여섯	육
● ● ● ● ● ● ●	7	일곱	칠
● ● ● ● ● ● ● ●	8	여덟	팔
● ● ● ● ● ● ● ● ●	9	아홉	구

1 수를 세어 알맞게 이어 보세요.

• 6 •
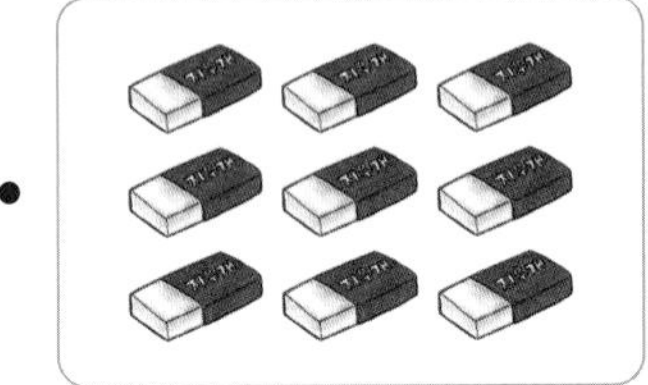

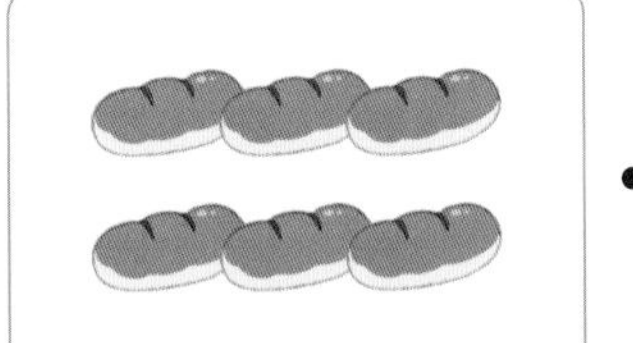
• 7 •

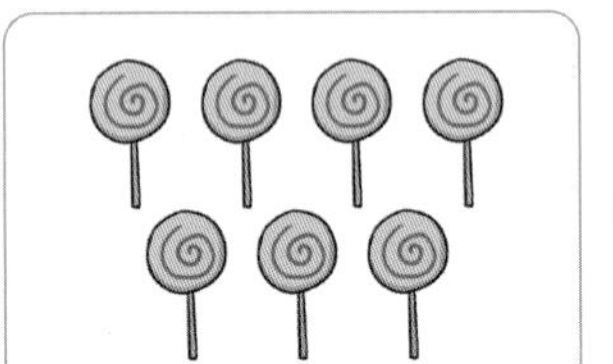
• 8 •
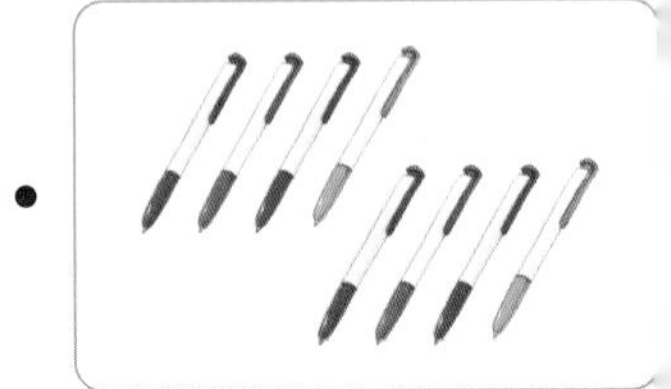

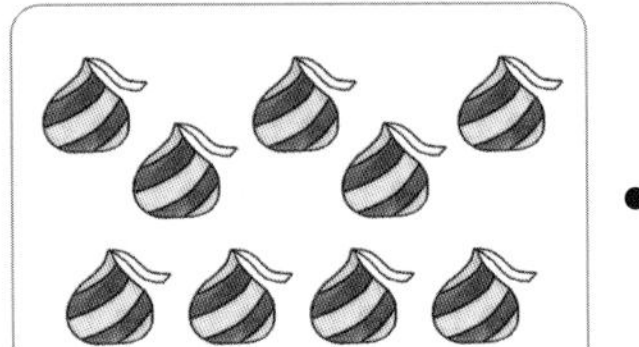
• 9 •
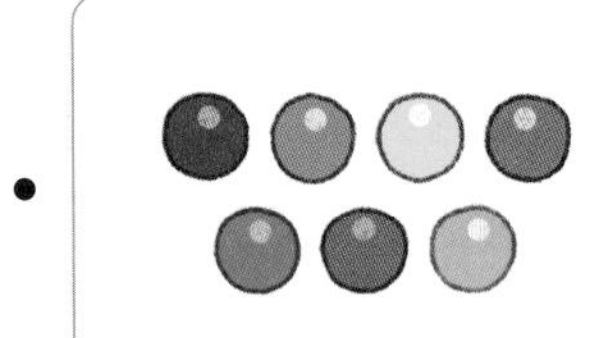

2 그림의 수만큼 ○를 그리고, 알맞은 수에 ○표 하세요.

벌	○	○	○	○	○	6 7 8 9
	○					

나비						6 7 8 9

해바라기						6 7 8 9

장미						6 7 8 9

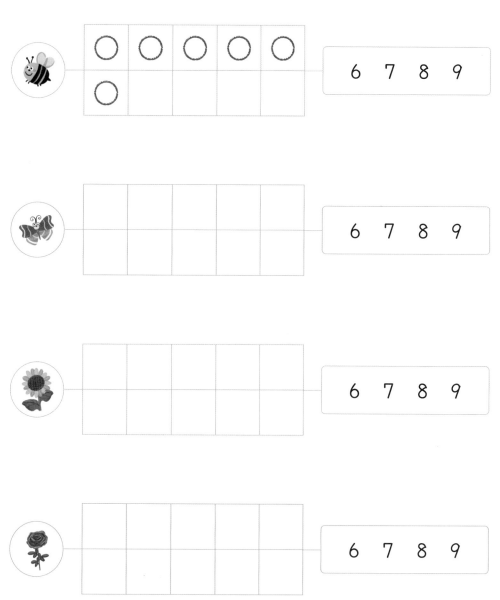

3 수를 읽으며 똑같이 따라 써 보세요.

●●●●● ● ①6 여섯, 육	6	6	6						
●●●●● ●● ①②7 일곱, 칠	7	7	7						
●●●●● ●●● 8① 여덟, 팔	8	8	8						
●●●●● ●●●● 9① 아홉, 구	9	9	9						

육	육	육	육	6	여섯	여섯	여섯	여섯
칠	칠	칠	칠	7	일곱	일곱	일곱	일곱
팔	팔	팔	팔	8	여덟	여덟	여덟	여덟
구	구	구	구	9	아홉	아홉	아홉	아홉

4 알맞은 수를 써 보세요.

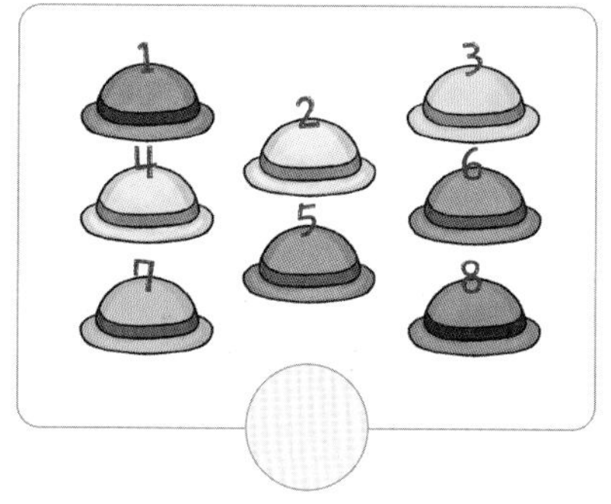

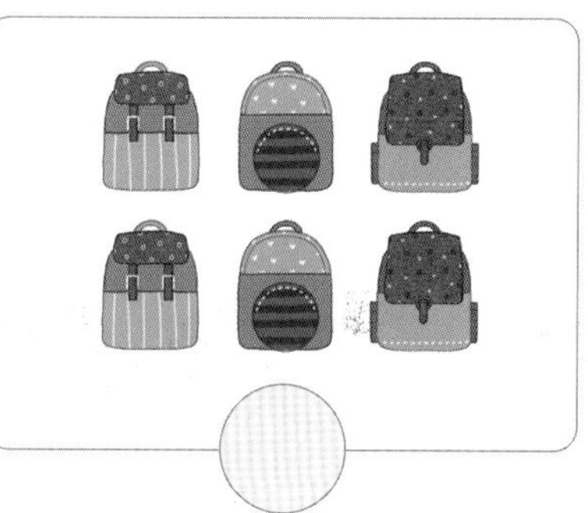

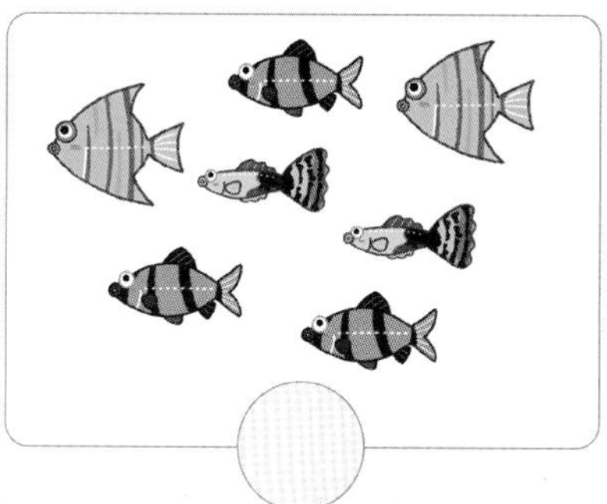

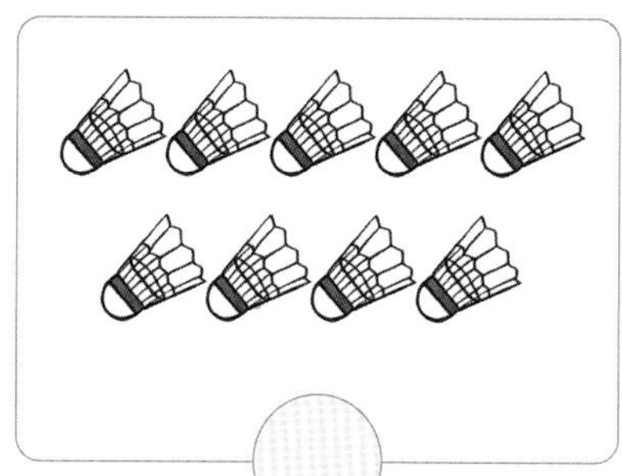

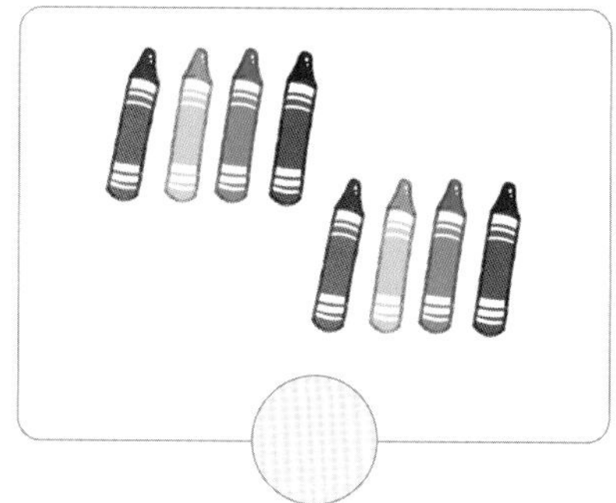

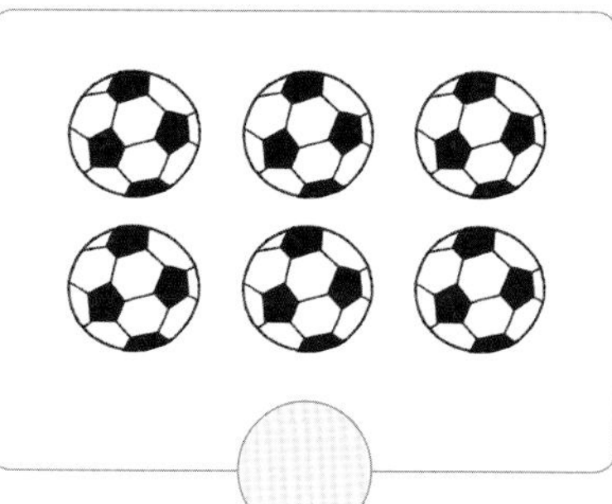

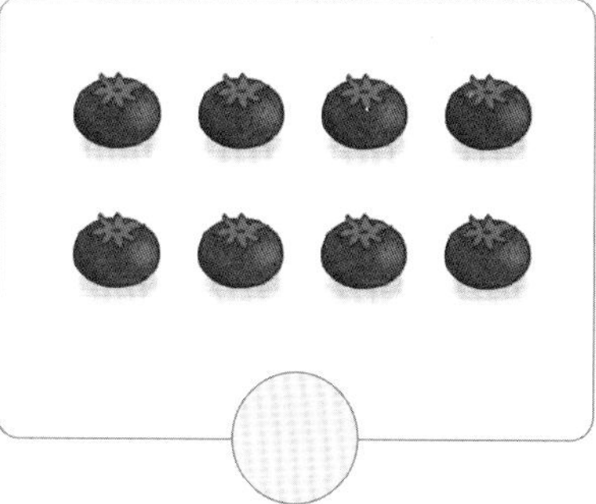

03 몇째 알아보기

정답 04쪽

순서 알아보기

1 순서에 맞게 이어 보세요.

2 알맞은 위치를 찾아 색칠해 보세요.

보기

왼쪽에서 셋째

왼쪽 ○ ○ ● ○ ○ 오른쪽

첫째 둘째 셋째

오른쪽에서 둘째

왼쪽 ○ ○ ○ ○ ○ 오른쪽

둘째 첫째

왼쪽에서 넷째

왼쪽 ○ ○ ○ ○ ○ 오른쪽

오른쪽에서 셋째

왼쪽 ○ ○ ○ ○ ○ 오른쪽

왼쪽에서 여섯째

왼쪽 ○ ○ ○ ○ ○ ○ ○ ○ ○ ○ 오른쪽

오른쪽에서 일곱째

왼쪽 ○ ○ ○ ○ ○ ○ ○ ○ ○ ○ 오른쪽

왼쪽에서 여덟째

왼쪽 ○ ○ ○ ○ ○ ○ ○ ○ ○ ○ 오른쪽

오른쪽에서 아홉째

왼쪽 ○ ○ ○ ○ ○ ○ ○ ○ ○ ○ 오른쪽

3 그림을 보고 알맞게 이어 보세요.

위에서 셋째 책

아래에서 다섯째 책

위에서 여섯째 책

아래에서 여덟째 책

위에서 아홉째 책

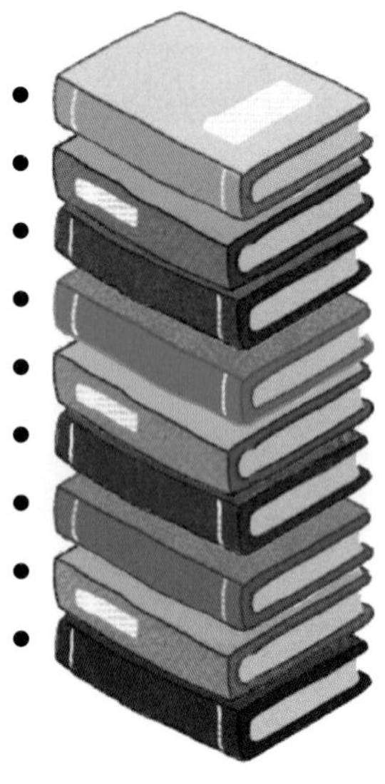

위에서 둘째 칸

아래에서 셋째 칸

위에서 첫째 칸

아래에서 첫째 칸

위에서 넷째 칸

4 보기와 같이 과일을 알맞게 색칠해 보세요.

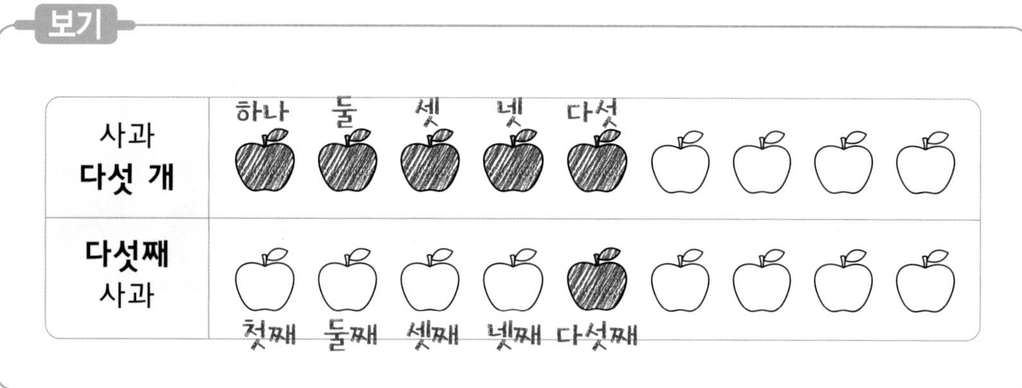

레몬 **세 개**	
셋째 레몬	

멜론 **네 개**	
넷째 멜론	

딸기 **여덟 개**	
여덟째 딸기	

바나나 **여섯 개**	
여섯째 바나나	

04 수의 순서 알아보기

정답 05쪽

수의 순서 알아보기

1 순서에 알맞게 수를 써 보세요.

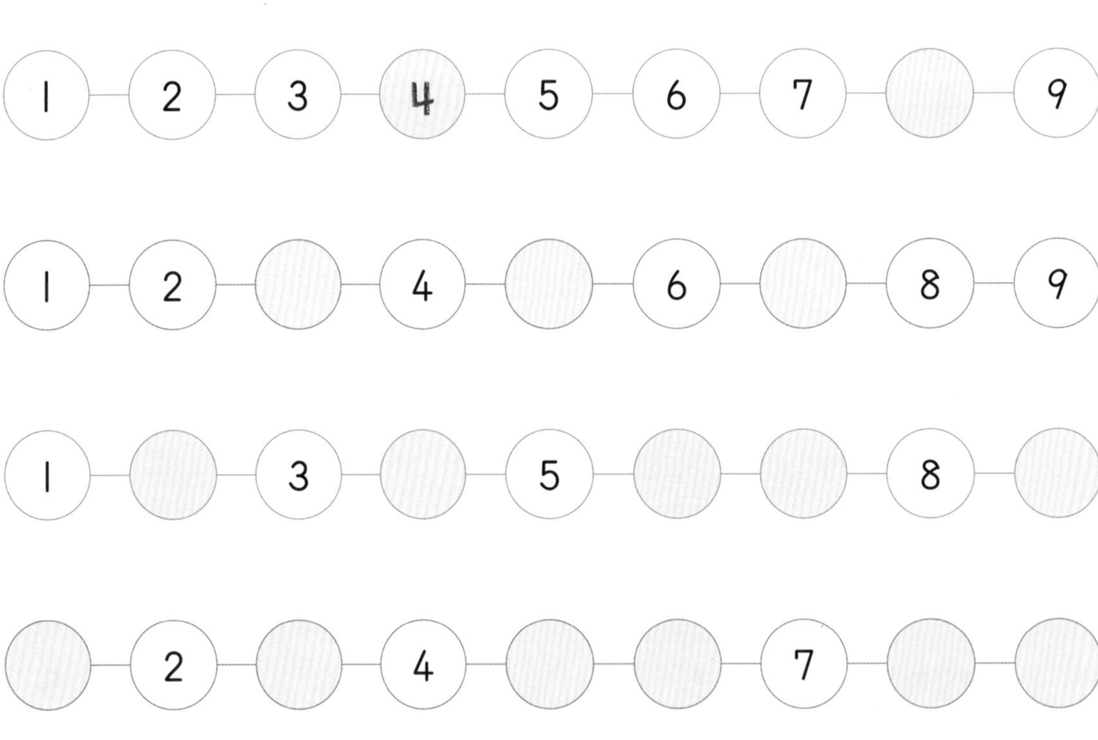

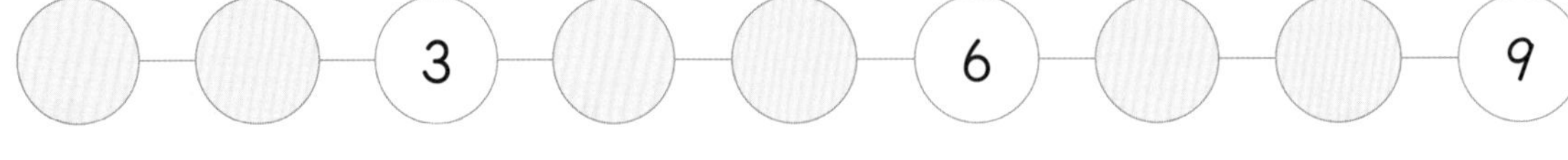

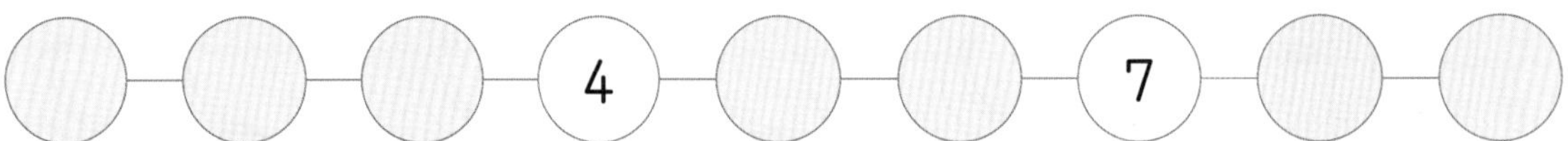

2 같은 색깔의 수를 순서대로 이어 그림을 완성해 보세요.

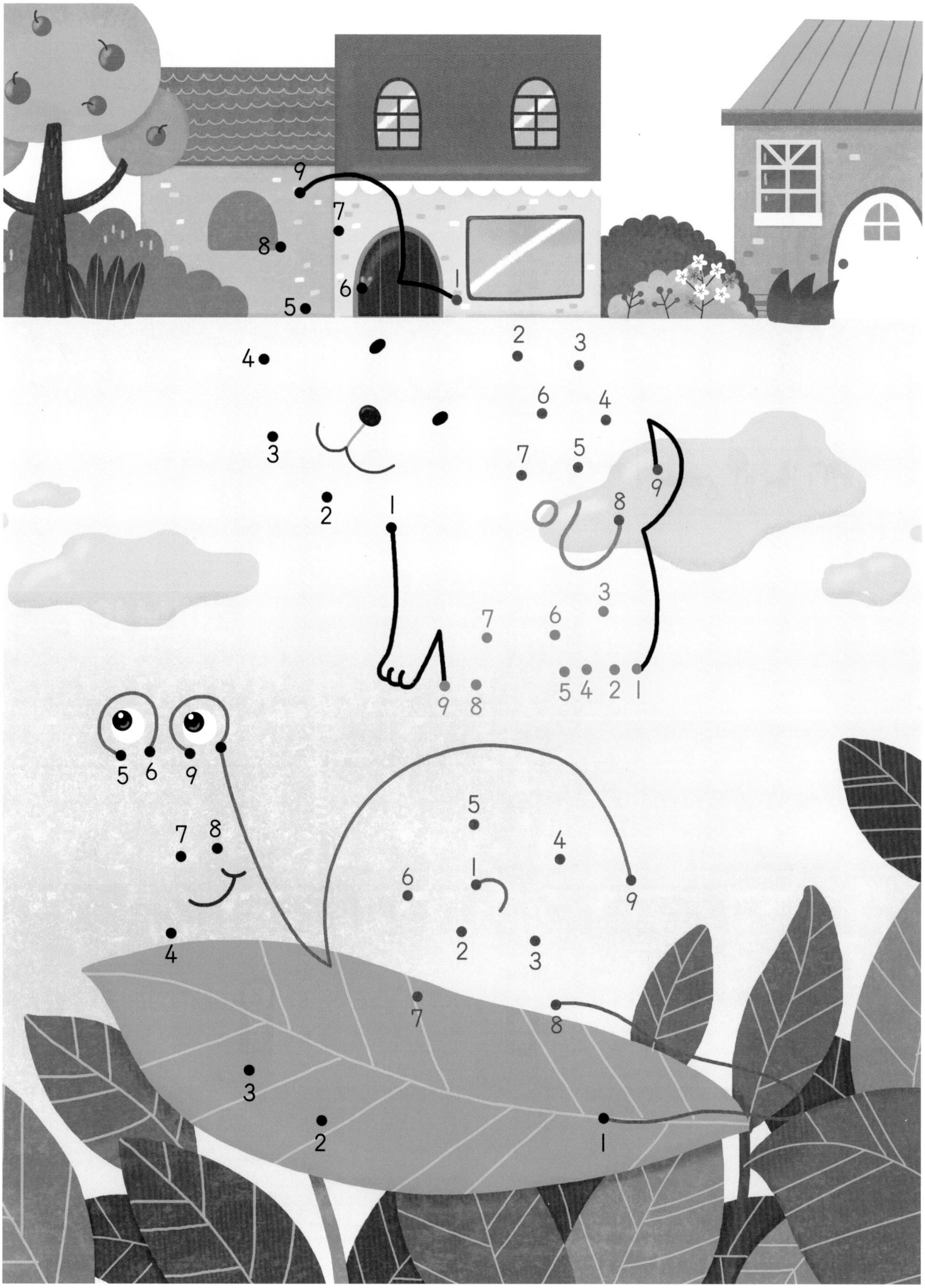

3 순서에 알맞게 수를 써 보세요.

보기

2 3 4 5

6 7 _ 9

1 _ 3 4

3 _ 5 6

4 5 6 _

_ 6 7 8

_ 7 8 9

4 _ _ 7

2 3 _ 5

_ 4 _ 6

9 8 7 _

8 7 _ 5

7 6 _ 4

6 5 4 _

5 _ 3 2

_ 3 2 1

_ 8 7 6

8 7 _ 5

4 1부터 9까지의 수를 순서대로 연결해 보세요.

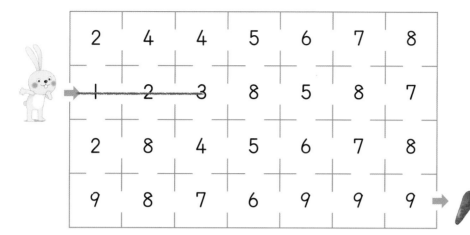

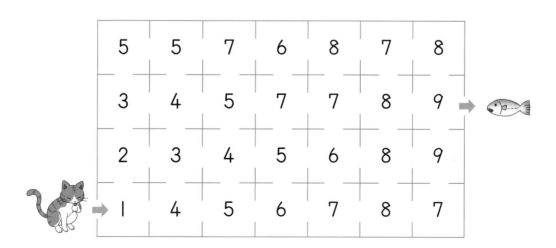

2	4	4	5	6	7	8
1	2	3	8	5	8	7
2	8	4	5	6	7	8
9	8	7	6	9	9	9

4	6	3	6	7	8	7
2	5	6	5	6	7	9
1	2	3	4	8	8	9
2	3	4	5	6	9	9

5	5	7	6	8	7	8
3	4	5	7	7	8	9
2	3	4	5	6	8	9
1	4	5	6	7	8	7

05 1 큰 수와 1 작은 수

정답 06쪽

초등 1-1

1 9까지의 수

Ⅰ 큰 수, Ⅰ 작은 수 알아보기

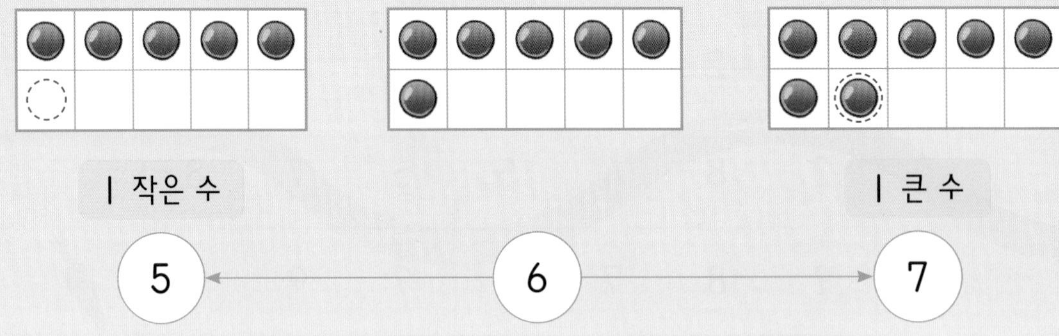

1 ●를 ╳로 지우거나 ○를 색칠하여 ▒ 안에 알맞은 수를 써넣으세요.

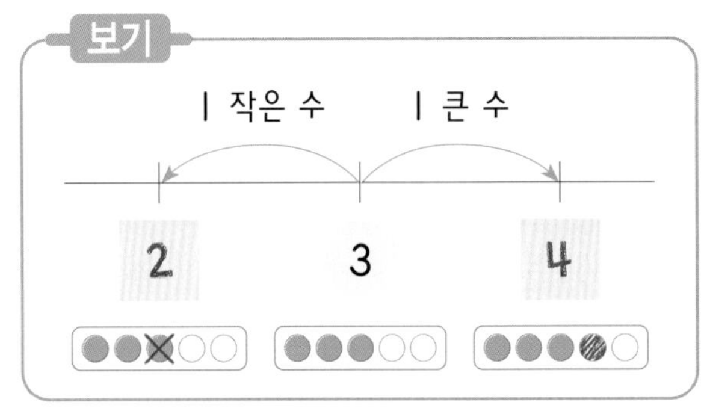

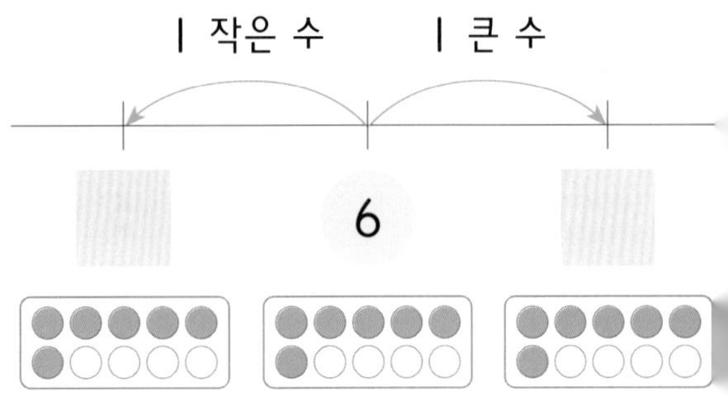

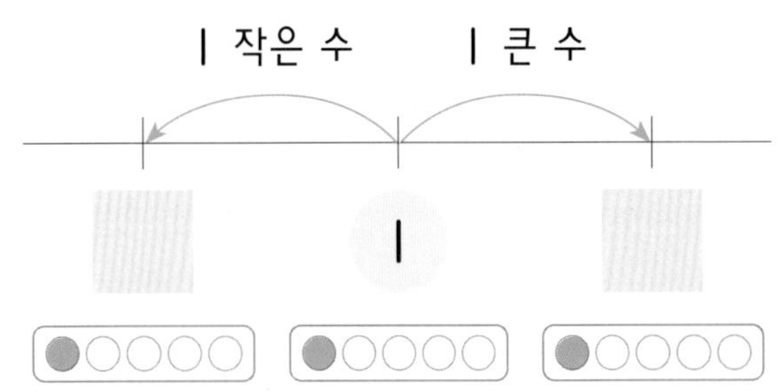

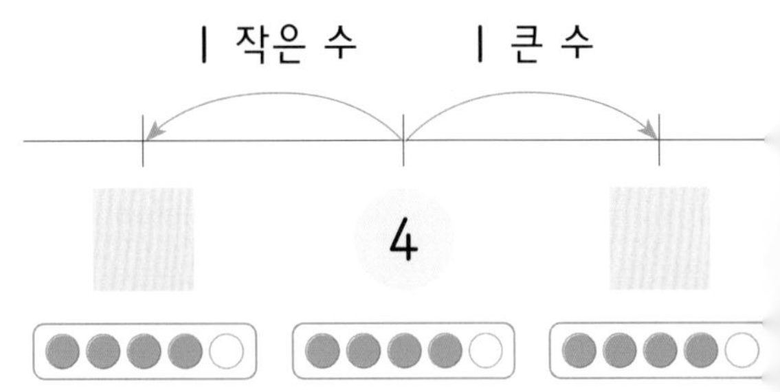

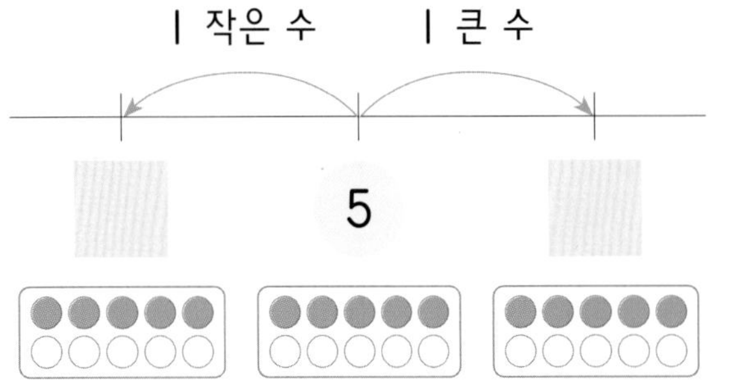

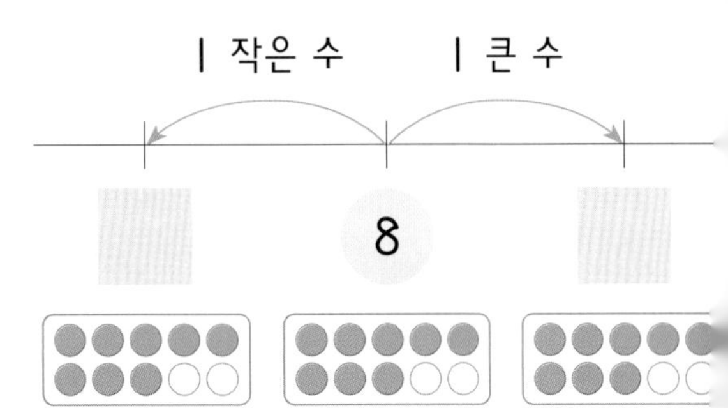

2 보기 와 같이 알맞은 수에 색칠해 보세요.

보기

1 큰 수

4보다 1 큰 수	0	1	2	3	4	5	6	7	8	9

1 작은 수

5보다 1 작은 수	0	1	2	3	4	5	6	7	8	9
8보다 1 큰 수	0	1	2	3	4	5	6	7	8	9
1보다 1 작은 수	0	1	2	3	4	5	6	7	8	9
3보다 1 큰 수	0	1	2	3	4	5	6	7	8	9
2보다 1 작은 수	0	1	2	3	4	5	6	7	8	9
6보다 1 큰 수	0	1	2	3	4	5	6	7	8	9
9보다 1 작은 수	0	1	2	3	4	5	6	7	8	9
7보다 1 큰 수	0	1	2	3	4	5	6	7	8	9

3 빈 곳에 알맞은 수를 써넣으세요.

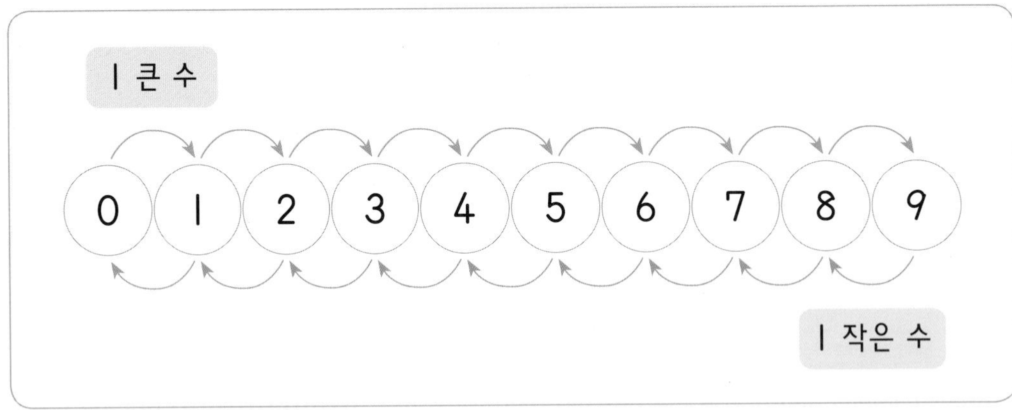

1 작은 수		1 큰 수	1 작은 수		1 큰 수
4	5			3	
	1			7	
	6			8	
	2			4	
	4			5	
	3			1	
	8			2	
	7			6	

 4 □ 안에 알맞은 수를 써넣으세요.

1 2 3 4 5 6 7 8 9

• 5보다 1 큰 수는 □ 입니다.
• 5보다 1 작은 수는 □ 입니다.
• 3보다 1 큰 수는 □ 입니다.
• 3보다 1 작은 수는 □ 입니다.
• 8보다 1 큰 수는 □ 입니다.
• 8보다 1 작은 수는 □ 입니다.
• 6보다 1 큰 수는 □ 입니다.
• 6보다 1 작은 수는 □ 입니다.

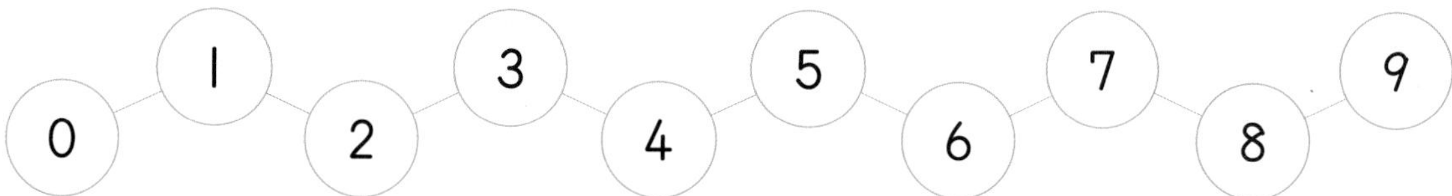

• □ 보다 1 큰 수는 2입니다.
• □ 보다 1 작은 수는 2입니다.
• □ 보다 1 큰 수는 5입니다.
• □ 보다 1 작은 수는 5입니다.
• □ 보다 1 큰 수는 3입니다.
• □ 보다 1 작은 수는 3입니다.
• □ 보다 1 큰 수는 8입니다.
• □ 보다 1 작은 수는 8입니다.

06 수의 크기 비교

정답 07쪽

4와 6 크기 비교하기

4는 6보다 작습니다.

6은 4보다 큽니다.

1 ▭ 안에 알맞은 수를 써넣고, 알맞은 말에 ○표 하세요.

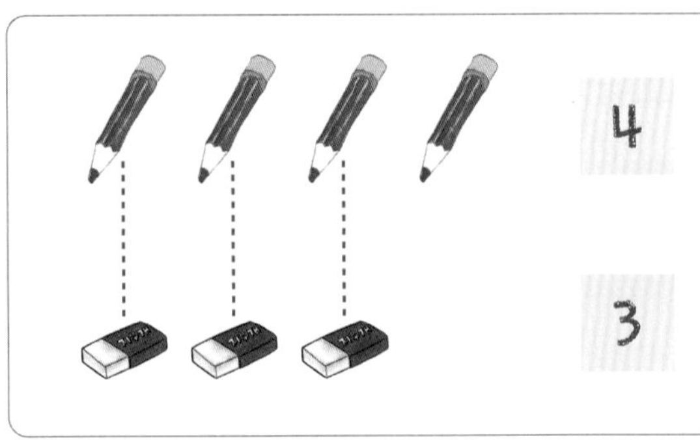

- 색연필은 지우개보다 (많습니다 , 적습니다).
- 지우개는 색연필보다 (많습니다 , 적습니다).

- 윗옷은 바지보다 (많습니다 , 적습니다).
- 바지는 윗옷보다 (많습니다 , 적습니다).

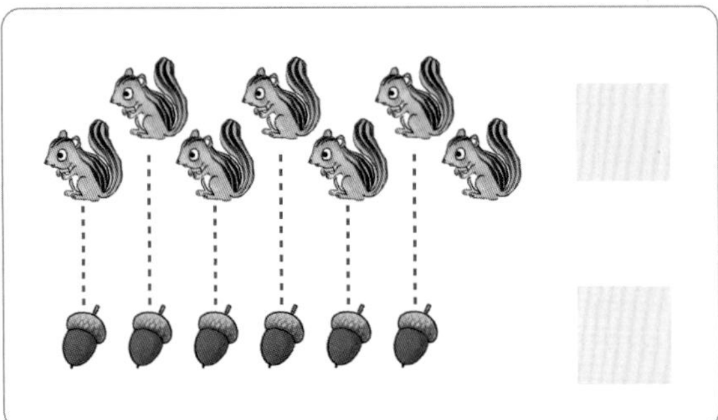

- 다람쥐는 도토리보다 (많습니다 , 적습니다).
- 도토리는 다람쥐보다 (많습니다 , 적습니다).

2 더 큰 수에 ○표, 더 작은 수에 △표 하세요.

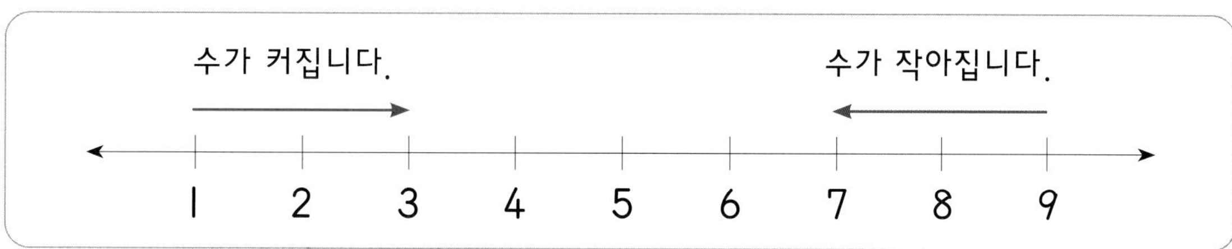

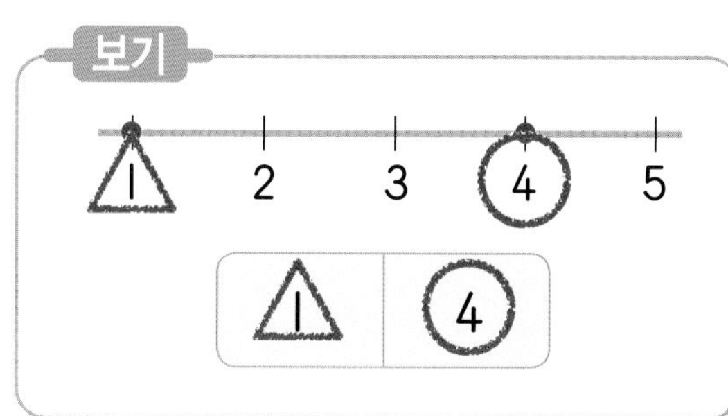

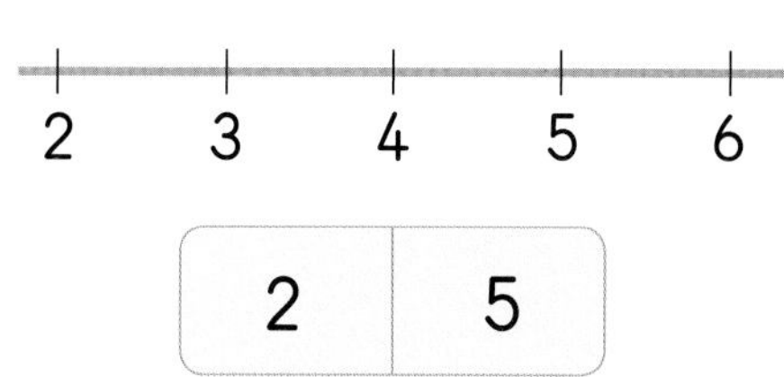

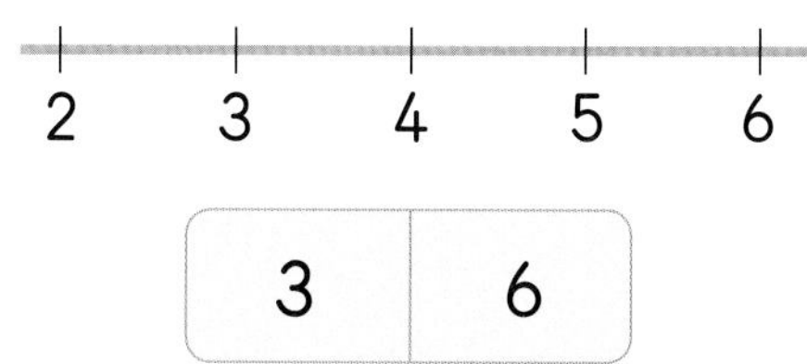

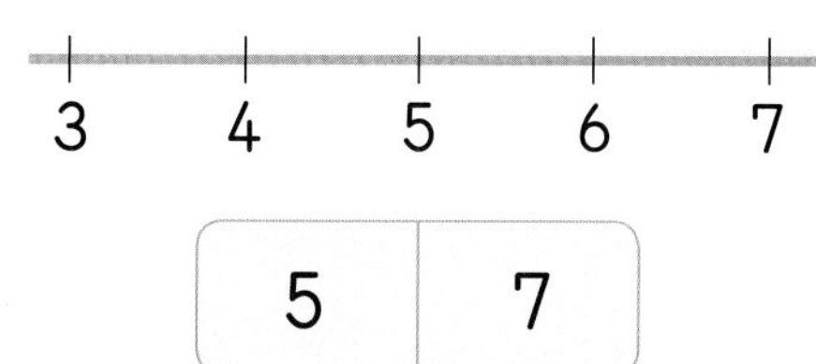

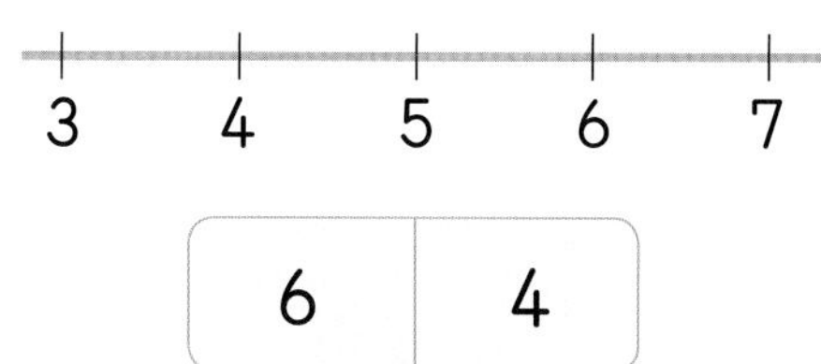

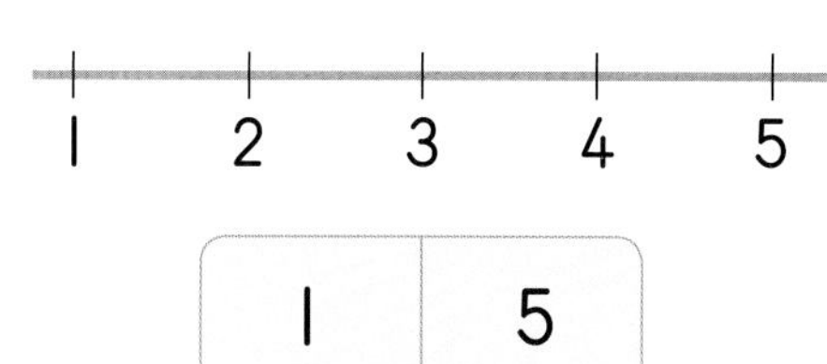

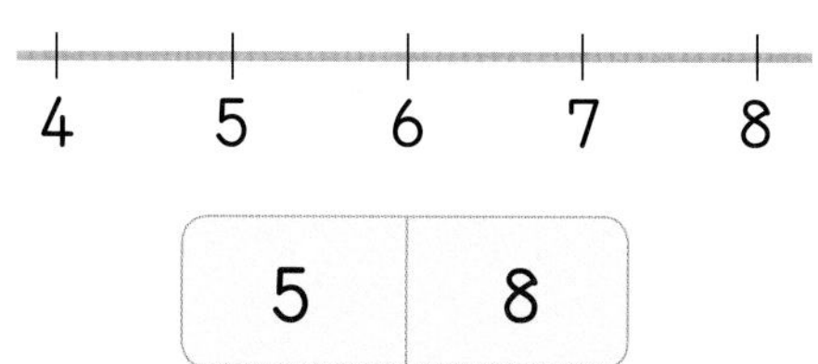

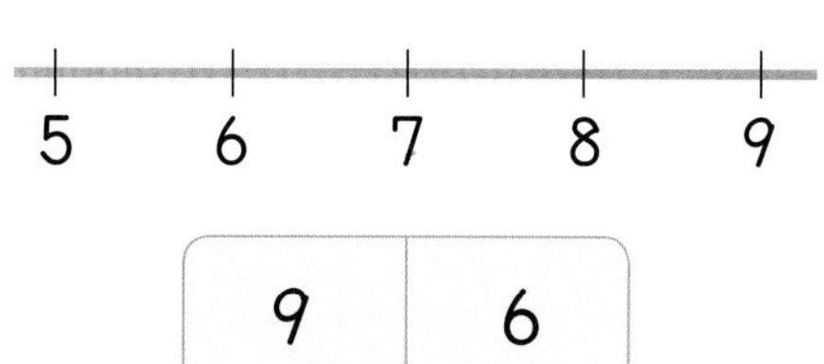

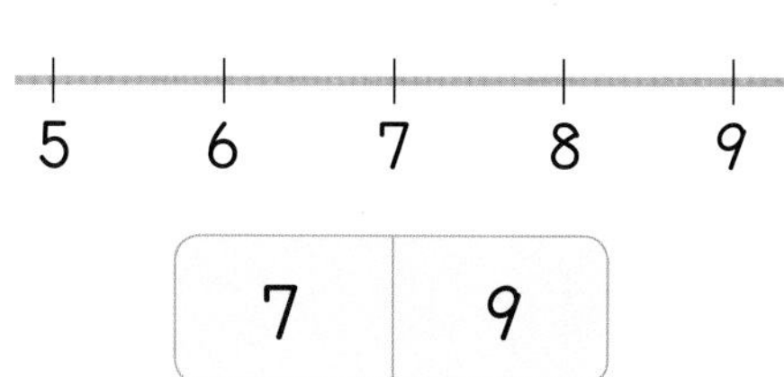

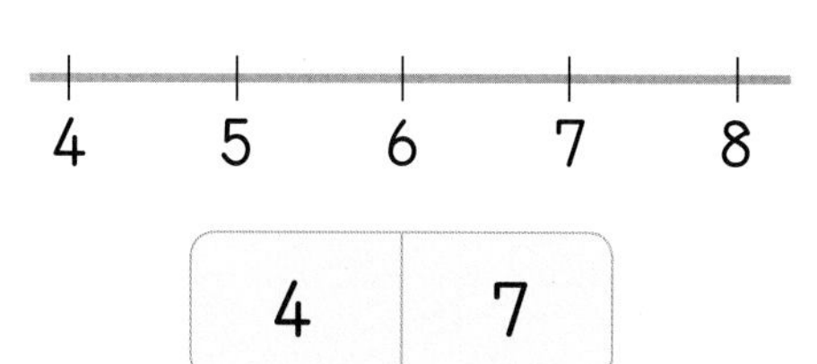

3 수만큼 ○를 그리고, 수의 크기를 비교해 보세요.

5	○	○	○	○	○
4	○	○	○	○	

➡ 5는 4보다 (큽니다 , 작습니다).
4는 5보다 (큽니다 , 작습니다).

2					
5					

➡ 2는 5보다 (큽니다 , 작습니다).
5는 2보다 (큽니다 , 작습니다).

4					
9					

➡ 4는 9보다 (큽니다 , 작습니다).
9는 4보다 (큽니다 , 작습니다).

8					
3					

➡ 8은 3보다 (큽니다 , 작습니다).
3은 8보다 (큽니다 , 작습니다).

9					
5					
7					

➡ 가장 큰 수는 ☐ 입니다.
가장 작은 수는 ☐ 입니다.

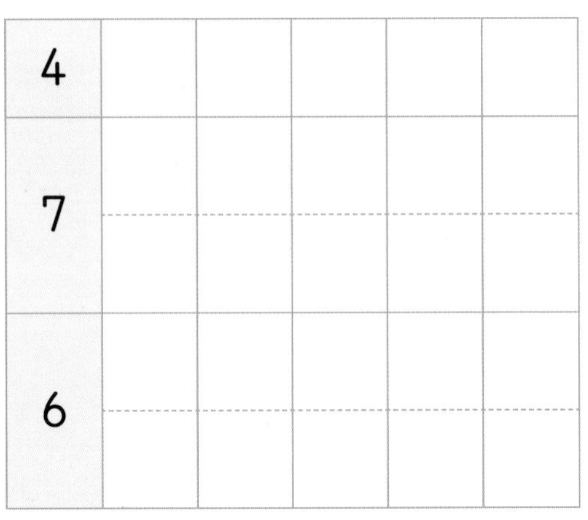

4					
7					
6					

➡ 가장 큰 수는 ☐ 입니다.
가장 작은 수는 ☐ 입니다.

4 그림을 보고 개수를 세어 안에 알맞게 써넣으세요.

➡ 가장 큰 수는 이고 가장 작은 수는 입니다.

➡ 가장 큰 수는 이고 가장 작은 수는 입니다.

정답 08쪽

5보다 작은 수 찾기

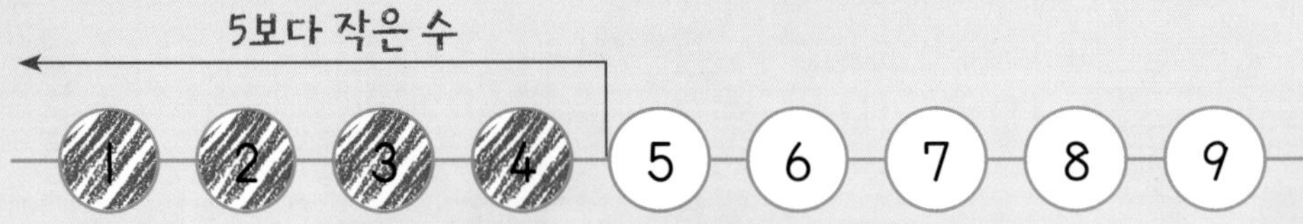

응용 1 조건에 맞는 수에 모두 색칠해 보세요.

5보다 큰 수

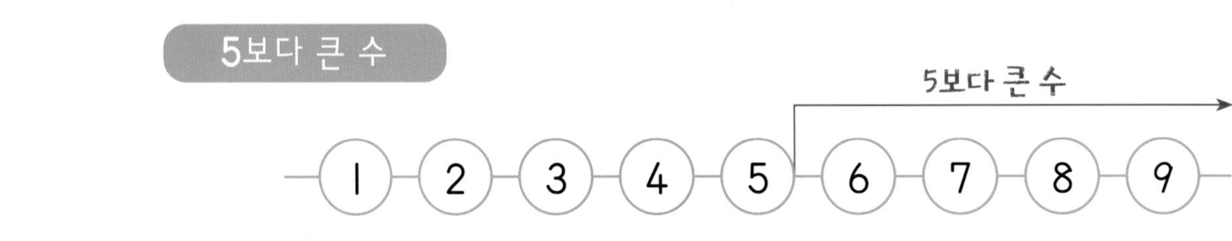

4보다 작은 수

4보다 큰 수

3보다 작은 수

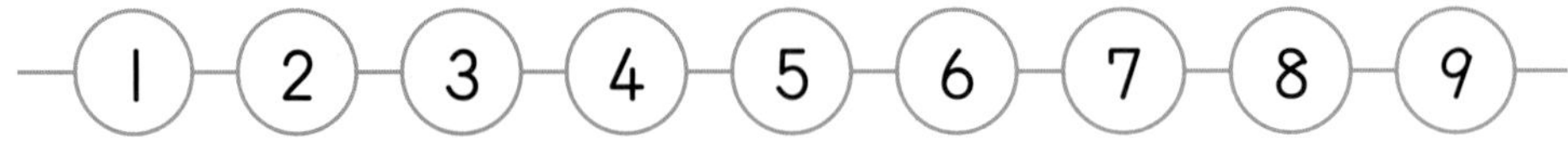

7보다 큰 수

응용 2 조건에 맞는 수를 모두 찾아 ○표 하세요.

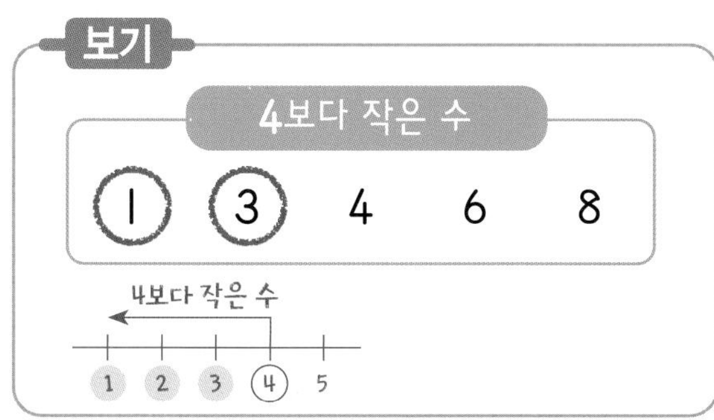

4보다 큰 수

1 2 5 7 9

4보다 큰 수

4 5 6 7 8 9

6보다 큰 수

2 4 5 8 9

6보다 작은 수

1 3 6 7 9

7보다 작은 수

1 3 4 7 9

7보다 큰 수

3 4 5 8 9

5보다 큰 수

2 3 5 6 7

5보다 작은 수

3 4 5 6 8

3보다 작은 수

1 2 3 6 9

3보다 큰 수

1 3 7 8 9

2보다 큰 수

1 2 4 5 8

8보다 작은 수

3 6 7 8 9

2보다 크고 6보다 작은 수 찾기

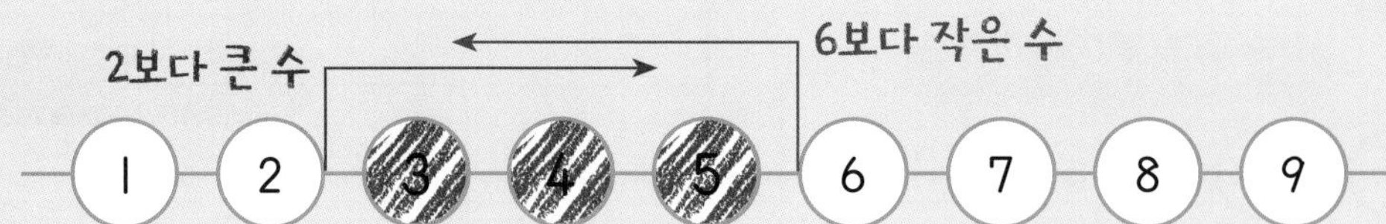

응용 3 조건에 맞는 수에 모두 색칠해 보세요.

3보다 크고 8보다 작은 수

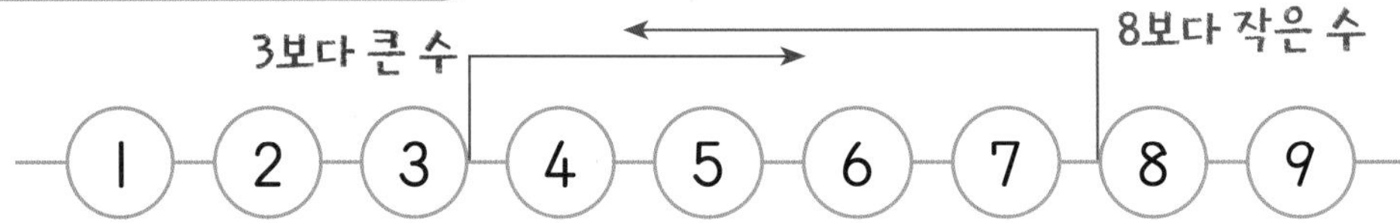

4보다 크고 7보다 작은 수

1보다 크고 5보다 작은 수

6보다 크고 9보다 작은 수

5보다 크고 9보다 작은 수

응용 4 조건에 맞는 수를 모두 찾아 ○표 하세요.

보기

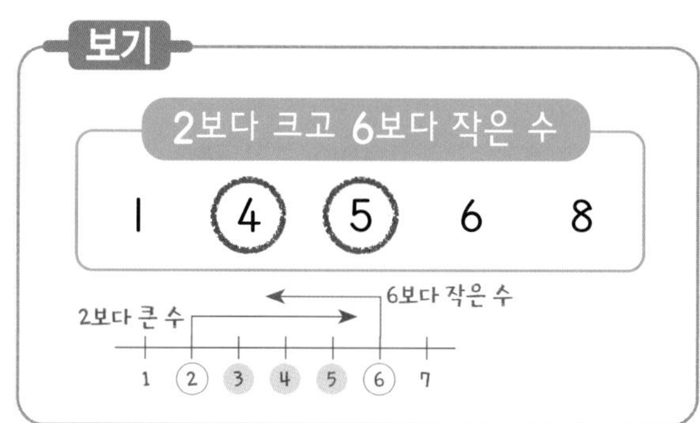

4보다 크고 8보다 작은 수

4 5 6 7 9

4보다 큰 수 / 8보다 작은 수

3 4 5 6 7 8 9

5보다 크고 9보다 작은 수

3 4 6 7 9

3보다 크고 7보다 작은 수

3 4 6 7 8

1보다 크고 5보다 작은 수

1 3 4 5 8

2보다 크고 7보다 작은 수

2 3 5 6 8

4보다 크고 9보다 작은 수

4 5 7 8 9

6보다 크고 9보다 작은 수

2 6 7 8 9

1보다 크고 6보다 작은 수

3 4 5 6 7

3보다 크고 9보다 작은 수

2 3 4 7 9

5보다 크고 8보다 작은 수

3 4 6 7 8

6보다 크고 8보다 작은 수

2 5 6 7 8

형성 평가

정답 09쪽

분 점수 점

01 수를 세어 알맞게 이어 보세요.

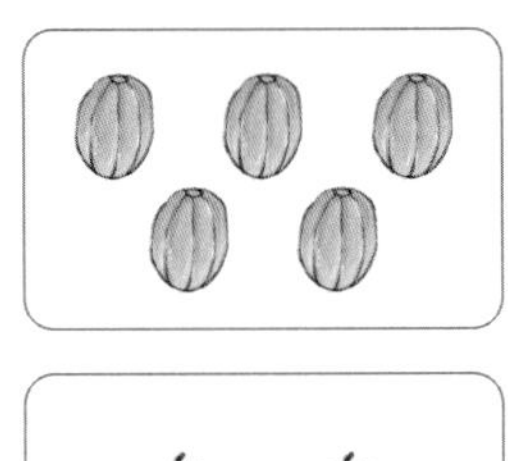

2

3

5

02 그림의 수만큼 ○를 그리고, 알맞은 수에 ○표 하세요.

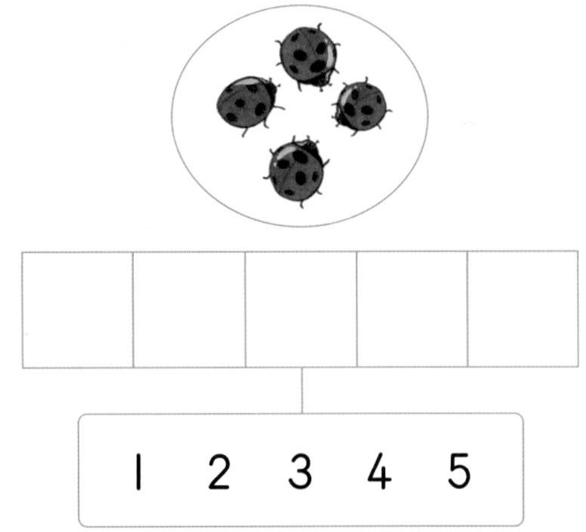

03 알맞은 수를 써 보세요.

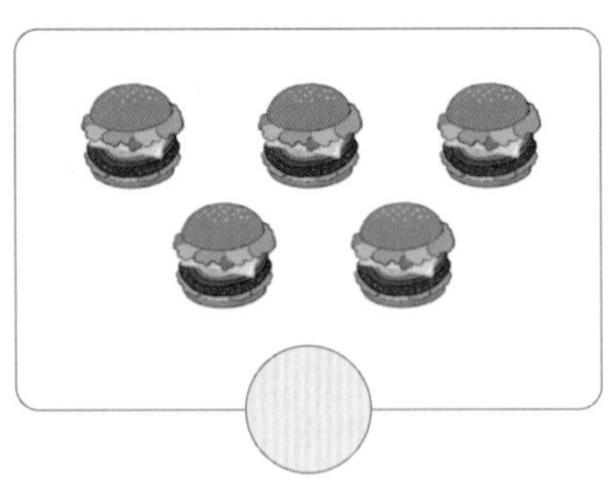

04 수를 읽어 ▢ 안에 알맞게 써넣으세요.

(1) 

(2) 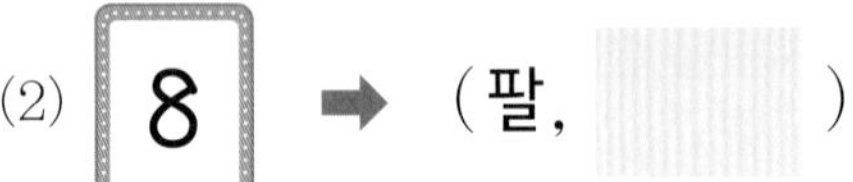

05 알맞은 수를 써 보세요.

06 순서에 맞게 이어 보세요.

셋째　　여섯째　　여덟째

07 알맞은 위치를 찾아 색칠해 보세요.

(1)

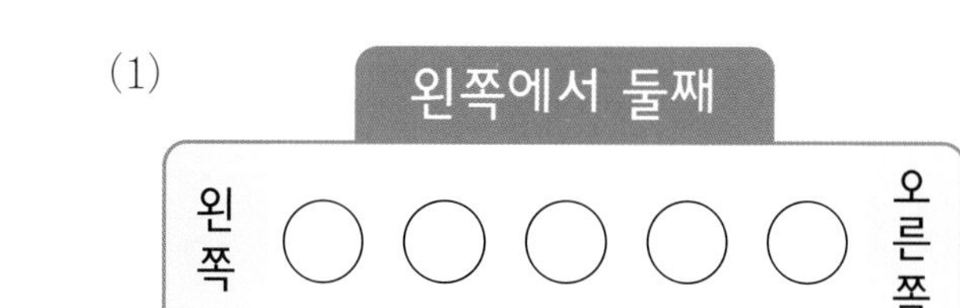

(2)

08 그림을 보고 알맞게 이어 보세요.

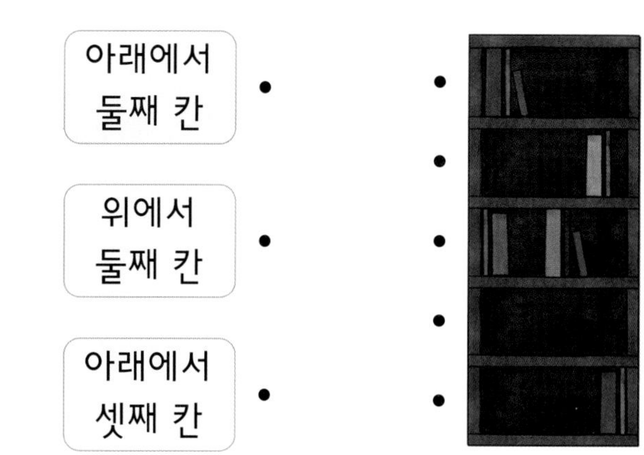

09 왼쪽에서부터 과일을 알맞게 색칠해 보세요.

레몬 **네 개**	
넷째 레몬	

10 순서에 알맞게 수를 써 보세요.

(1)　(2)

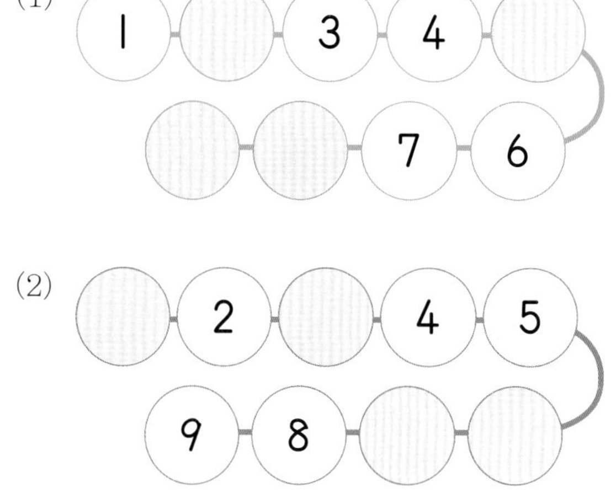

11 같은 색깔의 수를 순서대로 이어 그림을 완성해 보세요.

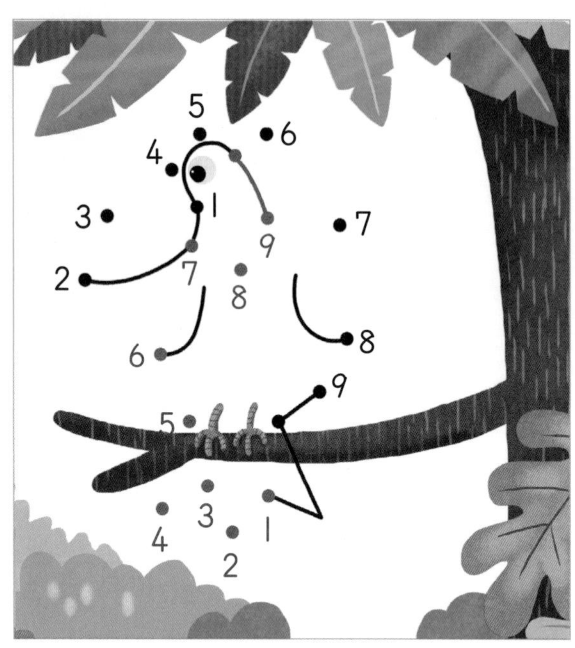

13 고양이가 생선을 먹을 수 있도록 3부터 8까지 수를 순서대로 연결해 보세요.

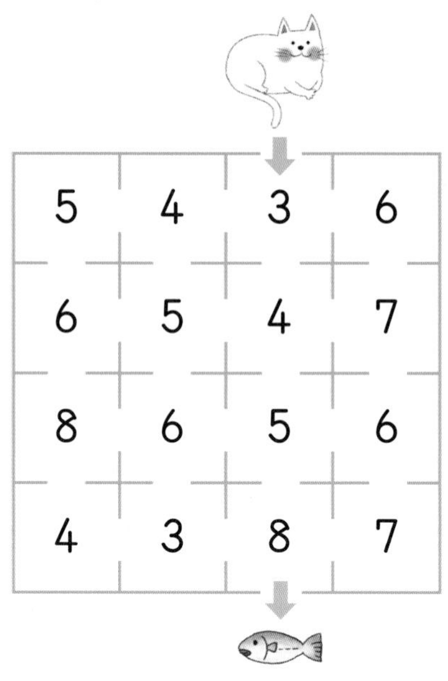

5	4	3	6
6	5	4	7
8	6	5	6
4	3	8	7

12 순서에 알맞게 수를 써 보세요.

14 알맞은 수에 색칠해 보세요.

6보다 1 작은 수

4	5	6	7	8	9

15 빈 곳에 알맞은 수를 써넣으세요.

1 작은 수 　　　 1 큰 수

(1) ◯ — 2 — ◯

(2) ◯ — 8 — ◯

16 ☐ 안에 알맞은 수를 써넣으세요.

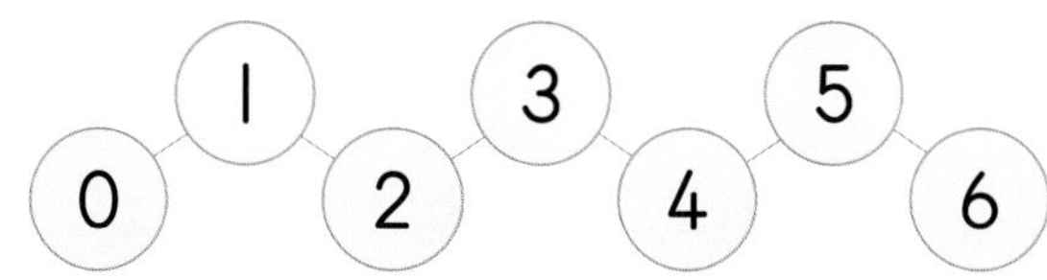

(1) 4보다 1 큰 수는 ☐ 입니다.

(2) ☐ 보다 1 작은 수는 2입니다.

17 그림을 보고 알맞은 말에 ○표 하세요.

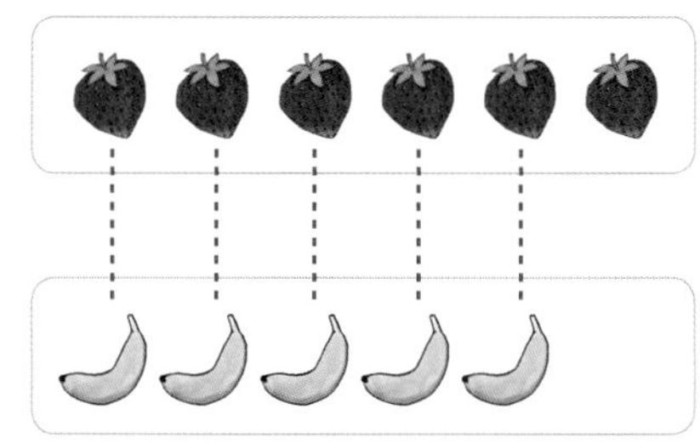

딸기는 바나나보다 (많습니다 , 적습니다).

바나나는 딸기보다 (많습니다 , 적습니다).

18 더 큰 수에 ○표, 더 작은 수에 △표 하세요.

(1)

8	5

(2)

4	7

19 현서는 딸기를 6개 먹었고, 소윤이는 8개 먹었습니다. 더 적게 먹은 사람의 이름을 쓰세요.

(　　　　　　　)

20 꽃의 수를 세어 ☐ 안에 알맞은 수를 써넣으세요.

☐ 송이　☐ 송이　☐ 송이

➡ 가장 큰 수는 ☐ 이고,

가장 작은 수는 ☐ 입니다.

정답 10쪽

분 점수 점

1 나비의 수를 세어 보고 ▢ 안에 알맞은 수를 써넣으세요.

2 주어진 수만큼 색칠해 보세요.

3 쿠키의 수를 세어 ▢ 안에 알맞은 수를 써넣으세요.

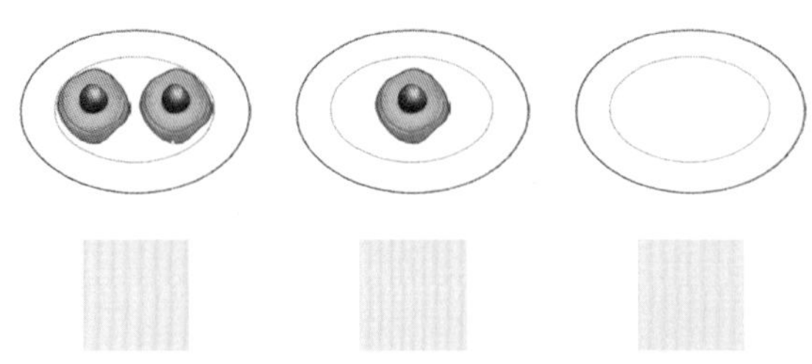

4 관계있는 것끼리 이어 보세요.

3 •	• 넷
4 •	• 다섯
5 •	• 셋

5 순서에 맞게 빈 곳에 알맞은 수를 써넣으세요.

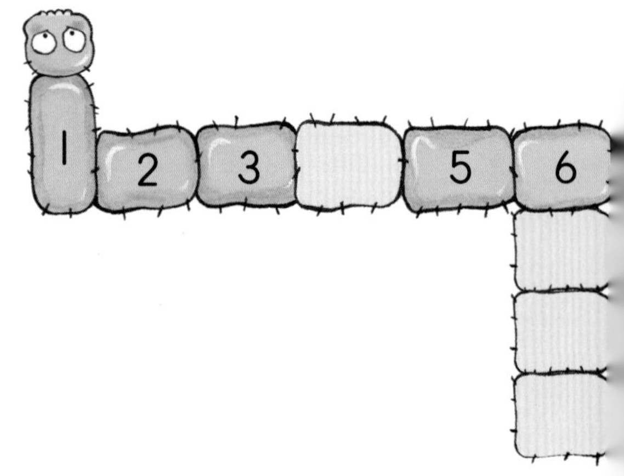

[6~7] 그림을 보고 물음에 답하세요.

6 앞에서 다섯째에 있는 과일의 이름을 써 보세요.

(　　　　　　)

7 뒤에서 넷째에 있는 과일의 이름을 써 보세요.

(　　　　　　)

8 다람쥐의 수를 세어 쓰고, 2가지 방법으로 읽어 보세요.

쓰기 (　　　　　　)

읽기 (　　　　　　,　　　　　　)

9 ▒ 안에 수를 쓰고 알맞은 말에 ○표 하세요.

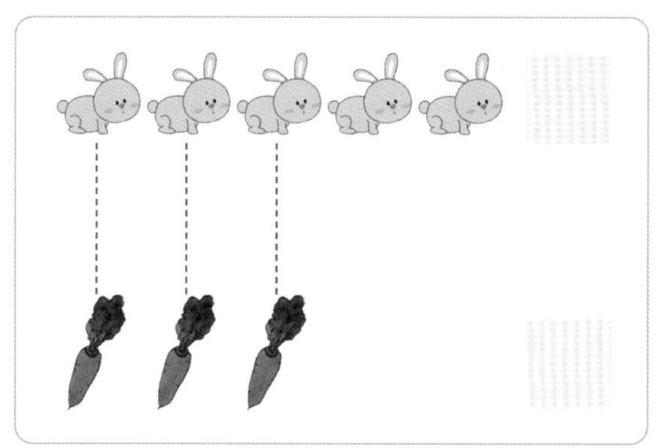

토끼는 당근보다 (많습니다 , 적습니다).

5는 3보다 (큽니다 , 작습니다).

10 강아지 수보다 1 큰 수에 ○표, 1 작은 수에 △표 하세요.

5　6　7　8　9

11 수를 순서대로 이어 그림을 완성해 보세요.

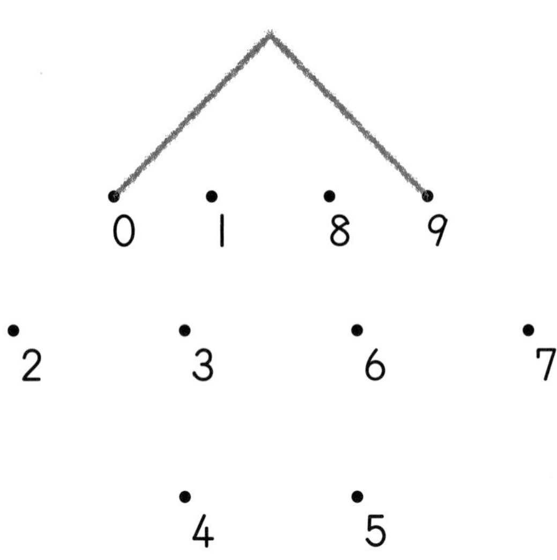

12 ▢ 안에 알맞은 수를 쓰고, 더 큰 수에 ○표 하세요.

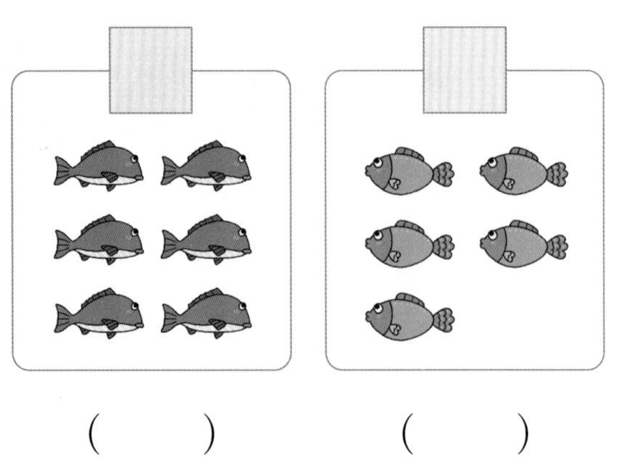

( ) ( )

13 왼쪽에서부터 알맞게 색칠해 보세요.

일곱	○○○○○○○○○
일곱째	○○○○○○○○○

14 ▢ 안에 알맞은 수를 써넣으세요.

(1) 5보다 1 큰 수는 ▢ 이고,

3보다 1 작은 수는 ▢ 입니다.

(2) 8보다 1 큰 수는 ▢ 이고,

1보다 1 작은 수는 ▢ 입니다.

15 밑줄 친 곳을 상황에 맞게 읽고 써 보세요.

민경이의 사물함 번호는 <u>**3번**</u>입니다.

( )

16 가장 큰 수에 ○표, 가장 작은 수에 △표 하세요.

9 4 6

17 그림을 보고 ☐ 안에 알맞은 수를 써넣으세요.

앞쪽에서 셋째 칸에 쓰여 있는 번호는 ☐ 번입니다.

18 그림의 수보다 1 작은 수는 얼마인지 써 보세요.

( )

19 조건에 맞는 수를 찾아 ○표 하세요.

(1) 4보다 크고 8보다 작은 수

3 6 7 8 9

(2) 6보다 크고 9보다 작은 수

4 5 6 8 9

20 주어진 조건을 모두 만족하는 책 1권을 찾아 ○표 하세요.

조건
- 위에서 둘째 칸
- 오른쪽에서 둘째

memo

논리적 사고력과 창의적 문제해결력을 키워 주는

매스티안 교재 활용법!

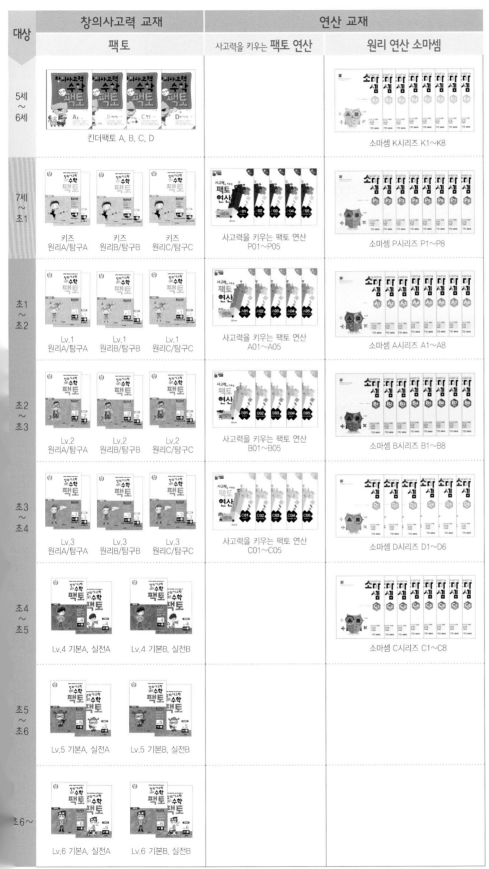

<table>
<tr><th rowspan="2">대상</th><th>창의사고력 교재</th><th colspan="2">연산 교재</th></tr>
<tr><th>팩토</th><th>사고력을 키우는 팩토 연산</th><th>원리 연산 소마셈</th></tr>
<tr><td>5세~6세</td><td>킨더팩토 A, B, C, D</td><td></td><td>소마셈 K시리즈 K1~K8</td></tr>
<tr><td>7세~초1</td><td>키즈 원리A/탐구A
키즈 원리B/탐구B
키즈 원리C/탐구C</td><td>사고력을 키우는 팩토 연산 P01~P05</td><td>소마셈 P시리즈 P1~P8</td></tr>
<tr><td>초1~초2</td><td>Lv.1 원리A/탐구A
Lv.1 원리B/탐구B
Lv.1 원리C/탐구C</td><td>사고력을 키우는 팩토 연산 A01~A05</td><td>소마셈 A시리즈 A1~A8</td></tr>
<tr><td>초2~초3</td><td>Lv.2 원리A/탐구A
Lv.2 원리B/탐구B
Lv.2 원리C/탐구C</td><td>사고력을 키우는 팩토 연산 B01~B05</td><td>소마셈 B시리즈 B1~B8</td></tr>
<tr><td>초3~초4</td><td>Lv.3 원리A/탐구A
Lv.3 원리B/탐구B
Lv.3 원리C/탐구C</td><td>사고력을 키우는 팩토 연산 C01~C05</td><td>소마셈 D시리즈 D1~D6</td></tr>
<tr><td>초4~초5</td><td>Lv.4 기본A, 실전A
Lv.4 기본B, 실전B</td><td></td><td>소마셈 C시리즈 C1~C8</td></tr>
<tr><td>초5~초6</td><td>Lv.5 기본A, 실전A
Lv.5 기본B, 실전B</td><td></td><td></td></tr>
<tr><td>초6~</td><td>Lv.6 기본A, 실전A
Lv.6 기본B, 실전B</td><td></td><td></td></tr>
</table>

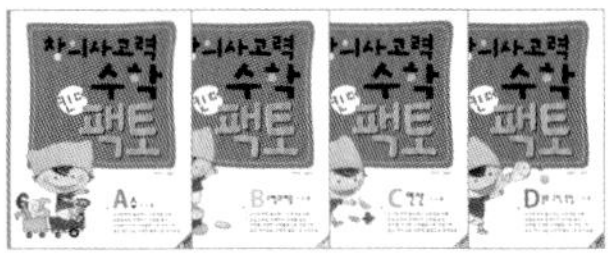

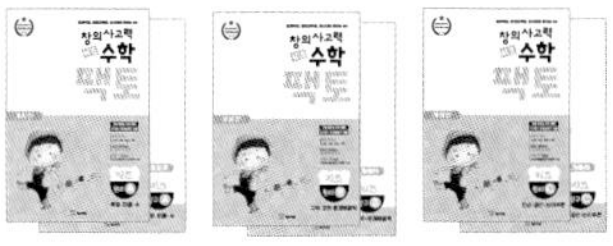

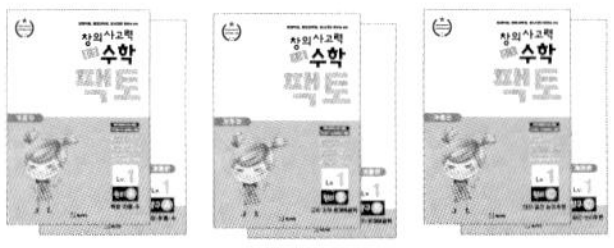

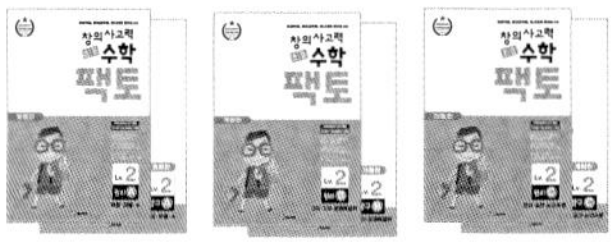

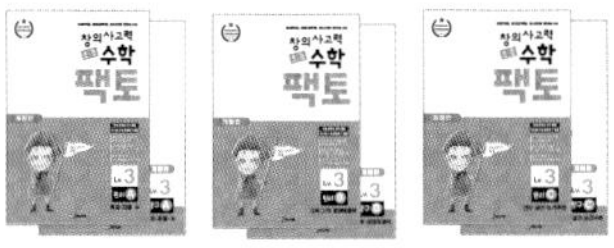

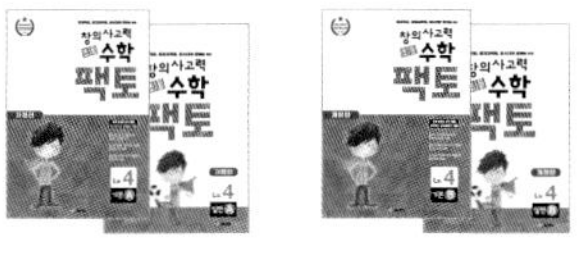

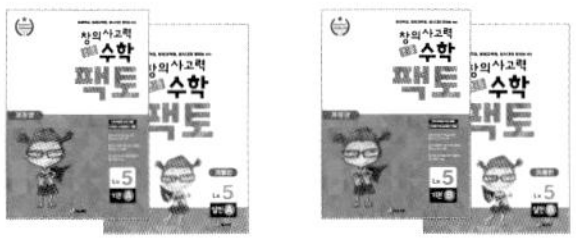

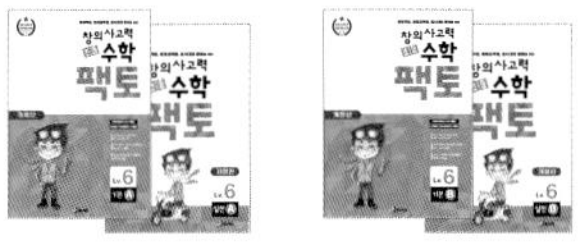

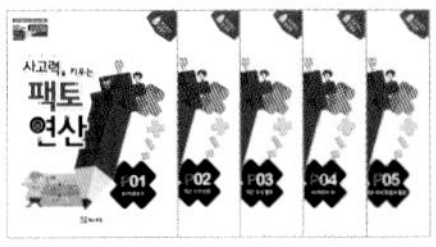

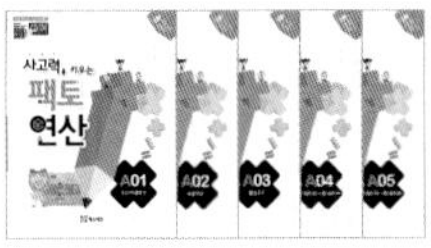

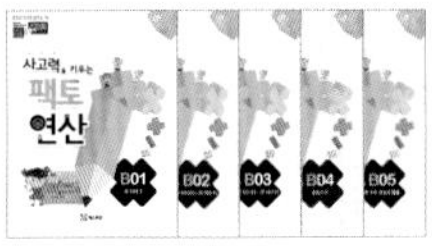

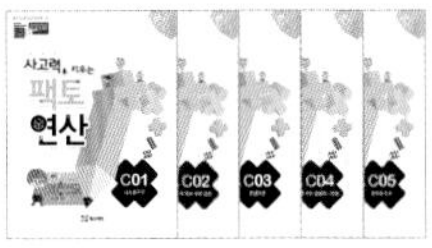

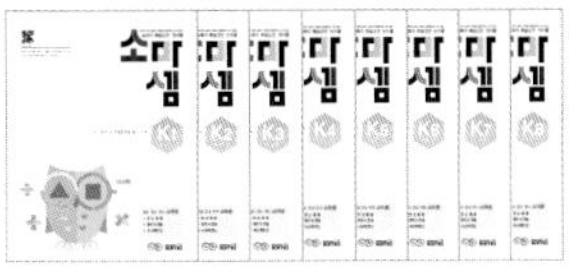

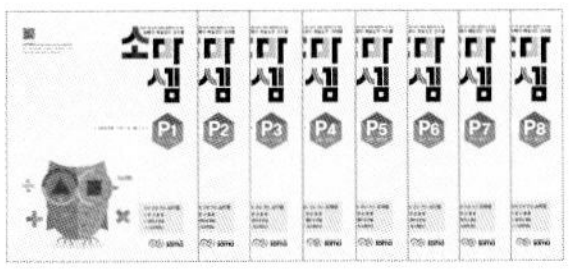

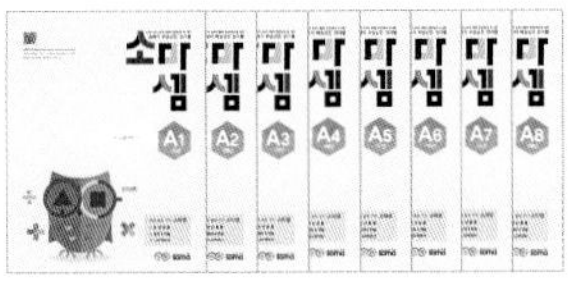

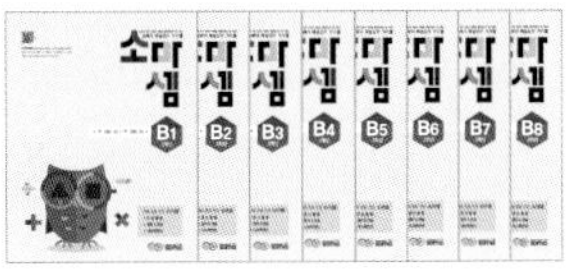

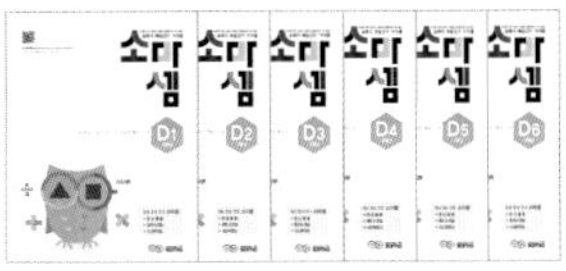

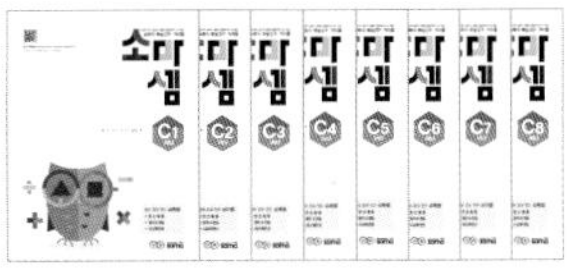

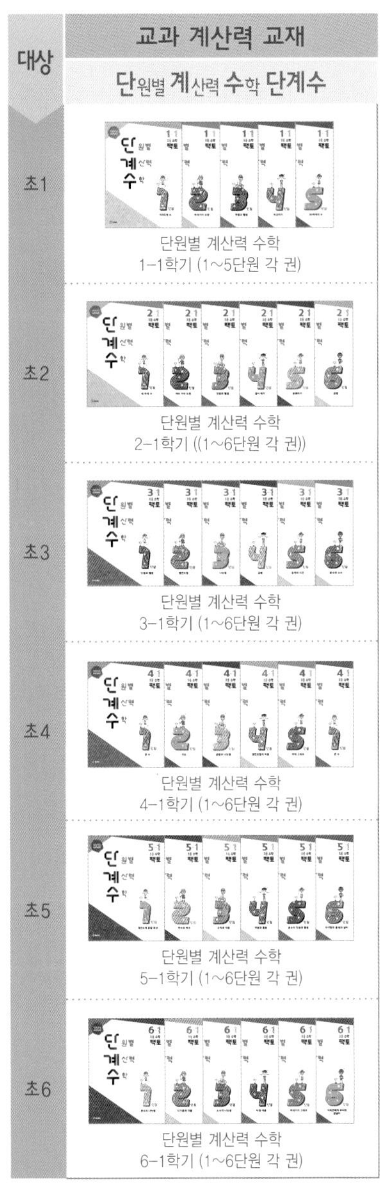

대상	교과 계산력 교재 단원별 계산력 수학 단계수
초1	단원별 계산력 수학 1-1학기 (1~5단원 각 권)
초2	단원별 계산력 수학 2-1학기 ((1~6단원 각 권))
초3	단원별 계산력 수학 3-1학기 (1~6단원 각 권)
초4	단원별 계산력 수학 4-1학기 (1~6단원 각 권)
초5	단원별 계산력 수학 5-1학기 (1~6단원 각 권)
초6	단원별 계산력 수학 6-1학기 (1~6단원 각 권)

대상	교과 수학 교재 1학기	2학기
초1	팩토 수학교과서/익힘책 1-1	팩토 수학교과서/익힘책 1-2
초2	팩토 수학교과서/익힘책 2-1	팩토 수학교과서/익힘책 2-2

단계수 학습 순서

매일 학습

단원별로 꼭 알아야 할 개념만 쏙쏙 학습하고 다양한 연산 문제를 통해 연산 과정을 숙달하여 계산력을 쑥쑥 키울 수 있습니다.

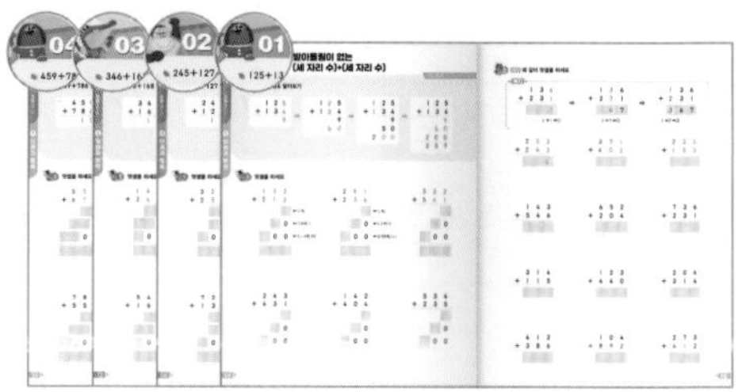

도전! 응용문제

응용 문제와 **서술형** 문제를 통해 사고력과 문제해결력을 기를 수 있습니다.

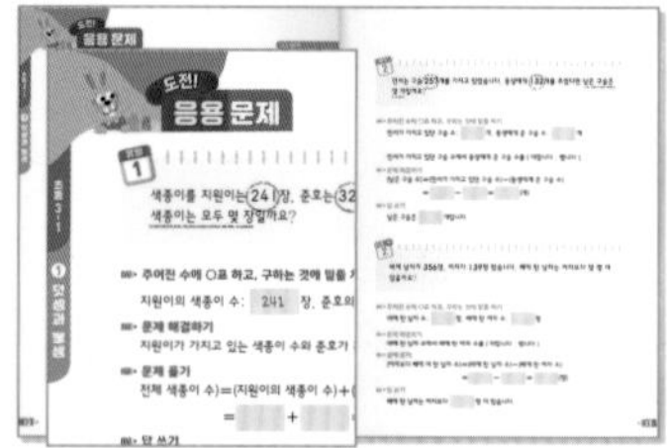

형성 평가

단원의 **복습 단계**로 문제를 풀면서 학습한 내용을 다시 한 번 확인할 수 있습니다.

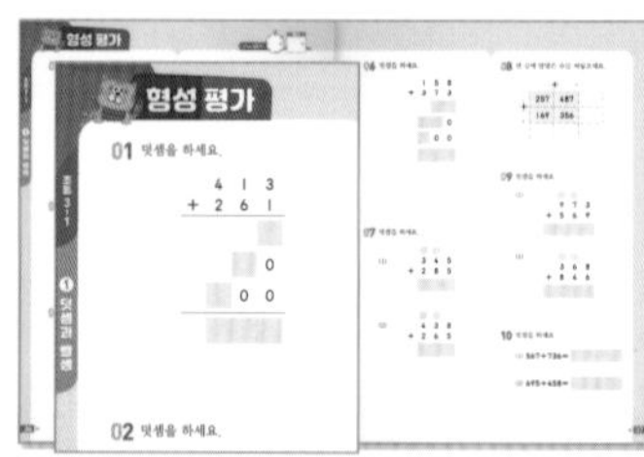

단원 평가

단원의 **마무리 학습**으로 학교 시험에 자주 나오는 문제를 통해 수시 평가 등 학교 시험에 대비할 수 있습니다.

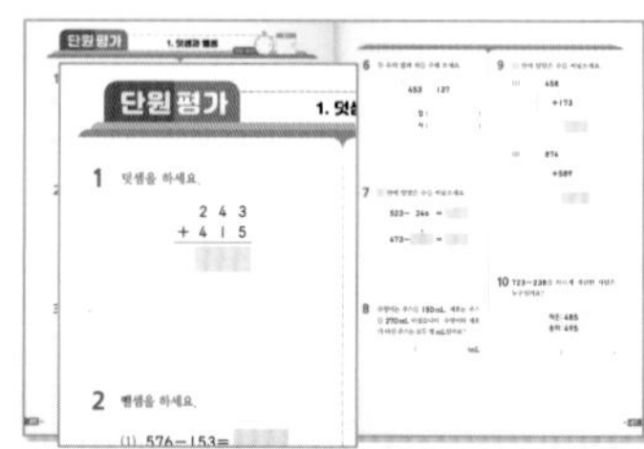

자율안전확인신고필증번호 : B361H200-4001
1.주소 : 06153 서울특별시 강남구 봉은사로 442 (삼성동)
2.문의전화 : 1588-6066
3.제조국 : 대한민국
4.사용연령 : 8세 이상
※ KC마크는 이 제품이 공통안전기준에 적합하였음을 의미합니다.

⚠ 주의

종이, 모서리에 다칠 수 있으니 주의하세요!

초등학교	반	번
이름		

ACTO
chool

단원별 계산력 수학

1-1

초등 **수학**

팩토

2 단원

여러 가지 모양

매스티안

팩토는 자유롭게 자신감있게 창의적으로 생각하는 주니어수학자입니다.

단원별 계산력 수학

펴낸 곳 (주)타임교육C&P **펴낸이** 이길호 **지은이** 매스티안R&D센터
주소 06153 서울특별시 강남구 봉은사로 442(삼성동) **문의전화** 1588.6066
팩토카페 http://cafe.naver.com/factos **홈페이지** http://www.mathtian.com

※ 정답과 풀이는 온라인 팩토카페(http://cafe.naver.com/factos)를 통해서도 확인할 수 있습니다.

JW210

FACTO school

1-1

초등 수학 팩토

단원별 계산력 수학

2단원

여러 가지 모양

매스티안

2. 여러 가지 모양

· □, □, ○ 모양
· □, □, ○ 모양으로 만들기

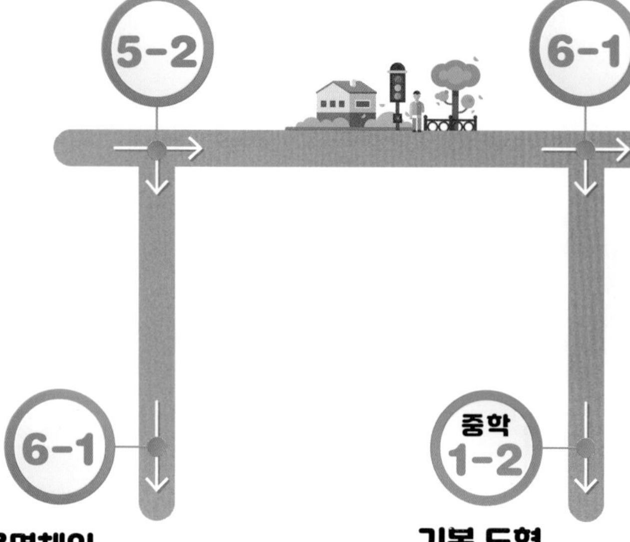

5. 직육면체
· 직육면체와 정육면체
· 직육면체의 겨냥도와 전개도

2. 각기둥과 각뿔
· 각기둥과 각뿔
· 각기둥의 전개도

6-1

6. 직육면체의 부피와 겉넓이
· 부피 비교하기
· 직육면체의 부피
· 직육면체의 겉넓이

중학 1-2

기본 도형

2 여러 가지 모양

Teaching Guide

• 아이들이 일상생활에서 자주 접하는 도형은 입체도형입니다. 공이나 블록, 여러 가지 학용품, 생활용품에 이르기까지 입체도형 모양의 물건들이 많습니다. 아이들은 이러한 사물들을 탐구하면서 도형에 대한 기초적인 개념이나 관계, 직관적 통찰력을 기르게 됩니다.

• 1학년에서는 입체도형을 다룰 때, 직육면체, 원기둥, 구와 같은 이름을 사용하지 않습니다. □, □, ○ 모양의 특징을 직관적으로 파악하여 아이들이 직접 이름을 붙이도록 합니다. 그래서 교과서에는 미리 이름을 정하지 않았습니다. 학교에서 정한 이름을 물어보고, 그것을 활용하여 부르도록 합니다.

6. 원기둥, 원뿔, 구

· 원기둥, 원뿔, 구
· 원기둥의 전개도

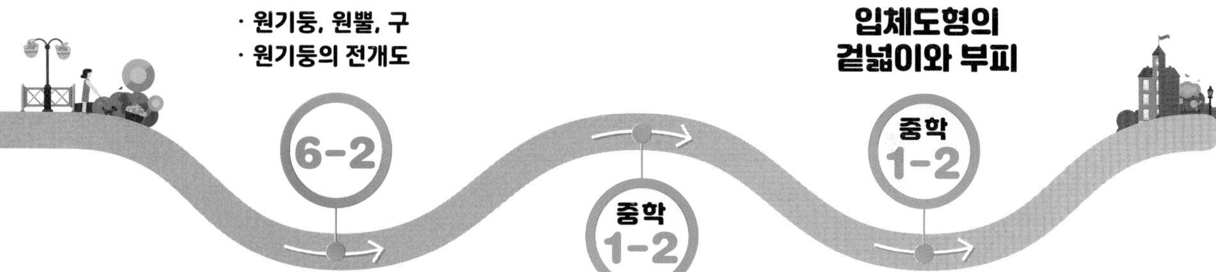

다면체와 회전체

3. 공간과 입체

· 쌓은 모양과 쌓기나무의 개수
· 쌓기나무로 여러 가지 모양 만들기

공부한 날짜

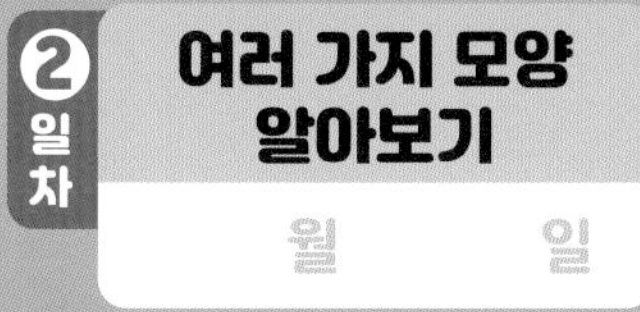

4 일차 응용 문제
월 일

6 일차 단원 평가
월 일

01 여러 가지 모양 찾아보기

정답 11쪽

1 모아 놓은 모양을 찾아 ○표 하세요.

보기

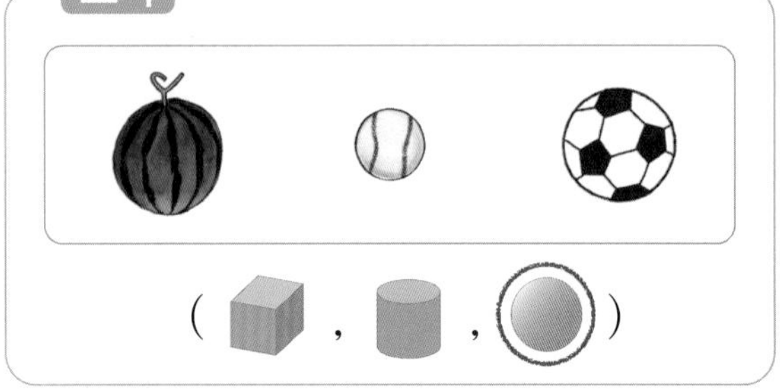

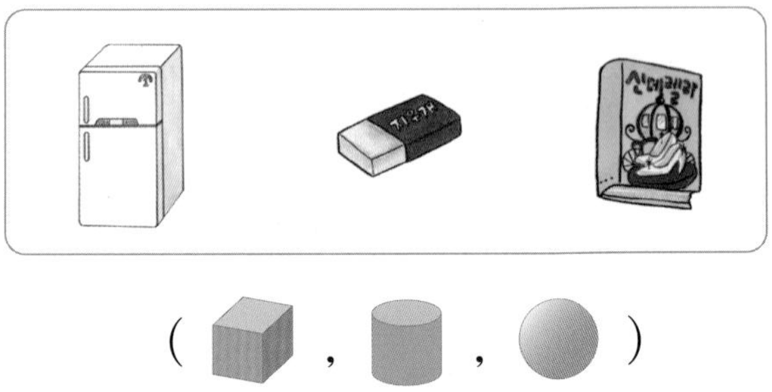

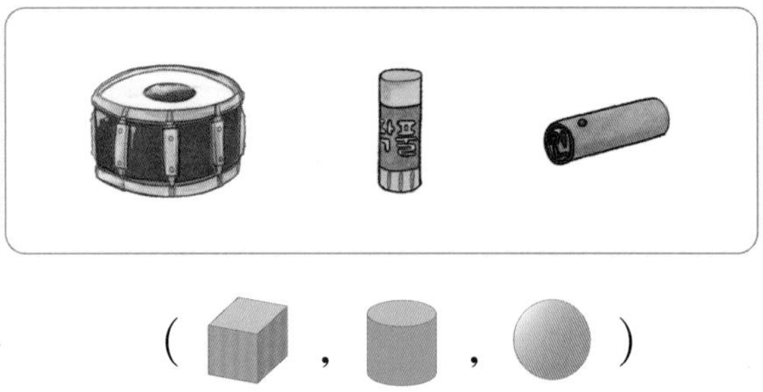

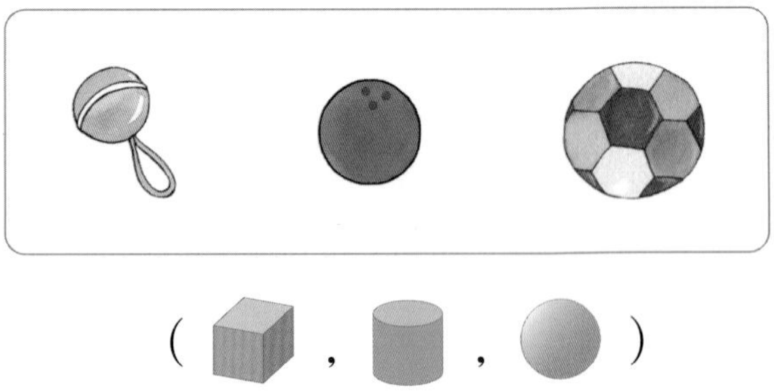

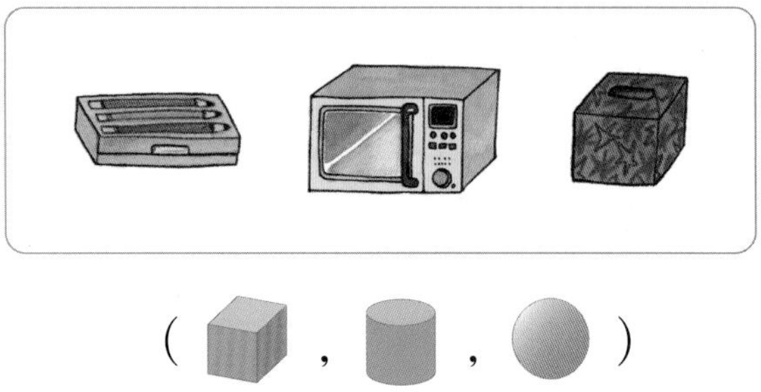

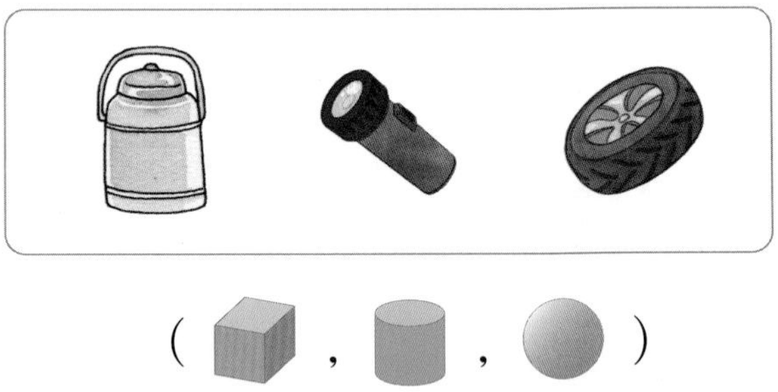

(, ,)

(, ,)

(, ,)

(, ,)

(, ,)

(, ,)

2 주어진 모양과 같은 모양을 모두 찾아 ○표 하세요.

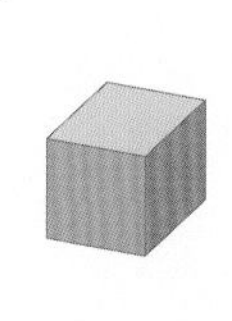

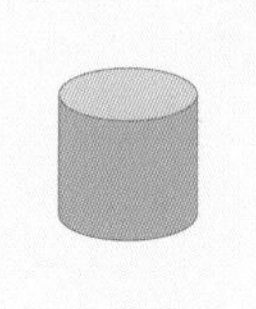

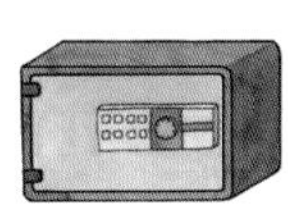

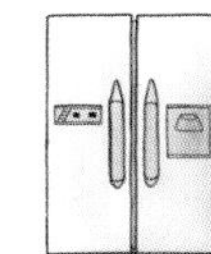

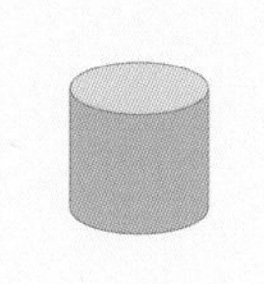
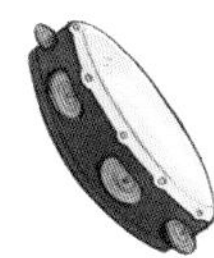
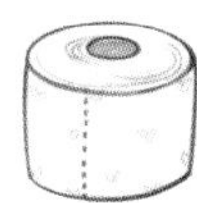

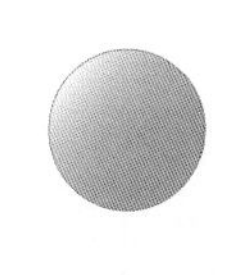

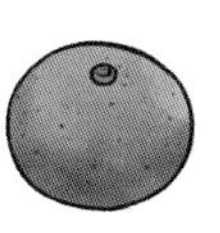

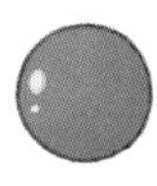

3 모양이 다른 하나를 찾아 ╳표 하세요.

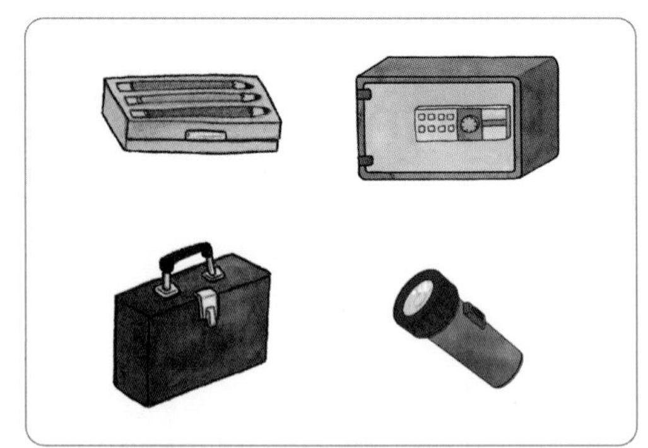

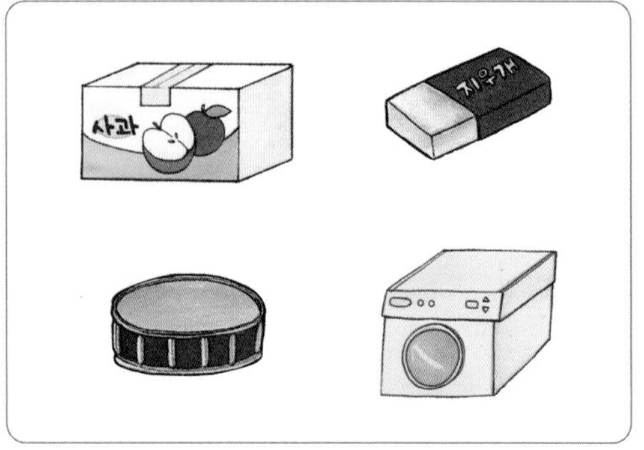

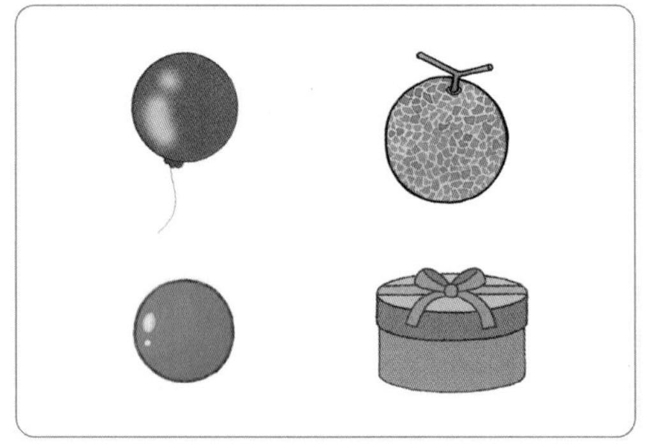

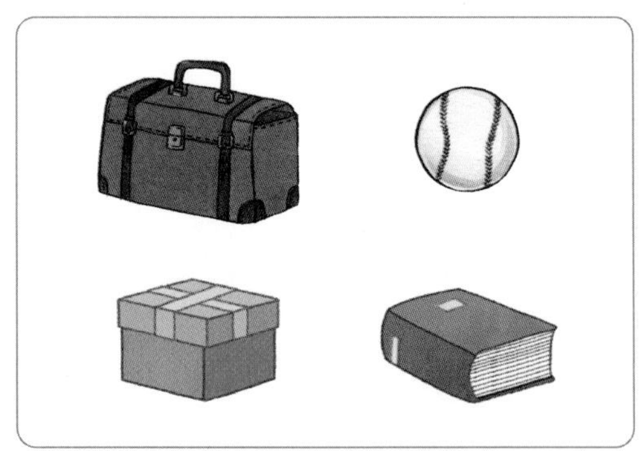

4 각 모양의 수를 세어 써 보세요.

: 개 : 개 : 개

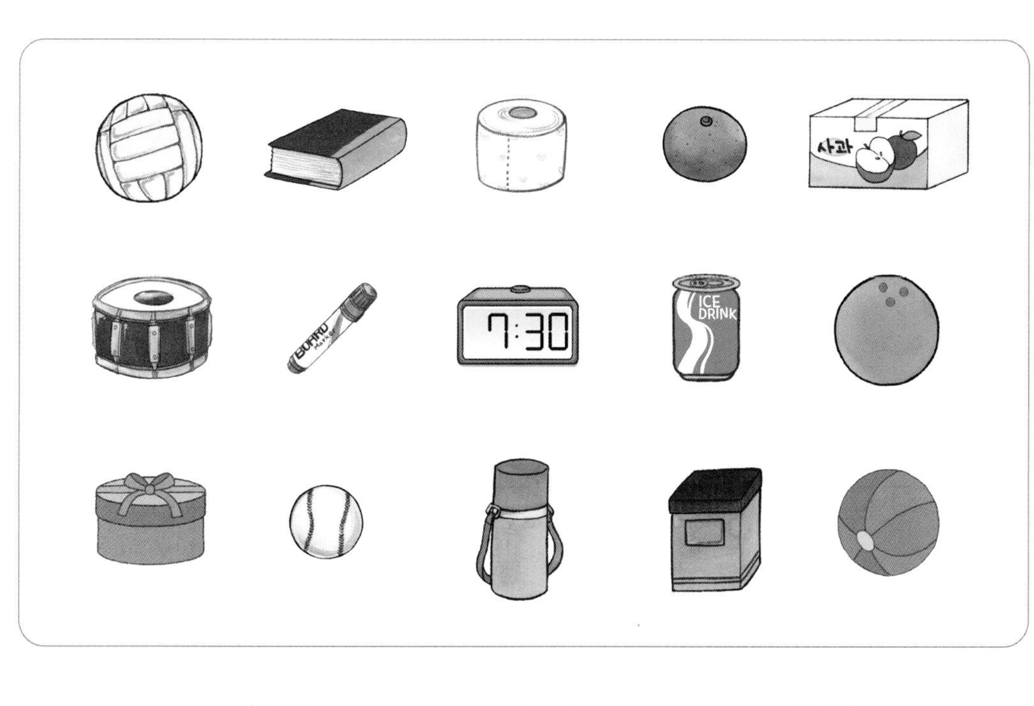

: 개 : 개 : 개

02 여러 가지 모양 알아보기

정답 12쪽

모양 알아보기

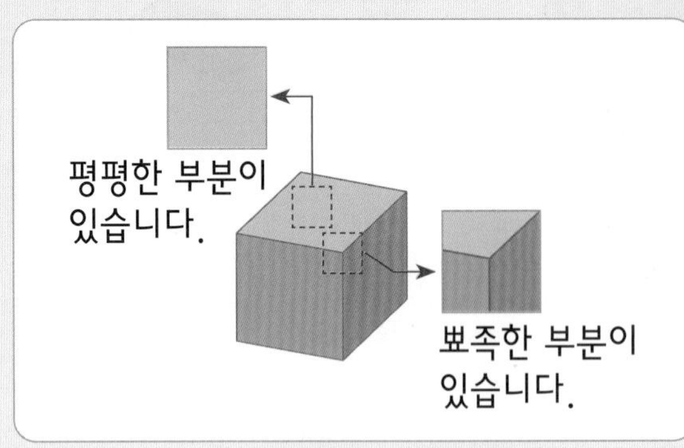

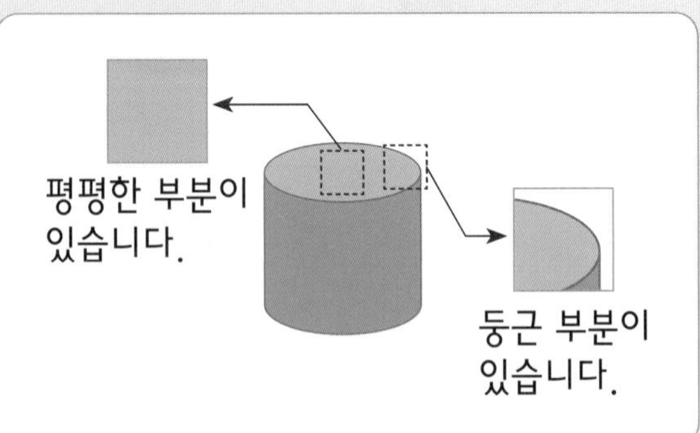

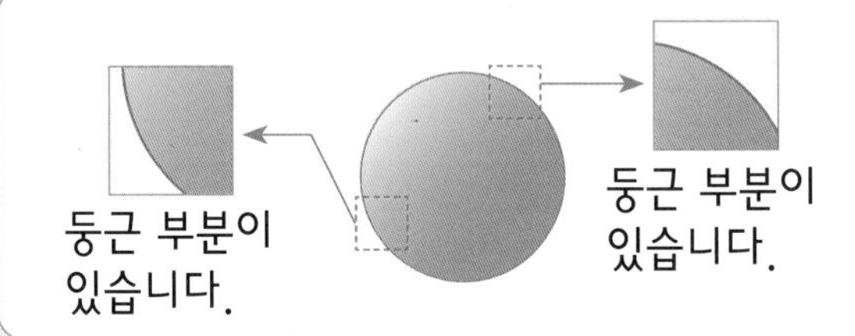

1 알맞은 말에 ◯표 하세요.

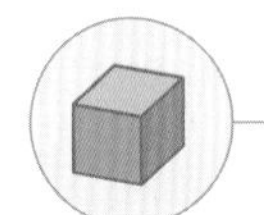
평평한 부분이 있습니다. ➡ (잘 쌓을 수 있어요 , 잘 쌓을 수 없어요).

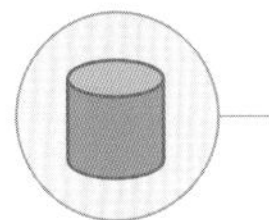
평평한 부분이 있습니다. ➡ (잘 쌓을 수 있어요 , 잘 쌓을 수 없어요).

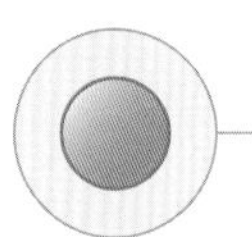
평평한 부분이 없습니다. ➡ (쌓을 수 있어요 , 쌓을 수 없어요).

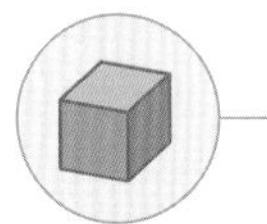
둥근 부분이 없습니다. ➡ (잘 굴러가요 , 잘 굴러가지 않아요).

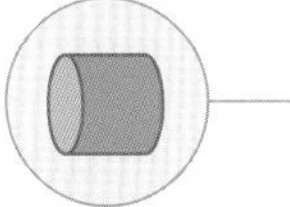
둥근 부분이 있습니다. ➡ (잘 굴러가요 , 잘 굴러가지 않아요).

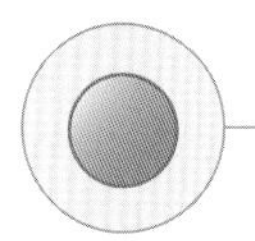
둥근 부분이 있습니다. ➡ (잘 굴러가요 , 잘 굴러가지 않아요).

2 일부분만 보이는 모양을 보고 알맞은 것을 모두 찾아 ◯표 하세요.

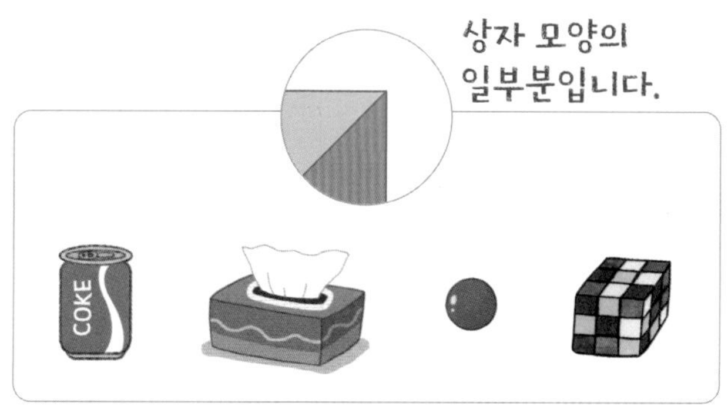

상자 모양의 일부분입니다.
COKE

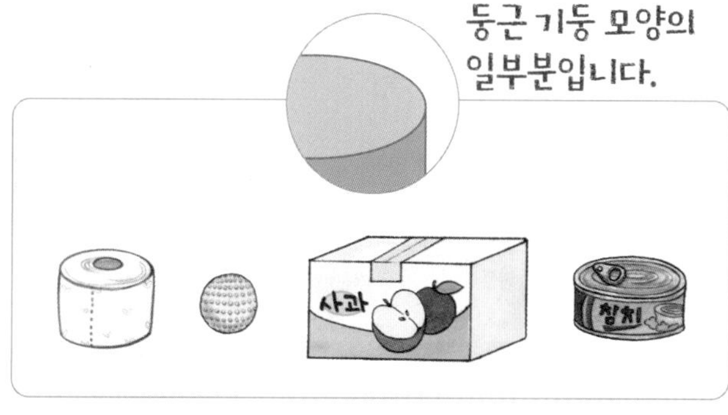

둥근 기둥 모양의 일부분입니다.
사과
참치

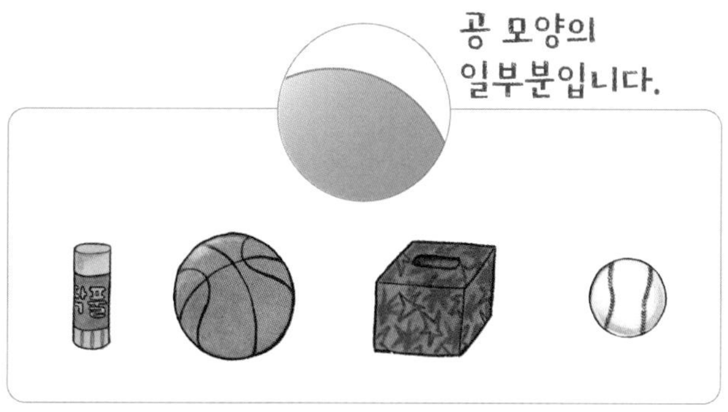

공 모양의 일부분입니다.
딱풀

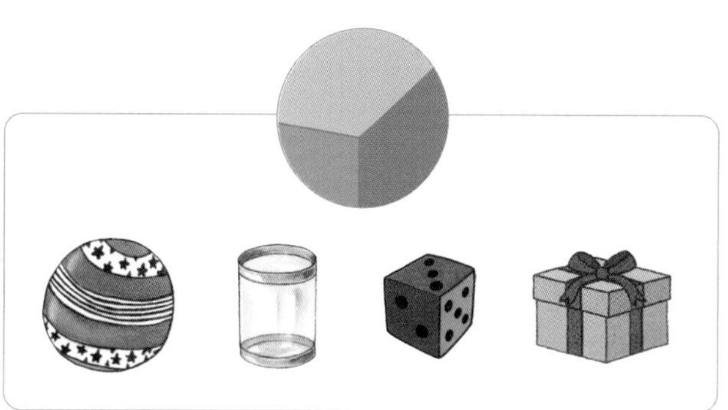

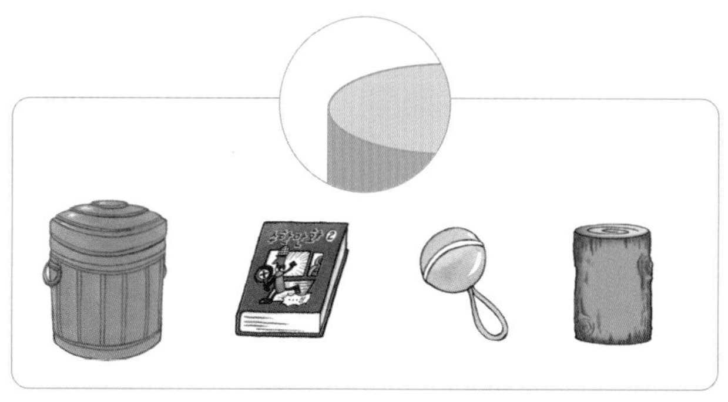

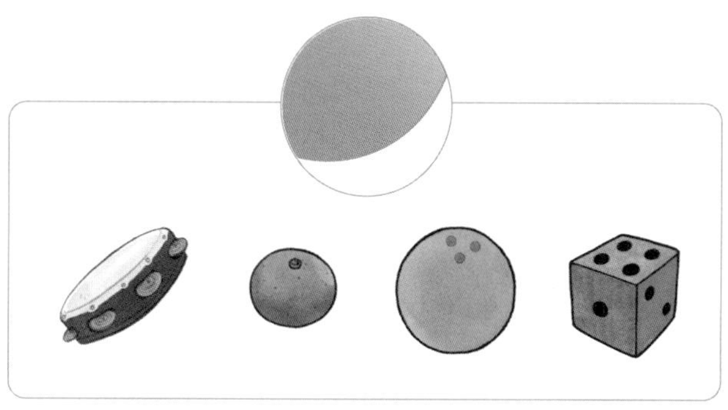

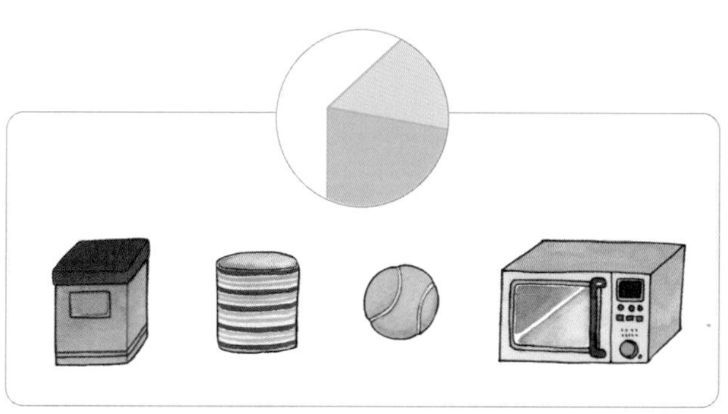

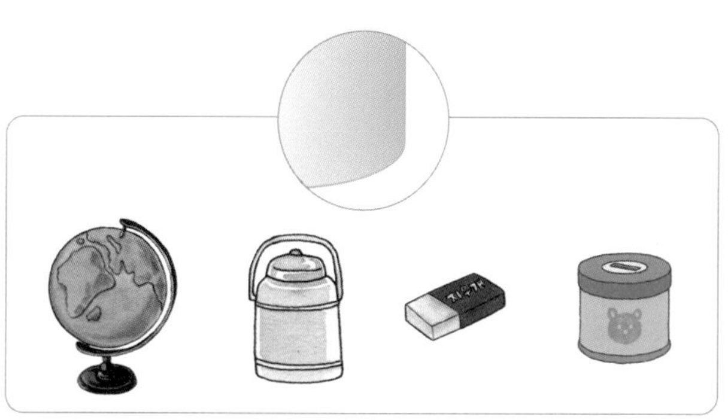

3 설명에 맞는 모양을 차례로 하나씩 찾아 ○표 하세요.

잘 굴러가지 않습니다.

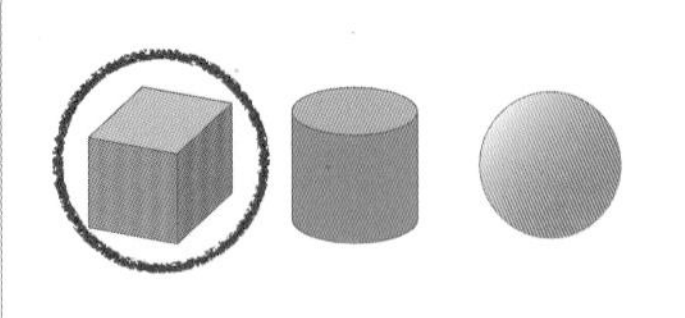

한 방향으로만 잘 굴러갑니다.

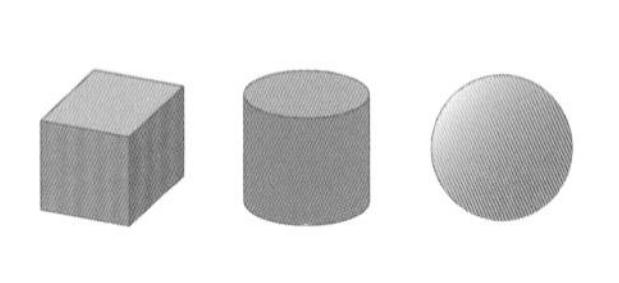

어느 방향으로도 잘 굴러갑니다.

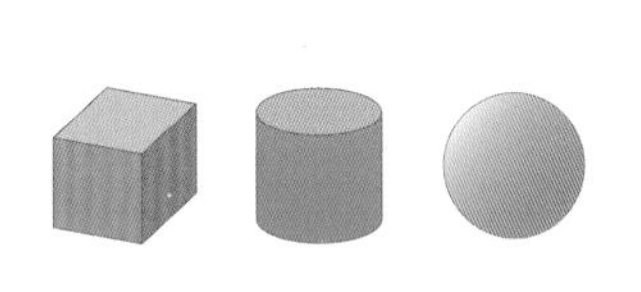

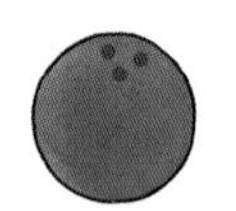

쌓을 수 없습니다.

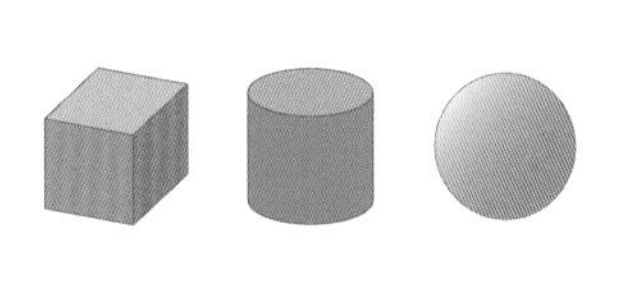

한 방향으로만 잘 쌓을 수 있습니다.

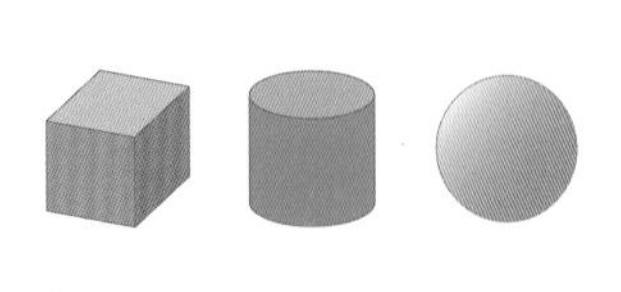

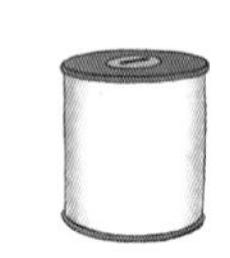

어느 방향으로도 잘 쌓을 수 있습니다.

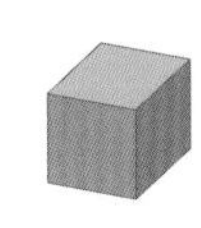

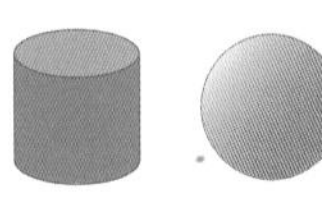

4 알맞은 모양을 모두 찾아 ◯표 하세요.

평평한 부분이 6개입니다. → 상자 모양

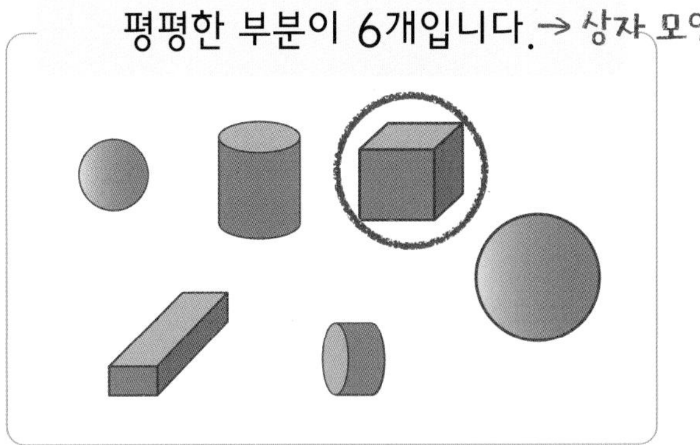

쌓을 수 있습니다.

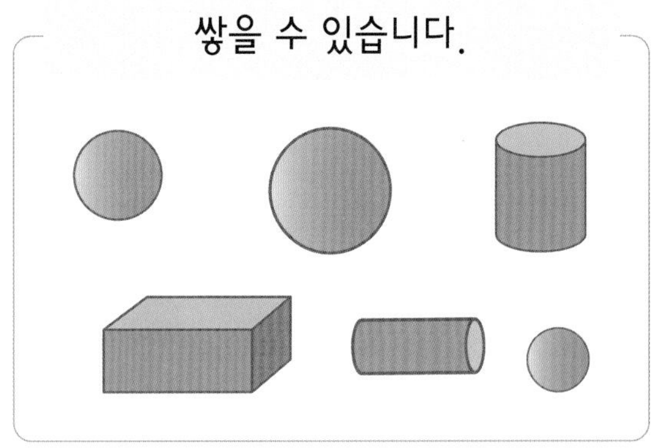

어느 방향으로도 잘 쌓을 수 있습니다.

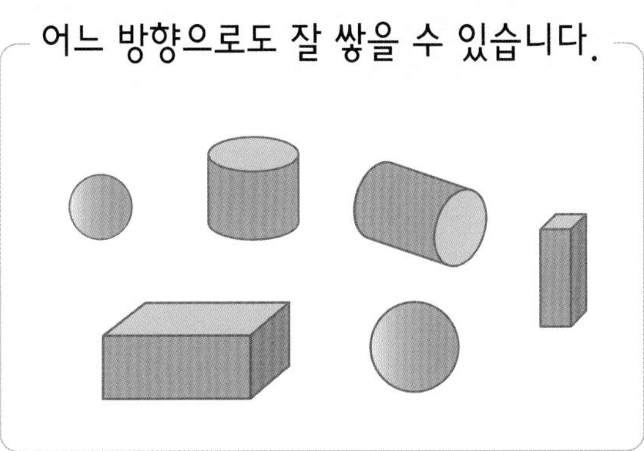

어느 방향으로도 잘 굴러갑니다.

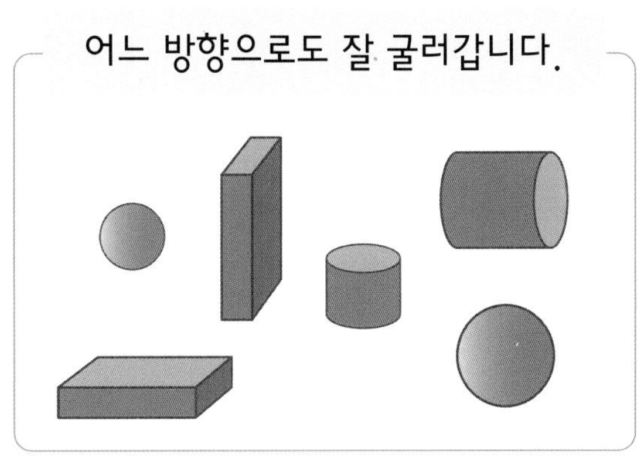

뾰족한 부분이 있습니다.

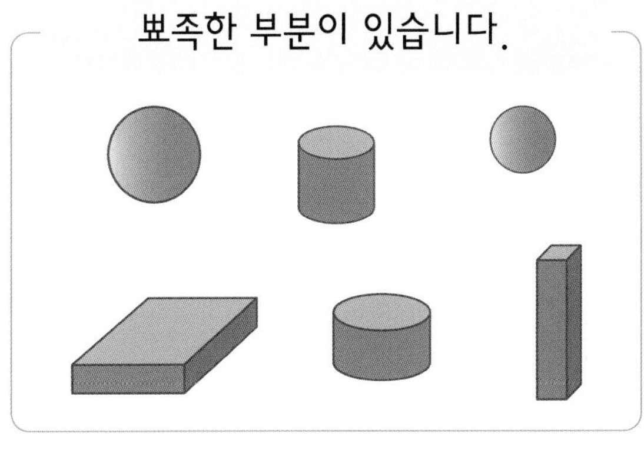

쌓을 수 없습니다.

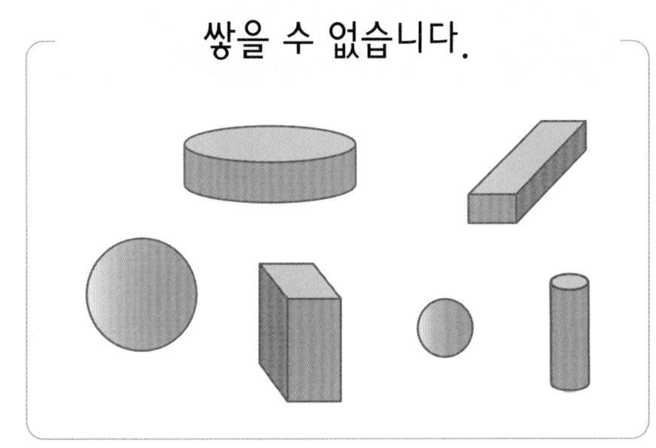

한 방향으로 잘 굴러갑니다.

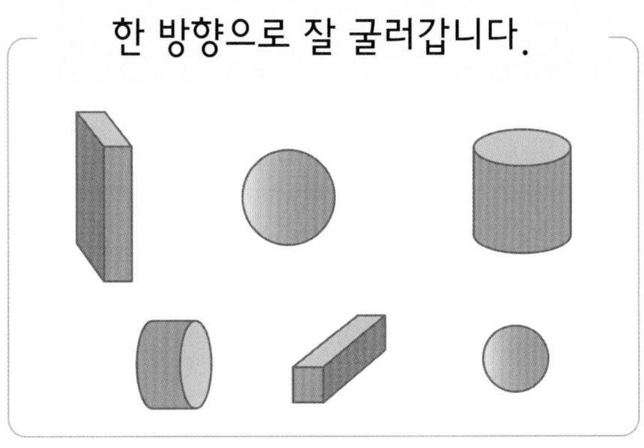

잘 굴러가지 않습니다.

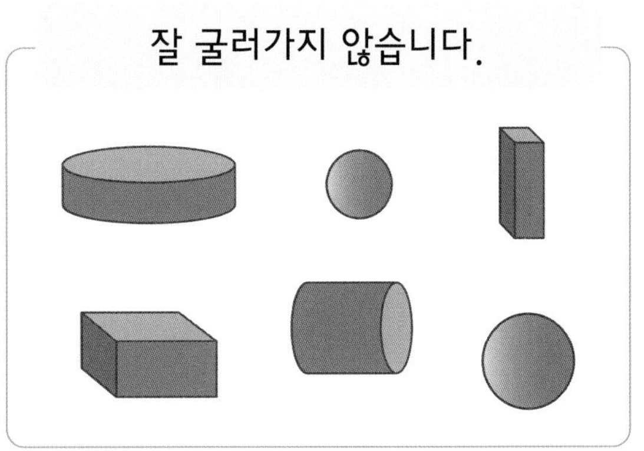

03 여러 가지 모양 만들기

정답 13쪽

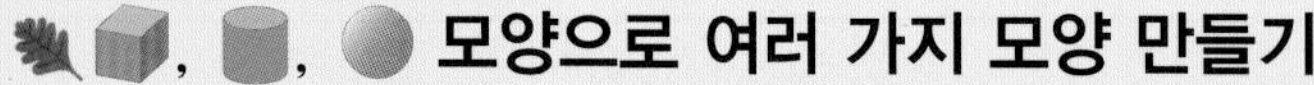

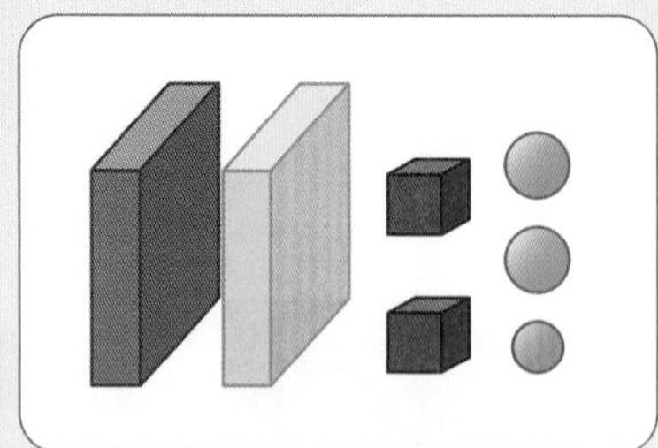

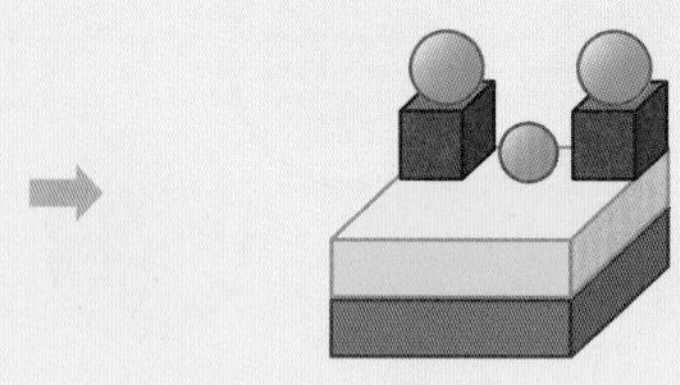

1 모양이 다른 하나를 찾아 ╳표 하세요.

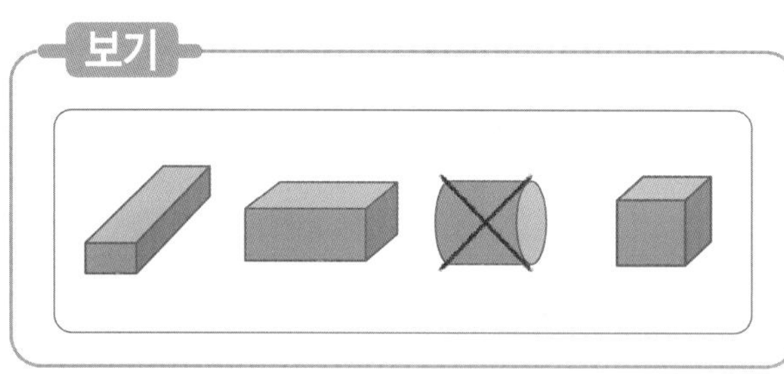

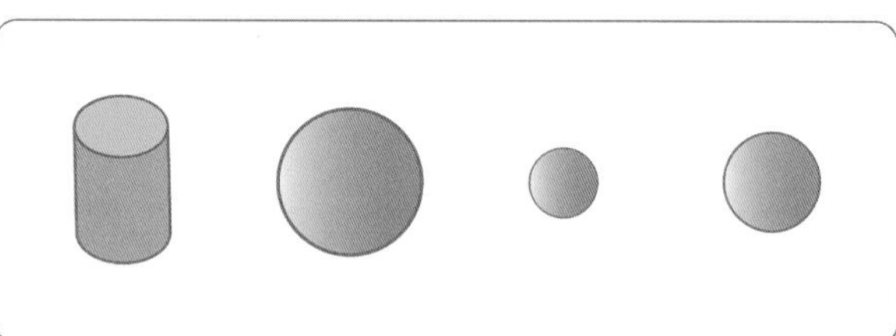

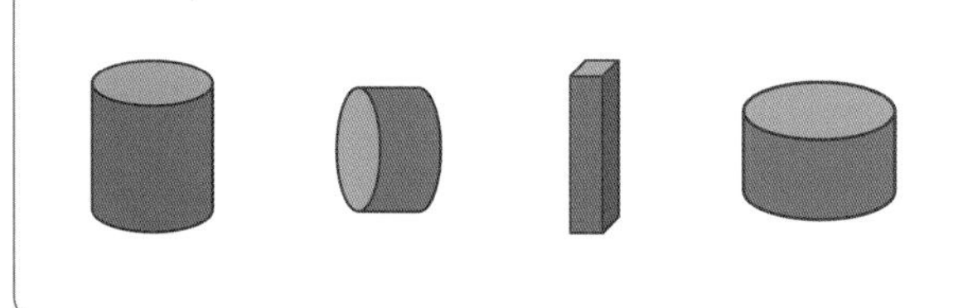

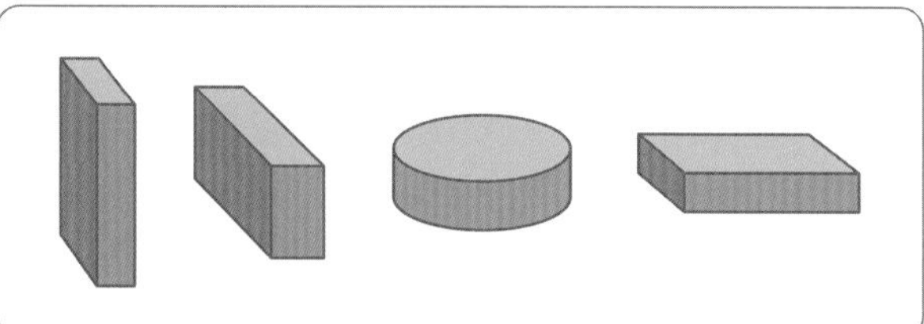

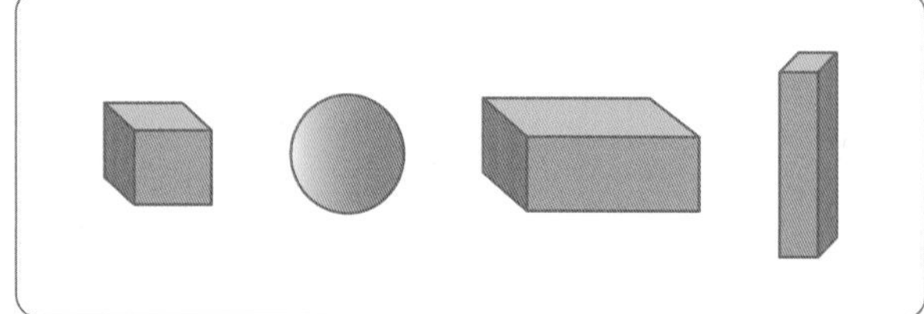

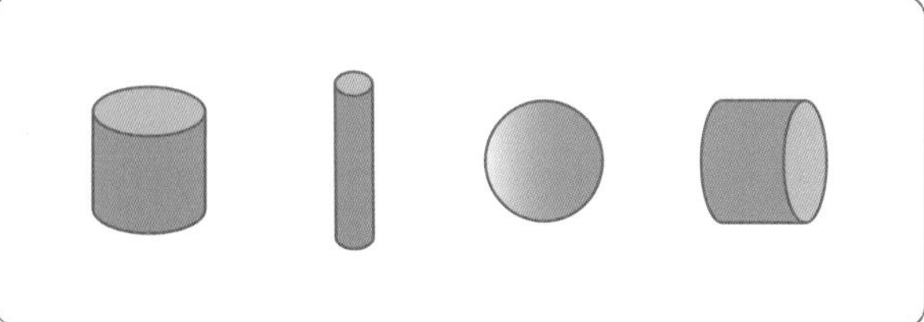

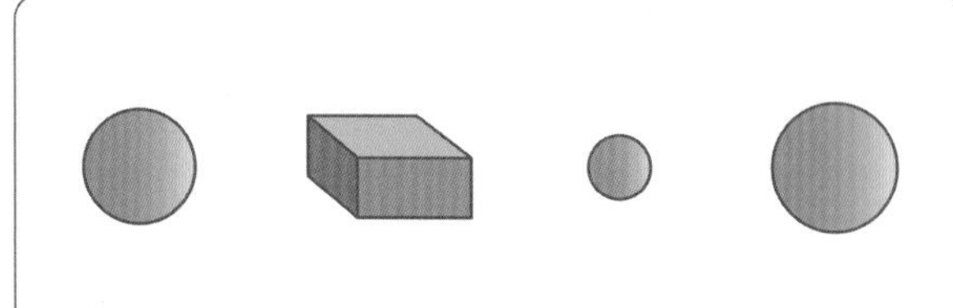

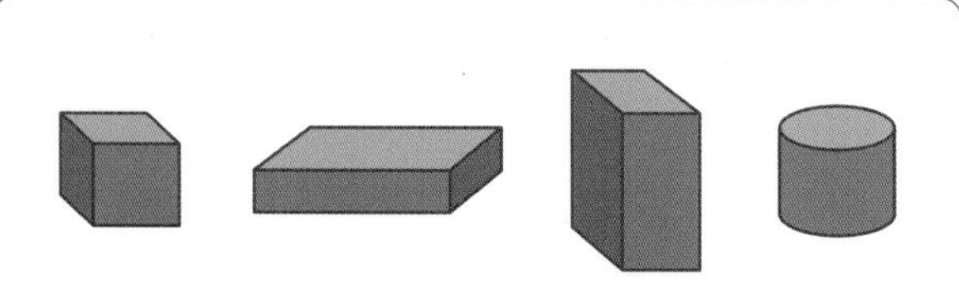

2 사용한 모양의 개수를 세어 ▢ 안에 써넣으세요.

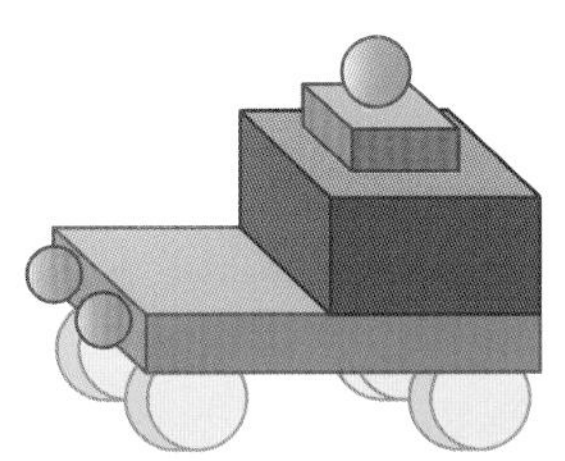

모양	개수
	▢ 개
	▢ 개
	▢ 개

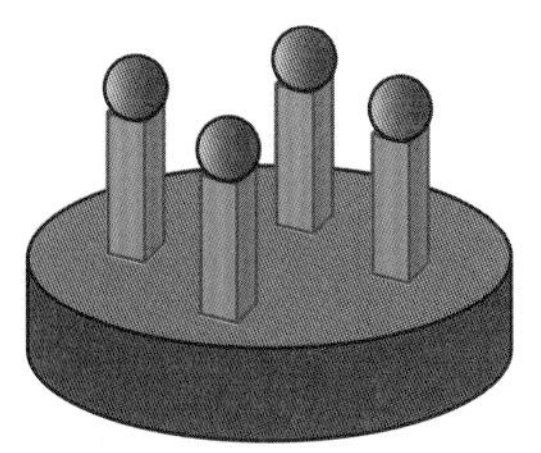

모양	개수
	▢ 개
	▢ 개
	▢ 개

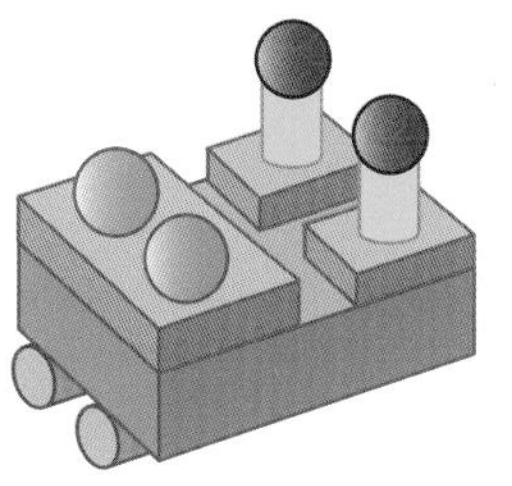

모양	개수
	▢ 개
	▢ 개
	▢ 개

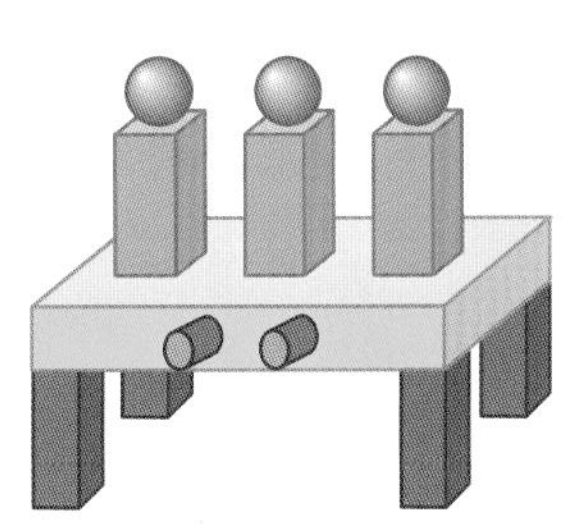

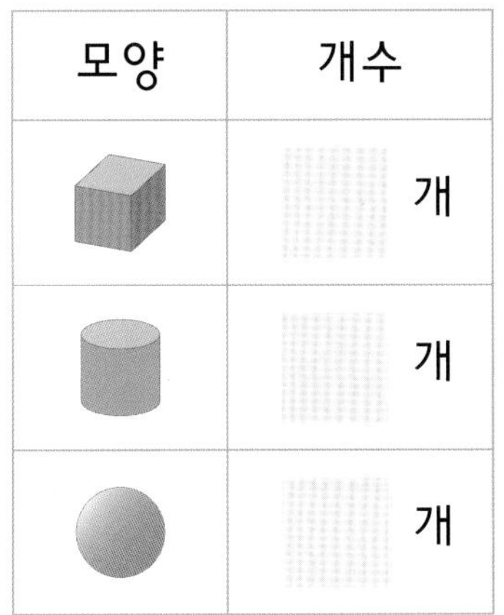

모양	개수
	▢ 개
	▢ 개
	▢ 개

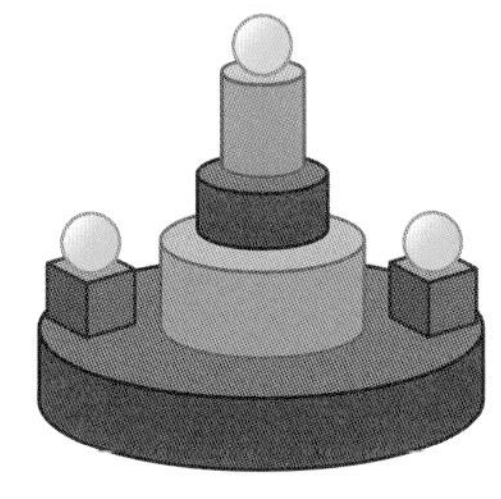

모양	개수
	▢ 개
	▢ 개
	▢ 개

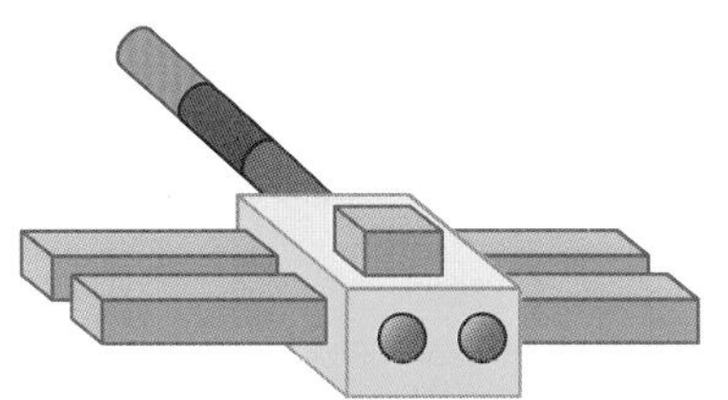

모양	개수
	▢ 개
	▢ 개
	▢ 개

◯ 안의 모양을 더 많이 사용한 것을 찾아 ◯표 하세요.

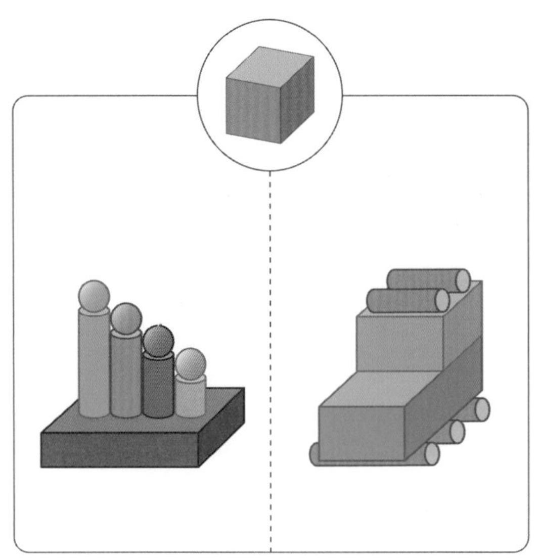

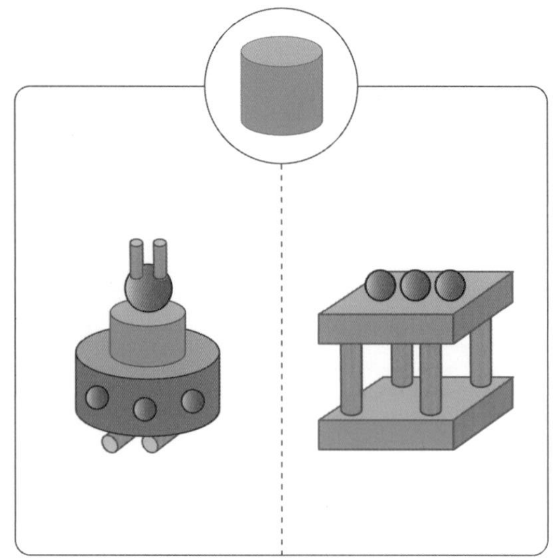

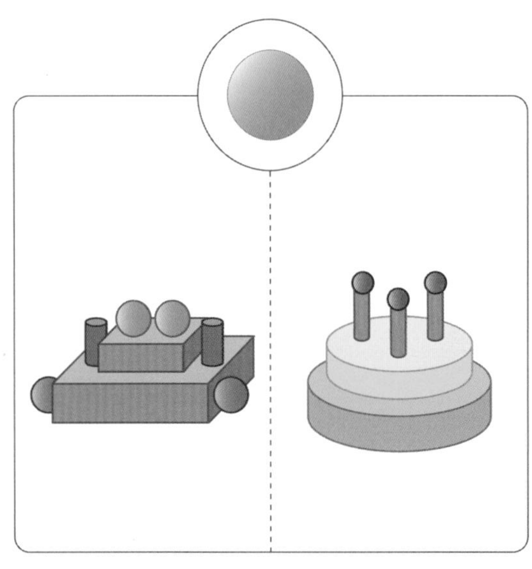

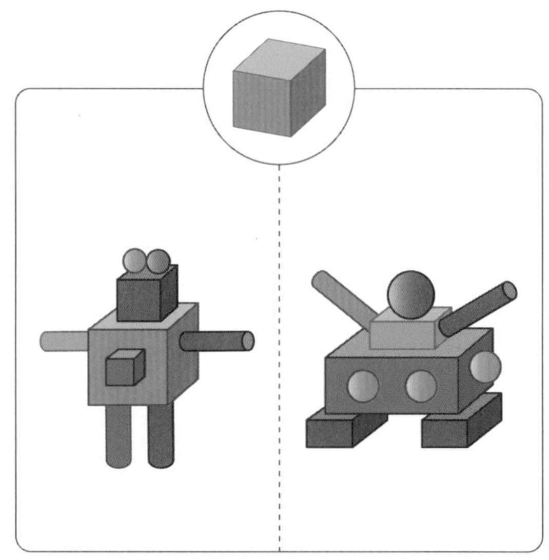

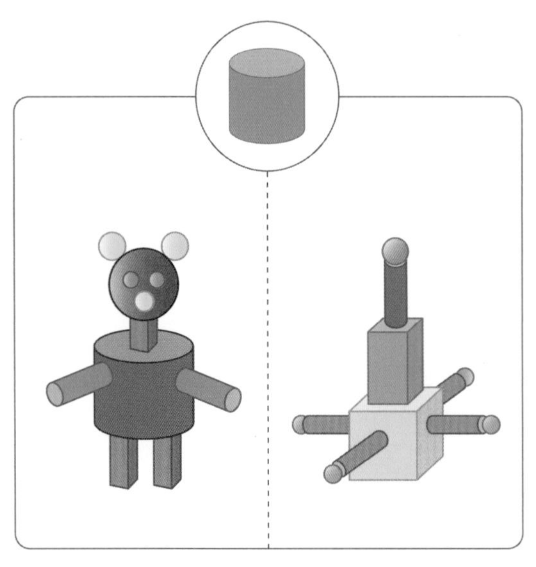

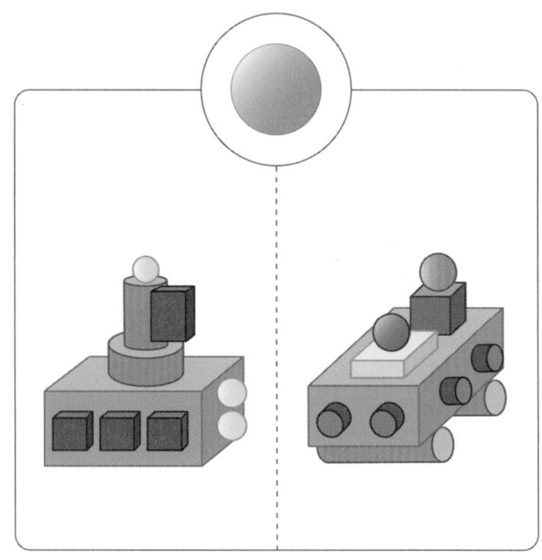

4 주어진 모양을 모두 사용하여 만든 모양을 찾아 이어 보세요.

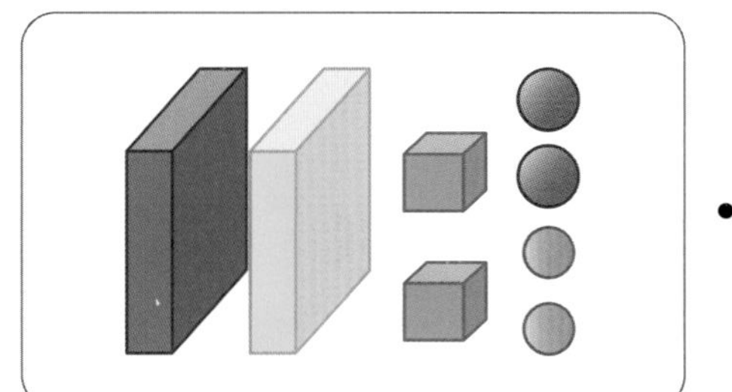 • • 

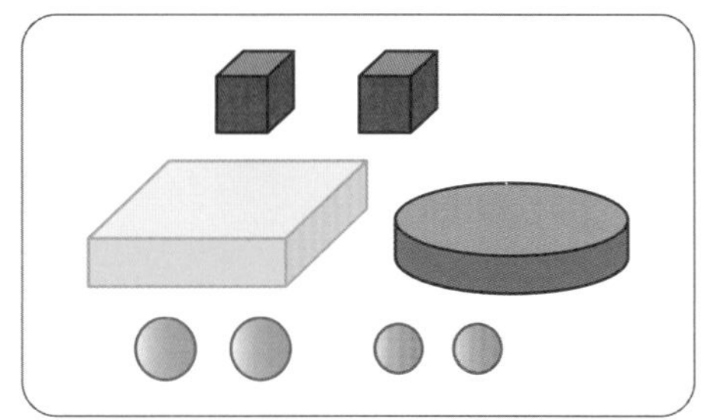 • • 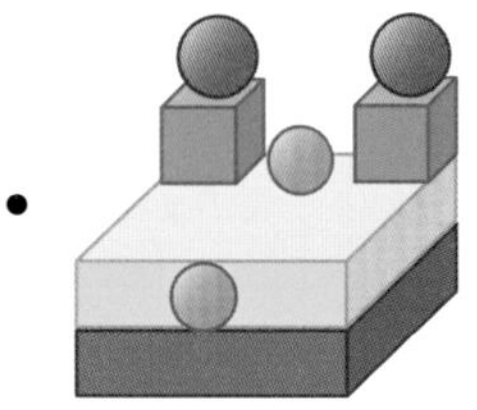

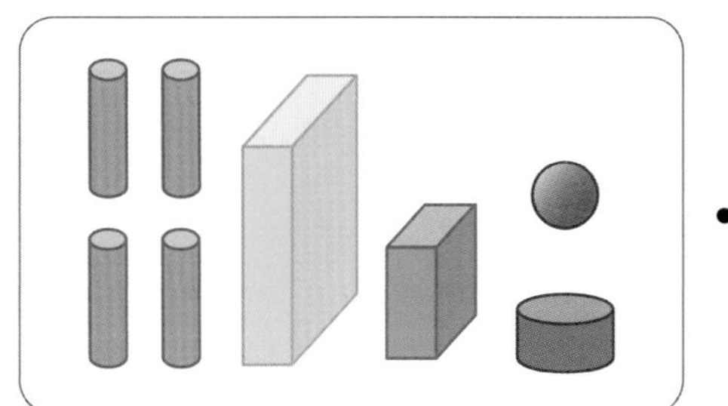 • • 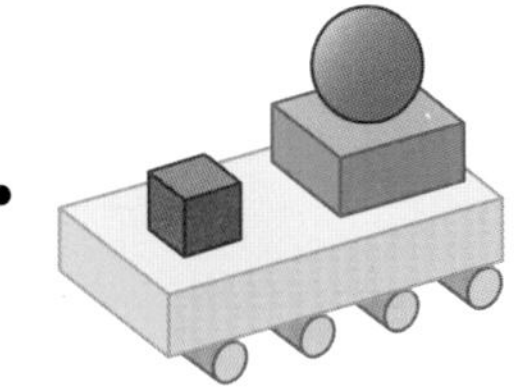

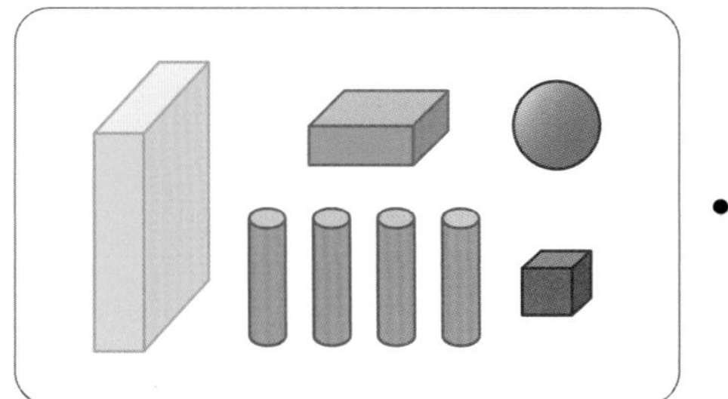 • • 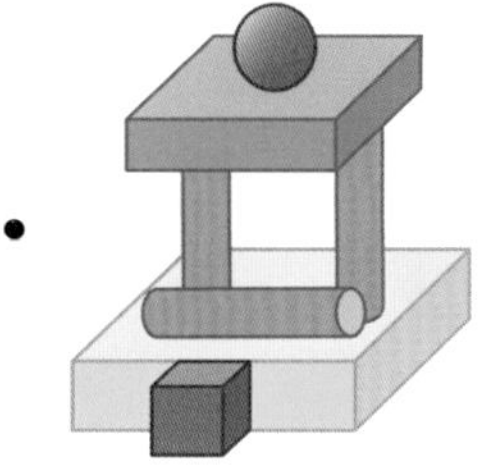

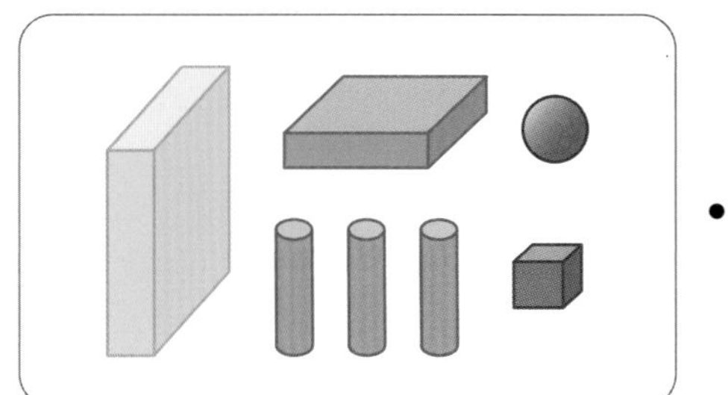 • • 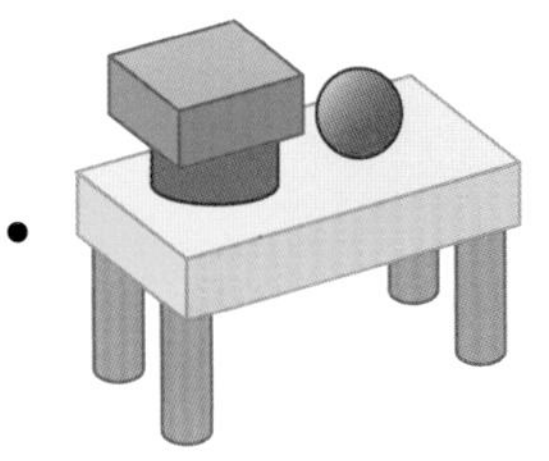

정답 14쪽

규칙 찾기

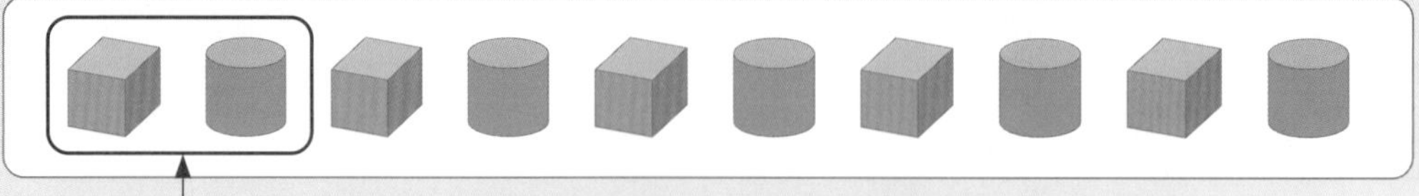

모양이 규칙적으로 반복됩니다. (마디)

모양이나 글자가 규칙적으로 나타나는 것을 **패턴**이라고 합니다.

응용 1 규칙적으로 반복되는 마디를 찾아 점선 위에 선을 그어 보세요.

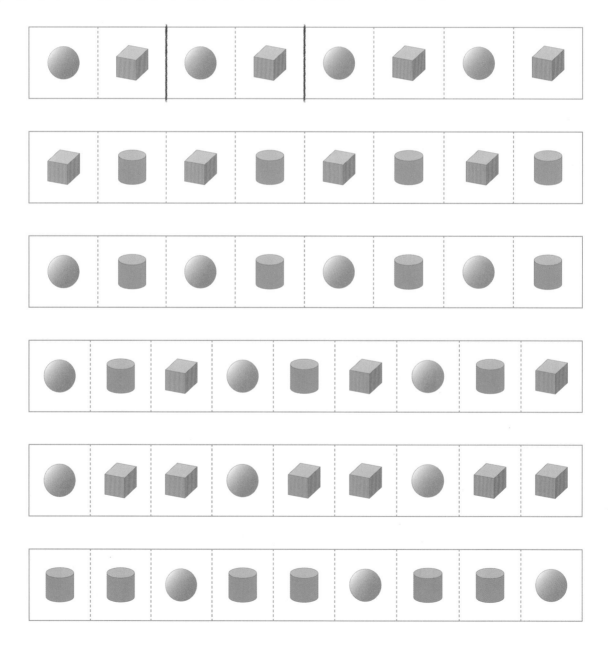

용 2 규칙적으로 반복되는 마디를 찾아 ?에 들어갈 알맞은 모양에 ○표 하세요.

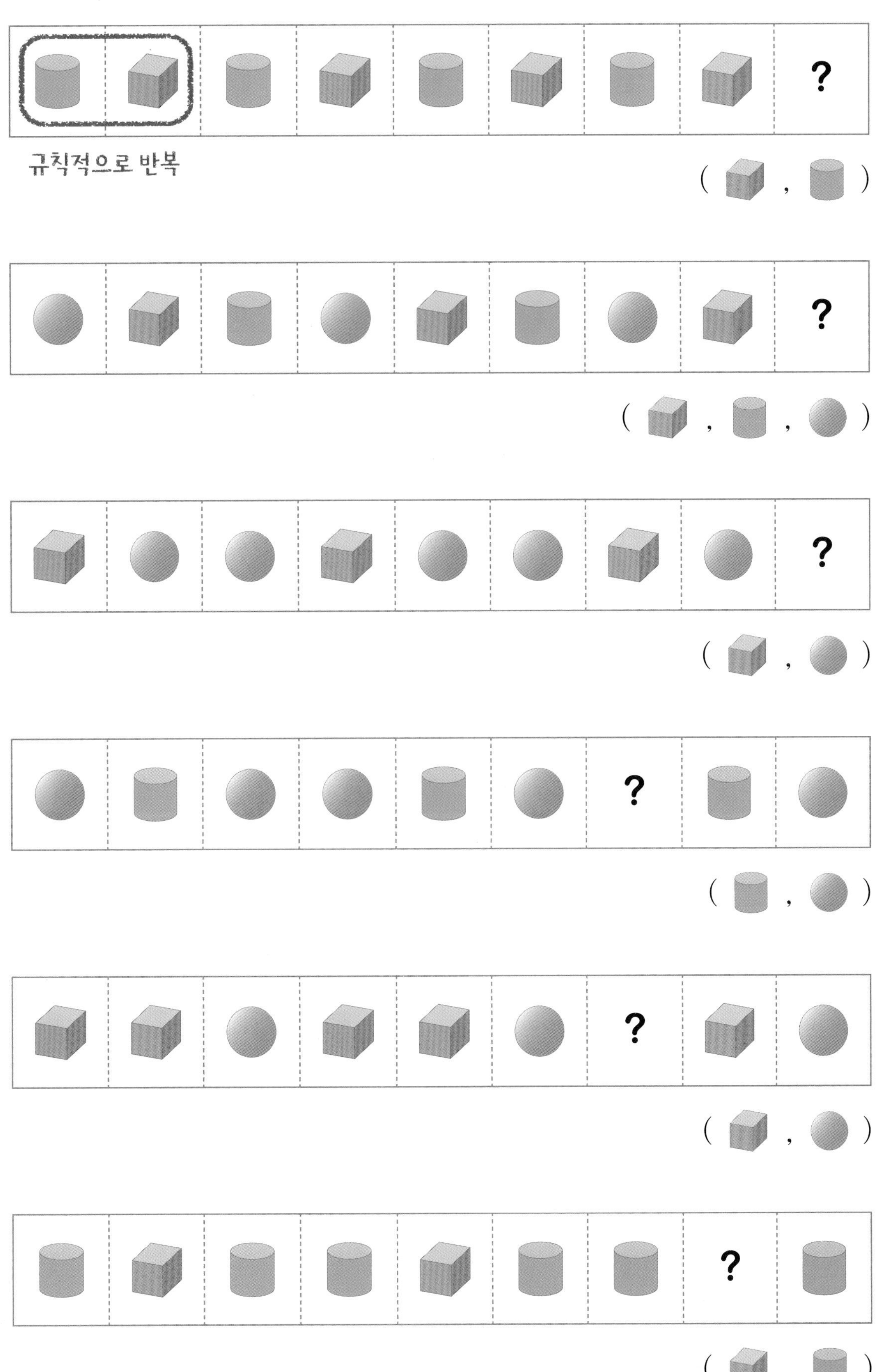

응용 3 규칙적으로 반복되는 마디를 찾아 ?에 들어갈 알맞은 모양에 ○표 하세요.

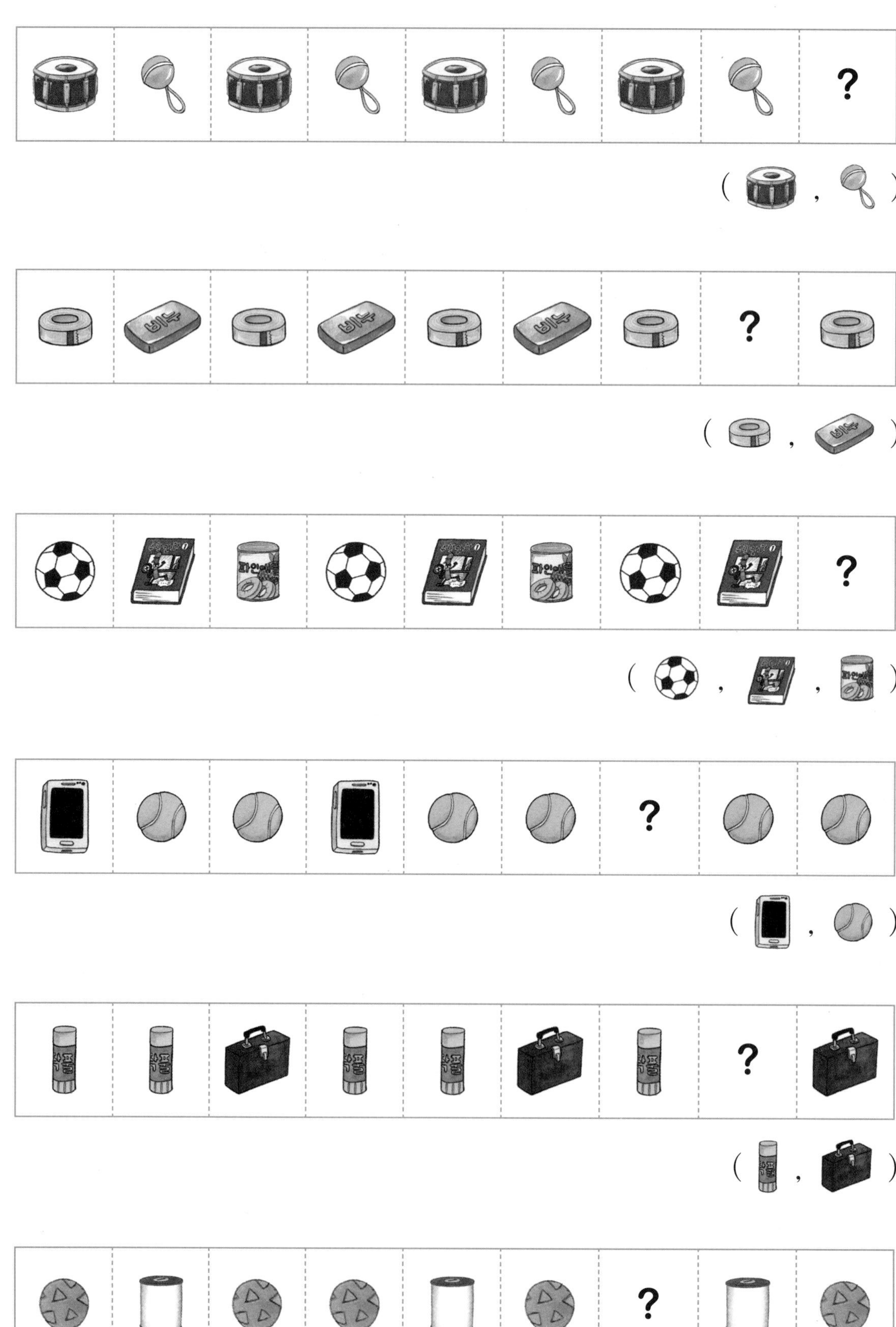

응용 4 규칙의 반복되는 마디와 같은 순서대로 위, 아래 또는 왼쪽, 오른쪽으로 움직이며 미로를 통과하세요.

형성 평가

[01~03] 모아 놓은 모양을 찾아 ○표 하세요.

01

(, ,)

02

(, ,)

03

(, ,)

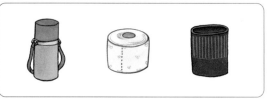

04 모양이 다른 하나를 찾아 ╳표 하세요.

05 각 모양의 수를 세어 ▢ 안에 써넣으세요.

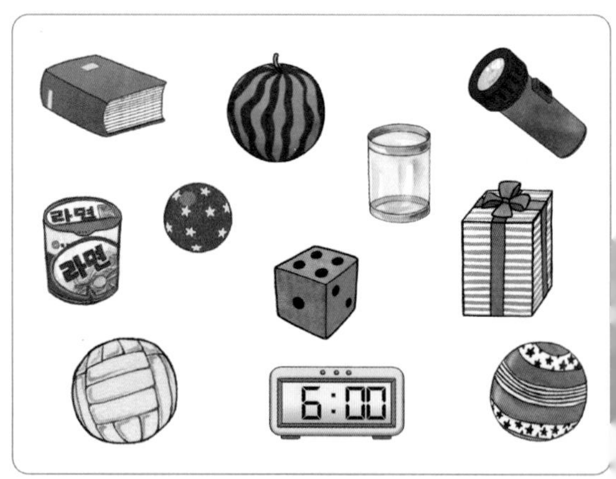

 : ▢개

 : ▢개

: ▢개

[06~09] 일부분만 보이는 모양을 보고 알맞은 것을 모두 찾아 ◯표 하세요.

06

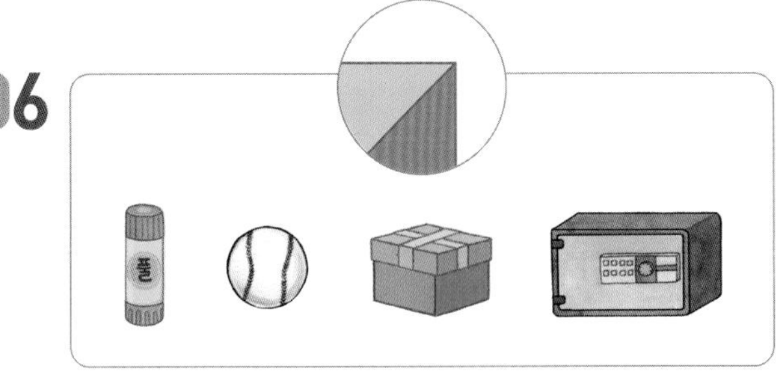

07

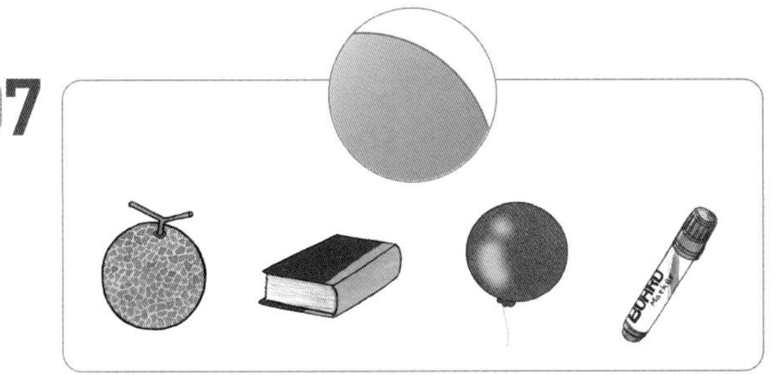

08

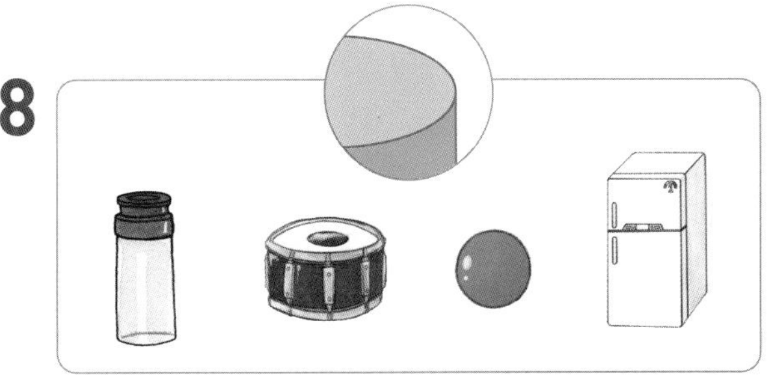

09

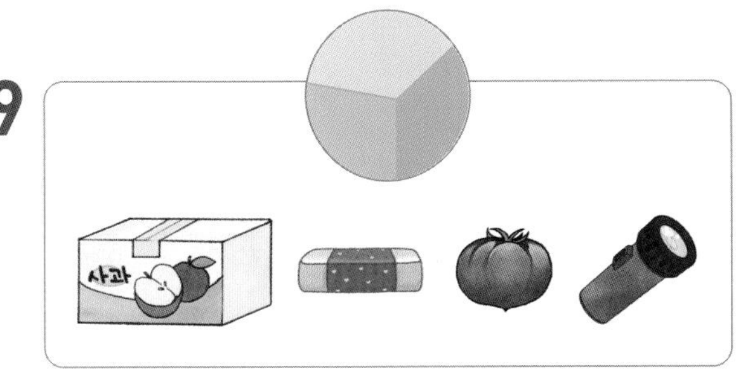

10 설명에 맞는 모양을 찾아 ◯표 하세요.

(1) 어느 방향으로도 잘 굴러갑니다.

(2) 한 방향으로만 잘 쌓을 수 있습니다.

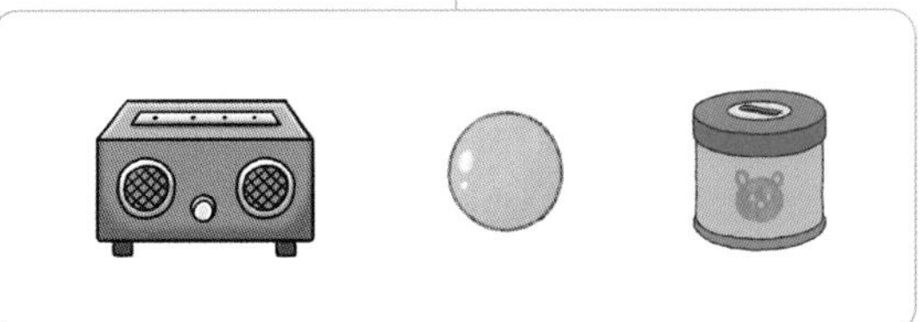

11 알맞은 모양을 모두 찾아 ◯표 하세요.

어느 방향으로도 잘 쌓을 수 있습니다.

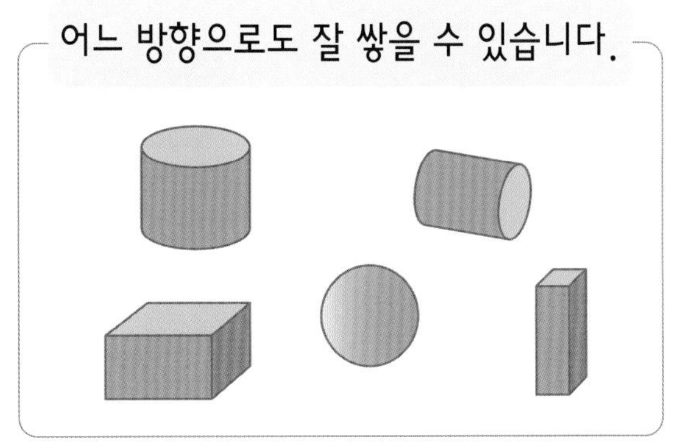

12 모양이 다른 하나를 찾아 ×표 하세요.

(1)

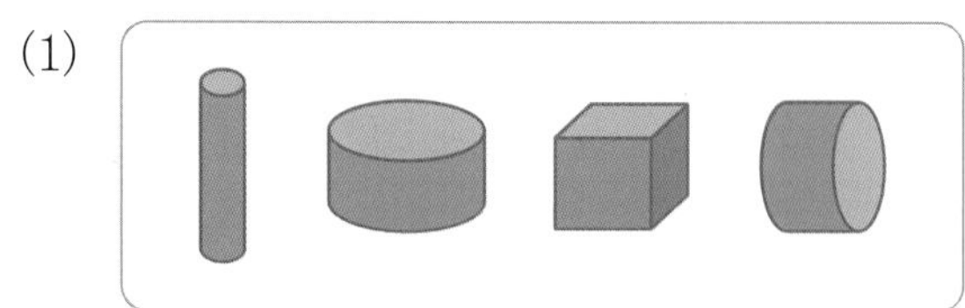

(2)

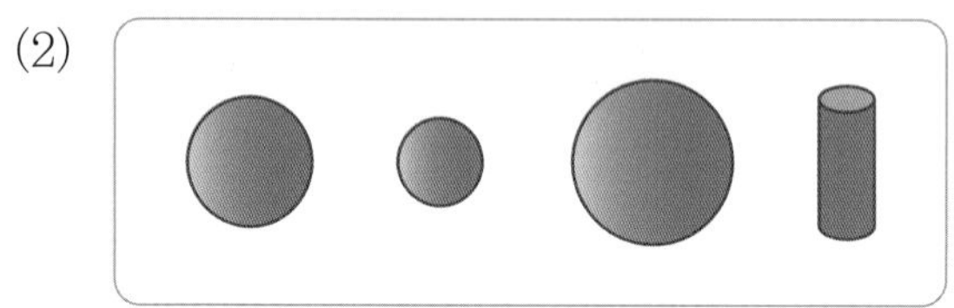

13 ◯ 안의 모양을 더 많이 사용한 것을 찾아 ◯표 하세요.

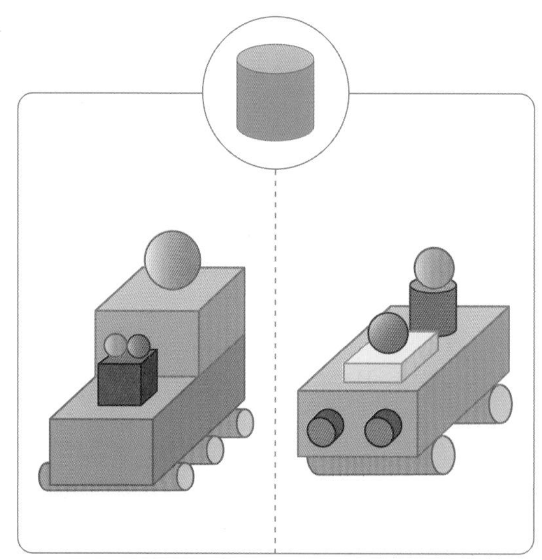

[14~15] 사용한 모양의 개수를 세어 ▢ 안에 써넣으세요.

14

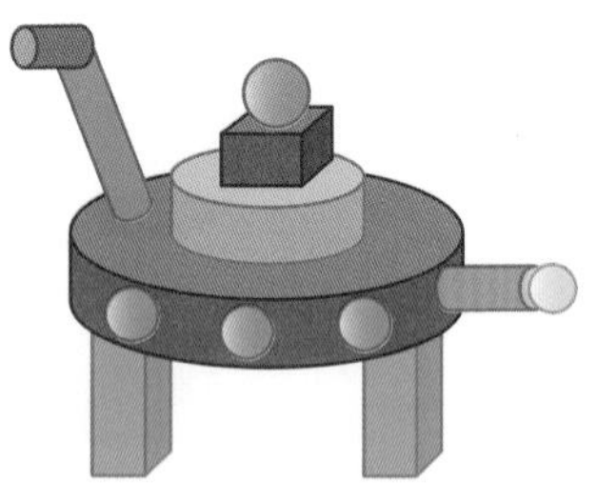

모양	개수
	개
	개
	개

15

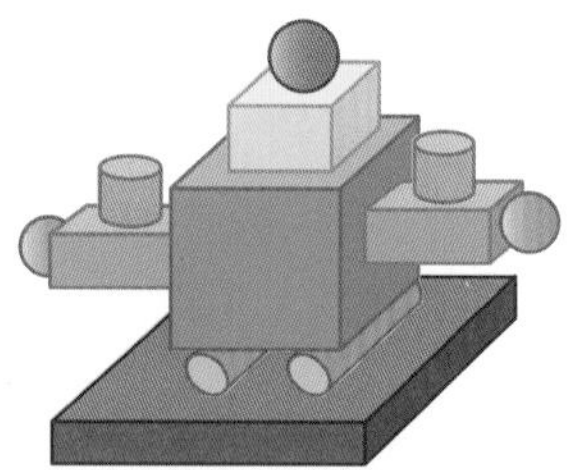

모양	개수
	개
	개
	개

[16~17] 그림을 보고 물음에 답해 보세요.

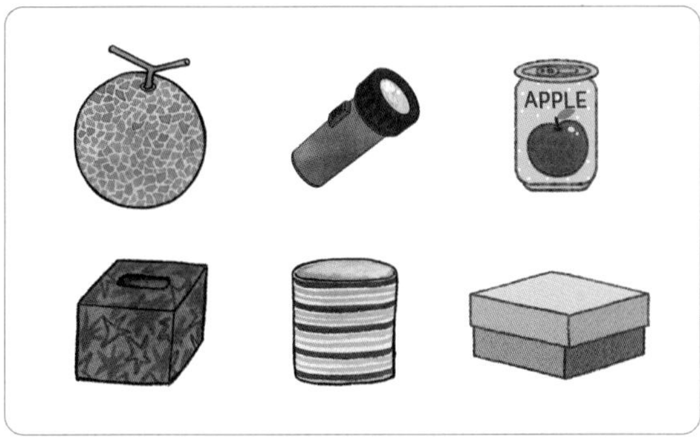

16 ▣ 모양은 모두 몇 개일까요?

(　　　　　　　)개

17 굴렸을 때 한 방향으로만 잘 굴러가는 물건을 모두 찾아 ○표 하세요.

18 설명에 알맞은 모양을 가진 것을 주변에서 2가지만 찾아 써 보세요.

전체가 둥글고 어느 방향으로도
잘 구릅니다.

(　　　　　,　　　　　)

[19~20] 주어진 모양을 모두 사용하여 만든 모양을 찾아 이어 보세요.

19

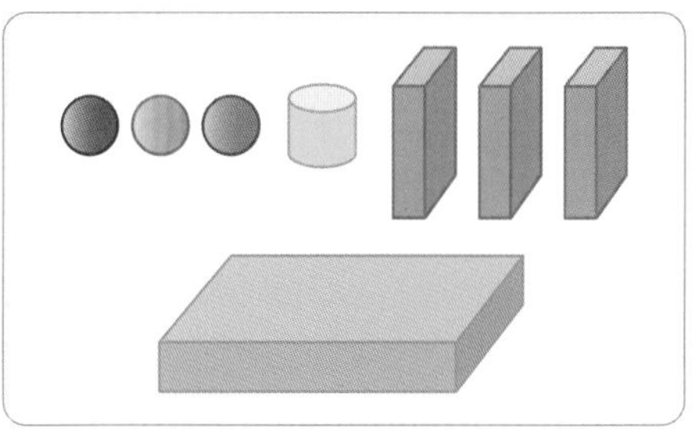

•

•　　　　　•

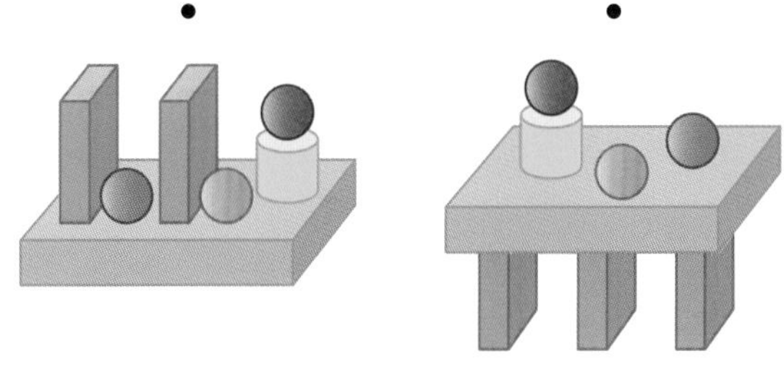

20

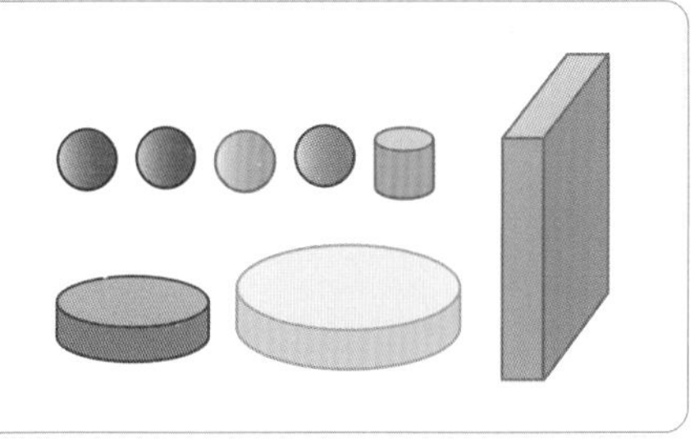

•

•　　　　　•

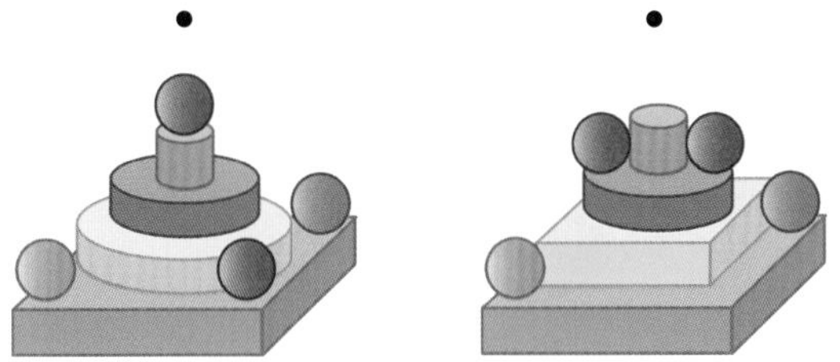

1 모양에 ○표 하세요.

2 모양이 아닌 것을 찾아 기호를 쓰세요.

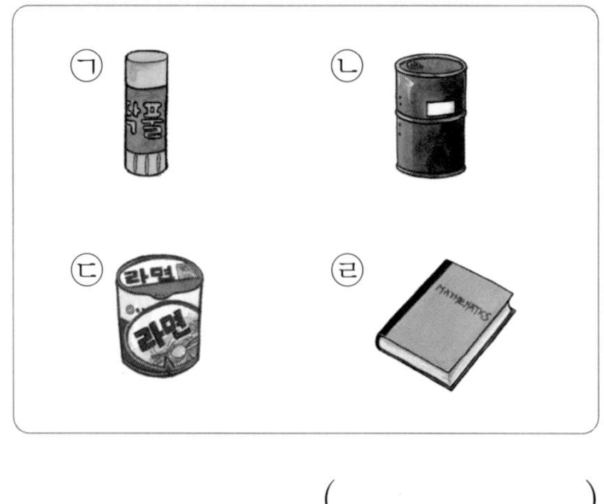

( )

3 모아 놓은 모양을 찾아 ○표 하세요.

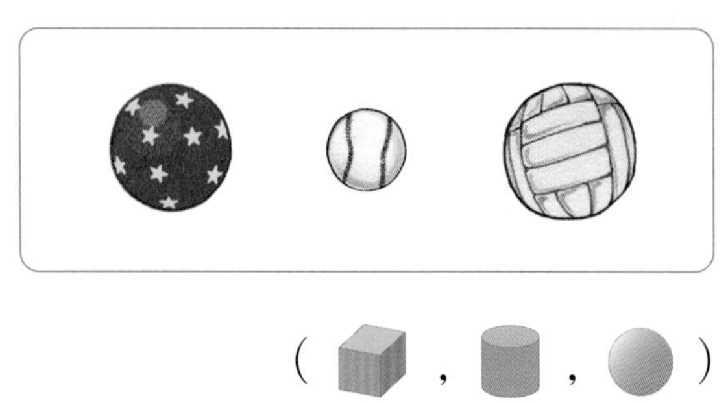

(, ,)

4 관계있는 것끼리 이어 보세요.

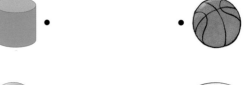

5 모양이 나머지 넷과 다른 하나는 어느 것일까요? ( )

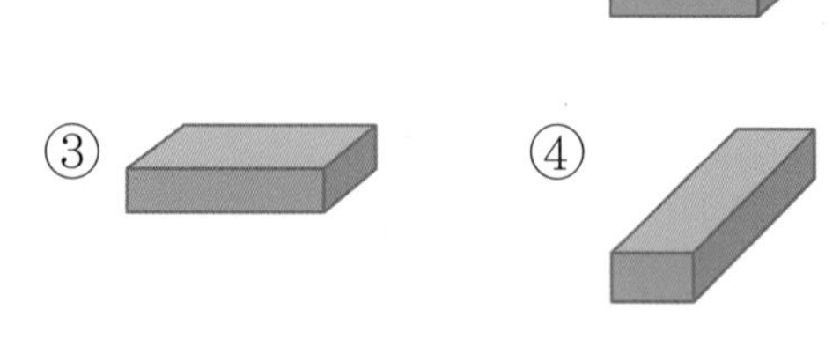

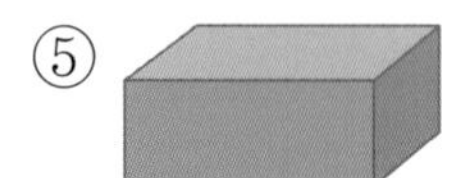

6 모양의 일부분을 나타낸 것을 보고 알맞은 물건을 찾아 이어 보세요.

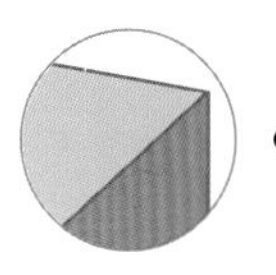 • • 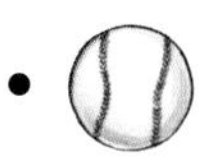

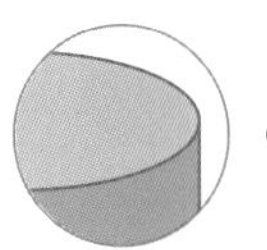 • • 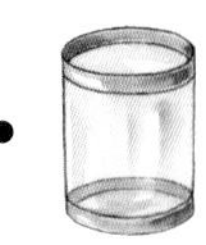

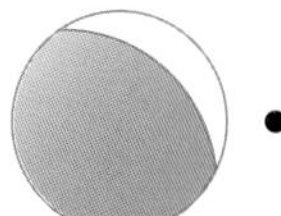 • • 

7 여러 가지 모양을 사용하여 만든 것입니다. 모양은 몇 개일까요?

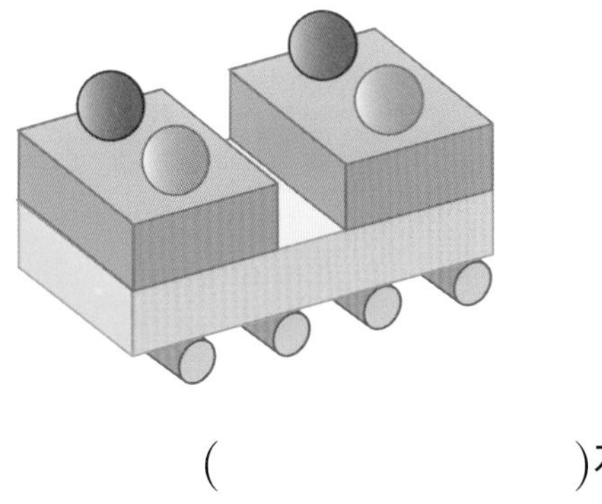

( )개

8 쌓을 수 있는 것을 모두 찾아 ○표 하세요.

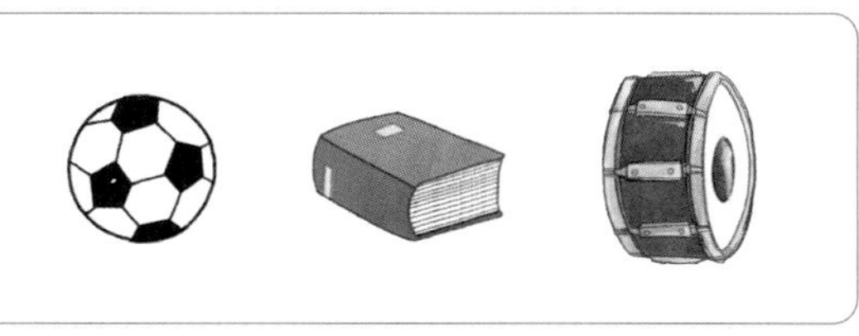

9 설명에 알맞은 모양을 찾아 ○표 하세요.

평평한 부분이 2개입니다.

10 모양에 □표, 모양에 △표, 모양에 ○표 하세요.

( ) ( ) ( )

11 설명에 알맞은 모양을 찾아 ○표 하세요.

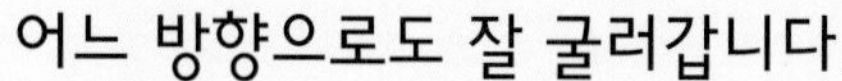

12 사용한 모양의 개수를 세어 ▒ 안에 써넣으세요.

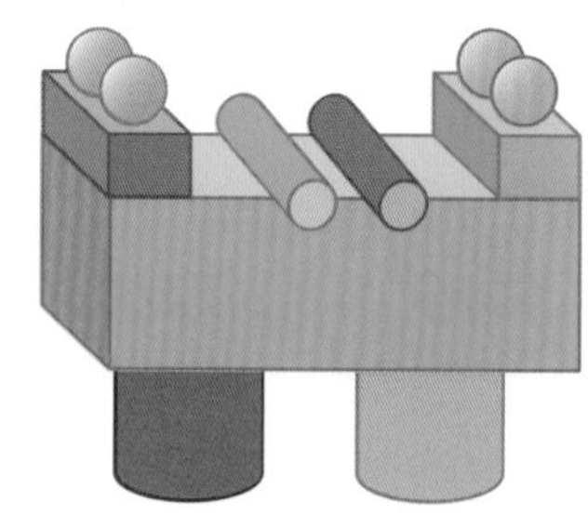

모양	개수
	개
	개
	개

13 규칙적으로 반복되는 마디를 찾아 점선 위에 선을 그어 보세요.

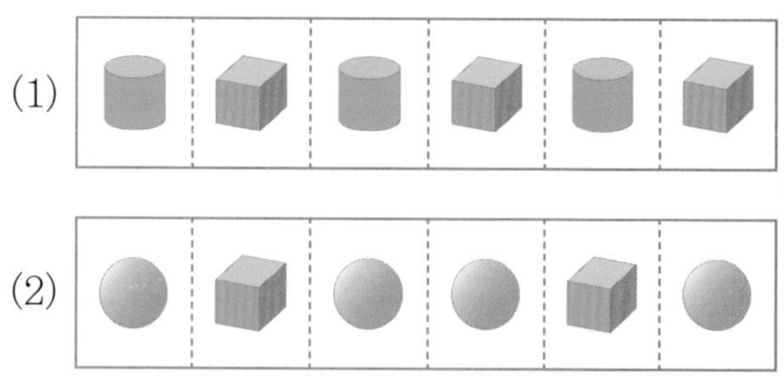

14 가장 개수가 적은 모양을 찾아 ○표 하세요.

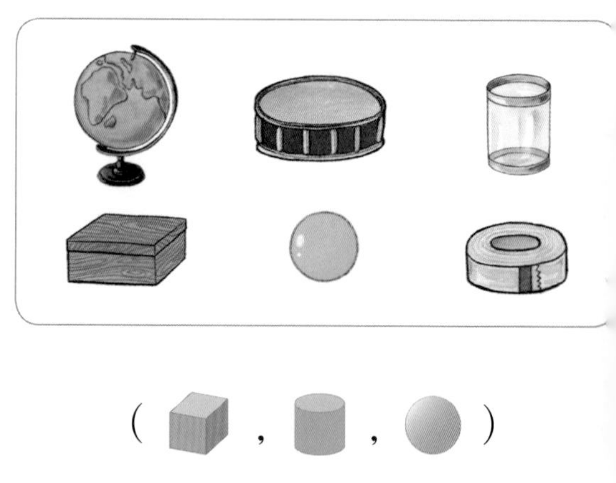

(, ,)

15 우리 주변에서 ▒ 모양인 물건을 2가지만 찾아 써 보세요.

(,)

16 주어진 모양을 모두 사용하여 만든 모양에 ◯표 하세요.

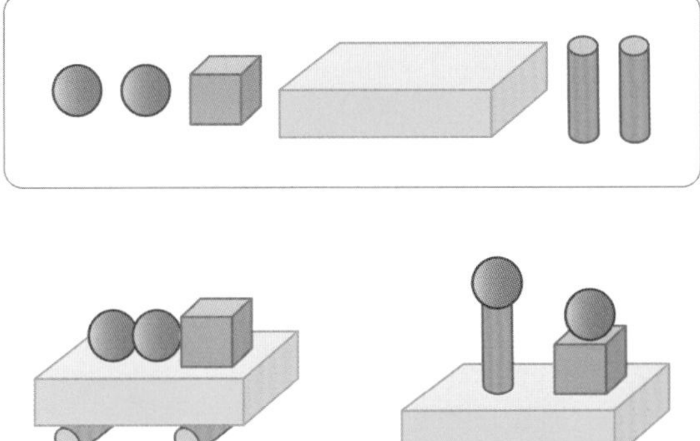

[17~18] 규칙적으로 반복되는 마디를 찾아 **?**에 들어갈 알맞은 모양에 ◯표 하세요.

17

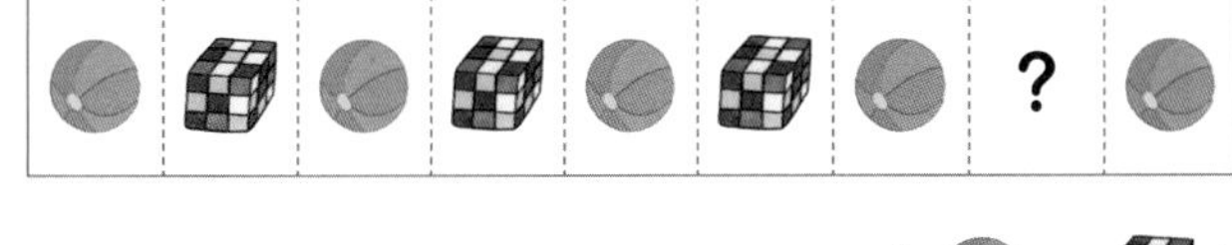

(,)

18

(, ,)

19 다음과 같은 물건의 특징으로 알맞은 것을 모두 찾아 기호를 쓰세요.

㉠ 쌓을 수 있습니다.
㉡ 평평한 부분이 없습니다.
㉢ 뾰족한 부분이 있습니다.
㉣ 한쪽 방향으로만 잘 굴러갑니다.

( )

20 주어진 모양의 순서대로 위, 아래 또는 왼쪽, 오른쪽으로 움직이며 미로를 통과하세요.

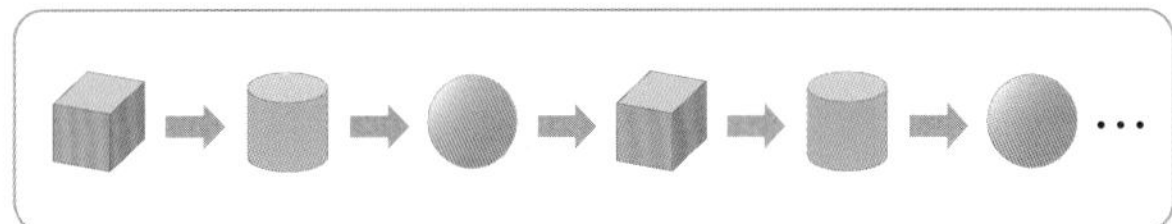

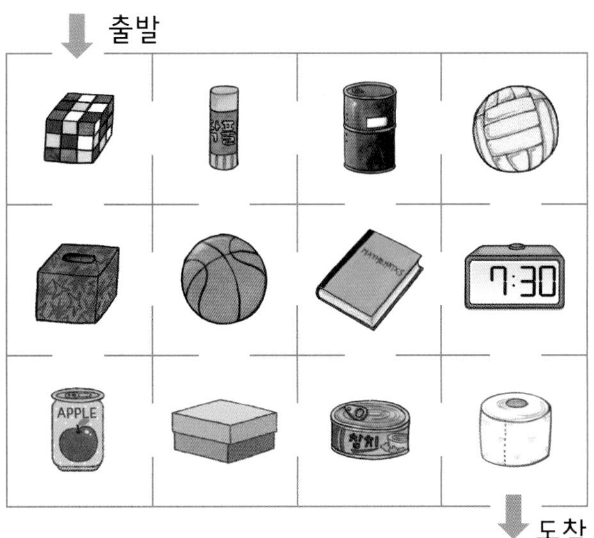

memo

논리적 사고력과 창의적 문제해결력을 키워 주는

매스티안 교재 활용법!

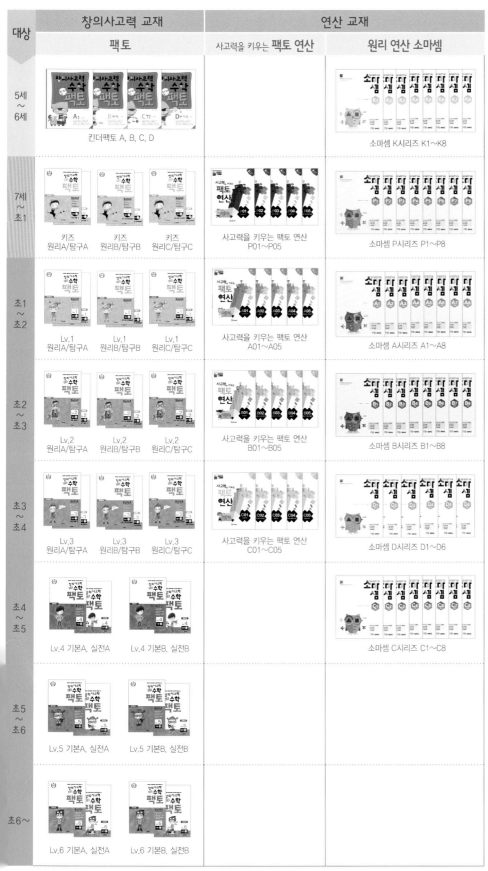

대상	창의사고력 교재			연산 교재	
	팩토			사고력을 키우는 팩토 연산	원리 연산 소마셈
5세~6세	킨더팩토 A, B, C, D				소마셈 K시리즈 K1~K8
7세~초1	키즈 원리A/탐구A	키즈 원리B/탐구B	키즈 원리C/탐구C	사고력을 키우는 팩토 연산 P01~P05	소마셈 P시리즈 P1~P8
초1~초2	Lv.1 원리A/탐구A	Lv.1 원리B/탐구B	Lv.1 원리C/탐구C	사고력을 키우는 팩토 연산 A01~A05	소마셈 A시리즈 A1~A8
초2~초3	Lv.2 원리A/탐구A	Lv.2 원리B/탐구B	Lv.2 원리C/탐구C	사고력을 키우는 팩토 연산 B01~B05	소마셈 B시리즈 B1~B8
초3~초4	Lv.3 원리A/탐구A	Lv.3 원리B/탐구B	Lv.3 원리C/탐구C	사고력을 키우는 팩토 연산 C01~C05	소마셈 D시리즈 D1~D6
초4~초5	Lv.4 기본A, 실전A	Lv.4 기본B, 실전B			소마셈 C시리즈 C1~C8
초5~초6	Lv.5 기본A, 실전A	Lv.5 기본B, 실전B			
초6~	Lv.6 기본A, 실전A	Lv.6 기본B, 실전B			

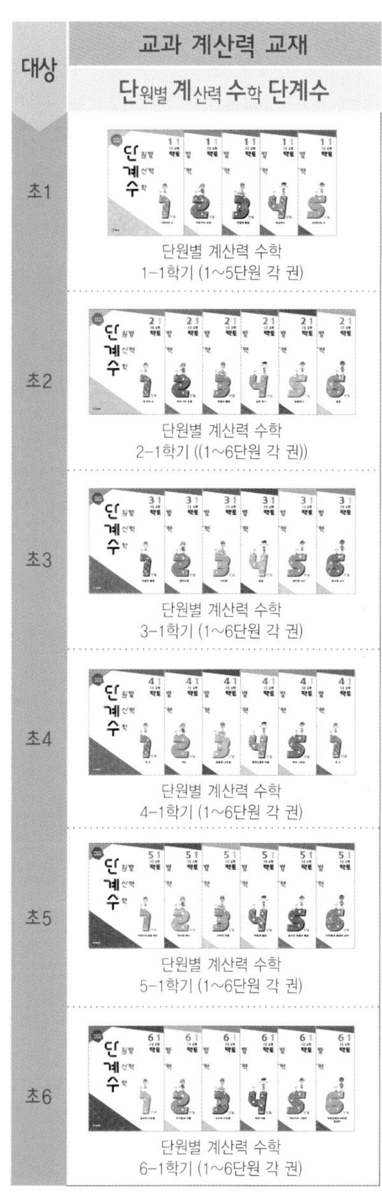

대상	교과 계산력 교재
	단원별 계산력 수학 단계수
초1	단원별 계산력 수학 1-1학기 (1~5단원 각 권)
초2	단원별 계산력 수학 2-1학기 ((1~6단원 각 권))
초3	단원별 계산력 수학 3-1학기 (1~6단원 각 권)
초4	단원별 계산력 수학 4-1학기 (1~6단원 각 권)
초5	단원별 계산력 수학 5-1학기 (1~6단원 각 권)
초6	단원별 계산력 수학 6-1학기 (1~6단원 각 권)

대상	교과 수학 교재	
	1학기	2학기
초1	팩토 수학교과서/익힘책 1-1	팩토 수학교과서/익힘책 1-2
초2	팩토 수학교과서/익힘책 2-1	팩토 수학교과서/익힘책 2-2

단계수 학습 순서

매일 학습

단원별로 꼭 알아야 할 개념만 쏙쏙 학습하고 다양한 연산 문제를 통해 연산 과정을 숙달하여 계산력을 쑥쑥 키울 수 있습니다.

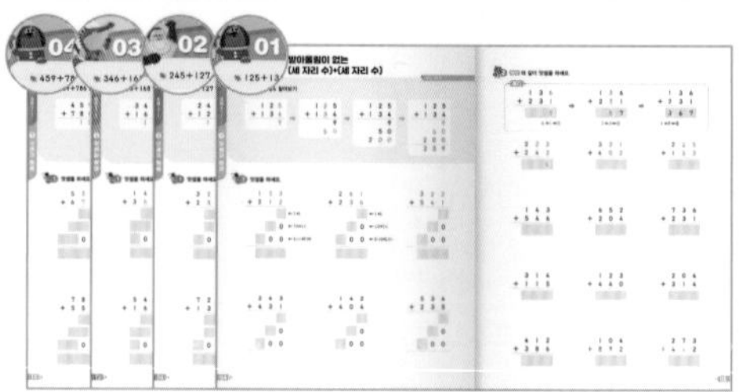

도전! 응용문제

응용 문제와 **서술형** 문제를 통해 사고력과 문제해결력을 기를 수 있습니다.

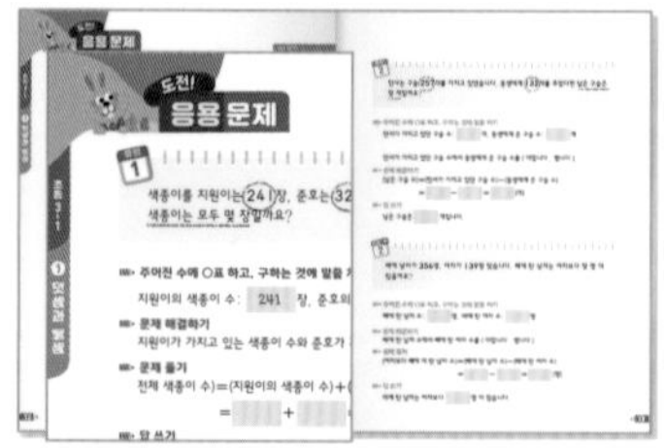

형성 평가

단원의 **복습 단계**로 문제를 풀면서 학습한 내용을 다시 한 번 확인할 수 있습니다.

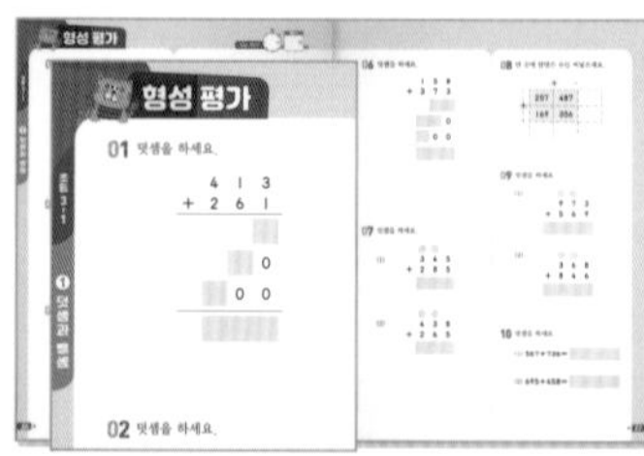

단원 평가

단원의 **마무리 학습**으로 학교 시험에 자주 나오는 문제를 통해 수시 평가 등 학교 시험에 대비할 수 있습니다.

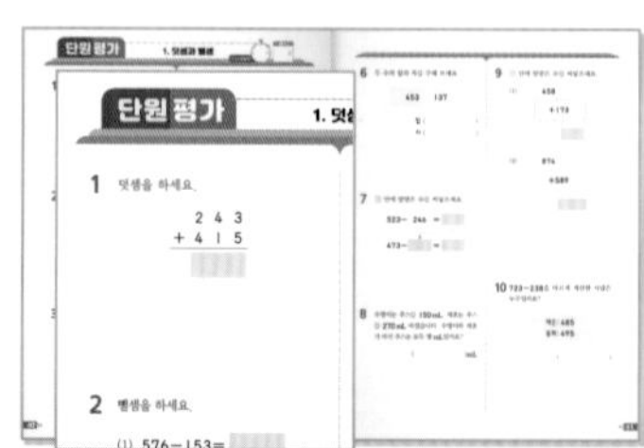

http://www.mathtian.com

자율안전확인신고필증번호 : B361H200-4001
1.주소 : 06153 서울특별시 강남구 봉은사로 442 (삼성동)
2.문의전화 : 1588-6066
3.제조국 : 대한민국
4.사용연령 : 8세 이상
※ KC마크는 이 제품이 공통안전기준에 적합하였음을 의미합니다.

⚠주의

종이, 모서리에 다칠 수 있으니 주의하세요!

초등학교	반	번
이름		

FACTO school

단원별 계산력 수학

1-1 초등 수학 팩토

3단원

덧셈과 뺄셈

매스티안

팩토는 자유롭게 자신감있게 창의적으로 생각하는 주니어수학자입니다.

단원별 **계**산력 **수**학

펴낸 곳 (주)타임교육C&P **펴낸이** 이길호 **지은이** 매스티안R&D센터
주소 06153 서울특별시 강남구 봉은사로 442 (삼성동) **문의전화** 1588.6066
팩토카페 http://cafe.naver.com/factos **홈페이지** http://www.mathtian.com

※ 정답과 풀이는 온라인 팩토카페(http://cafe.naver.com/factos)를 통해서도 확인할 수 있습니다.

FACTO school

1-1

초등 수학 팩토

단원별 계산력 수학

3단원

덧셈과 뺄셈

매스티안

1-1

3. 덧셈과 뺄셈

· 9 이하 수의 모으기와 가르기

· 덧셈과 뺄셈

1-2

2. 덧셈과 뺄셈 (1)

· 받아올림이 없는 (몇십몇)+(몇)

· 받아내림이 없는 (몇십몇)-(몇)

1-2

4. 덧셈과 뺄셈 (2)

· 10이 되는 더하기, 10에서 빼기

1-2

6. 덧셈과 뺄셈

· 10을 이용한 모으기와 가르기

· 덧셈과 뺄셈

2-1

6. 곱셈

· 묶어 세기, 몇 배

· 곱셈식으로 나타내기

2-2

2. 곱셈구구

· 1단부터 9단까지 곱셈구구

· 0과 어떤 수의 곱

3-1

3. 나눗셈

· 똑같이 나누기

· 곱셈과 나눗셈의 관계

· 나눗셈의 몫 구하기

3-1

4. 곱셈

· (두 자리 수)×(한 자리 수)

3 덧셈과 뺄셈

Teaching Guide

- 한 자리 수의 덧셈과 뺄셈은 수학에서 가장 기초적인 개념입니다. 아이들은 이번 단원에서 처음으로 '+', '−', '=' 기호를 처음 접하고, 이 기호들을 사용하여 식을 쓰고 읽게 됩니다.
- 아이가 모으기는 잘하는데 가르기는 잘하지 못하는 경우가 있을 수 있습니다. 모으기는 답이 1개이지만, 가르기는 다양한 방법이 있어서 생각을 많이 해야 합니다. 가르기와 모으기는 덧셈과 뺄셈처럼 역연산 관계라고 볼 수 있습니다. 가르기 연습을 많이 하면 모으기는 쉽게 할 수 있습니다. 6부터 9까지의 수를 두 수로 가르는 것은 경우의 수가 많음으로, 매번 모든 경우를 다 찾게 하기보다는 점차 찾는 경우의 수를 늘려 가는 것이 좋습니다.

3. 덧셈과 뺄셈

· 두 자리 수의 덧셈과 뺄셈
· 세 수의 계산

1. 덧셈과 뺄셈

· 세 자리 수의 덧셈과 뺄셈

5-1

1. 자연수의 혼합 계산

· 괄호가 없을 때와 있을 때의 덧셈, 뺄셈, 곱셈, 나눗셈의 혼합 계산

중학 1-1

정수의 계산

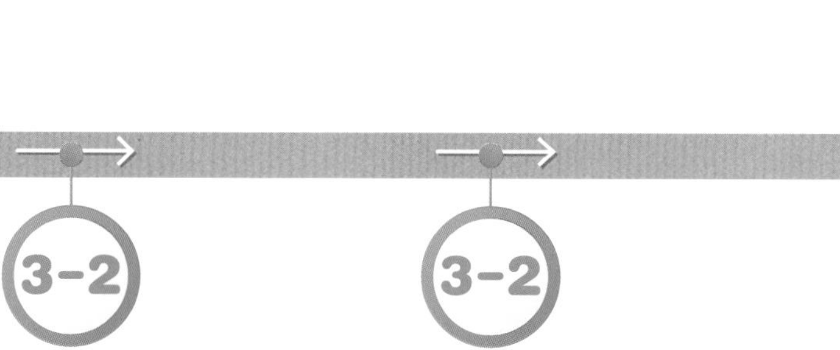

4-1

1. 곱셈

· (세 자리 수)×(한 자리 수)
· (두 자리 수)×(두 자리 수)

2. 나눗셈

· (두 자리 수)÷(한 자리 수)
· (세 자리 수)÷(한 자리 수)

3. 곱셈과 나눗셈

· (세 자리 수)×(두 자리 수)
· (두 자리 수)÷(두 자리 수)
· (세 자리 수)÷(두 자리 수)

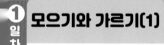

1일차	모으기와 가르기(1)	월 일
2일차	모으기와 가르기(2)	월 일
3일차	덧셈식으로 나타내기	월 일
4일차	덧셈하기	월 일
5일차	덧셈 연습	월 일
6일차	뺄셈식으로 나타내기	월 일
7일차	뺄셈하기	월 일
8일차	뺄셈 연습	월 일
9일차	0이 있는 덧셈과 뺄셈	월 일
10일차	덧셈과 뺄셈	월 일
11일차	덧셈과 뺄셈 연습	월 일
12일차	응용 문제	월 일
13일차	형성 평가	월 일
14일차	단원 평가	월 일

01 모으기와 가르기(1)

정답 17쪽

9까지의 물건을 모으기와 가르기

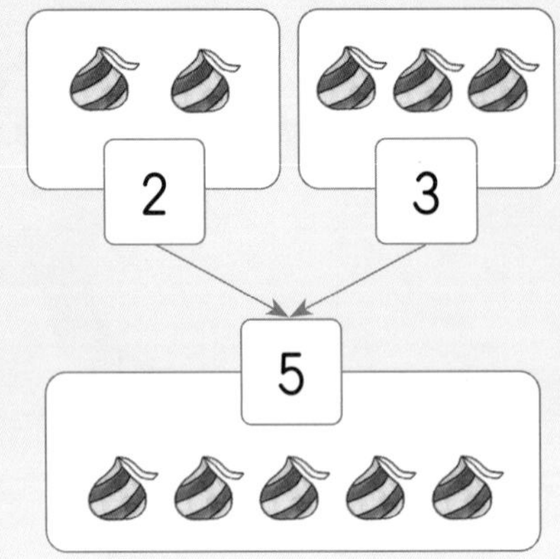

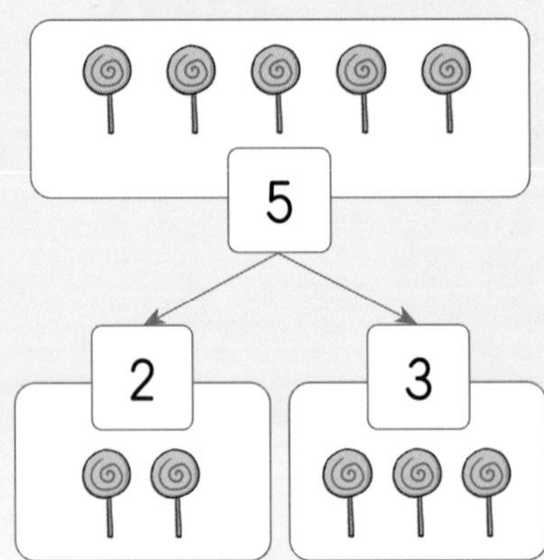

1 모으기와 가르기를 해 보세요.

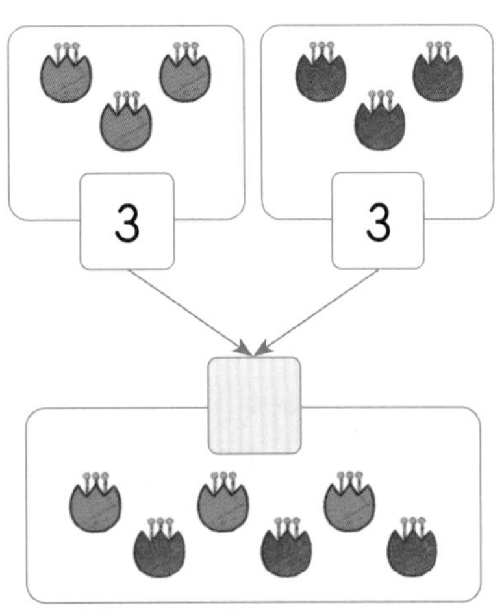

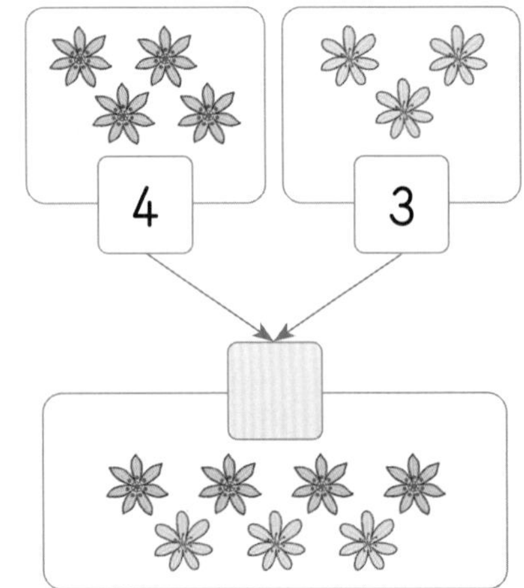

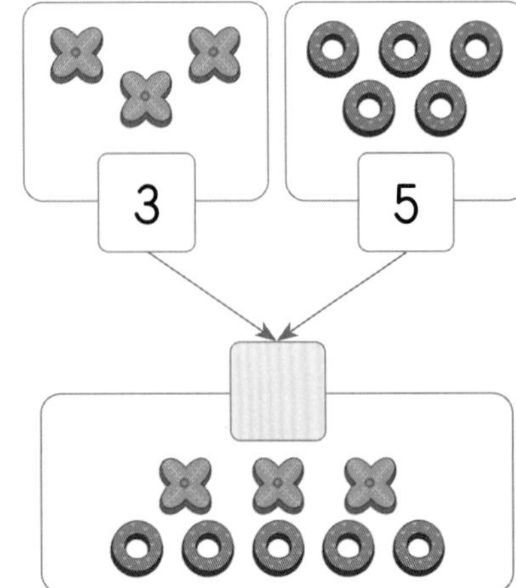

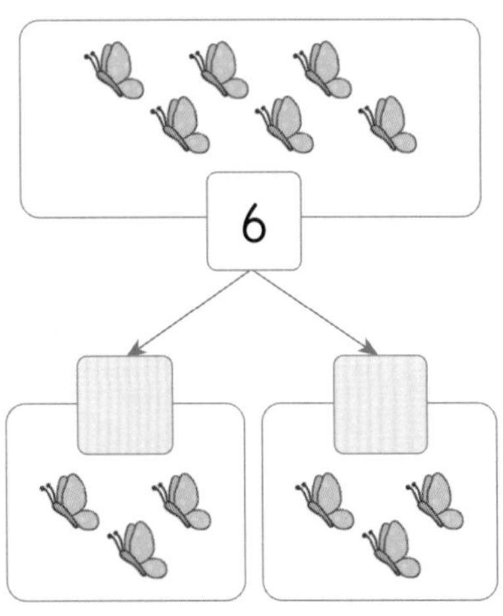

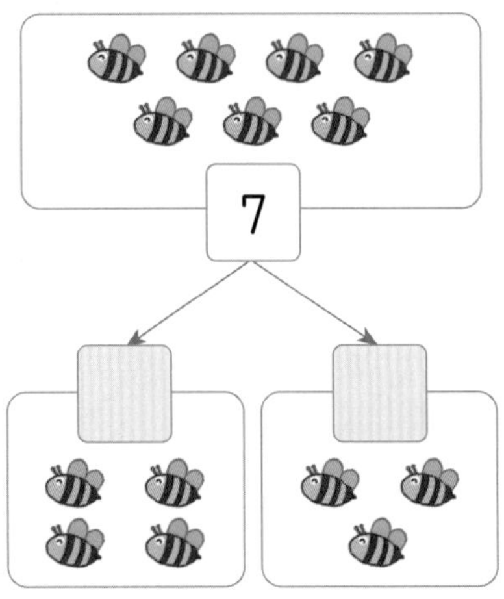

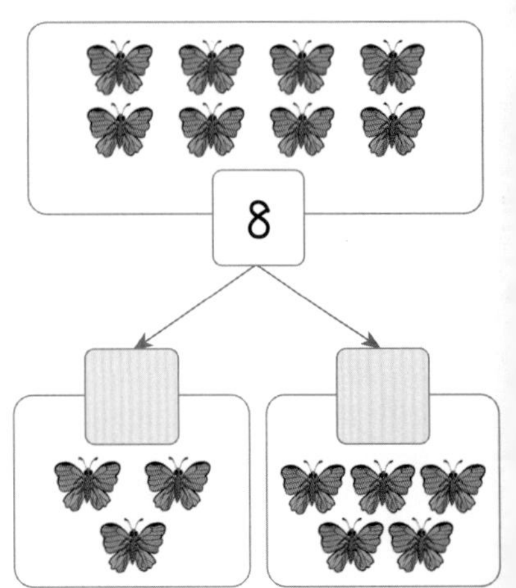

2 ◯에 색칠하고 ▢ 안에 알맞은 수를 써넣어 모으기를 해 보세요.

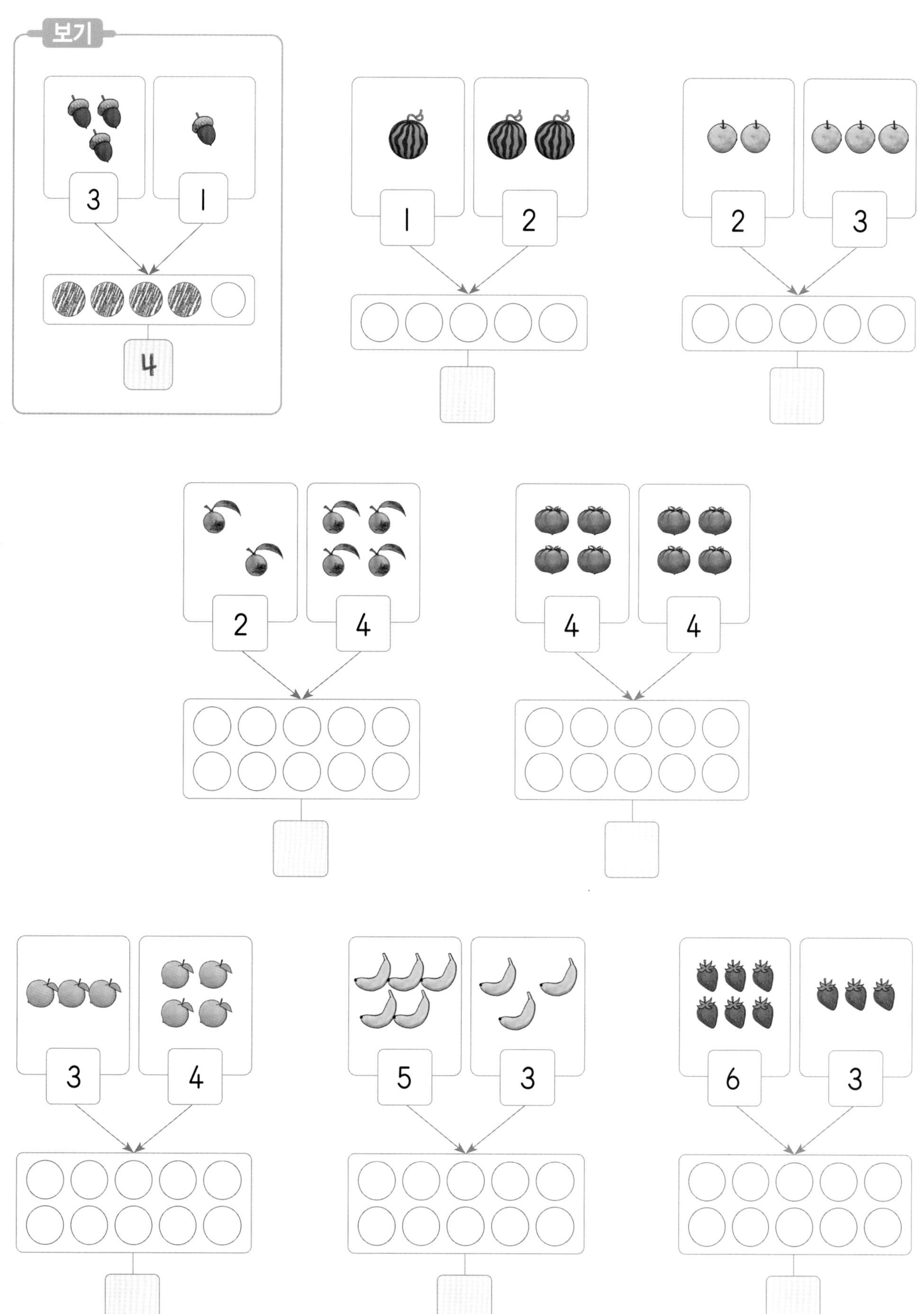

빈곳에 ◯를 알맞게 그리고 ▒ 안에 알맞은 수를 써넣어 가르기를 해 보세요.

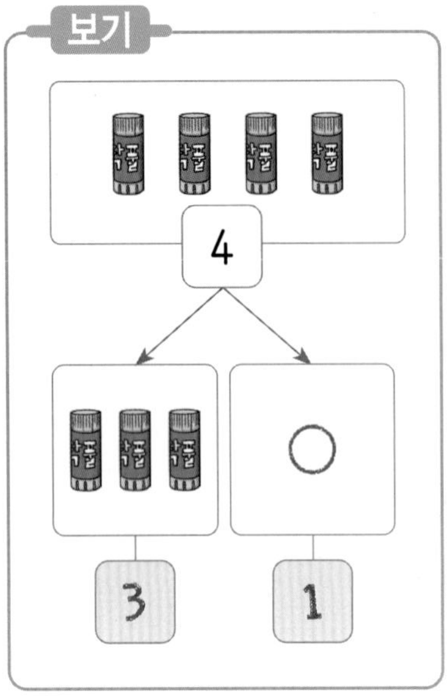

보기

4

3 1

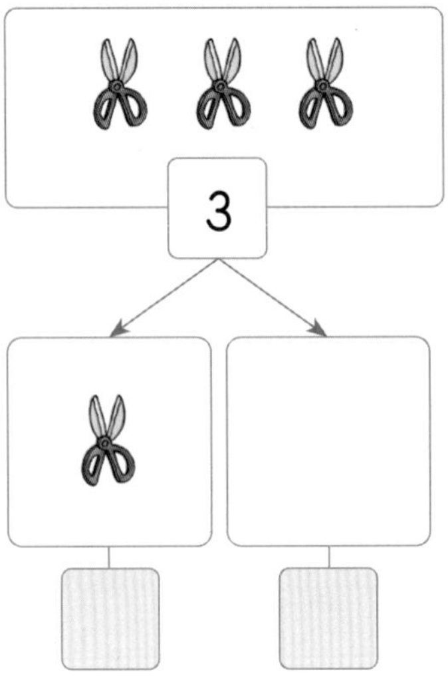

3

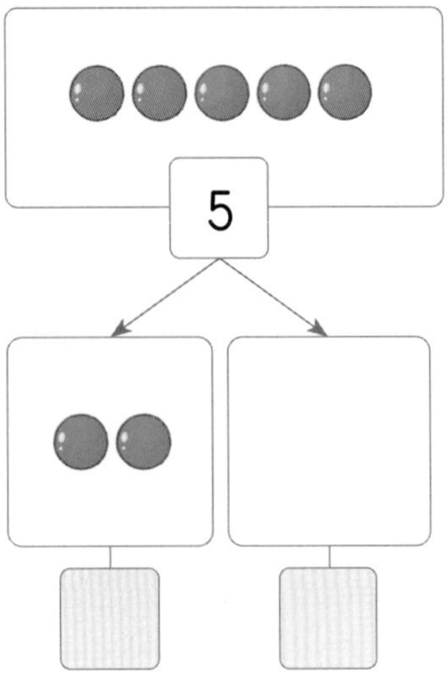

5

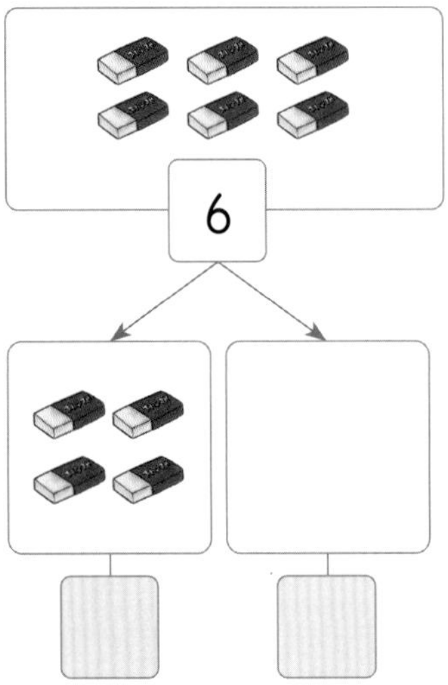

6

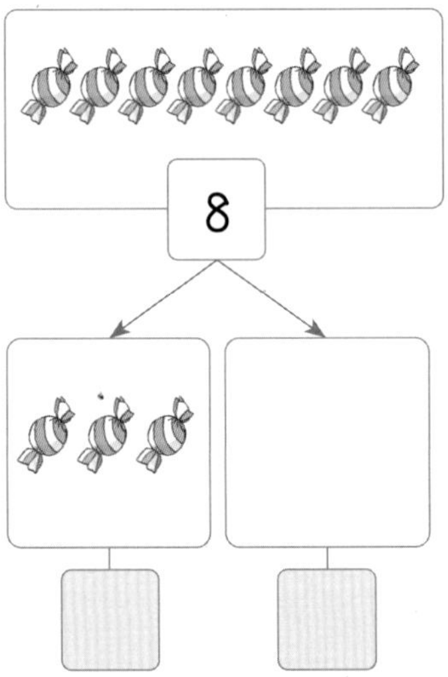

8

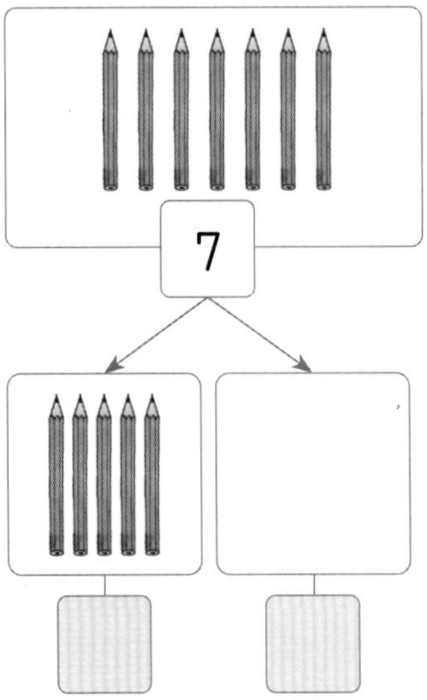

7

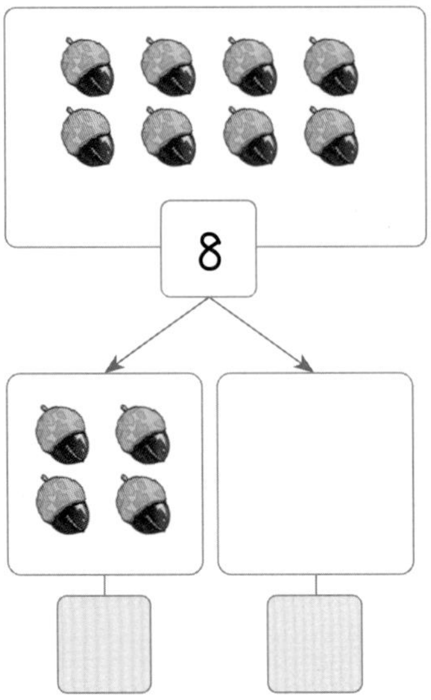

8

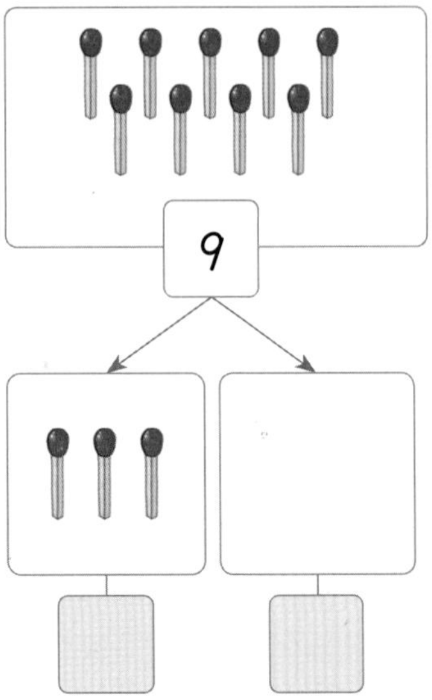

9

4 도미노 점의 수에 알맞게 ◌를 색칠하고, ◌ 안에 알맞은 수를 써넣어 모으기와 가르기를 해 보세요.

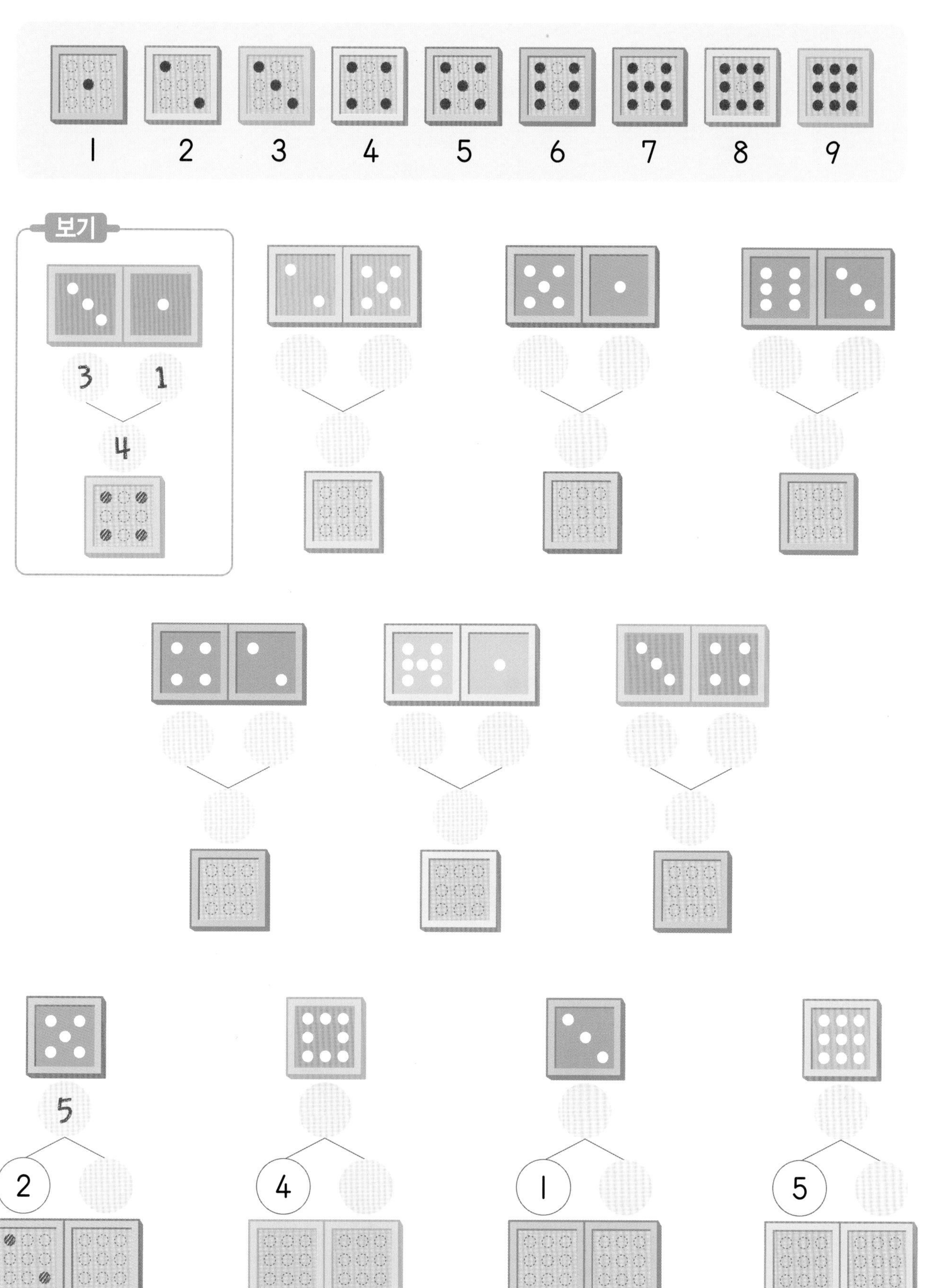

02 모으기와 가르기(2)

정답 18쪽

초등 1-1

③ 덧셈과 뺄셈

9까지의 수를 모으기와 가르기

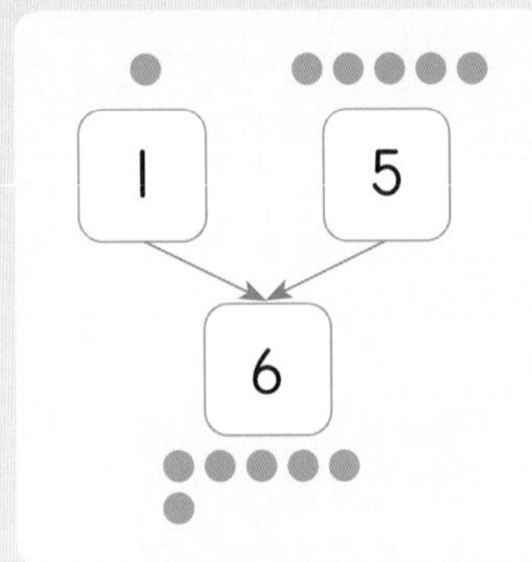

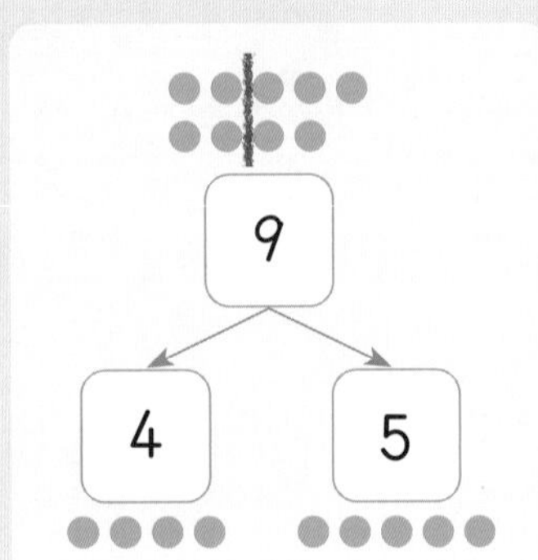

1 모으기와 가르기를 해 보세요.

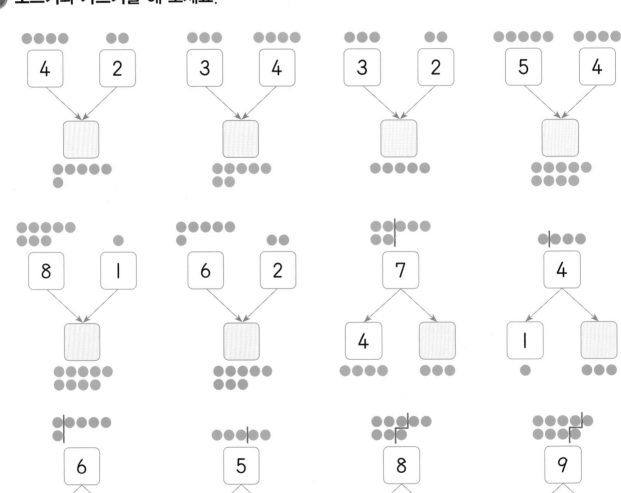

4, 2 → □

3, 4 → □

3, 2 → □

5, 4 → □

8, 1 → □

6, 2 → □

7 → 4, □

4 → 1, □

6 → 2, □

5 → 3, □

8 → 5, □

9 → 7, □

2 안에 알맞은 수를 써넣어 모으기를 해 보세요.

3 안에 알맞은 수를 써넣어 가르기를 해 보세요.

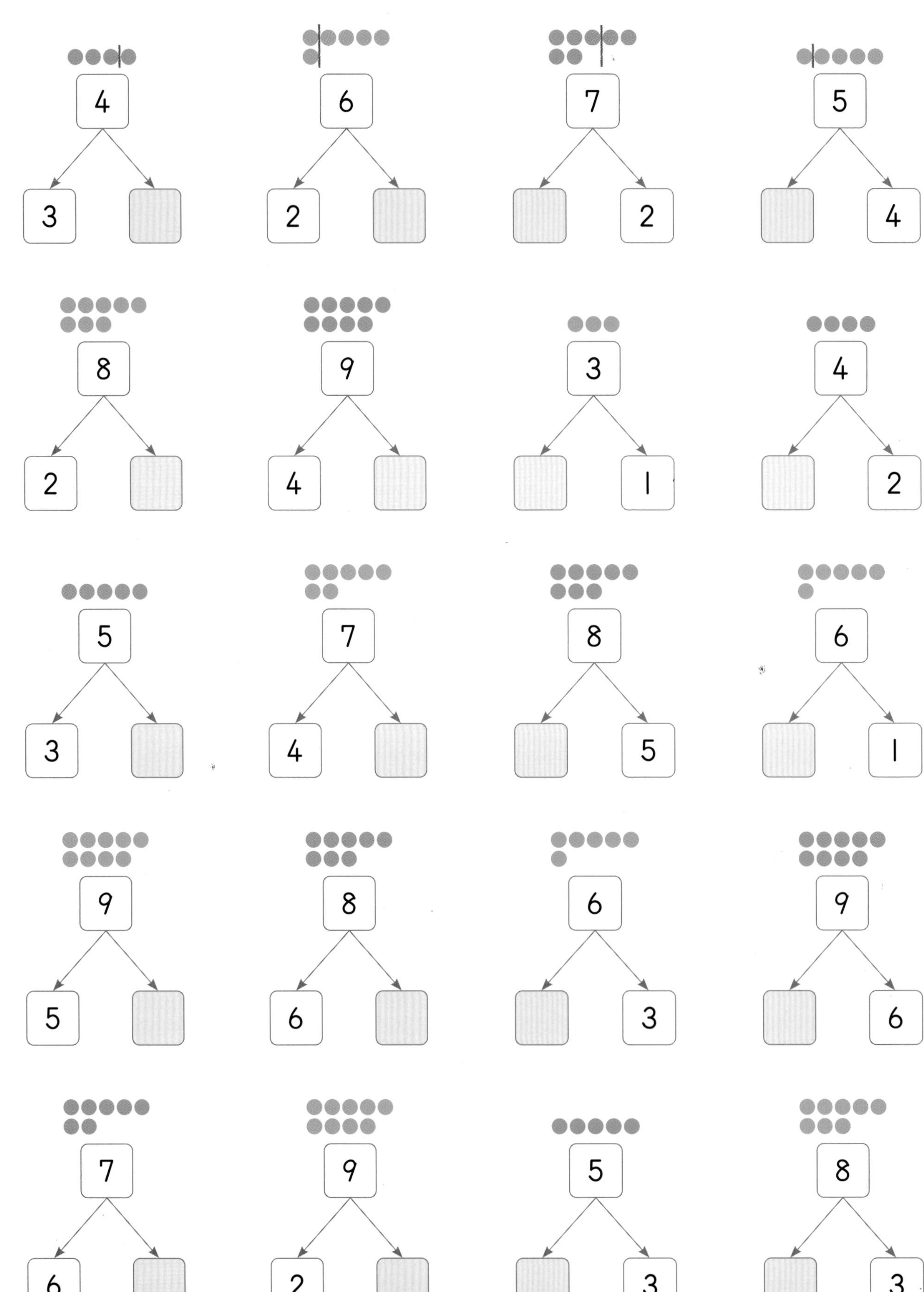

4 여러 가지 방법으로 모으기와 가르기를 해 보세요.

2, 5 → □	1, 3 → □	6 → 2, □	5 → □, 3
3, 2 → □	7, 1 → □	7 → 3, □	9 → □, 2
5, 1 → □	4, 5 → □	8 → 4, □	6 → □, 5
6, 2 → □	1, 6 → □	9 → 6, □	7 → □, 2
2, 7 → □	4, 2 → □	5 → 4, □	8 → □, 3

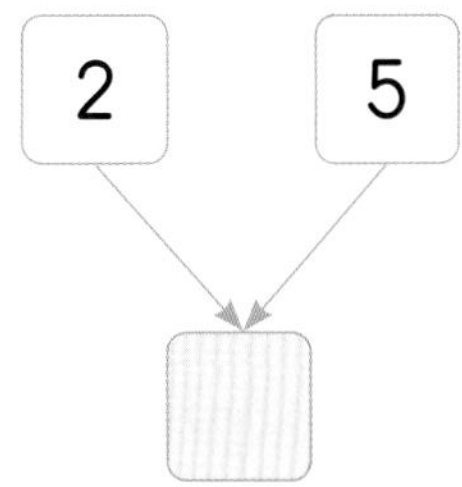

2와 5를 모으기 하면
7이 됩니다.

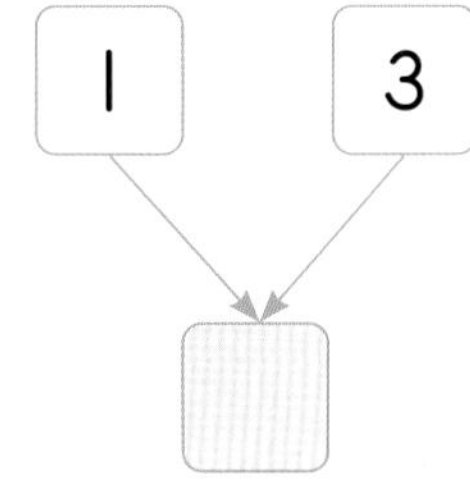

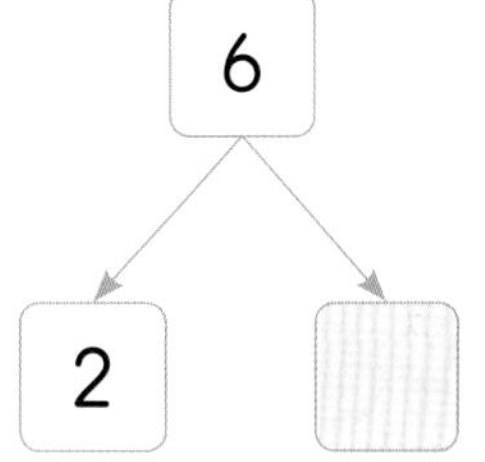

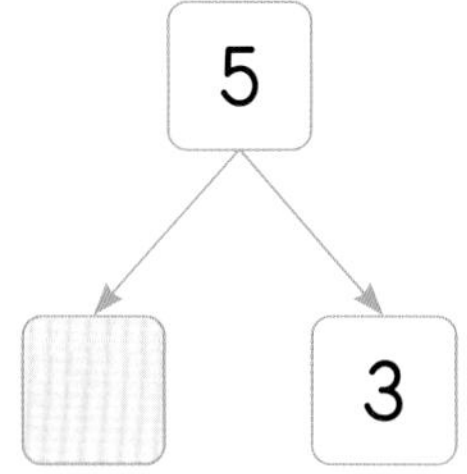

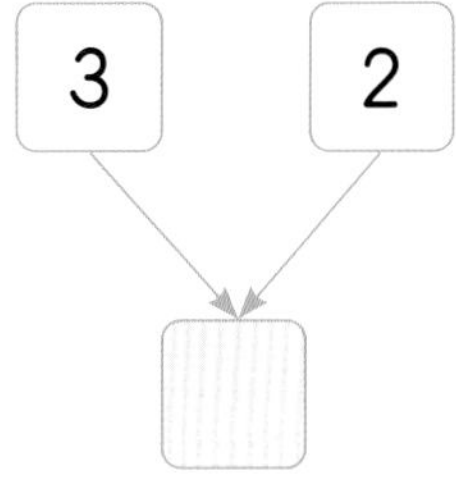

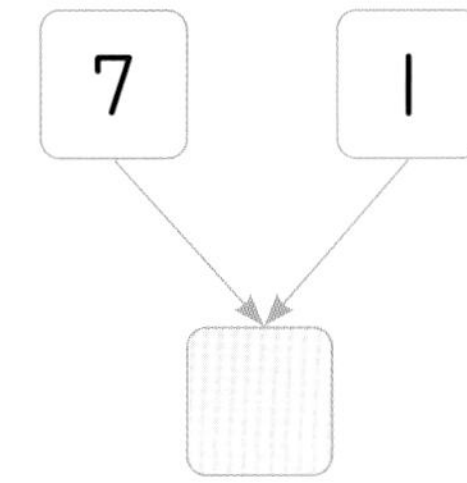

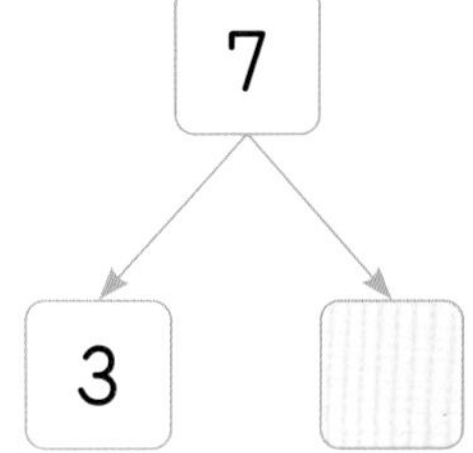

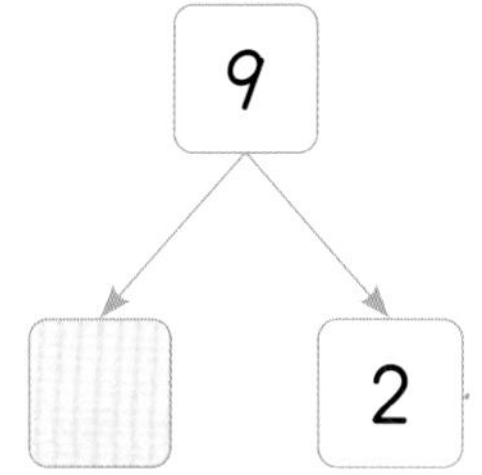

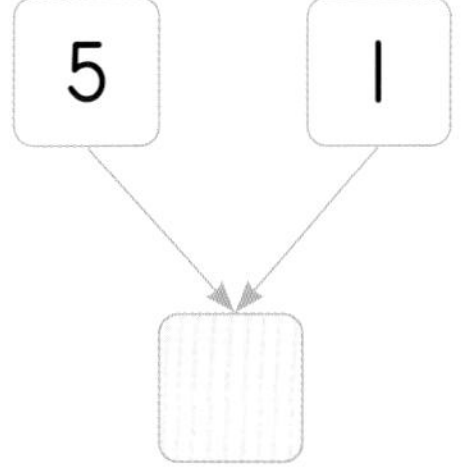

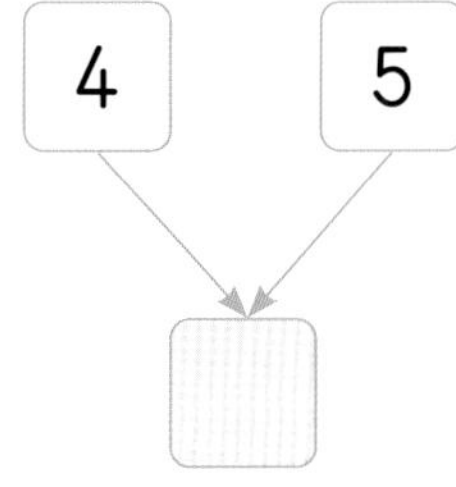

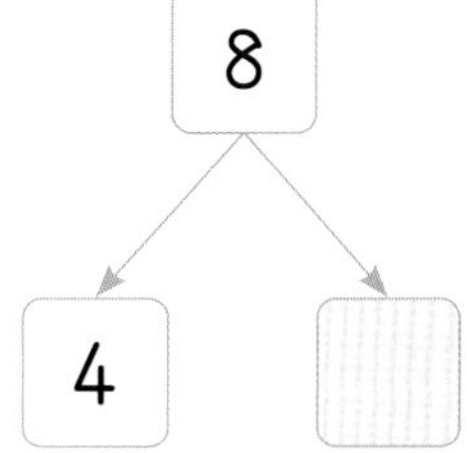

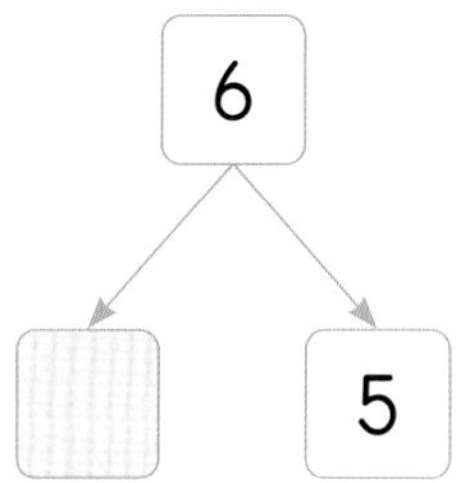

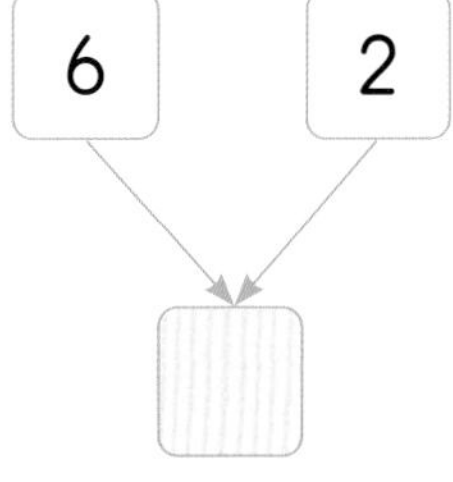

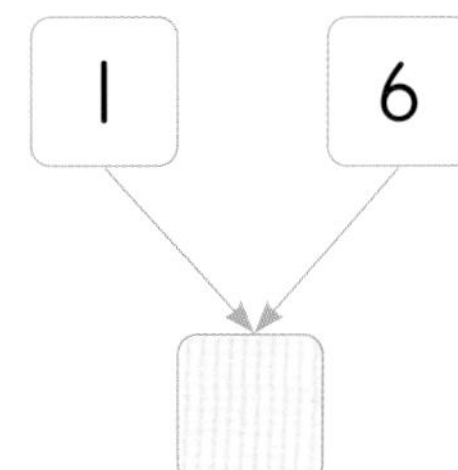

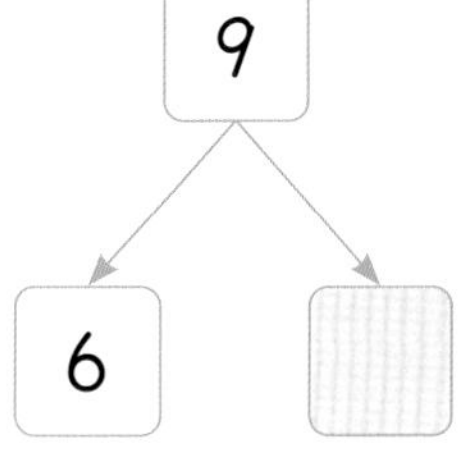

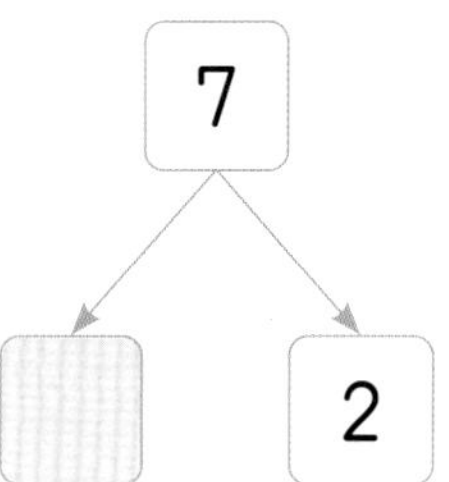

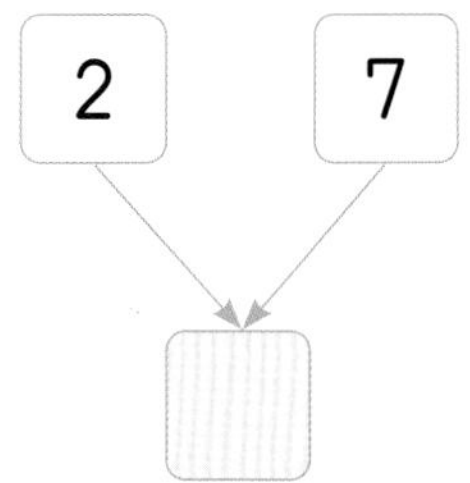

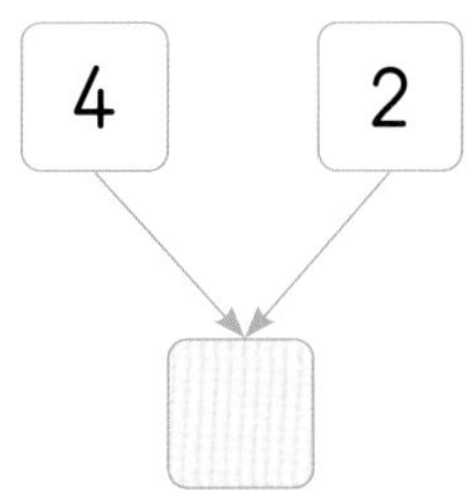

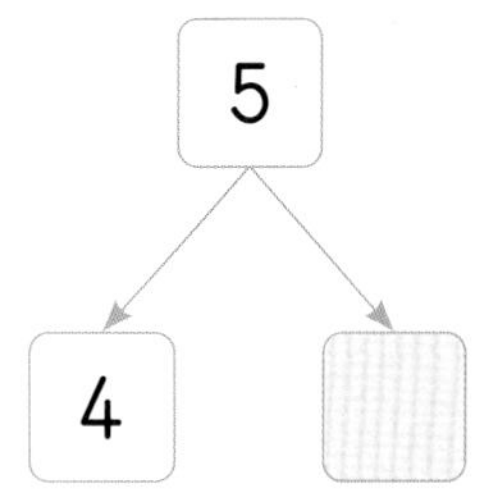

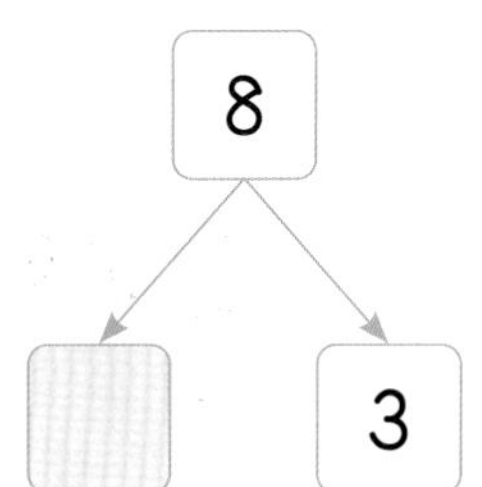

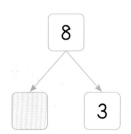

03 덧셈식으로 나타내기

정답 19쪽

덧셈 상황 이야기 만들기

➡ 두발자전거 3대와 세발자전거 2대가 있습니다. 자전거는 모두 5대입니다.

1 그림을 보고 □ 안에 알맞은 수를 써넣어 이야기를 만들어 보세요.

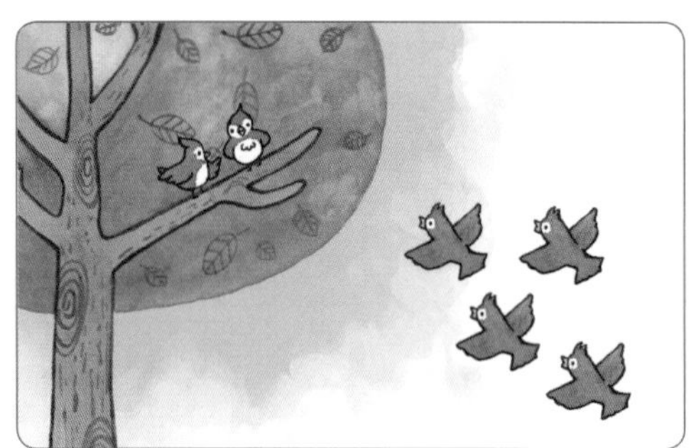

➡ 나뭇가지에 새 □ 마리가 있었는데 □ 마리가 더 와서 모두 □ 마리가 되었습니다.

➡ 목장에 양 □ 마리와 젖소 □ 마리가 있습니다. 목장에 있는 동물은 모두 □ 마리입니다.

➡ 버스에 □ 명이 타고 있습니다. □ 명이 더 타면 모두 □ 명이 됩니다.

2 그림을 보고 덧셈식을 알맞게 만들어 보세요.

나뭇가지에 새 2마리가 있었는데 3마리가 더 와서 모두 5마리가 되었습니다.

➡ ☐ + ☐ = ☐

코끼리 4마리가 물을 마시고 있었는데 2마리가 더 와서 모두 6마리가 되었습니다.

➡ ☐ + ☐ = ☐

다람쥐 4마리가 도토리를 먹고 있었는데 4마리가 더 와서 모두 8마리가 되었습니다.

➡ ☐ + ☐ = ☐

어항에 물고기 2마리가 있었는데 4마리를 더 넣어서 모두 6마리가 되었습니다.

➡ ☐ + ☐ = ☐

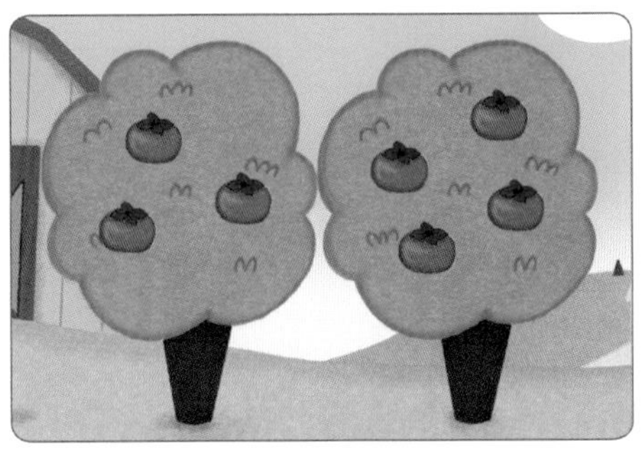

감이 나무 한 그루에 3개 있고 또 한 그루에 4개 있습니다. 감은 모두 7개입니다.

➡ ☐ + ☐ = ☐

3 덧셈식을 2가지 방법으로 읽어 보세요.

+ → 더하기, 합　　= → 같습니다., 입니다.

$2 + 1 = 3$ →

2	더하기	1	은	3	과	같습니다.	
2	와	1	의		은	3	

$5 + 4 = 9$ →

5		4	는	9	와		
5	와	4	의		은	9	

$1 + 7 = 8$ →

1		7	은	8	과		
1	과	7	의		은	8	

$3 + 4 = 7$ →

3		4	는	7	과		
3	과	4	의		은	7	

$6 + 3 = 9$ →

6		3	은	9	와		
6	과	3	의		은	9	

$7 + 2 = 9$ →

7		2	는	9	와		
7	과	2	의		은	9	

4 덧셈식을 쓰고 읽어 보세요.

보기

나비의 수

쓰기 3+1=4

읽기 ① 3 더하기 1은 4와 같습니다.

② 3과 1의 합은 4입니다.

공의 수

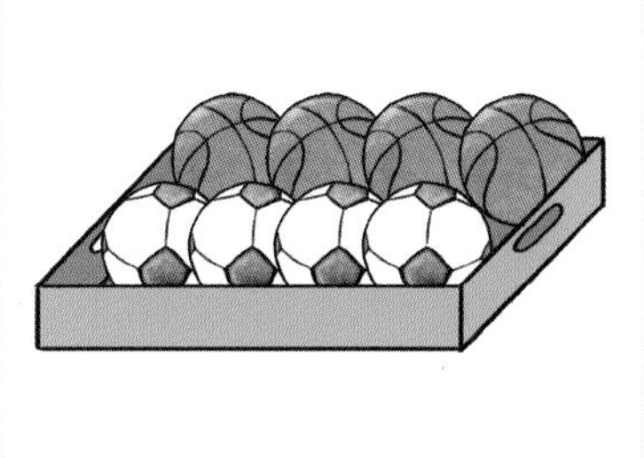

쓰기 ______

읽기 ① ______

② ______

물고기의 수

쓰기 ______

읽기 ① ______

② ______

공작의 수

쓰기 ______

읽기 ① ______

② ______

덧셈하기

정답 20쪽

○ 수를 세어 더하기

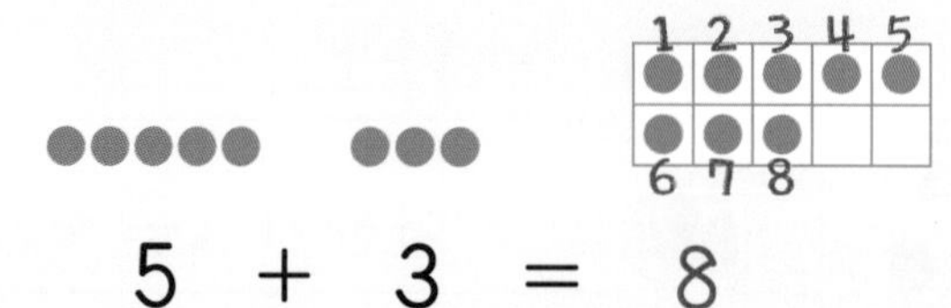

$5 + 3 = 8$

○ 수를 세어 덧셈을 해 보세요.

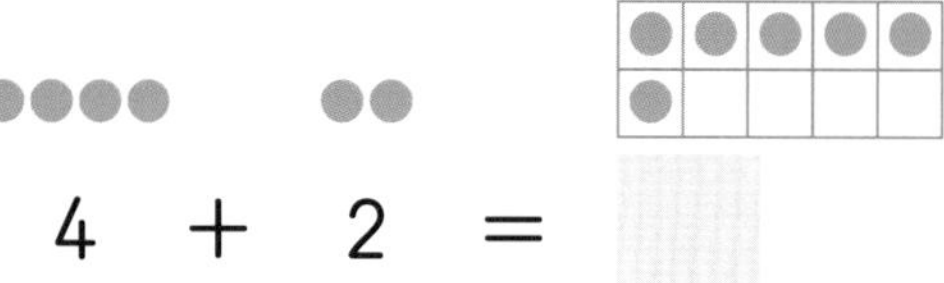

$4 + 2 =$ □

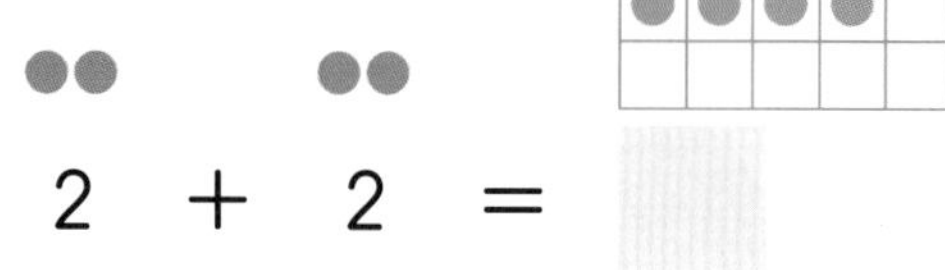

$2 + 2 =$ □

$5 + 1 =$ □

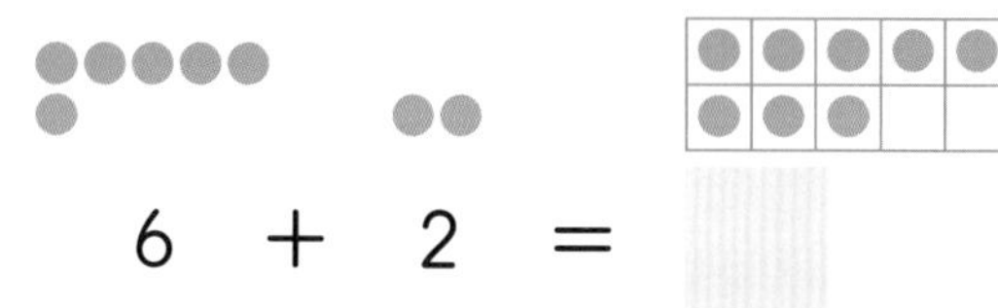

$6 + 2 =$ □

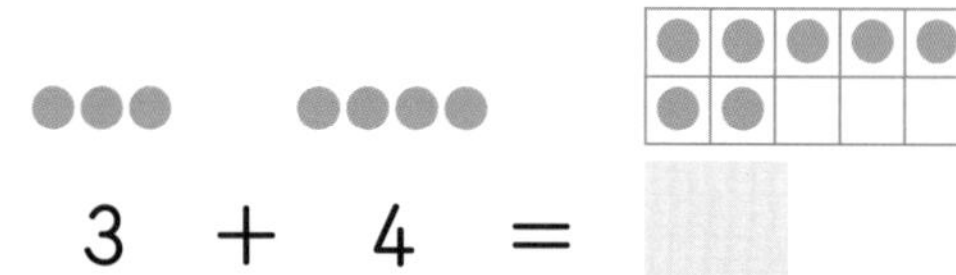

$3 + 4 =$ □

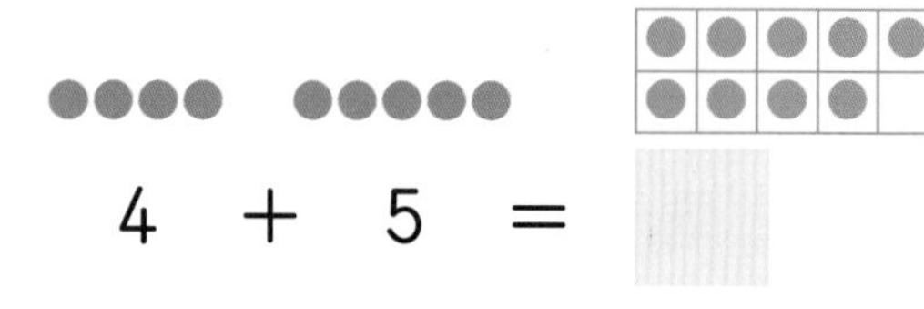

$4 + 5 =$ □

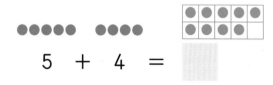

$5 + 4 =$ □

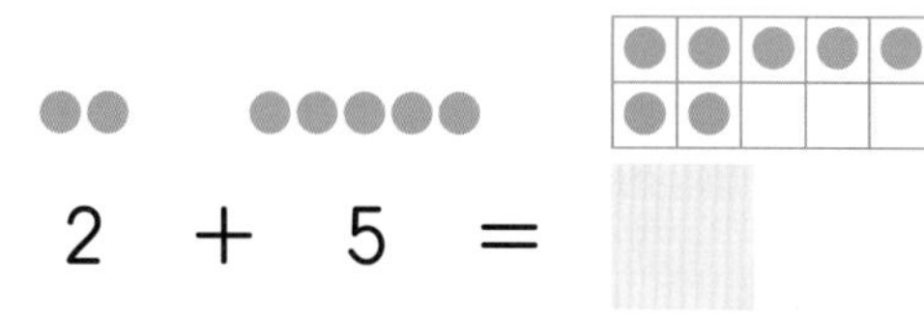

$2 + 5 =$ □

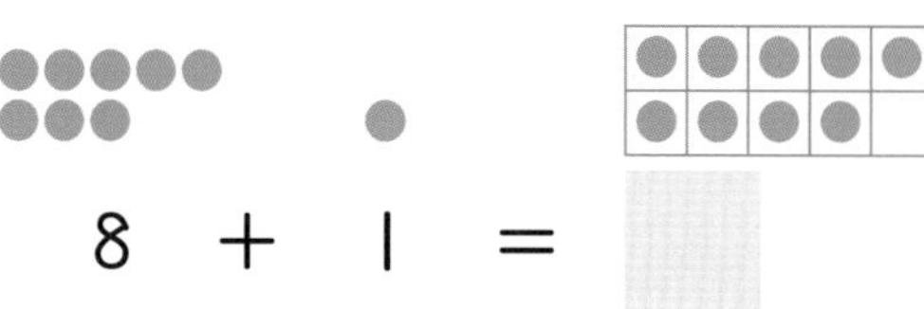

$8 + 1 =$ □

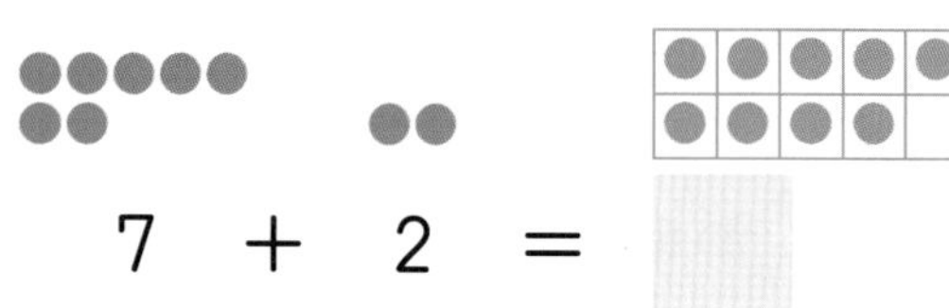

$7 + 2 =$ □

2 식에 알맞게 ○를 그려 덧셈을 해 보세요.

2 + 3 =

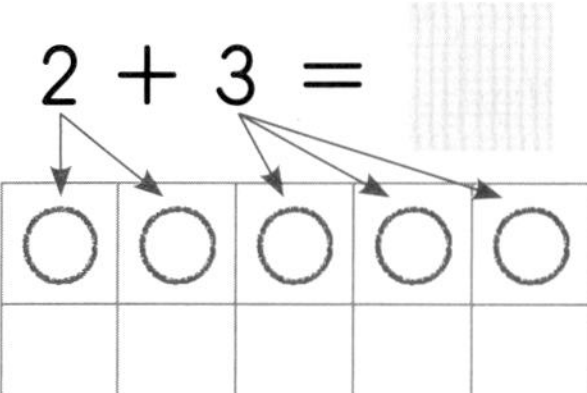

4 + 4 =

4 + 2 =

2 + 2 =

5 + 4 =

2 + 6 =

2 + 4 =

2 + 5 =

1 + 7 =

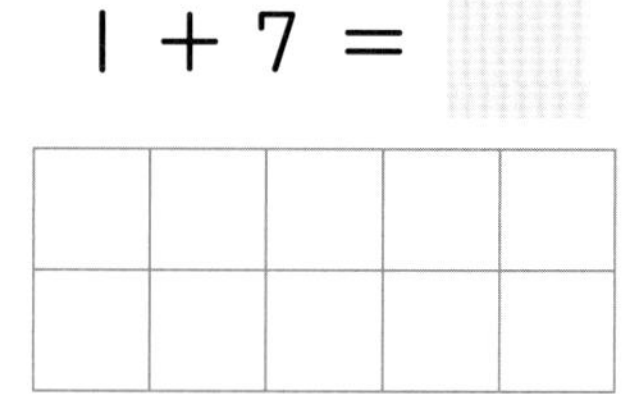

4 + 3 =

3 + 2 =

2 + 7 =

3 + 5 =

6 + 3 =

1 + 4 =

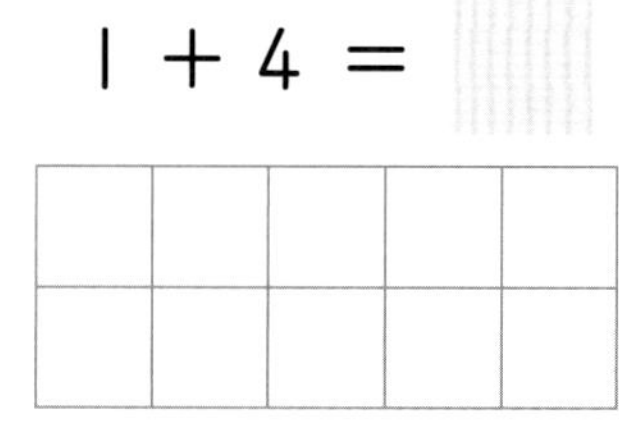

5 + 2 =

7 + 1 =

3 + 6 =

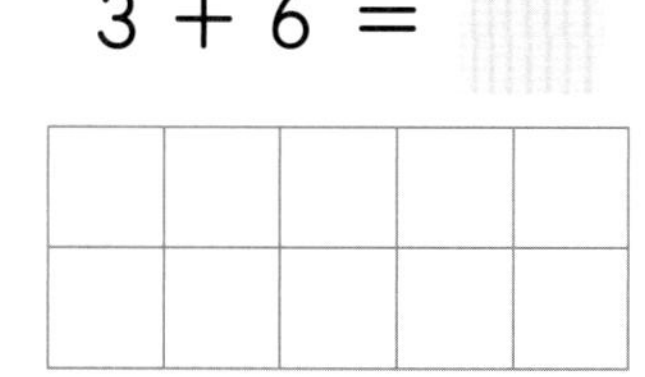

3 모으기를 이용하여 덧셈을 해 보세요.

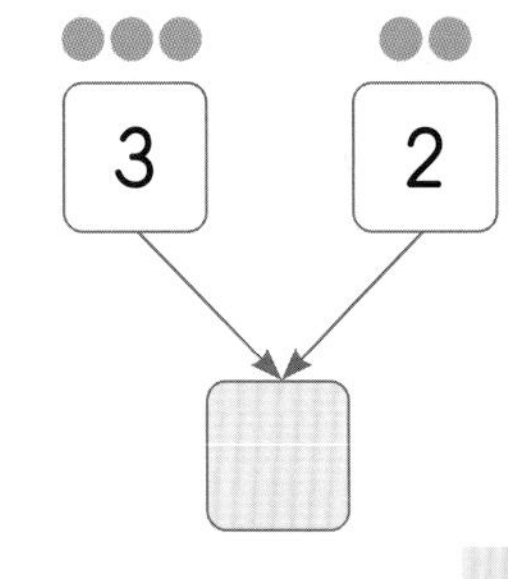

3 + 2 =

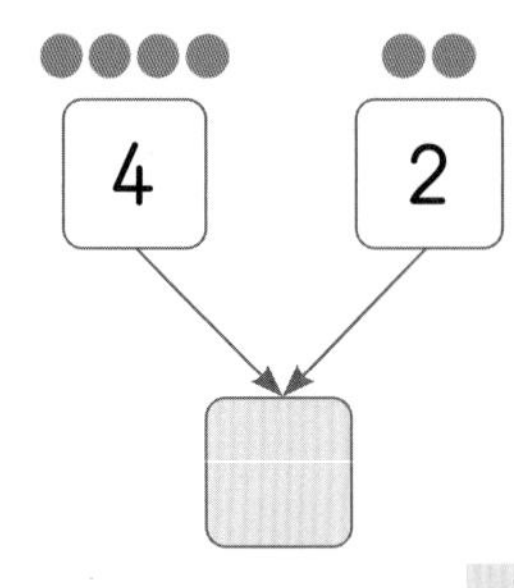

4 + 2 =

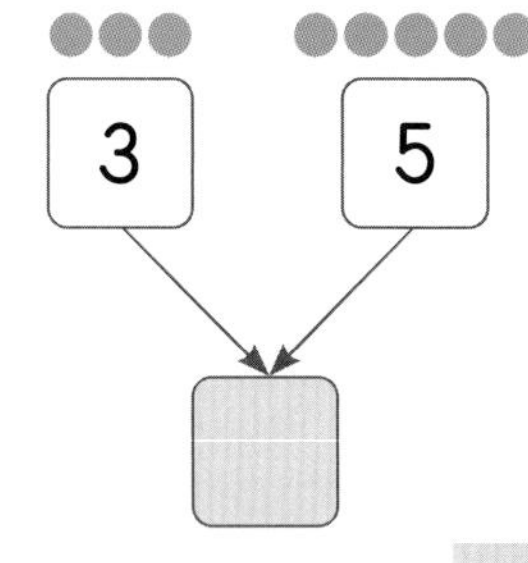

3 + 5 =

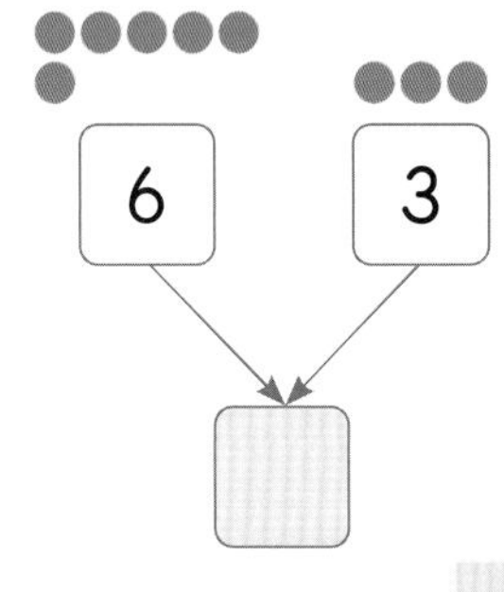

6 + 3 =

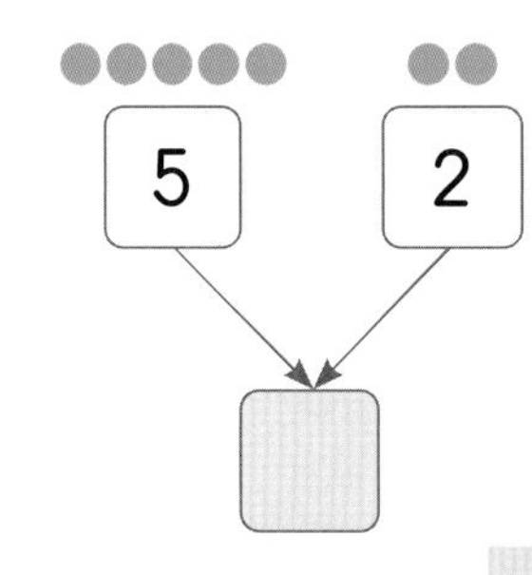

5 + 2 =

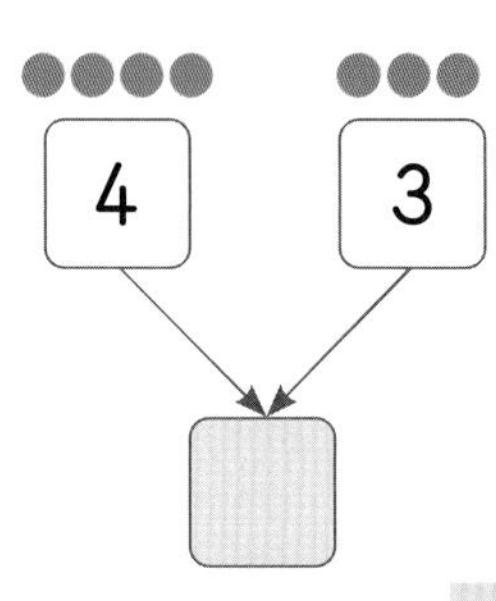

4 + 3 =

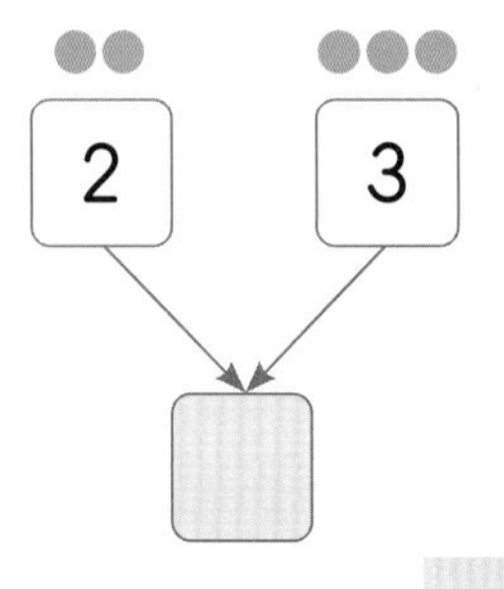

2 + 3 =

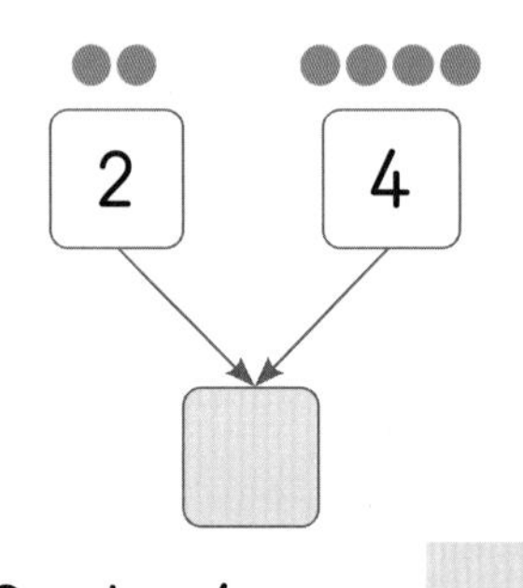

2 + 4 =

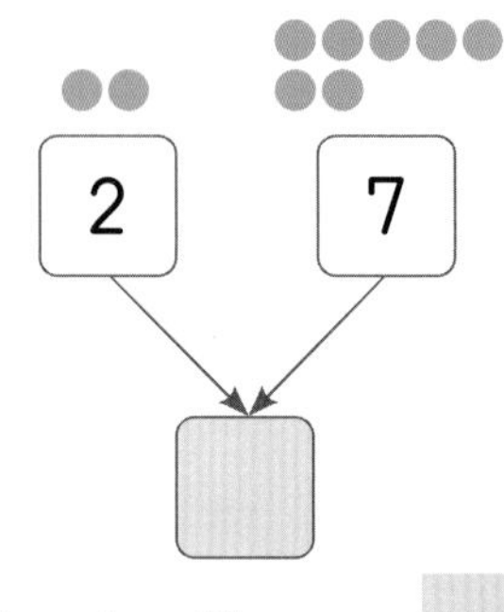

2 + 7 =

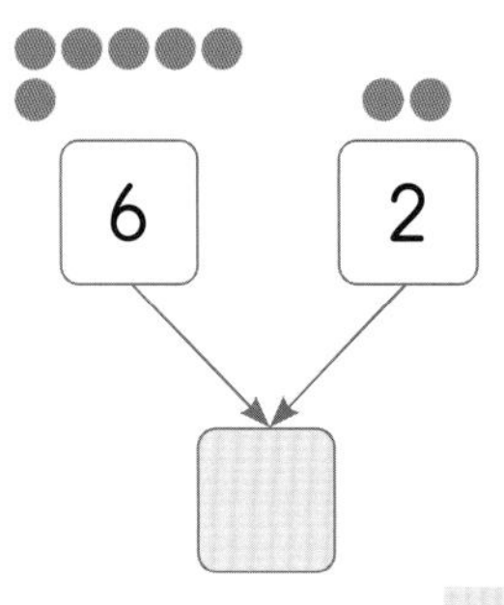

6 + 2 =

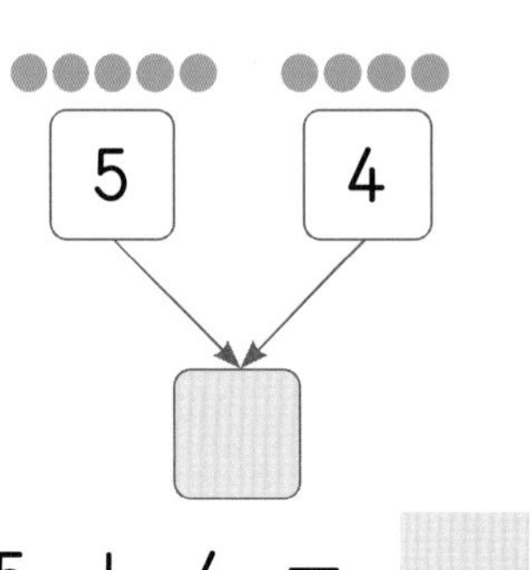

5 + 4 =

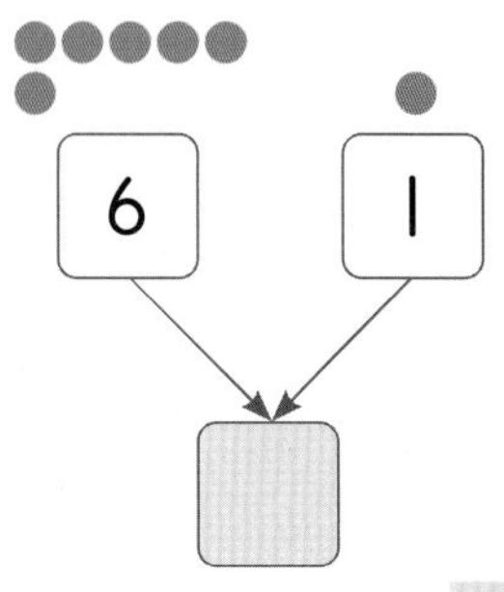

6 + 1 =

4 모으기를 하여 덧셈을 해 보세요.

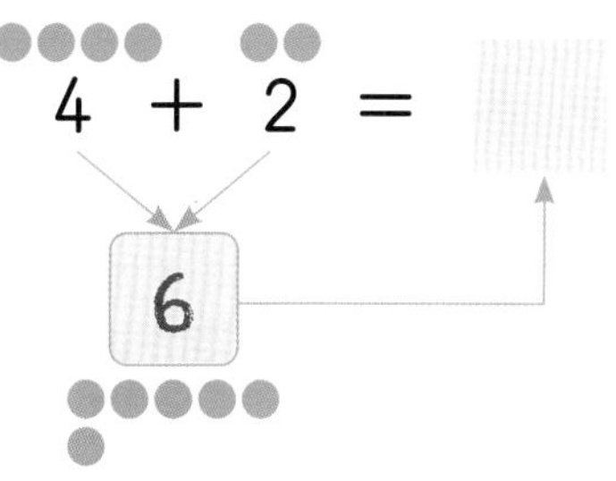

1 + 2 =

3 + 2 =

5 + 4 =

7 + 1 =

2 + 5 =

2 + 1 =

3 + 3 =

5 + 3 =

3 + 4 =

3 + 1 =

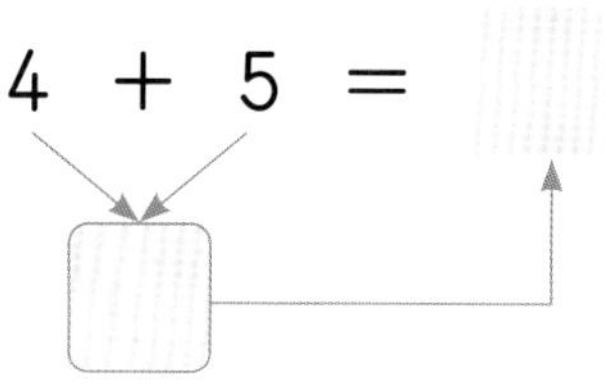

4 + 1 =

6 + 2 =

3 + 6 =

2 + 6 =

7 + 2 =

4 + 4 =

05 덧셈 연습

정답 21쪽

1 덧셈 실력을 점검해 보세요.

실력평가

맞힌 개수	제한 시간
개	10 분

1. 1 + 2 = ☐
2. 3 + 2 = ☐
3. 2 + 4 = ☐
4. 2 + 2 = ☐
5. 4 + 3 = ☐
6. 3 + 1 = ☐
7. 4 + 4 = ☐
8. 7 + 2 = ☐
9. 1 + 4 = ☐
10. 2 + 1 = ☐
11. 5 + 3 = ☐
12. 3 + 3 = ☐
13. 5 + 2 = ☐
14. 2 + 3 = ☐
15. 6 + 1 = ☐
16. 3 + 5 = ☐
17. 4 + 2 = ☐
18. 1 + 3 = ☐
19. 8 + 1 = ☐
20. 1 + 7 = ☐
21. 4 + 5 = ☐
22. 6 + 2 = ☐
23. 3 + 6 = ☐
24. 3 + 4 = ☐

2 덧셈을 해 보세요.

+		
1	2	

1+2

+		
2	2	

+		
3	2	

+		
3	1	

+		
4	2	

+		
6	3	

+		
3	4	

+		
6	2	

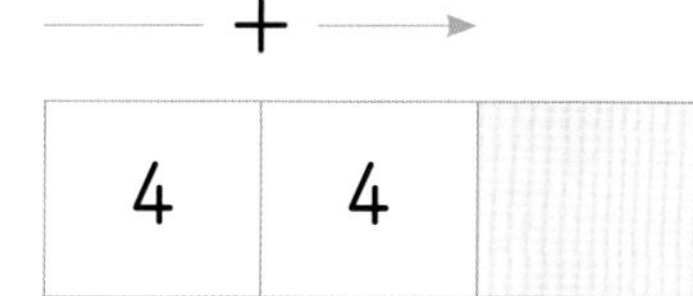

+		
4	4	

+		
2	3	

+		
3	6	

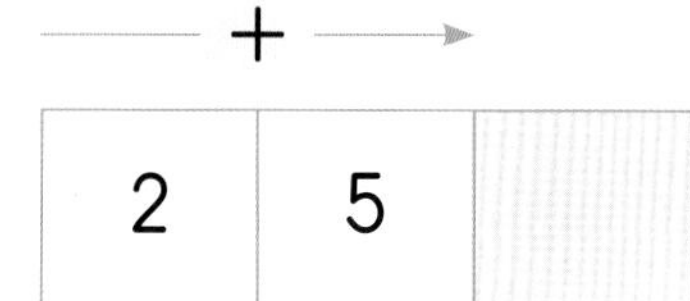

+		
2	5	

+		
2	4	

+		
4	3	

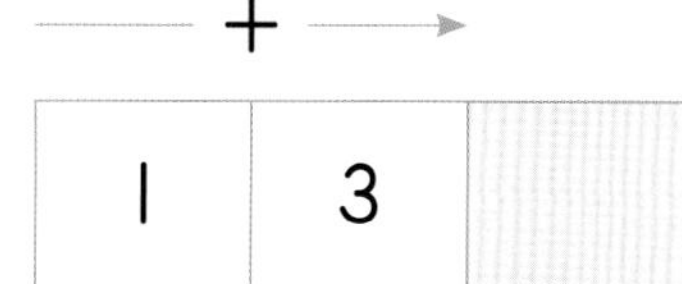

+		
1	3	

+		
5	3	

+		
4	5	

+		
3	3	

3 덧셈을 해 보세요.

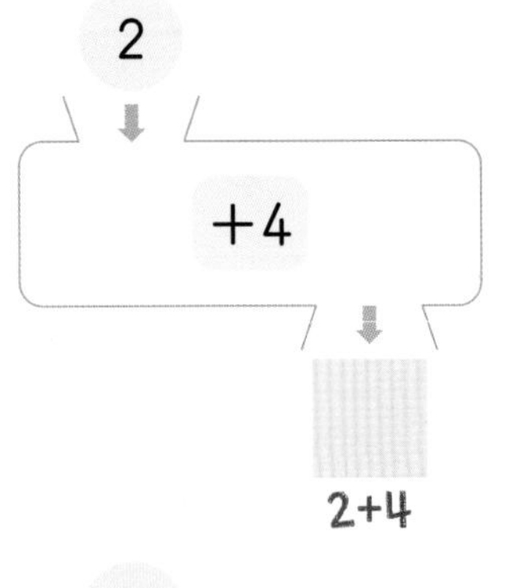

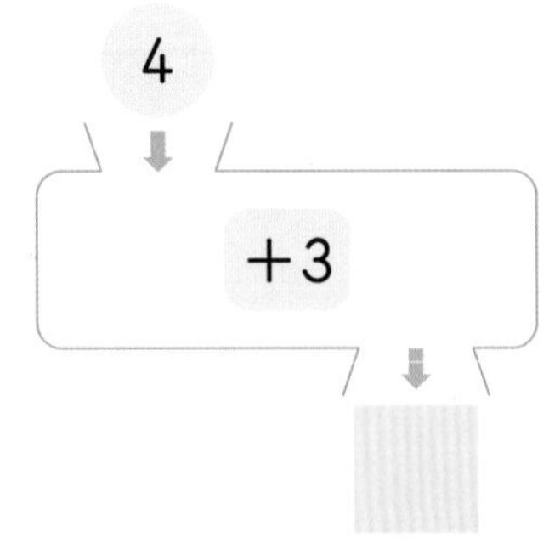

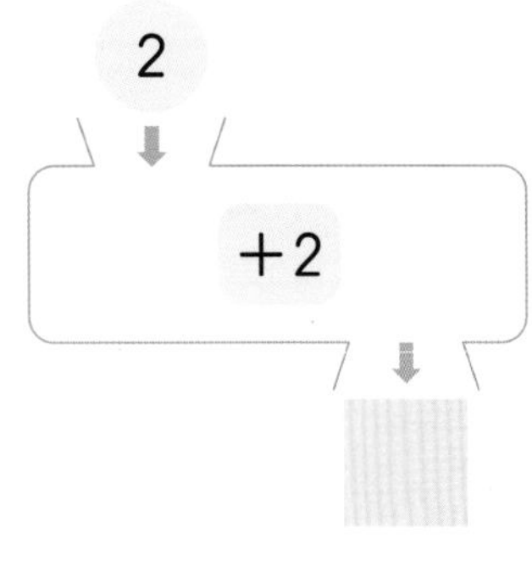

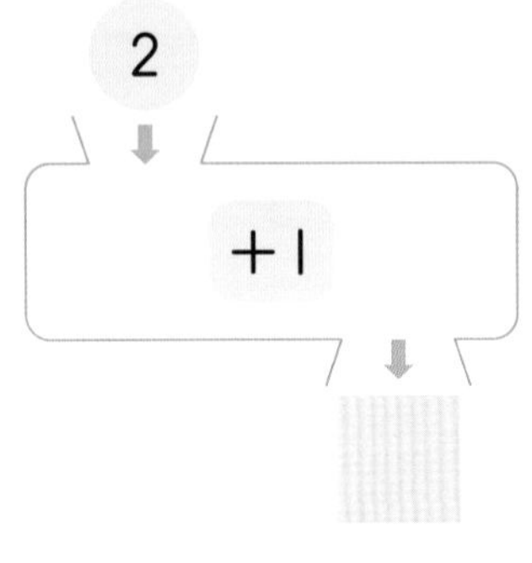

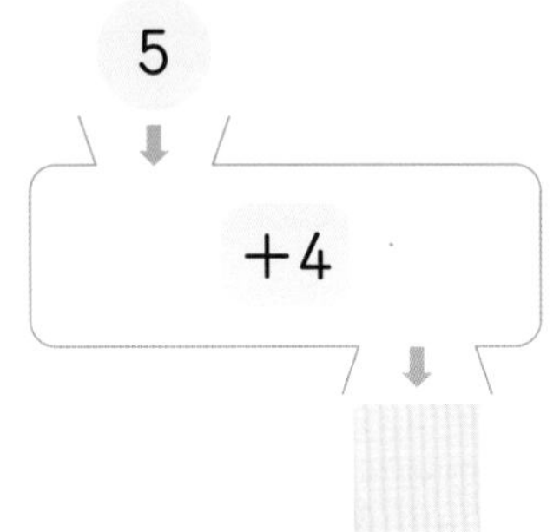

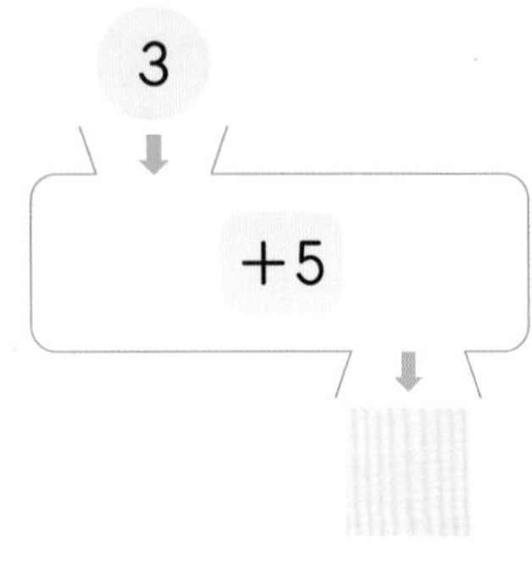

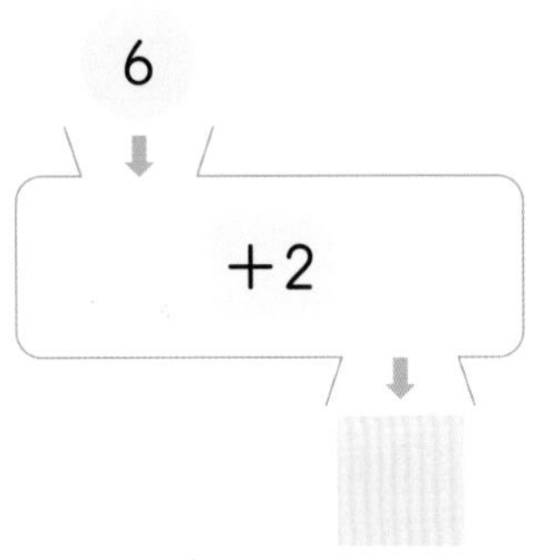

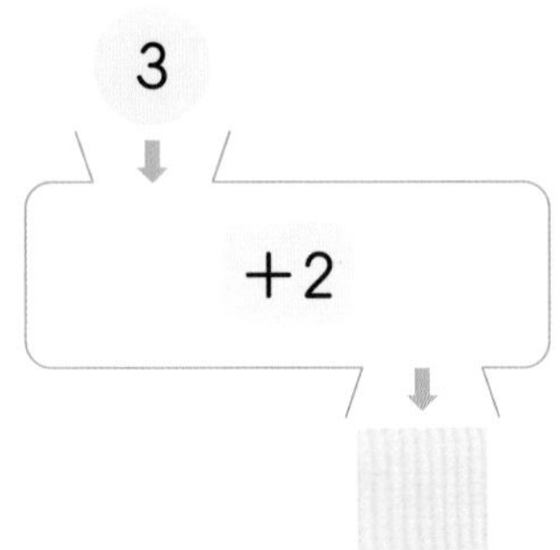

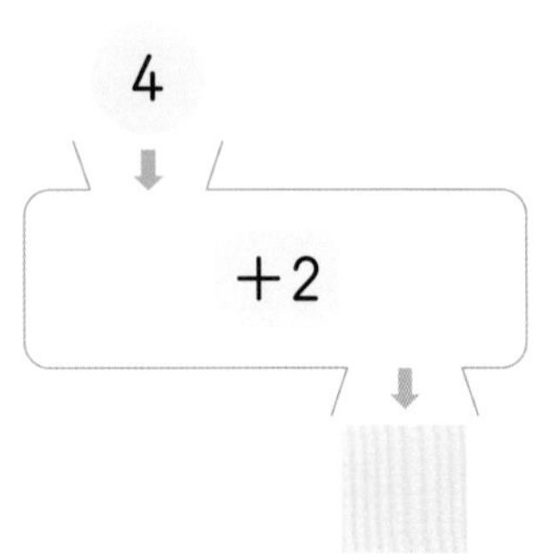

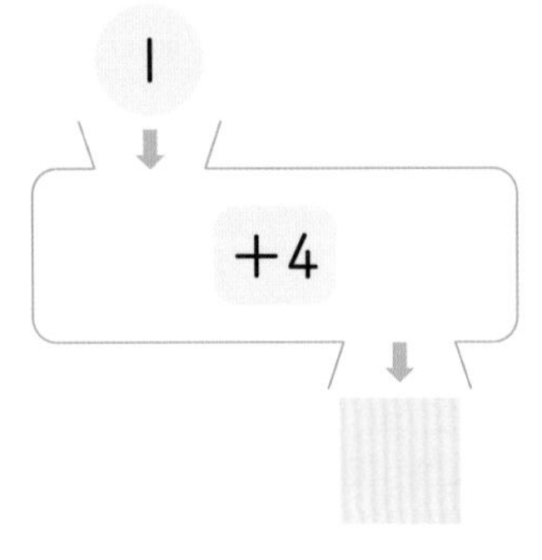

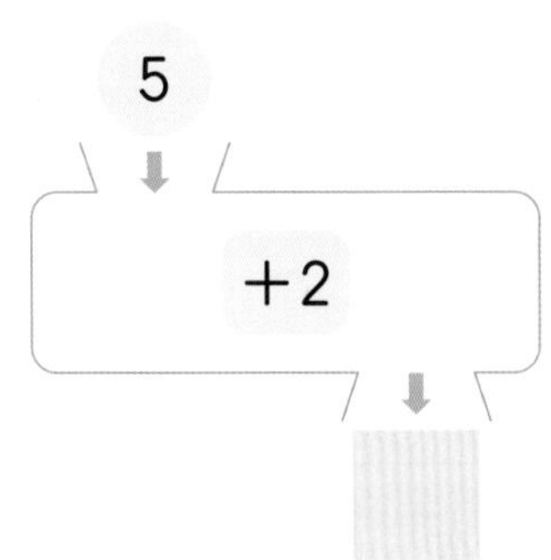

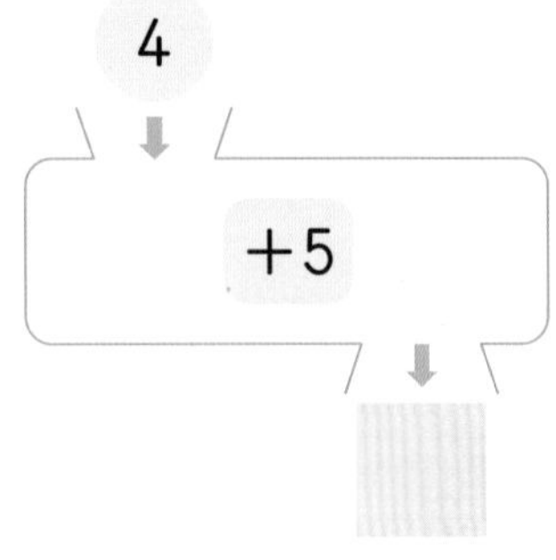

6

+3

7

+1

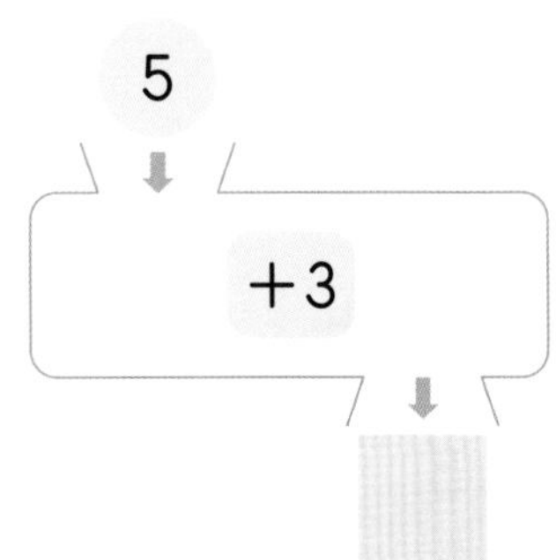

4 올바른 덧셈식이 되도록 선을 그어 보세요.

보기

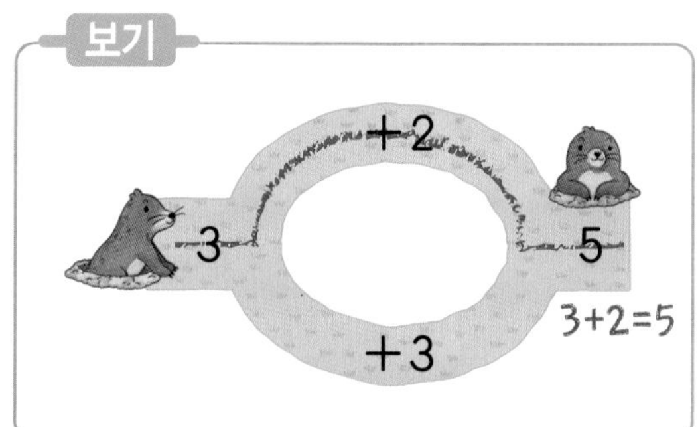

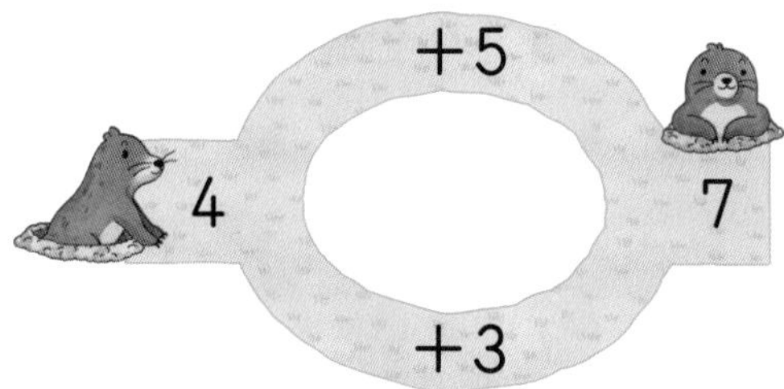

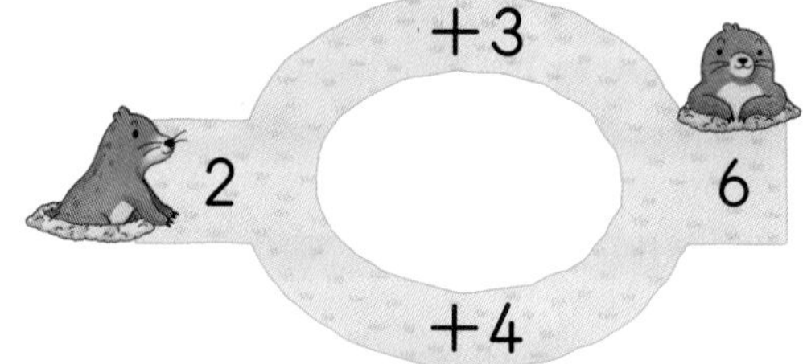

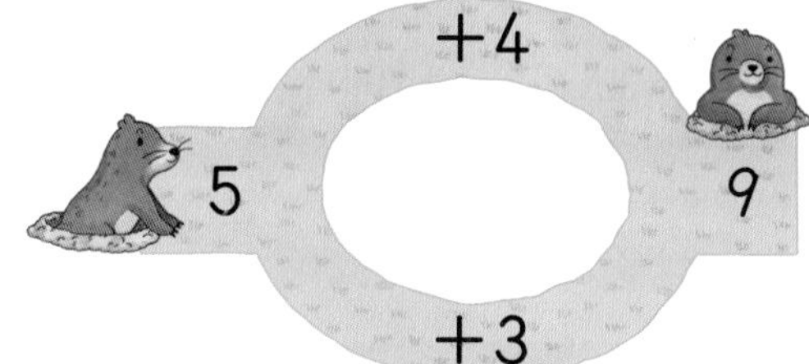

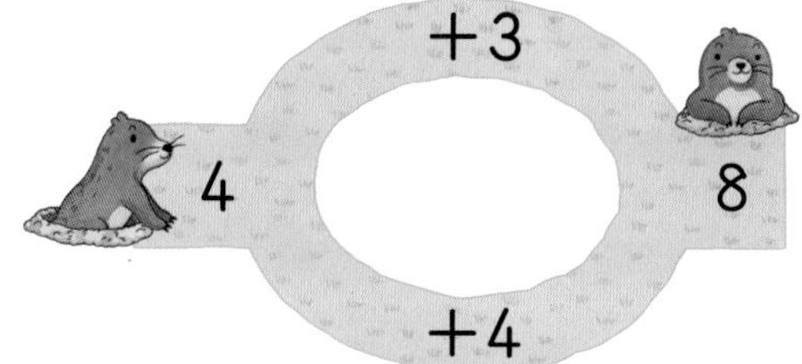

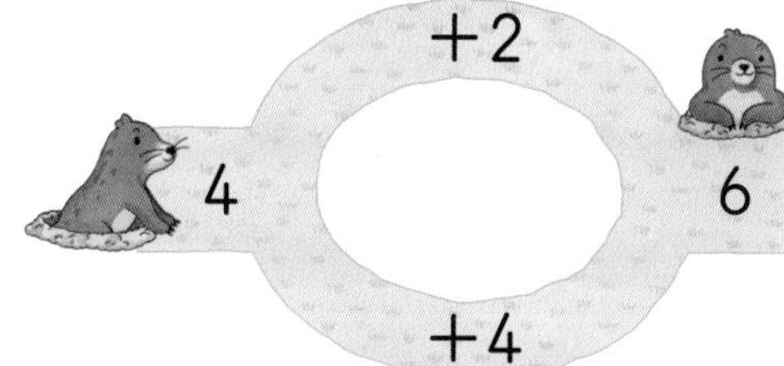

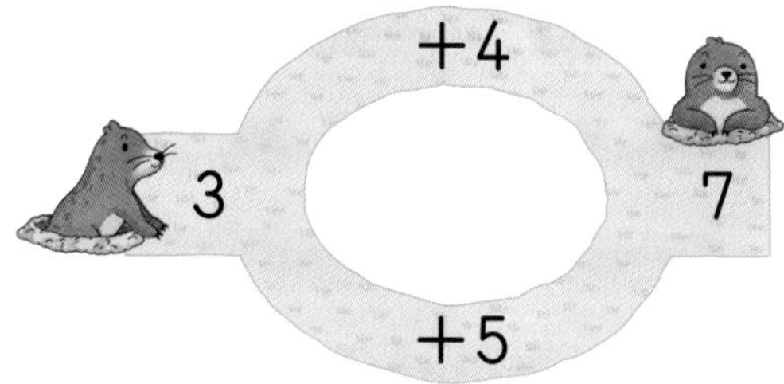

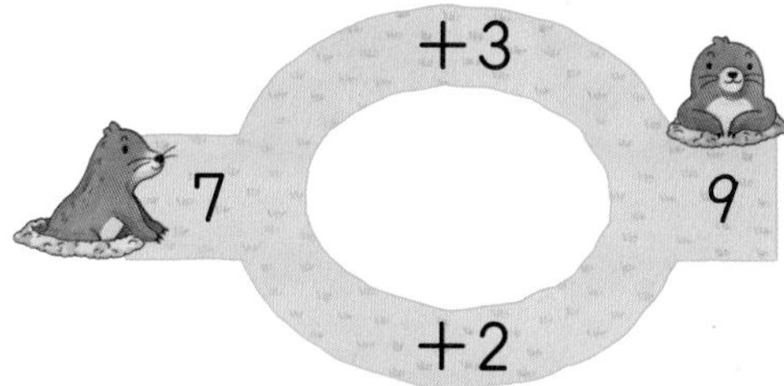

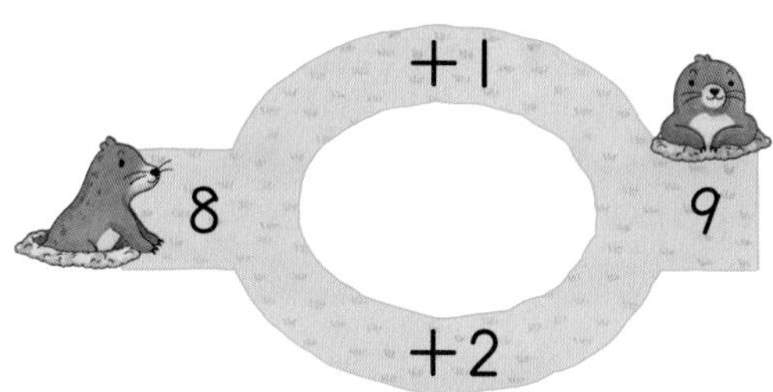

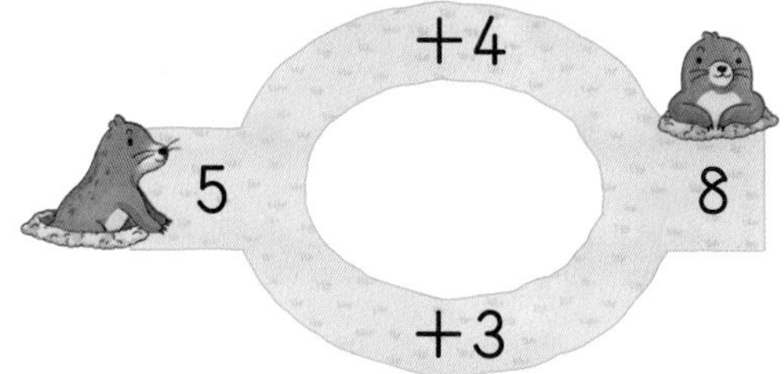

06 뺄셈식으로 나타내기

정답 22쪽

뺄셈 상황 이야기 만들기

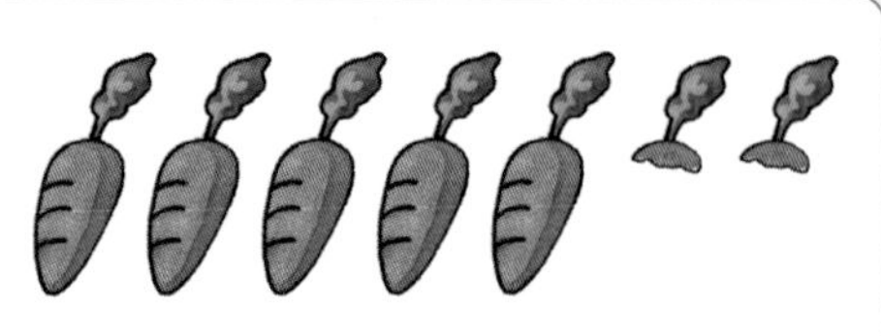

➡ 당근 7개 중에서 2개를 먹었으므로 당근은 5개 남았습니다.

1 그림을 보고 ☐ 안에 알맞은 수를 써넣어 이야기를 만들어 보세요.

➡ 꽃밭에 나비 ☐ 마리가 있었는데 ☐ 마리가 날아가서 ☐ 마리 남았습니다.

➡ 버스에 ☐ 명이 타고 있었는데 ☐ 명이 내려서 ☐ 명이 남았습니다.

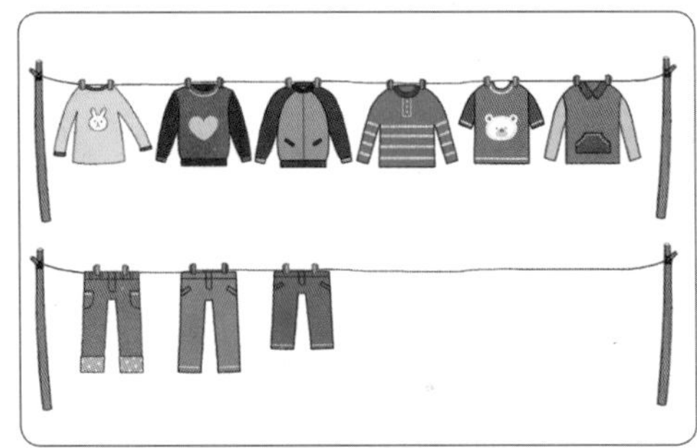

➡ 윗옷은 ☐ 개, 바지는 ☐ 개이므로 윗옷이 바지보다 ☐ 개 더 많습니다.

2 그림을 보고 뺄셈식을 알맞게 만들어 보세요.

연못 안에 오리 5마리가 놀고 있었는데
2마리가 연못 밖으로 나가서 3마리 남았습니다.

지붕 위에 새 6마리가 앉아 있었는데
4마리가 날아가서 2마리 남았습니다.

➡ ☐ − ☐ = ☐

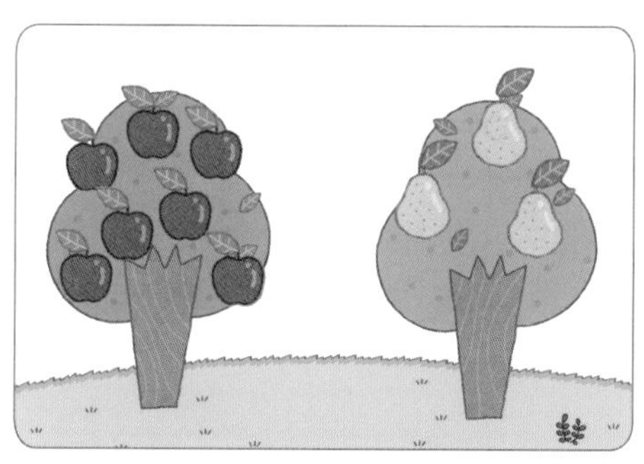

사과는 7개, 배는 3개이므로
사과가 배보다 4개 더 많습니다.

➡ ☐ − ☐ = ☐

우산 쓴 아이는 5명, 우산을 쓰지 않은
아이는 4명이므로 우산을 쓴 아이가
우산을 쓰지 않은 아이보다 1명 더 많습니다.

➡ ☐ − ☐ = ☐

파란 꽃이 5송이, 빨간 꽃이 3송이이므로
파란 꽃이 빨간 꽃보다 2송이 더 많습니다.

➡ ☐ − ☐ = ☐

3 뺄셈을 2가지 방법으로 읽어 보세요

− ➡	빼기, 차	= ➡	같습니다., 입니다.

3 − 1 = 2 ➡

3	빼기	1	은	2	와	같습니다.
3	과	1	의		는	2	

5 − 4 = 1 ➡

5		4	는	1	과	
5	와	4	의		는	1	

8 − 3 = 5 ➡

8		3	은	5	와	
8	과	3	의		는	5	

9 − 6 = 3 ➡

9		6	은	3	과	
9	와	6	의		는	3	

6 − 2 = 4 ➡

6		2	는	4	와	
6	과	2	의		는	4	

7 − 5 = 2 ➡

7		5	는	2	와	
7	과	5	의		는	2	

4 뺄셈식을 쓰고 읽어 보세요.

보기

남은 생선의 수

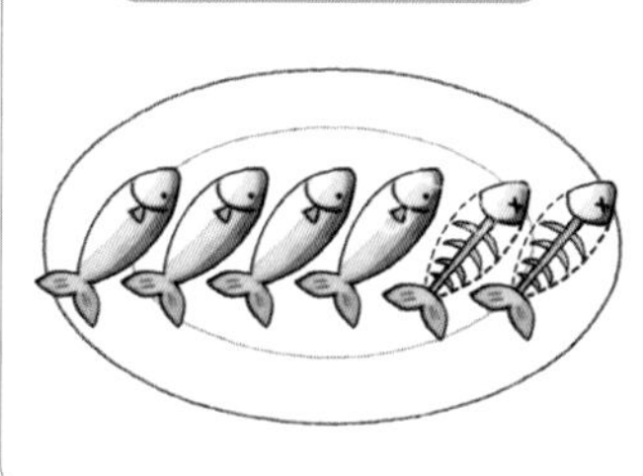

쓰기 6−2=4

읽기 ① 6 빼기 2는 4와 같습니다.

② 6과 2의 차는 4입니다.

남은 풍선의 수

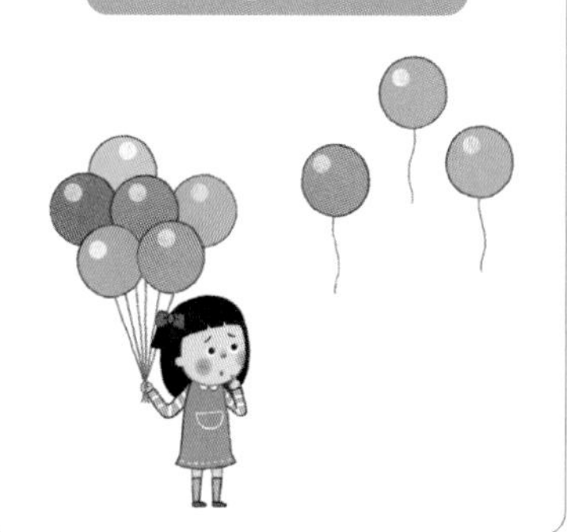

쓰기

읽기 ①

②

옷과 옷걸이의 차

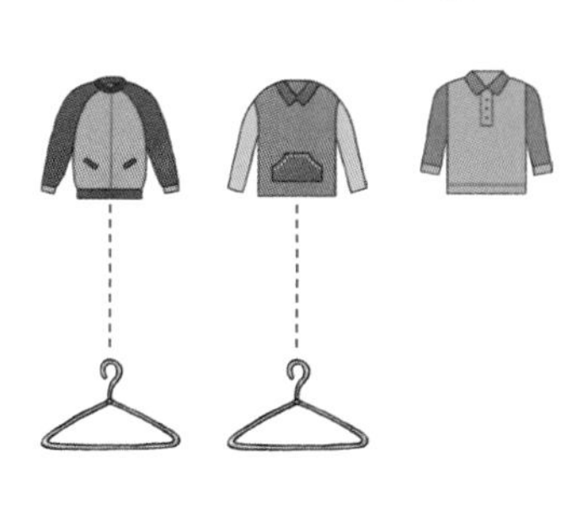

쓰기

읽기 ①

②

꽃과 꽃병의 차

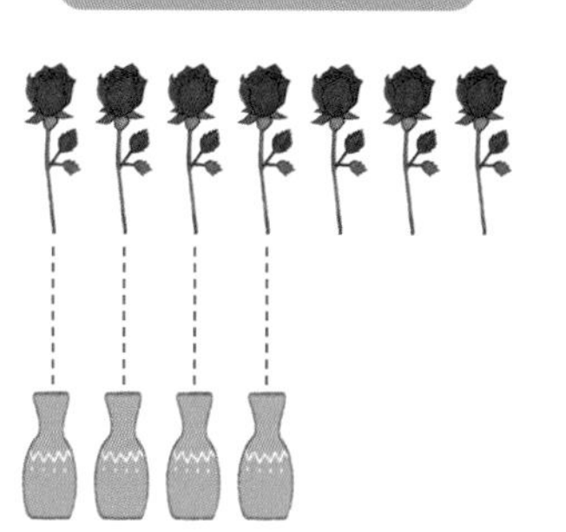

쓰기

읽기 ①

②

07 뺄셈하기

정답 23쪽

그림 그려 빼기

〈빼는 수만큼 지워서 빼기〉

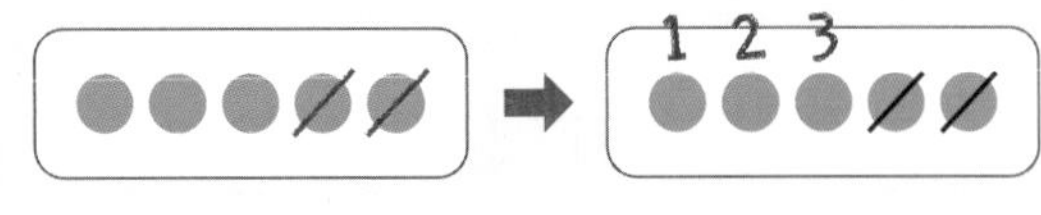

5－2＝3

〈짝을 지어 비교하며 빼기〉

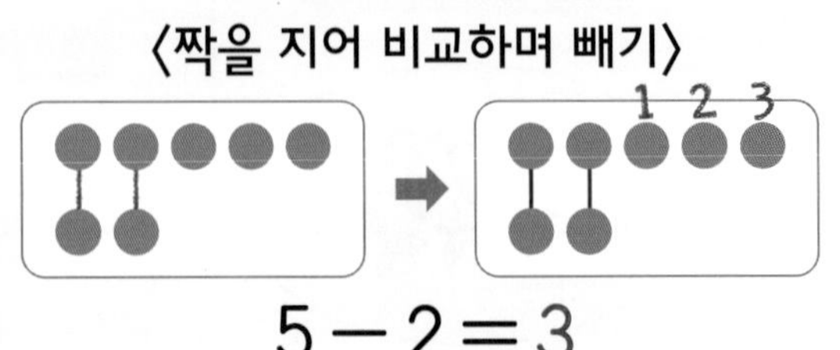

5－2＝3

1 그림을 보고 뺄셈을 해 보세요.

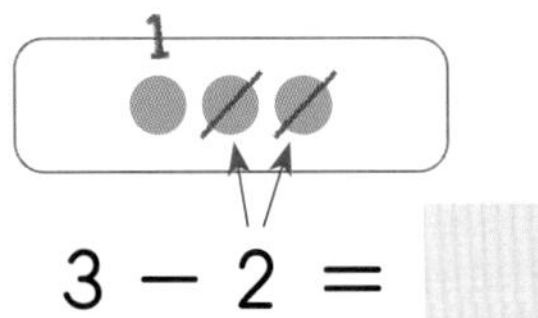

3 － 2 ＝ ☐

5 － 3 ＝ ☐

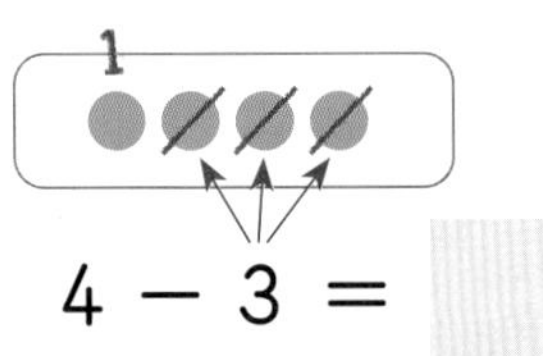

4 － 3 ＝ ☐

6 － 4 ＝ ☐

8 － 5 ＝ ☐

9 － 3 ＝ ☐

8 － 3 ＝ ☐

6 － 3 ＝ ☐

7 － 4 ＝ ☐

6 － 2 ＝ ☐

7 － 5 ＝ ☐

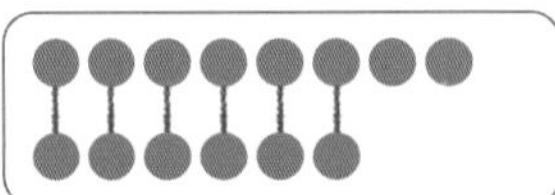

8 － 6 ＝ ☐

7 － 3 ＝ ☐

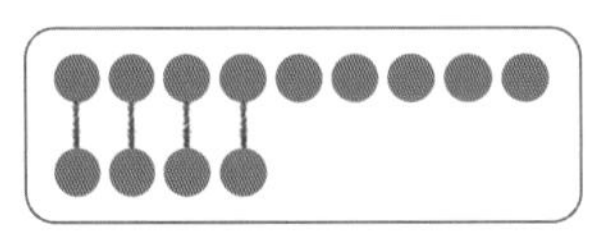

9 － 4 ＝ ☐

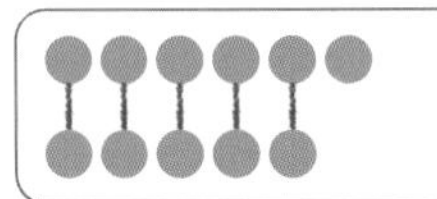

6 － 5 ＝ ☐

2 식에 알맞게 ╱로 지워가며 뺄셈을 해 보세요.

6 − 4 =

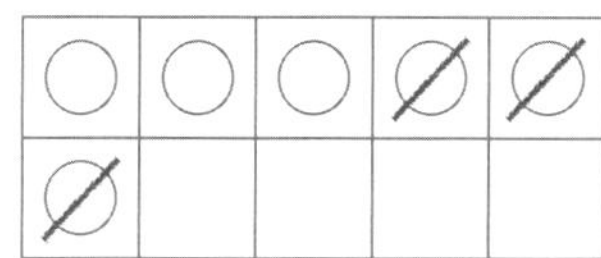

5 − 2 =

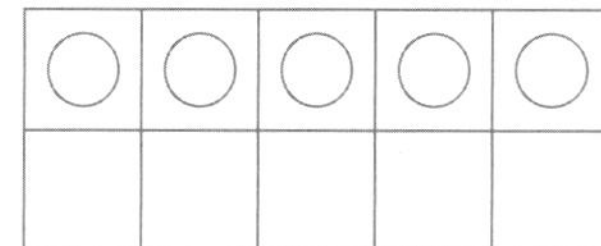

4 − 3 =

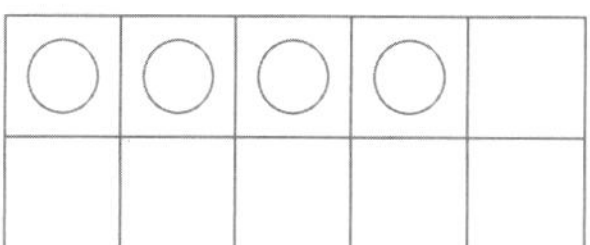

6 − 2 =

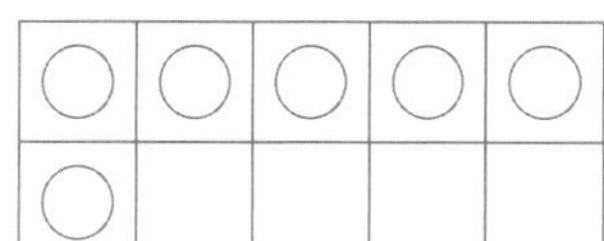

7 − 4 =

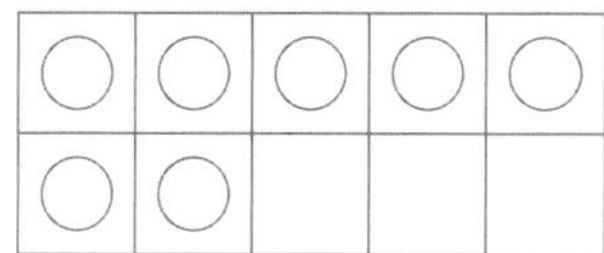

9 − 6 =

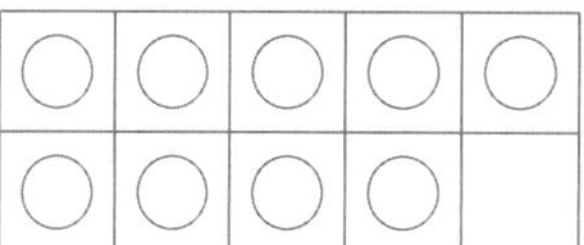

8 − 5 =

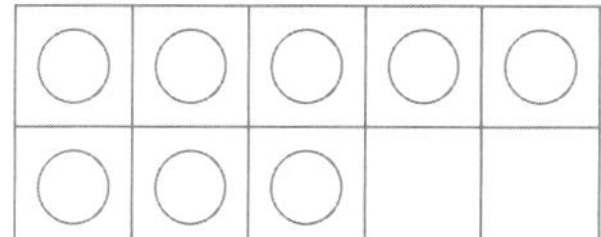

3 − 1 =

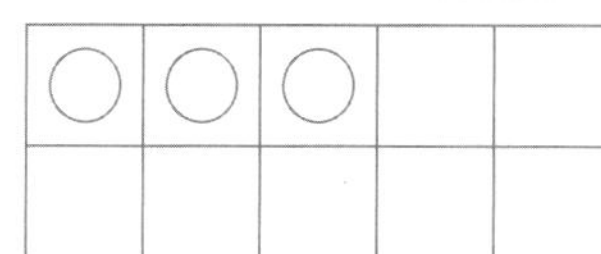

7 − 5 =

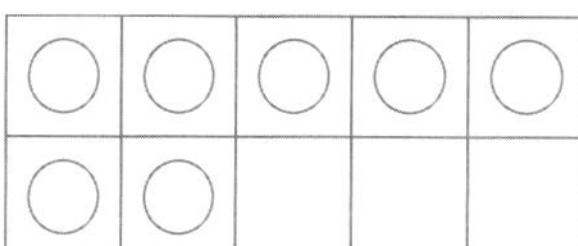

7 − 3 =

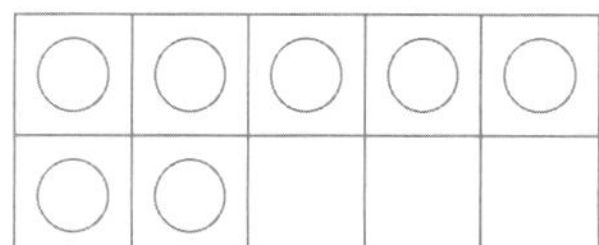

6 − 1 =

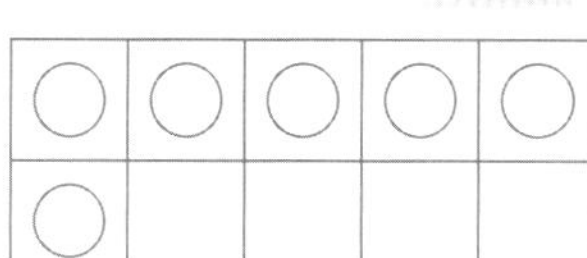

5 − 4 =

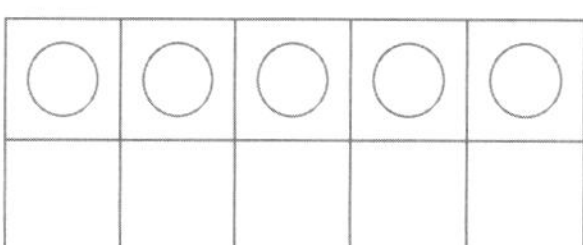

6 − 5 =

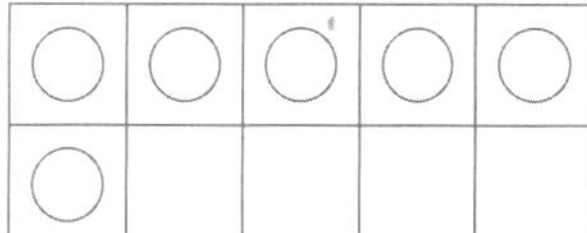

8 − 4 =

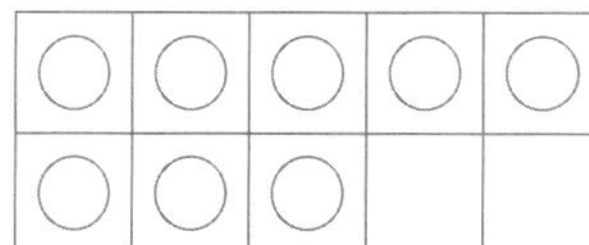

9 − 4 =

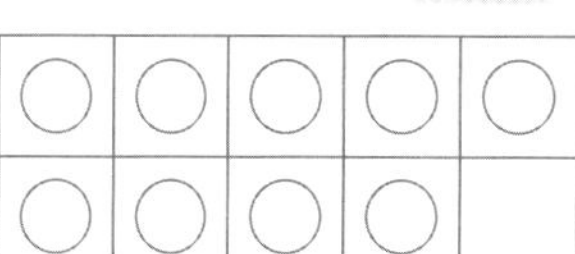

9 − 5 =

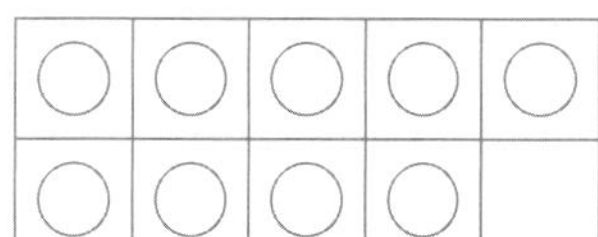

7 − 6 =

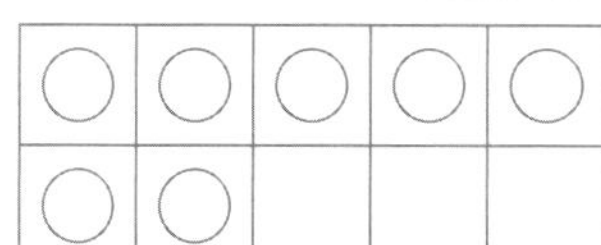

8 − 2 =

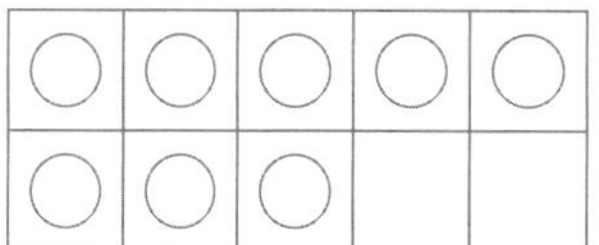

3 가르기를 이용하여 뺄셈을 해 보세요.

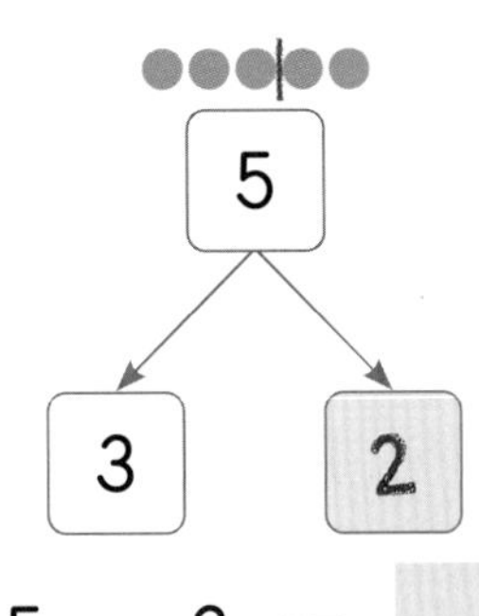

5 − 3 =

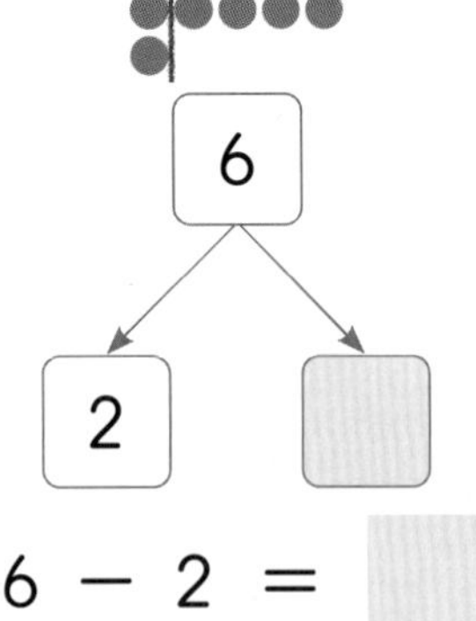

6 − 2 =

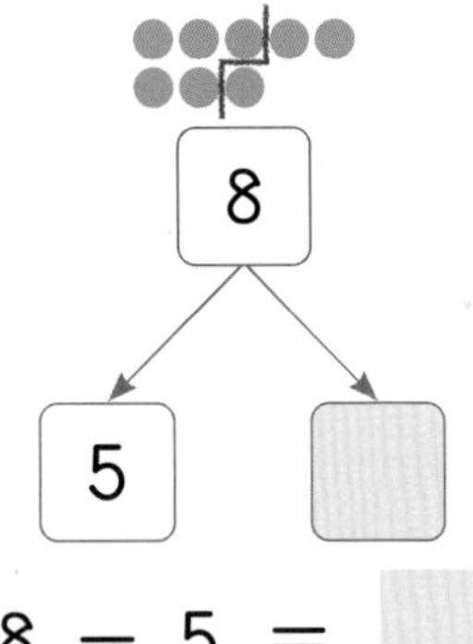

8 − 5 =

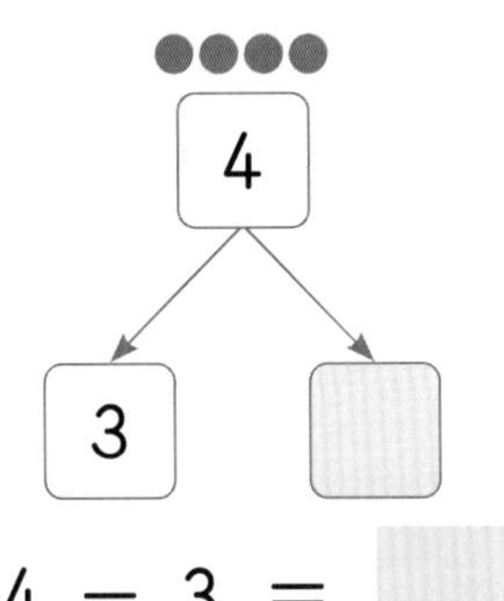

4 − 3 =

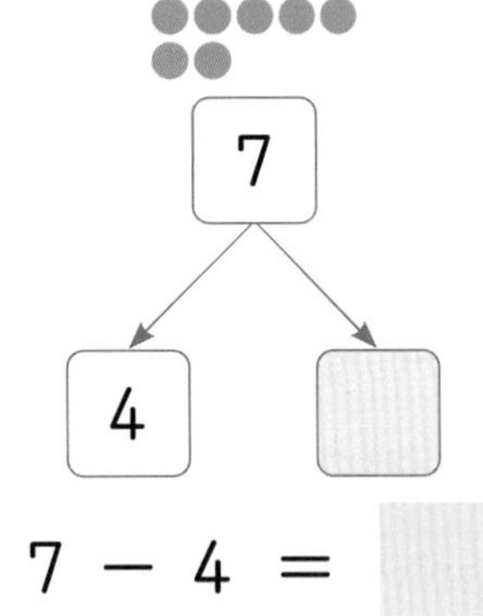

7 − 4 =

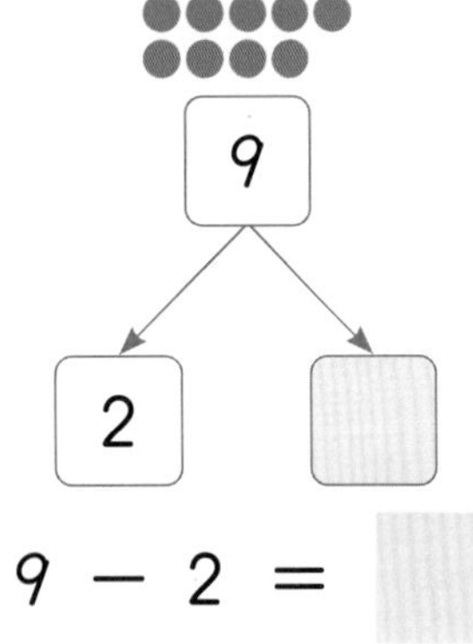

9 − 2 =

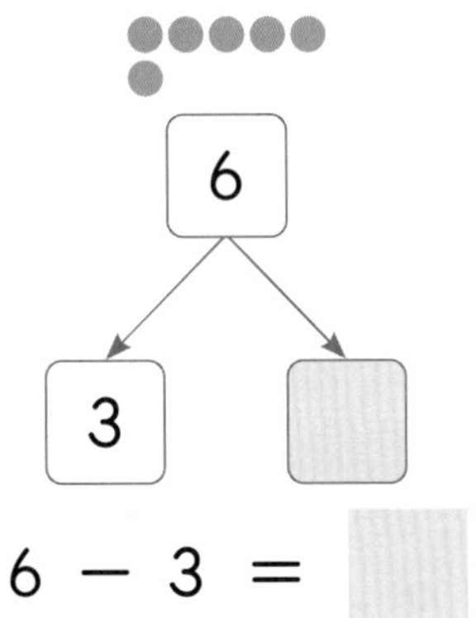

6 − 3 =

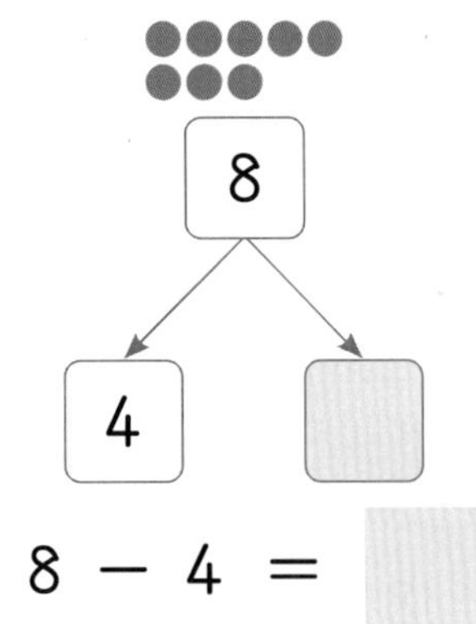

8 − 4 =

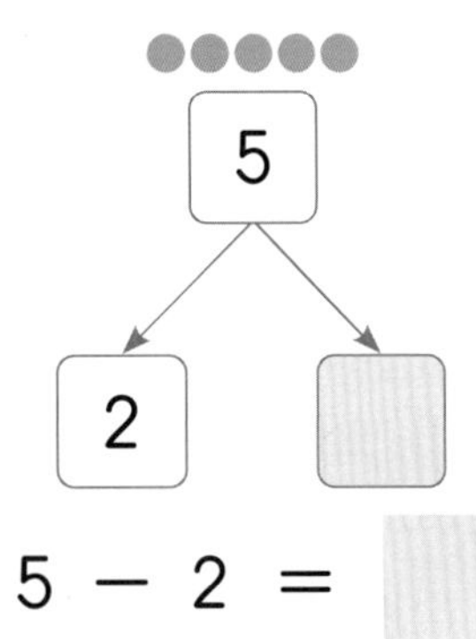

5 − 2 =

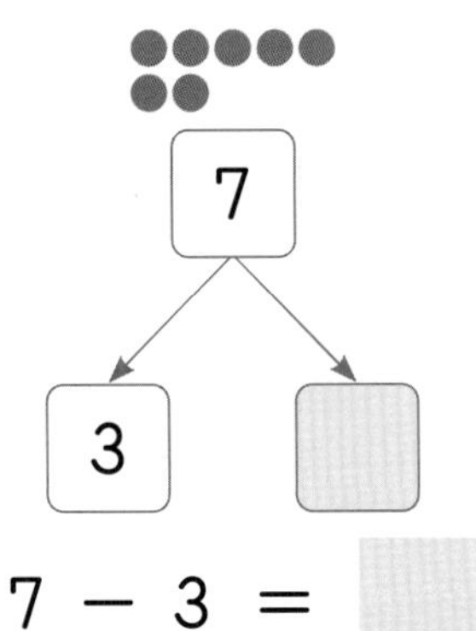

7 − 3 =

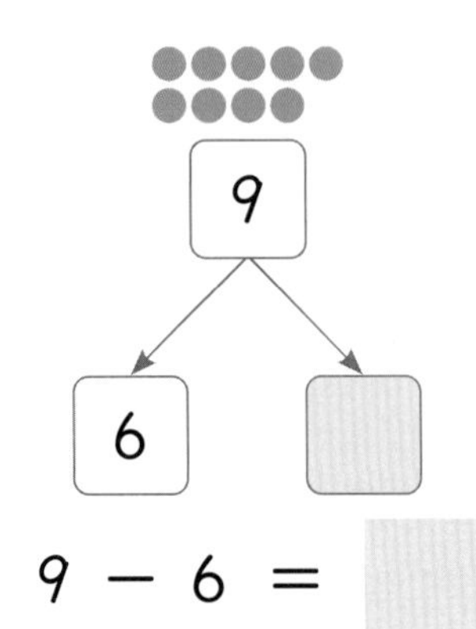

9 − 6 =

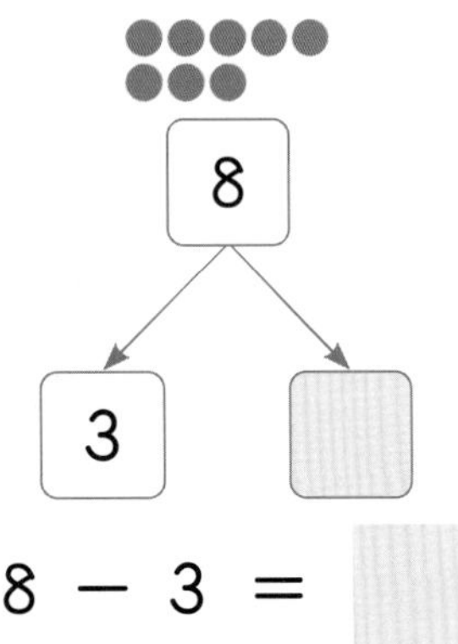

8 − 3 =

4 가르기를 하여 뺄셈을 해 보세요.

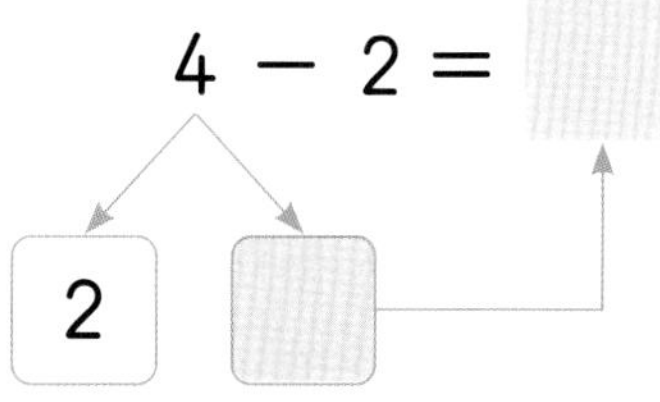

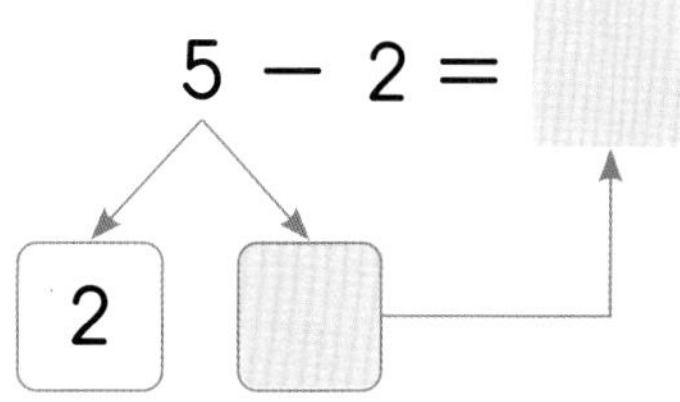

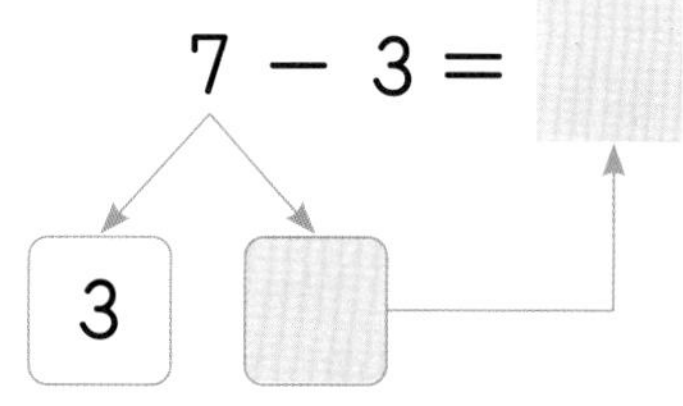

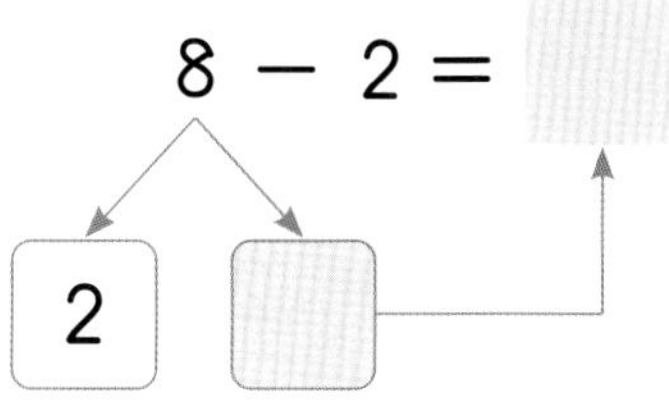

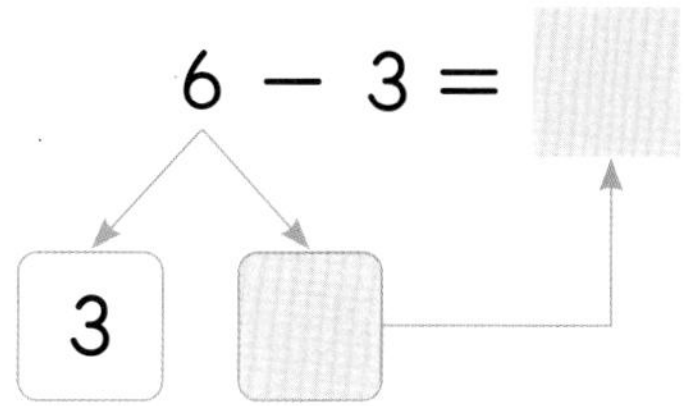

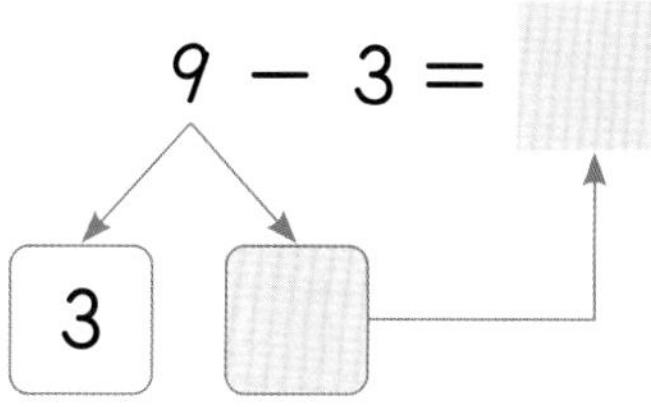

$5 - 4 = \square$

4 □

$6 - 2 = \square$

2 □

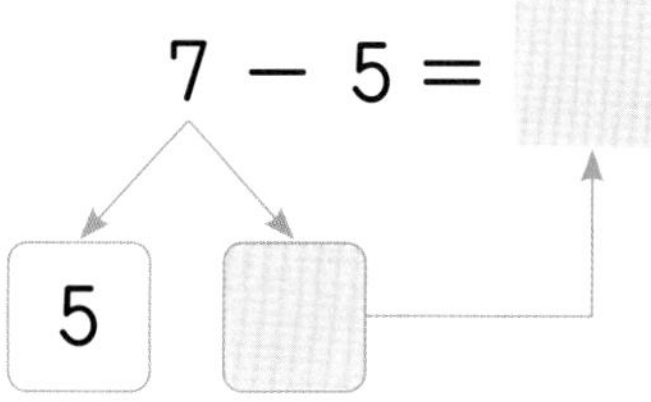

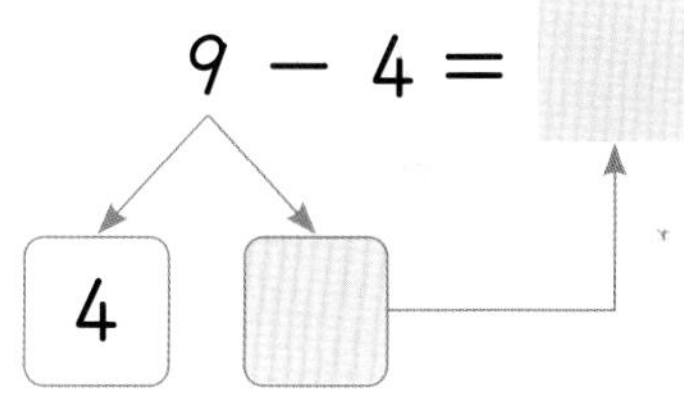

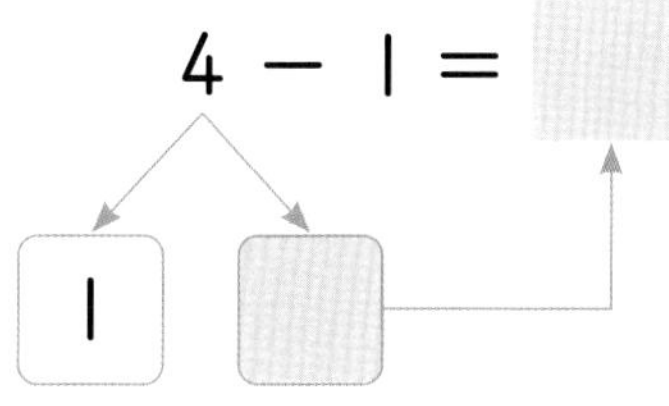

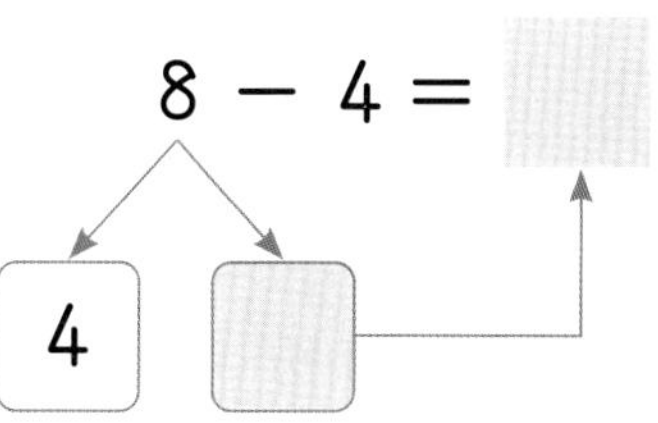

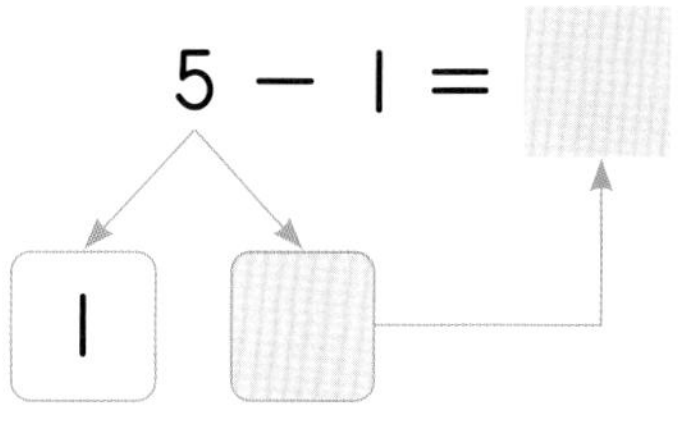

$8 - 6 = \square$

6 □

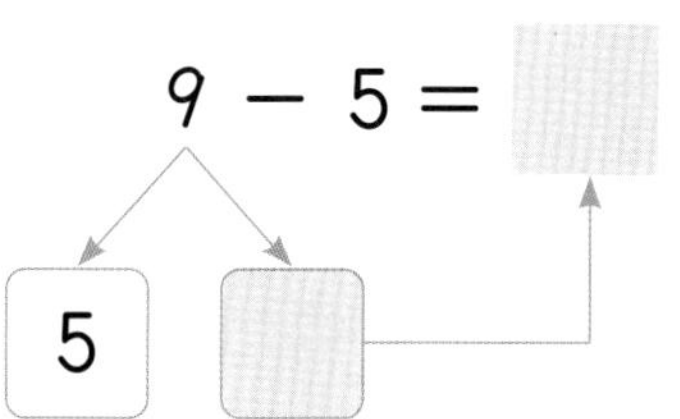

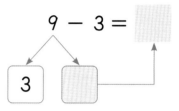

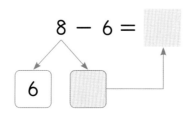

08 뺄셈 연습

정답 24쪽

1 뺄셈 실력을 점검해 보세요.

실력평가

맞힌 개수 ___ 개 | 제한 시간 10 분

1. 3 − 2 = ☐
2. 5 − 2 = ☐
3. 6 − 3 = ☐
4. 4 − 3 = ☐
5. 7 − 4 = ☐
6. 8 − 2 = ☐
7. 5 − 3 = ☐
8. 9 − 2 = ☐
9. 6 − 4 = ☐
10. 6 − 2 = ☐
11. 8 − 6 = ☐
12. 7 − 5 = ☐
13. 7 − 2 = ☐
14. 9 − 3 = ☐
15. 8 − 4 = ☐
16. 4 − 2 = ☐
17. 3 − 1 = ☐
18. 5 − 4 = ☐
19. 9 − 5 = ☐
20. 7 − 3 = ☐
21. 9 − 7 = ☐
22. 8 − 5 = ☐
23. 9 − 4 = ☐
24. 8 − 3 = ☐

2 뺄셈을 해 보세요.

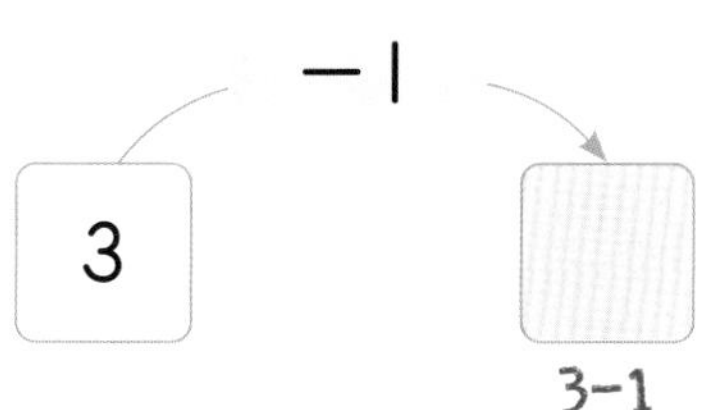

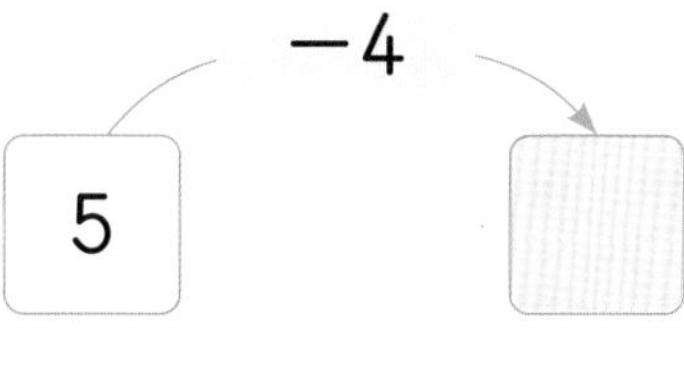

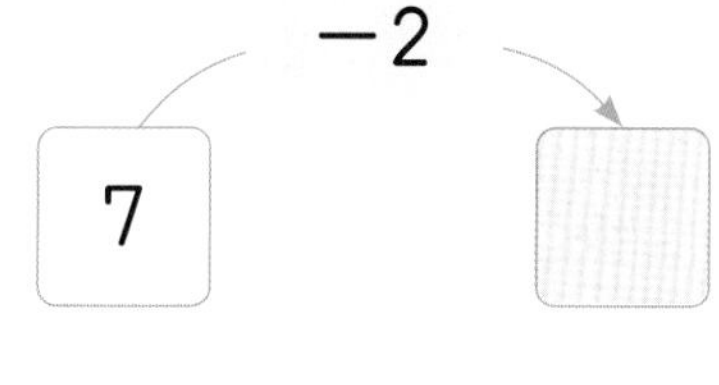

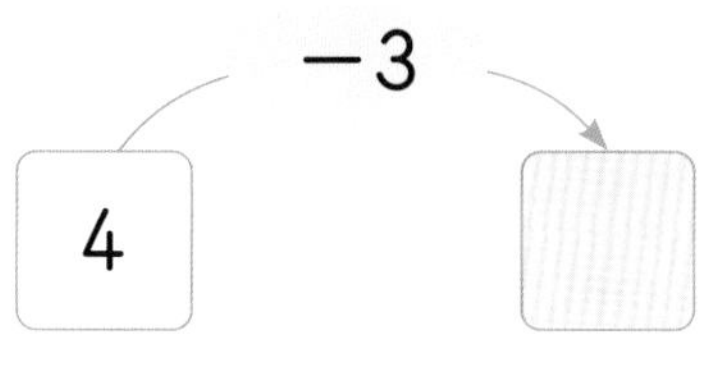

−5
8 → □

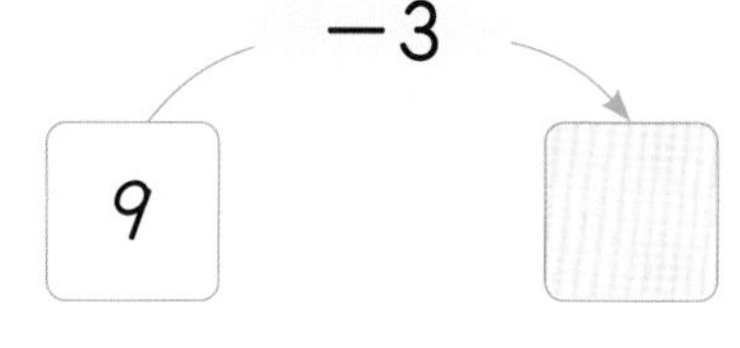

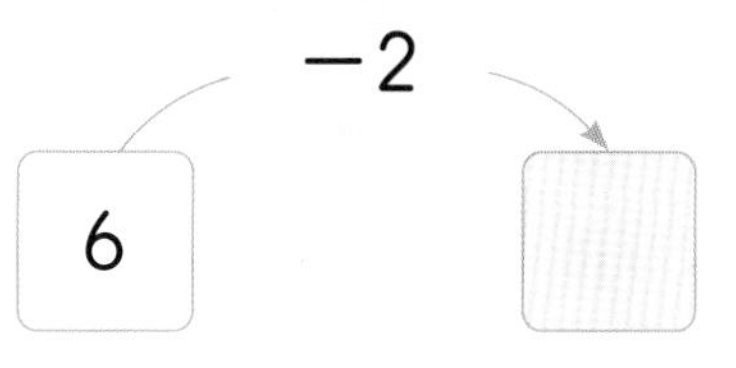

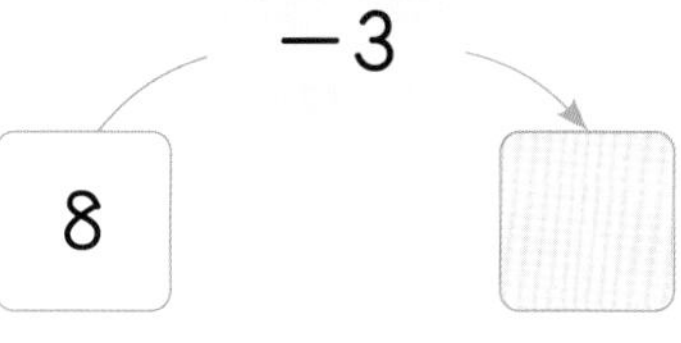

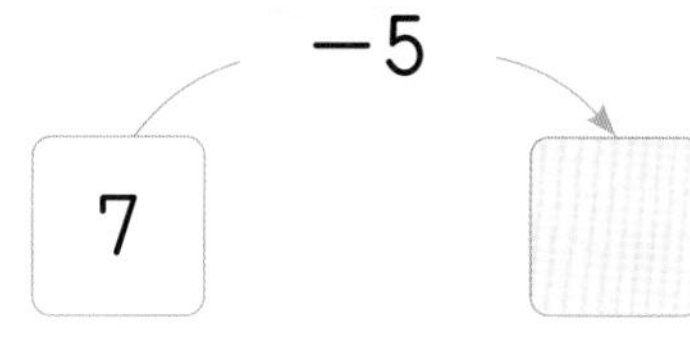

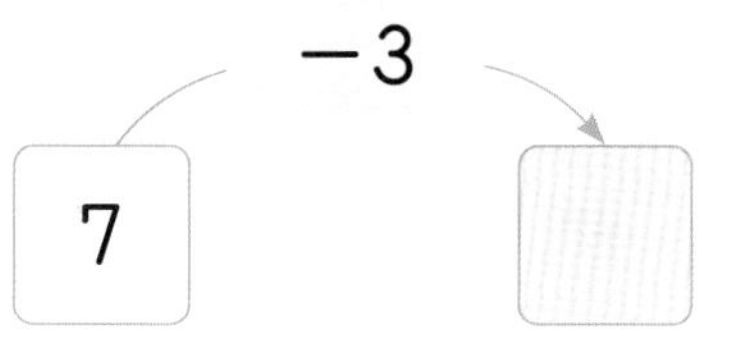

−6
9 → □

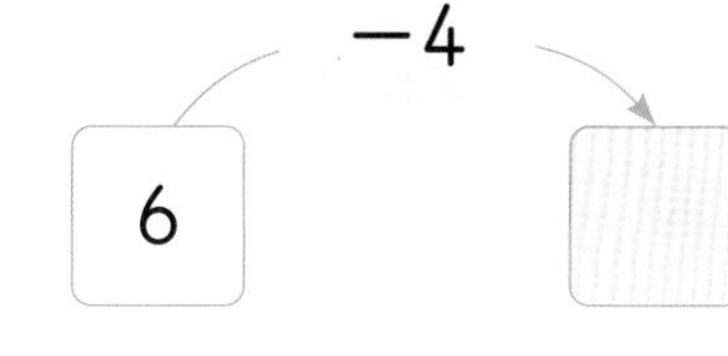

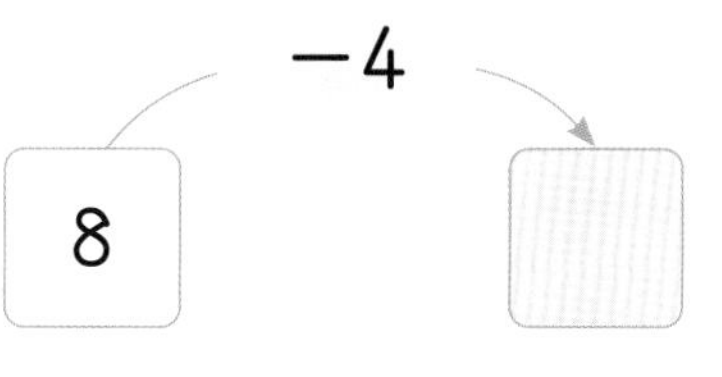

−5
6 → □

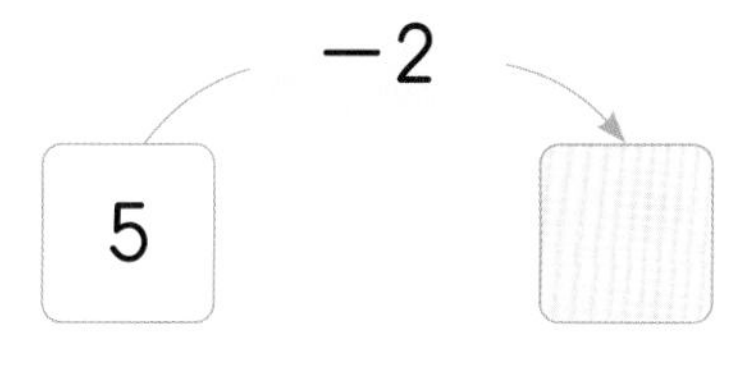

−4
7 → □

−2
8 → □

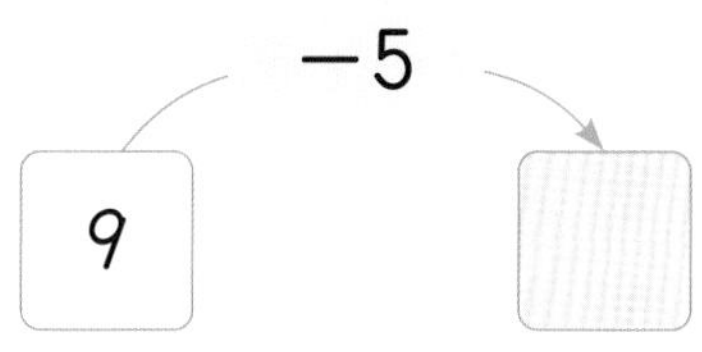

3 보기 와 같은 방법으로 뺄셈을 해 보세요.

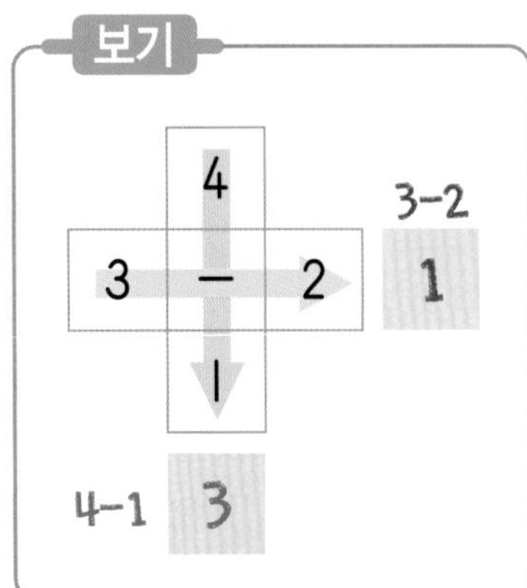

	4		5-2
5	−	2	
	2		
4-2			

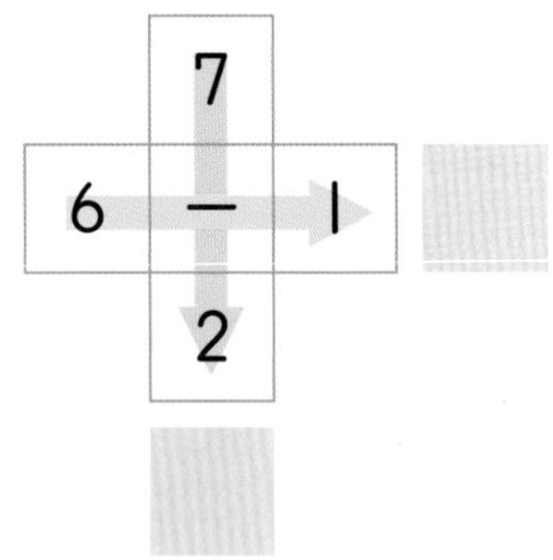

	6		
5	−	3	
	4		

	8		
7	−	3	
	7		

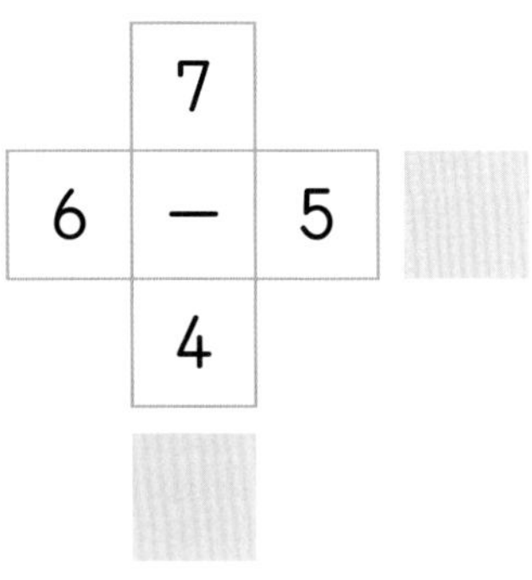

	9		
4	−	3	
	1		

	8		
5	−	4	
	4		

	5		
9	−	2	
	1		

	6		
7	−	6	
	3		

	9		
6	−	2	
	4		

	7		
8	−	3	
	5		

4 갈림길에서 푯말의 조건에 알맞게 길을 따라가세요.

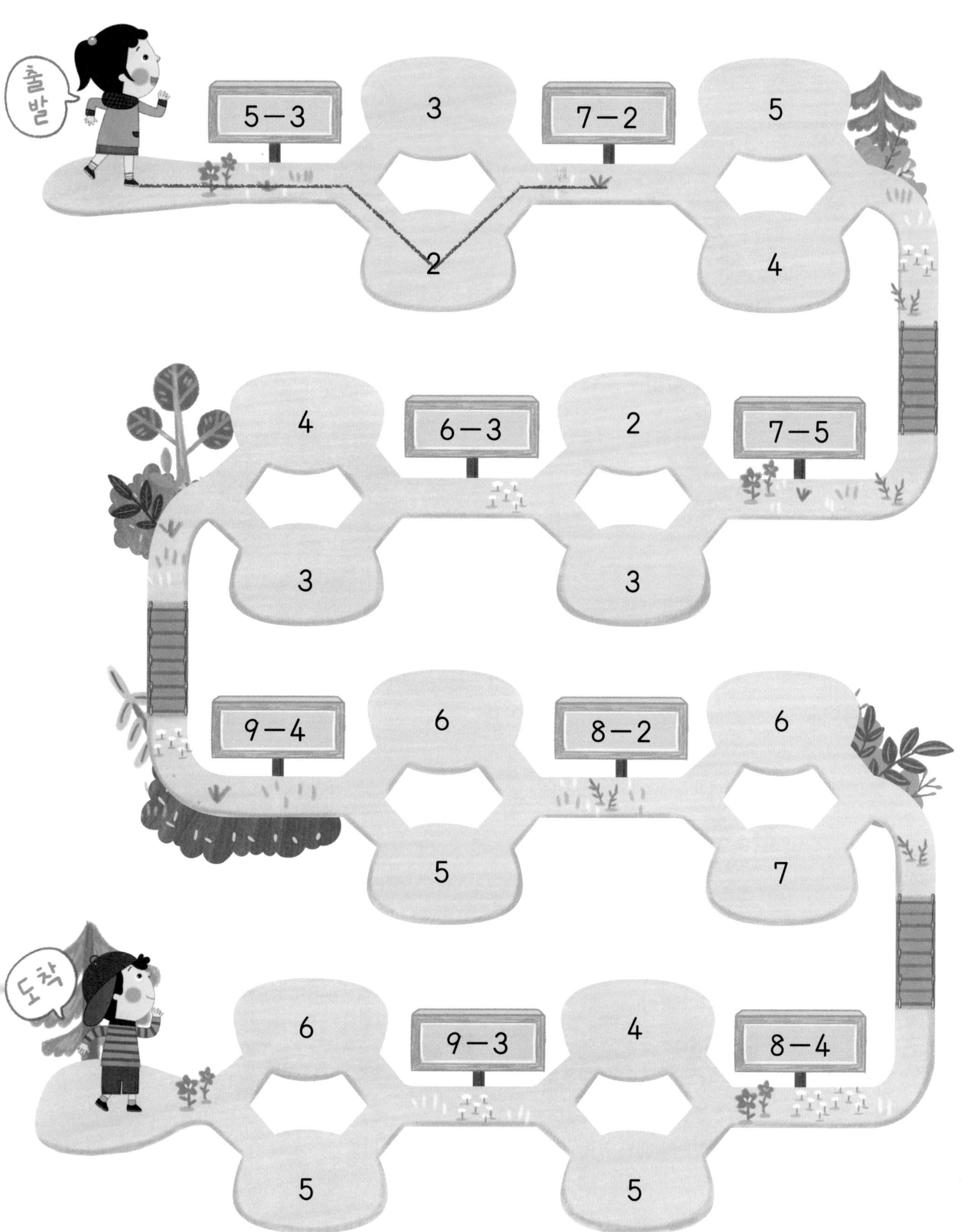

09 0이 있는 덧셈과 뺄셈

정답 25쪽

0이 있는 덧셈과 뺄셈

$3 + 0 = 3$

$2 - 0 = 2$

$0 + 4 = 4$

$3 - 3 = 0$

1 그림을 보고 ☐ 안에 알맞은 수를 써넣으세요.

엘리베이터에 3명이 타고 있었어요.

2층에서 아무도 타지 않았어요.

$3 + 0 =$ ☐

3층에서 3명 모두 내렸어요.

$3 - 3 =$ ☐

엘리베이터에 아무도 타고 있지 않았어요.

2층에서 2명이 탔어요.

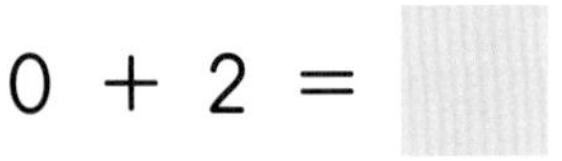

$0 + 2 =$ ☐

3층에서 아무도 내리지 않았어요.

$2 - 0 =$ ☐

2 그림을 보고 ☐ 안에 알맞은 수를 써넣으세요.

배에 아무도 타고 있지 않았다가 배에 ☐ 명이
0
타서 배를 탄 사람은 모두 ☐ 명이 되었습니다.

0 + ☐ = ☐

꽃집 선반 위에 화분 ☐ 개가 있었습니다.

오늘은 한 개도 팔리지 않아서 화분이 ☐ 개 있습니다.

☐ − ☐ = ☐

버스에 ☐ 명이 타고 있었는데 이번 정류장에서

아무도 타지 않아 버스에 타고 있는 사람은 ☐ 명입니다.

☐ + ☐ = ☐

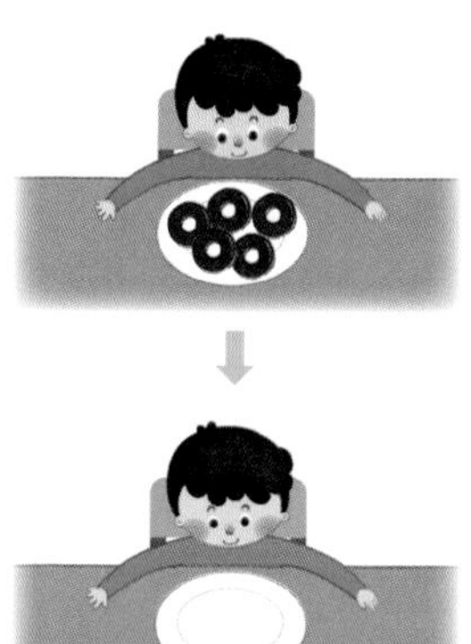

접시에 도넛 ☐ 개가 있습니다. 현수가 도넛 ☐ 개를

먹었더니 도넛이 하나도 남지 않았습니다.

☐ − ☐ = ☐

3 그림을 보고 □ 안에 알맞은 수를 써넣으세요.

전체 토끼 수

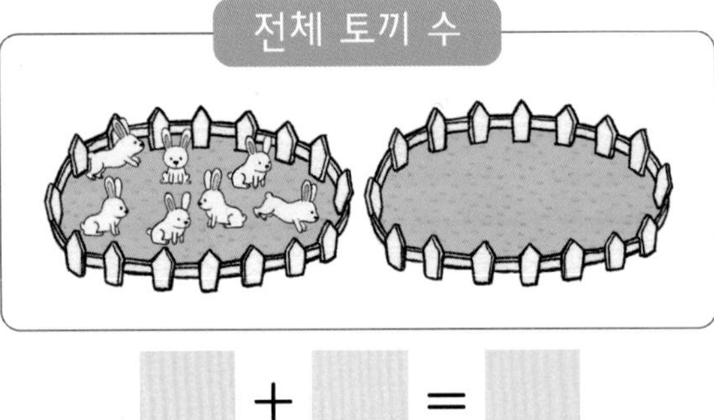

□ + □ = □

남은 달걀 수

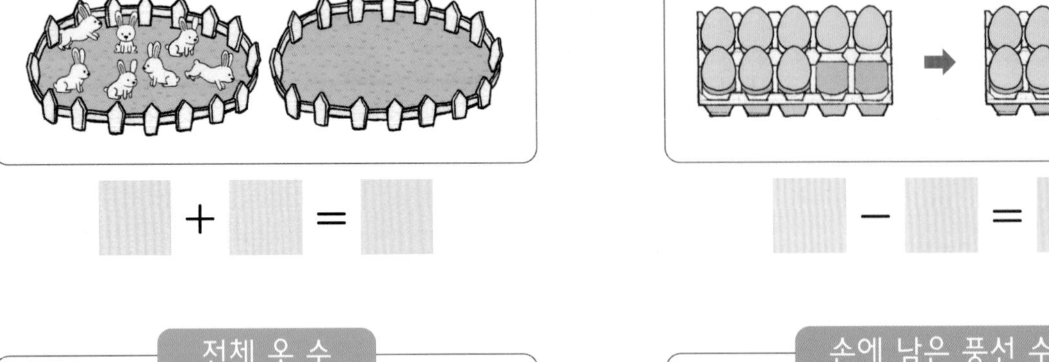

□ − □ = □

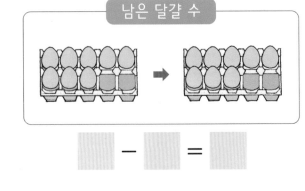

전체 옷 수

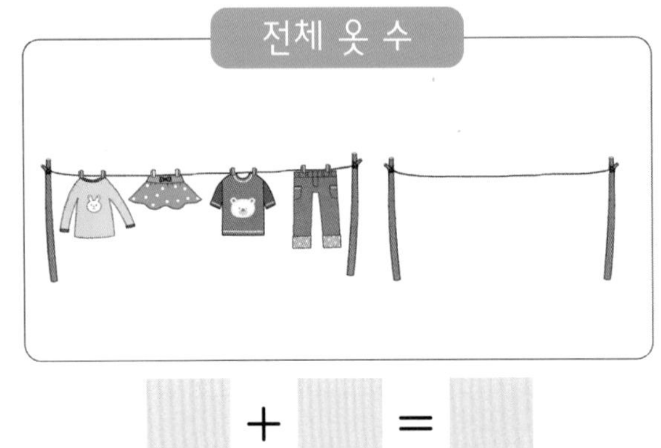

□ + □ = □

손에 남은 풍선 수

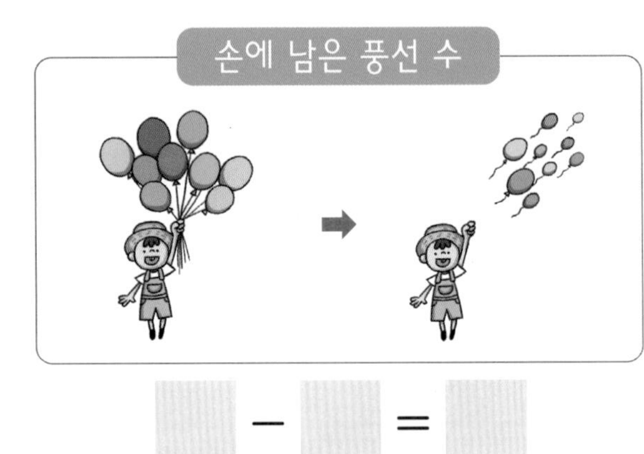

□ − □ = □

전체 개구리 수

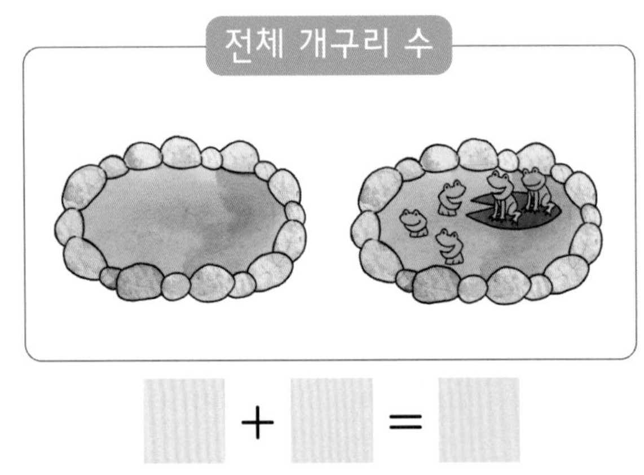

□ + □ = □

남은 아이스크림 수

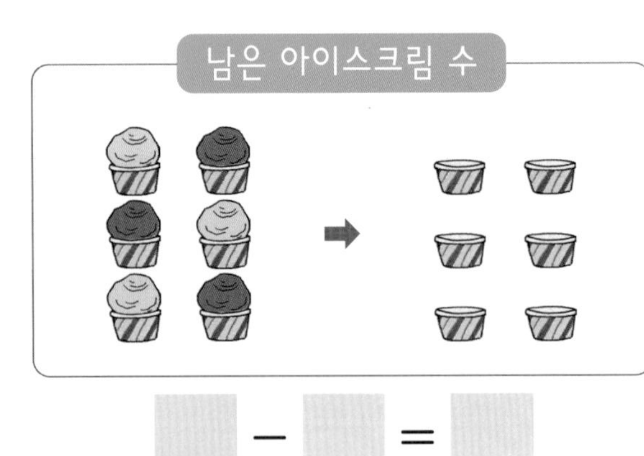

□ − □ = □

기차에 있는 동물 수

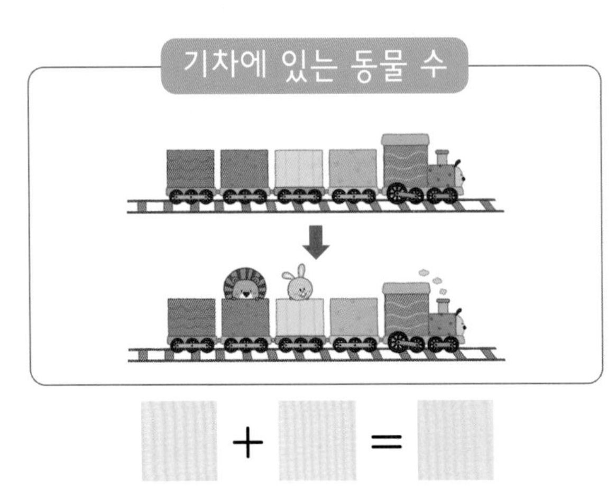

□ + □ = □

기차에 남은 동물 수

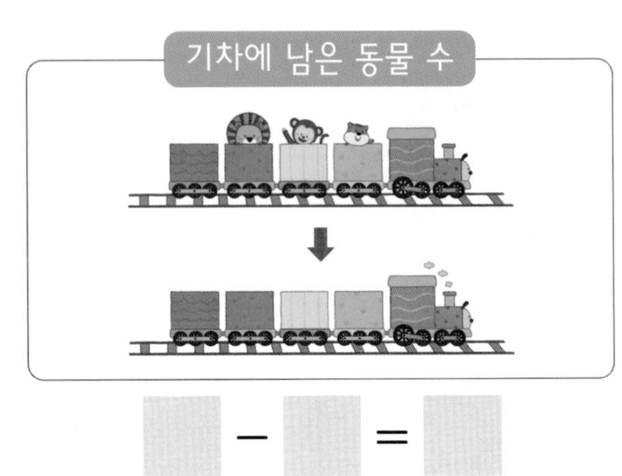

□ − □ = □

4 0이 있는 덧셈과 뺄셈 실력을 점검해 보세요.

실력평가

맞힌 개수 개 | 제한 시간 10 분

1. 2 + 0 =

2. 0 + 1 =

3. 1 − 0 =

4. 0 + 2 =

5. 2 − 2 =

6. 3 + 0 =

7. 3 − 3 =

8. 0 + 5 =

9. 5 − 0 =

10. 9 − 0 =

11. 4 + 0 =

12. 5 − 5 =

13. 0 + 4 =

14. 6 − 0 =

15. 7 + 0 =

16. 6 − 6 =

17. 8 + 0 =

18. 4 − 4 =

19. 0 + 6 =

20. 7 − 7 =

21. 0 + 7 =

22. 8 − 0 =

23. 0 + 9 =

24. 9 − 9 =

10 덧셈과 뺄셈

정답 26쪽

바꾸어 더하기

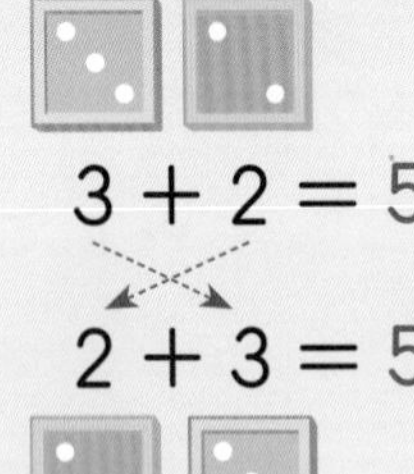

$3+2=5$

$2+3=5$

더하는 두 수의 순서를 바꾸어 더해도 더한 값은 같습니다.

1 더하는 두 수를 바꾸어 계산해 보세요.

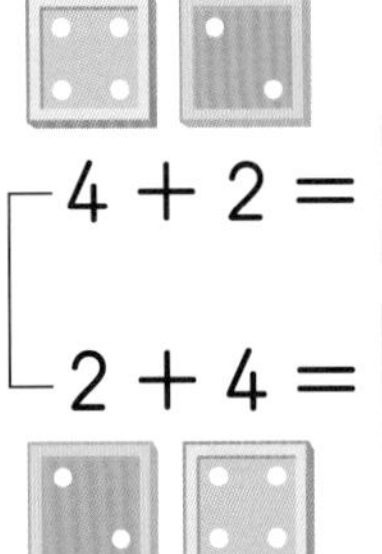

$4+2=$

$2+4=$

$5+3=$

$3+5=$

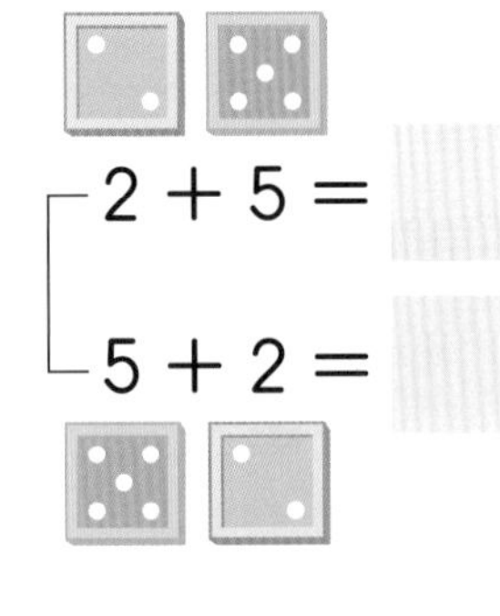

$2+5=$

$5+2=$

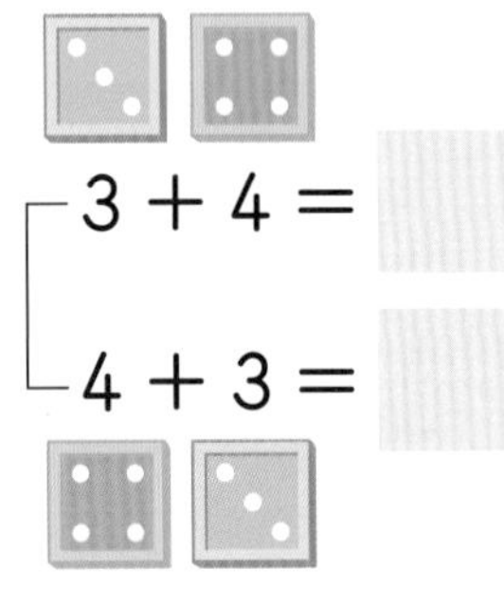

$3+4=$

$4+3=$

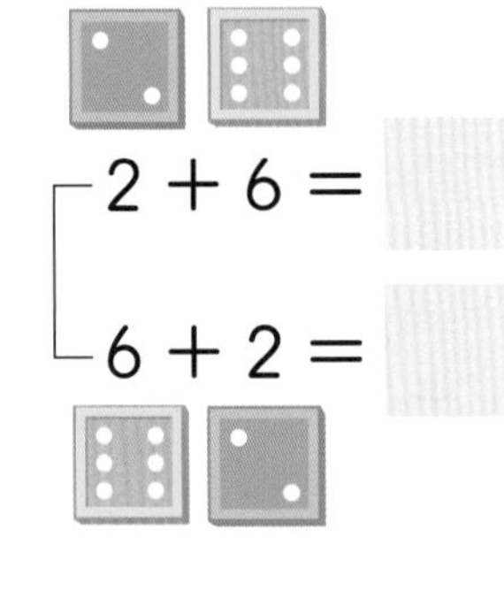

$2+6=$

$6+2=$

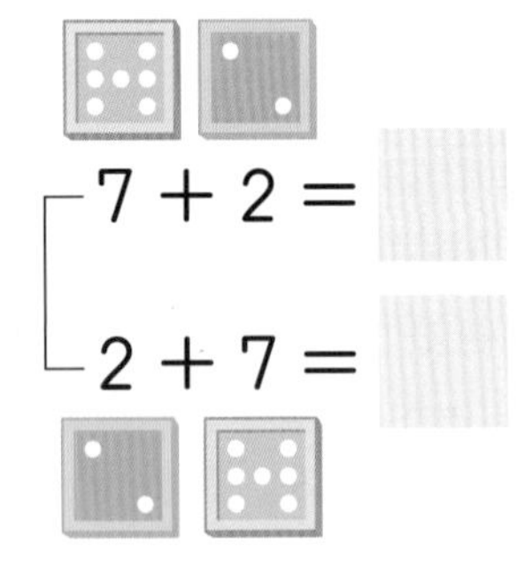

$7+2=$

$2+7=$

$5+4=$

$4+5=$

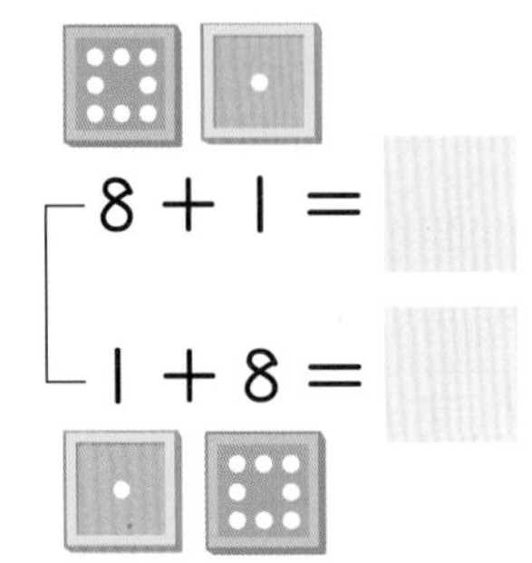

$8+1=$

$1+8=$

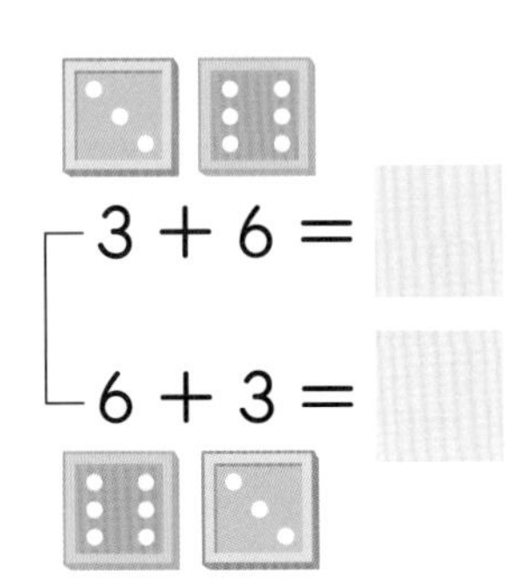

$3+6=$

$6+3=$

덧셈식과 뺄셈식의 관계

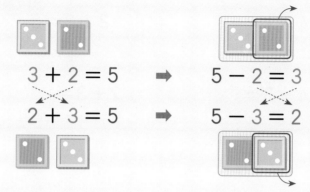

$3+2=5 \Rightarrow 5-2=3$

$2+3=5 \Rightarrow 5-3=2$

 2 □ 안에 알맞은 수를 써넣으세요.

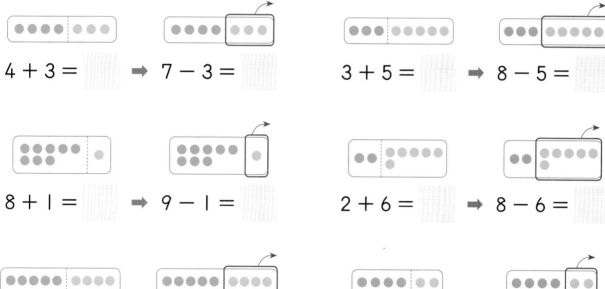

$4+3=$ □ ➡ $7-3=$ □

$3+5=$ □ ➡ $8-5=$ □

$8+1=$ □ ➡ $9-1=$ □

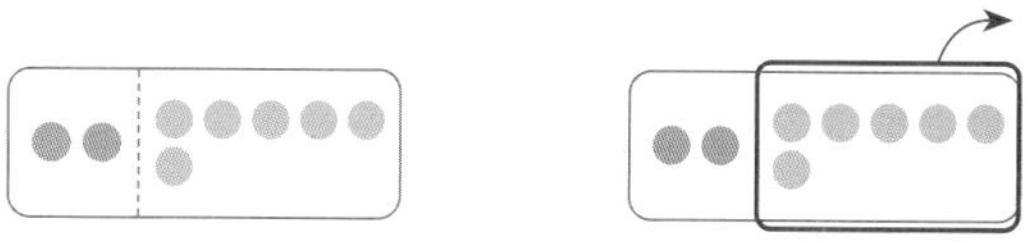

$2+6=$ □ ➡ $8-6=$ □

$5+4=$ □ ➡ $9-4=$ □

$4+2=$ □ ➡ $6-2=$ □

$3+4=$ □ ➡ $7-4=$ □

$3+3=$ □ ➡ $6-3=$ □

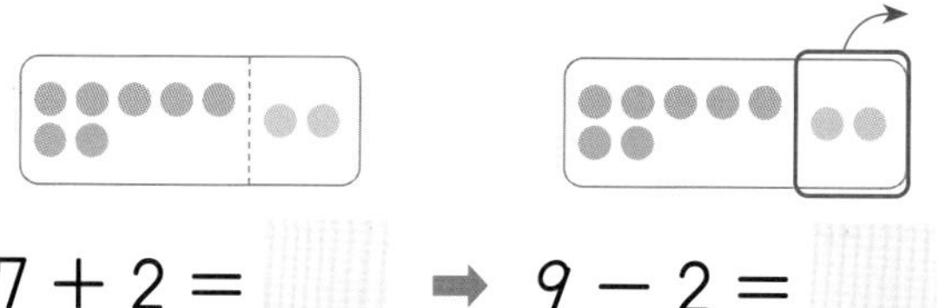

$7+2=$ □ ➡ $9-2=$ □

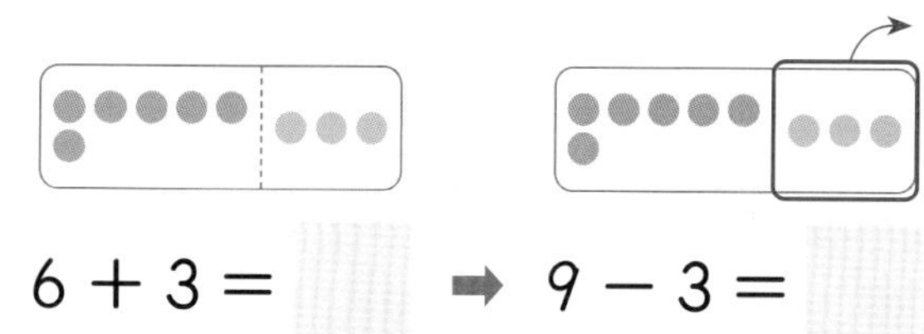

$6+3=$ □ ➡ $9-3=$ □

3 □ 안에 알맞은 수를 써넣으세요.

$3+1=4$ ➡	$4-1=$ 3
$1+3=$ □	$4-3=$ □

$3+2=5$ ➡	$5-2=$ □
$2+3=$ □	$5-3=$ □

$2+4=6$ ➡	$6-4=$ □
$4+2=$ □	$6-2=$ □

$5+3=8$ ➡	$8-3=$ □
$3+5=$ □	$8-5=$ □

$3+4=7$ ➡	$7-4=$ □
$4+3=$ □	$7-3=$ □

$2+6=8$ ➡	$8-6=$ □
$6+2=$ □	$8-2=$ □

$4+5=$ □ ➡	$9-5=$ □
$5+4=$ □	$9-4=$ □

$5+2=$ □ ➡	$7-2=$ □
$2+5=$ □	$7-5=$ □

$7+2=$ □ ➡	$9-2=$ □
$2+7=$ □	$9-7=$ □

$6+3=$ □ ➡	$9-3=$ □
$3+6=$ □	$9-6=$ □

4 주어진 수 카드를 모두 사용하여 덧셈식과 뺄셈식을 각각 2개씩 만들어 보세요.

보기

1과 5를 더하면 가장 큰 수인 6이 됩니다.

6 1 5 → 1 + 5 = 6 / 6 − 5 = 1

바꾸어 더해도 합은 같습니다. 5 + 1 = 6 / 6 − 1 = 5

덧셈식과 뺄셈식의 관계를 이용합니다.

3 5 2 → 2 + 3 = 5 / 5 − 3 = 2

□ + □ = □ / □ − □ = □

7 4 3 → □ + □ = □ / □ − □ = □

□ + □ = □ / □ − □ = □

2 6 8 → □ + □ = □ / □ − □ = □

□ + □ = □ / □ − □ = □

5 4 9 → □ + □ = □ / □ − □ = □

□ + □ = □ / □ − □ = □

11 덧셈과 뺄셈 연습

정답 27쪽

1 덧셈과 뺄셈 실력을 점검해 보세요.

실력평가

맞힌 개수 개 | 제한 시간 10 분

1. 1 + 2 =
2. 3 − 2 =
3. 2 + 4 =
4. 2 − 2 =
5. 4 + 3 =
6. 3 − 1 =
7. 3 + 4 =
8. 7 − 2 =
9. 1 + 4 =
10. 5 − 3 =
11. 2 + 1 =
12. 3 − 0 =
13. 5 + 2 =
14. 9 − 3 =
15. 5 + 4 =
16. 7 − 4 =
17. 4 + 2 =
18. 8 − 3 =
19. 3 + 5 =
20. 6 − 2 =
21. 4 + 5 =
22. 6 − 4 =
23. 3 + 6 =
24. 9 − 6 =

2 보기 와 같은 방법으로 덧셈과 뺄셈을 해 보세요.

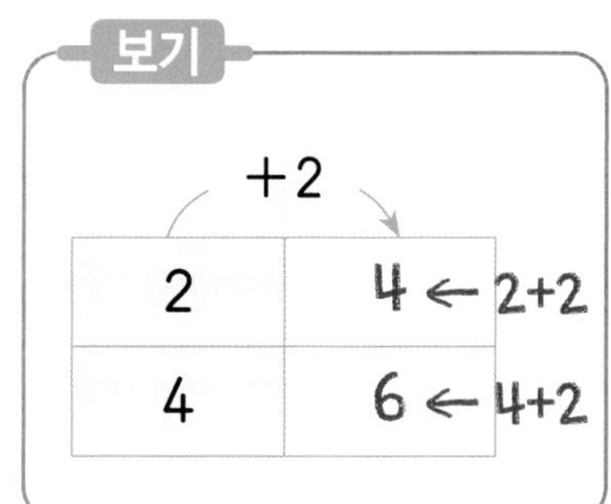

−2

3	
5	

+3

5	
3	

−4

6	
4	

+1

5	
7	

−3

9	
5	

+2

3	
6	

−5

9	
5	

+5

4	
1	

−6

8	
7	

+6

1	
3	

−5

7	
6	

+4

3	
4	

−1

8	
6	

+5

2	
3	

3 보기와 같은 방법으로 덧셈과 뺄셈을 해 보세요.

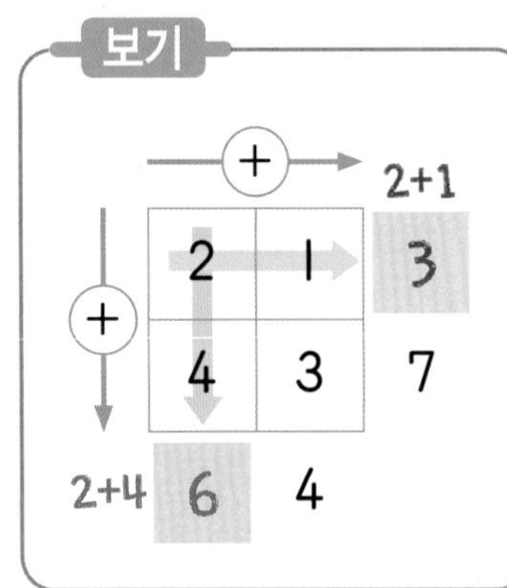

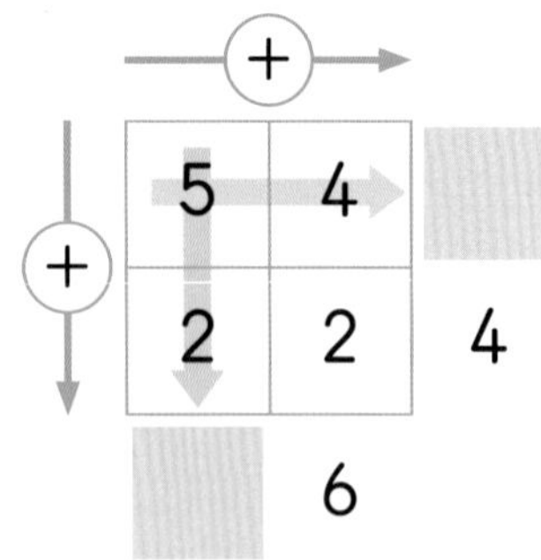

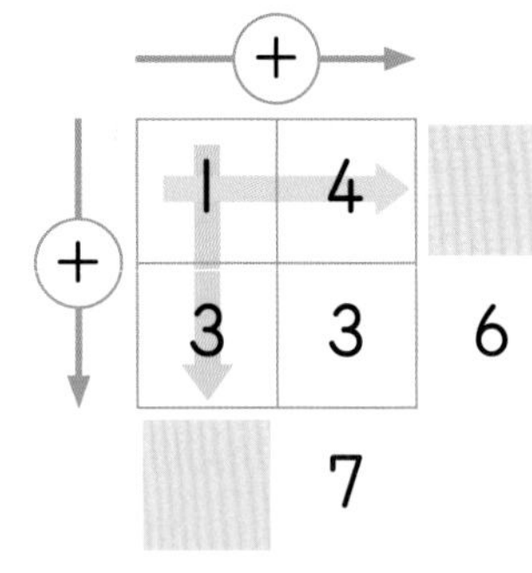

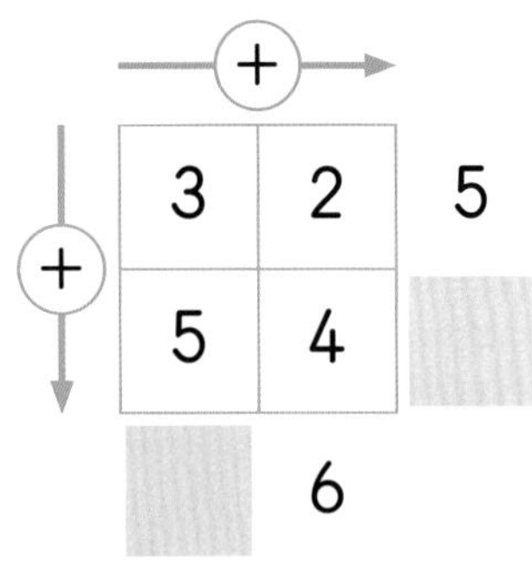

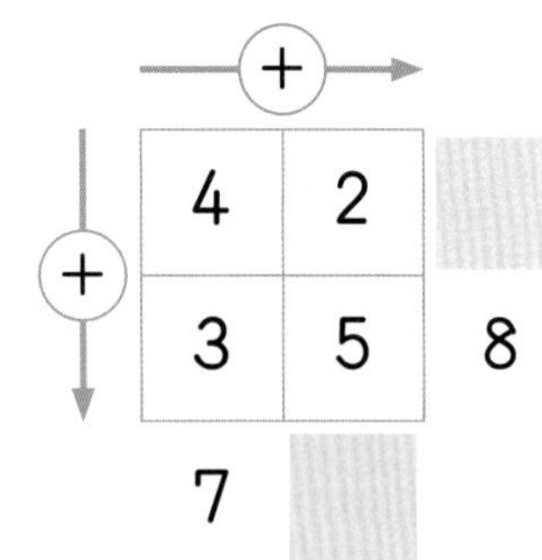

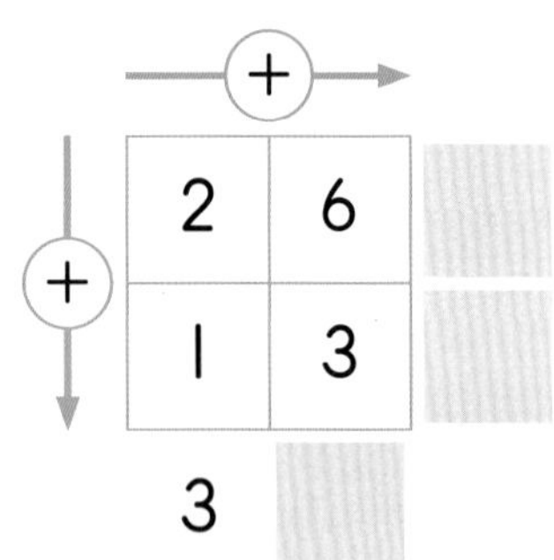

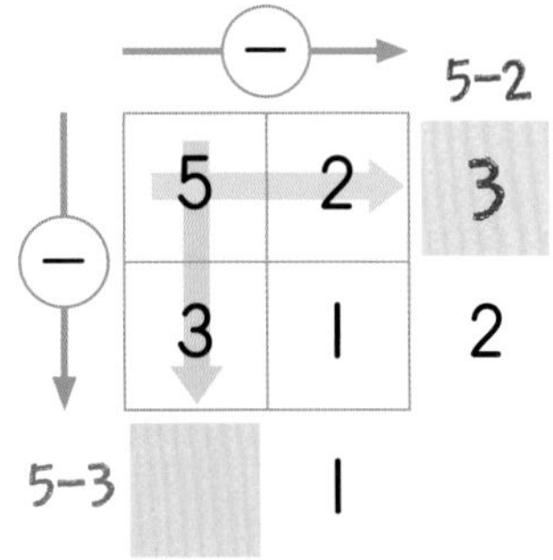

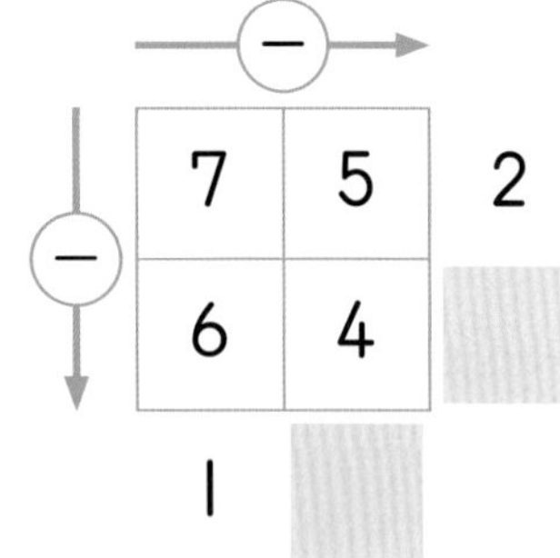

−
6 3
−
2 1 1
2

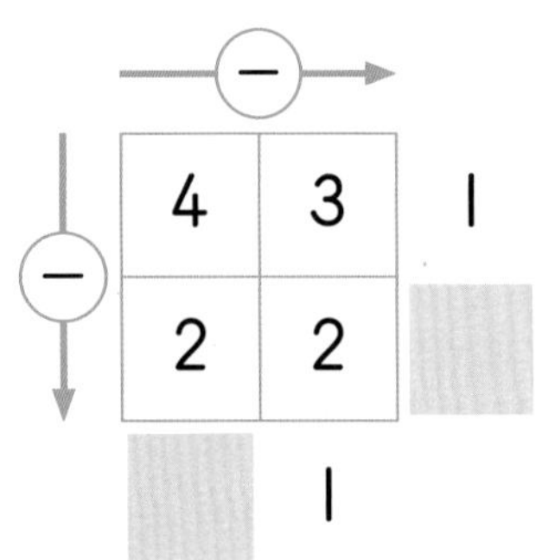

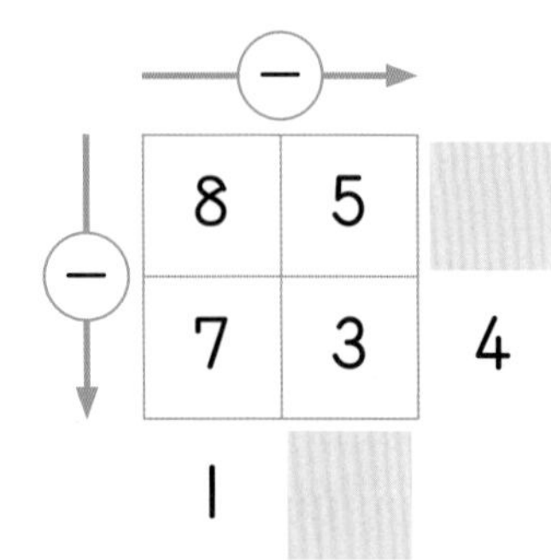

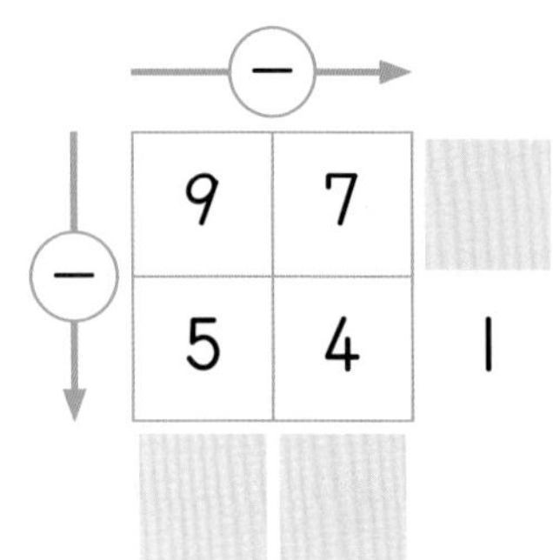

4 화살표를 따라 계산하고 계산한 값의 순서대로 점을 이어 그림을 완성해 보세요.

정답 28쪽

여러 가지 방법으로 수 모으기

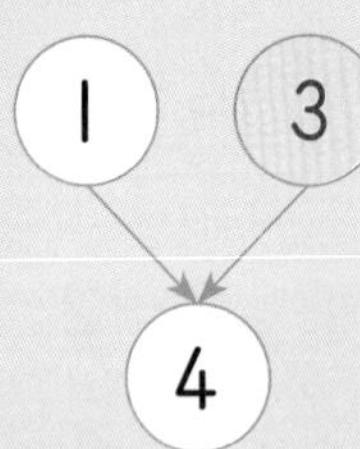

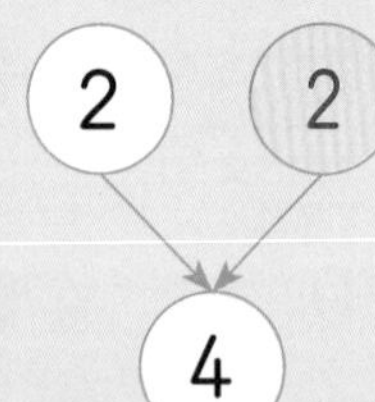

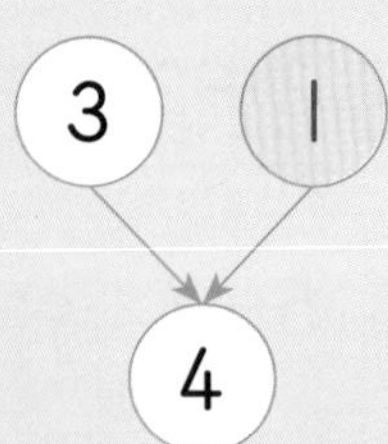

응용 1 여러 가지 방법으로 수 모으기를 해 보세요.

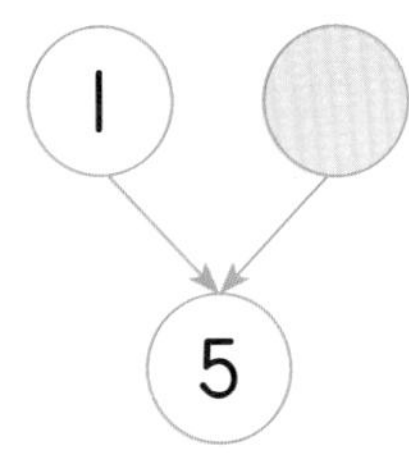

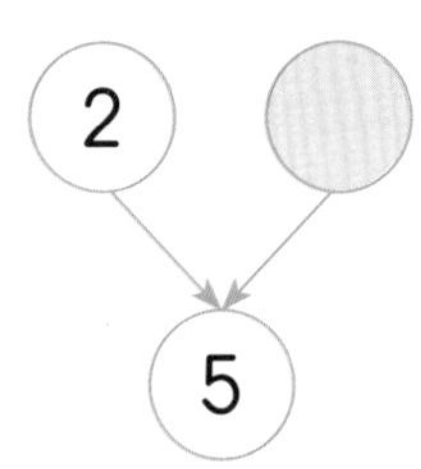

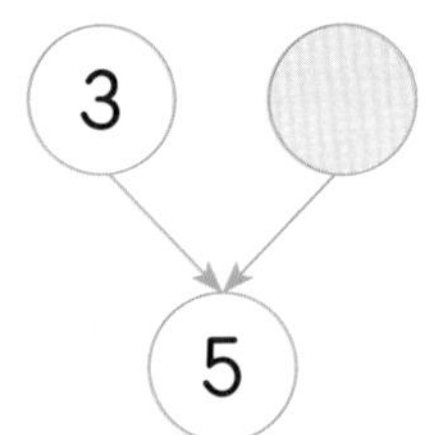

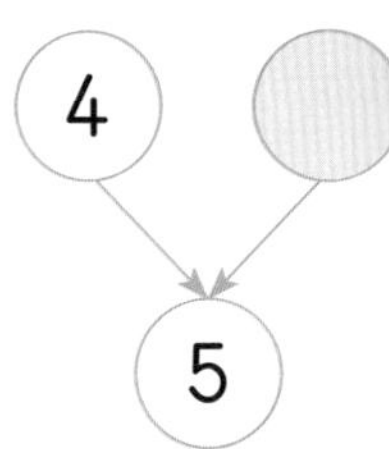

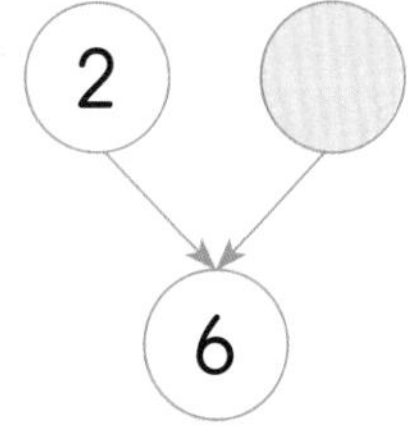

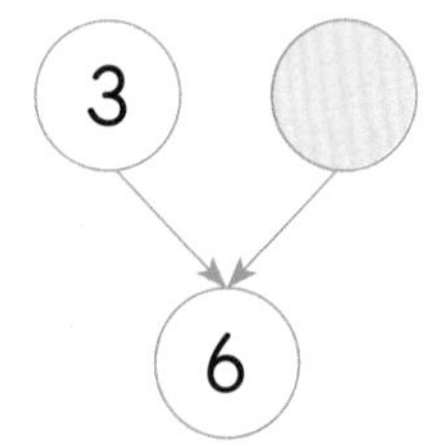

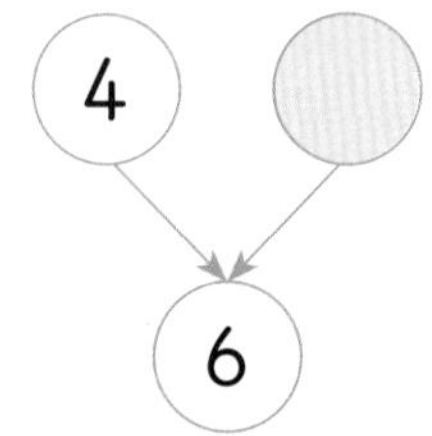

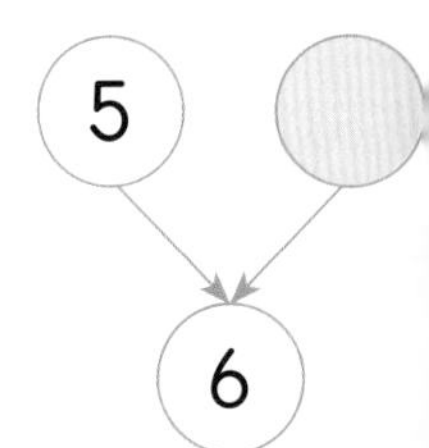

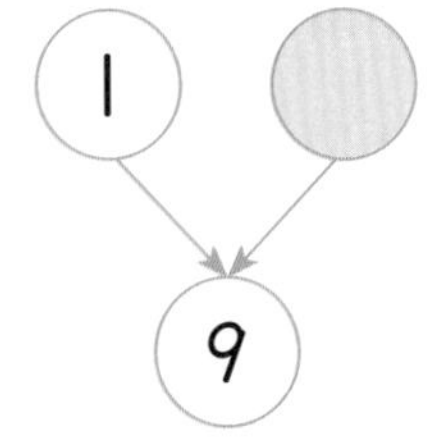

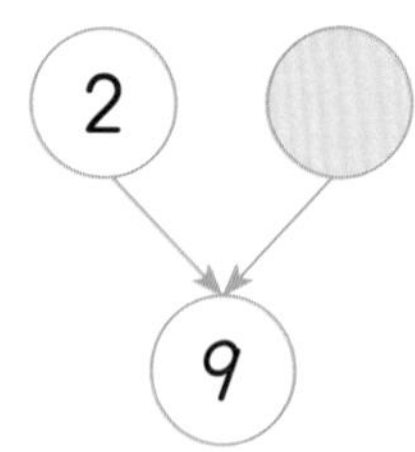

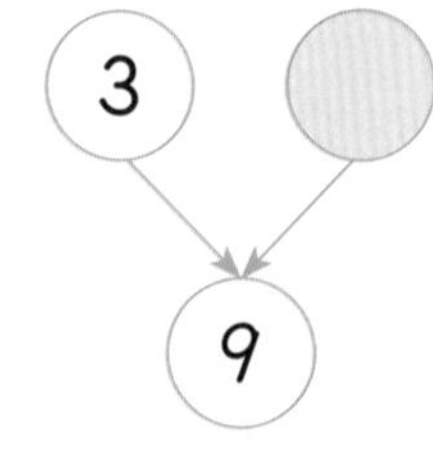

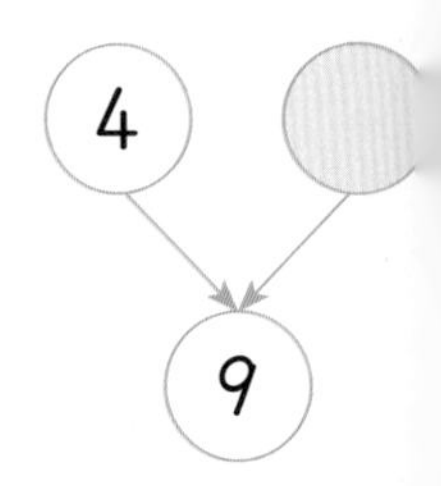

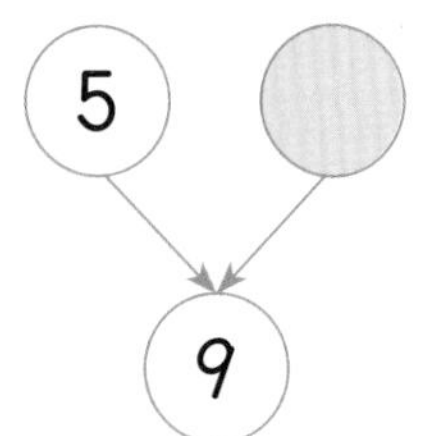

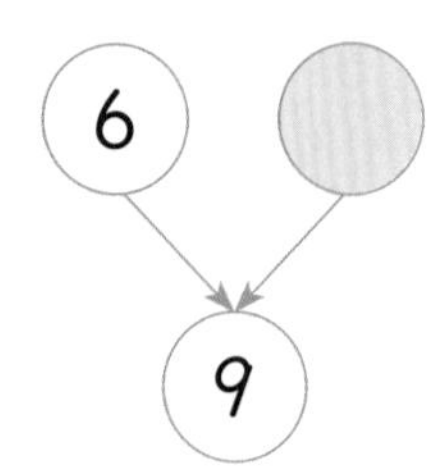

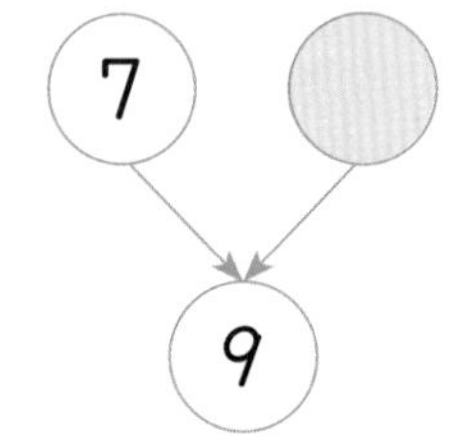

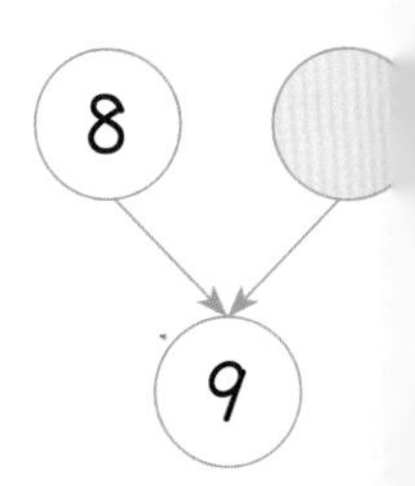

응용 2 모으기를 하여 주어진 수가 되는 두 수를 4개씩 찾아 묶어 보세요.

4 모으기

1	3	4	2
2	4	3	2
3	2	3	4
3	4	1	2

5 모으기

3	1	2	1
2	5	1	2
2	4	5	1
5	3	3	2

6 모으기

1	3	4	2
2	3	6	3
6	1	2	4
5	2	3	5

7 모으기

3	5	4	3
1	4	7	1
5	4	6	3
1	2	2	3

8 모으기

1	2	3	6
3	1	2	1
1	5	4	2
7	2	4	7

9 모으기

4	3	9	5
1	5	3	6
3	7	1	7
2	4	8	4

응용 3 주어진 수 카드를 한 번씩만 사용하여 덧셈식을 만들어 보세요.

3 4 2 1

1 + 3 = 4

□ + □ = 6

5 1 6 3

□ + □ = 7

□ + □ = 8

2 4 3 5

□ + □ = 5

□ + □ = 9

3 2 5 6

□ + □ = 9

□ + □ = 7

5 3 1 4

□ + □ = 4

□ + □ = 9

1 5 2 4

□ + □ = 5

□ + □ = 7

2 1 5 7

□ + □ = 6

□ + □ = 9

4 1 6 3

□ + □ = 9

□ + □ = 5

6 2 3 4

□ + □ = 8

□ + □ = 7

응용 4 주어진 수 카드를 한 번씩만 사용하여 뺄셈식을 만들어 보세요.

2 9
1 5

5 − 2 = 3
□ − □ = 8

4 7
3 6

□ − □ = 2
□ − □ = 4

8 2
5 3

□ − □ = 6
□ − □ = 2

7 4
5 8

□ − □ = 4
□ − □ = 2

9 2
1 6

□ − □ = 1
□ − □ = 3

4 6
7 9

□ − □ = 5
□ − □ = 1

4 1
7 2

□ − □ = 2
□ − □ = 6

2 5
6 7

□ − □ = 4
□ − □ = 2

3 8
6 5

□ − □ = 5
□ − □ = 1

정답 29쪽

분 점수 점

[01~02] 그림을 보고 물음에 답해 보세요.

01 모으기를 해 보세요.

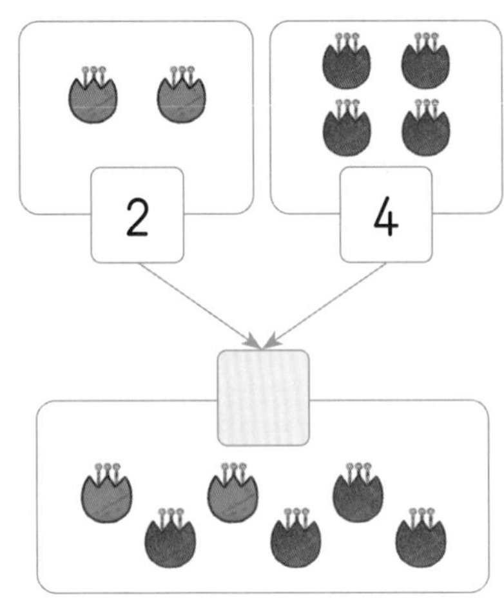

02 가르기를 해 보세요.

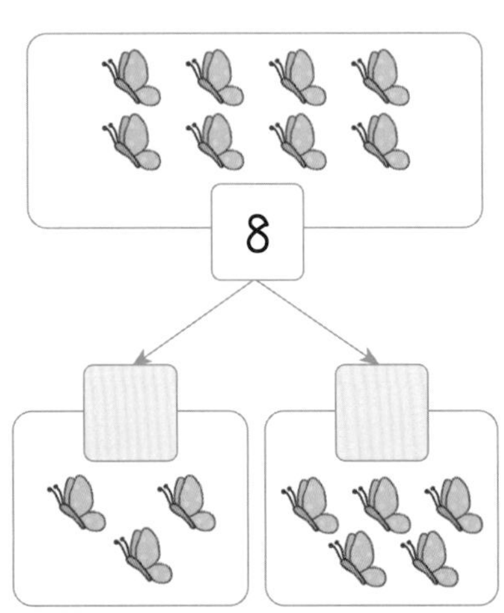

03 도미노 점의 수에 알맞게 ◌를 색칠하고, ◌ 안에 알맞은 수를 써넣어 모으기와 가르기를 해 보세요.

(1)

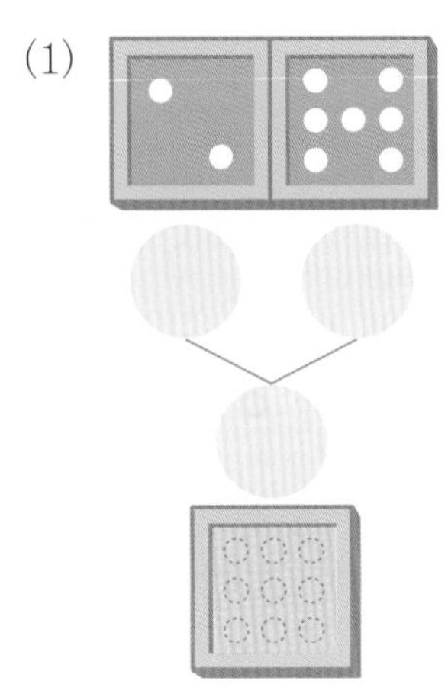

(2)

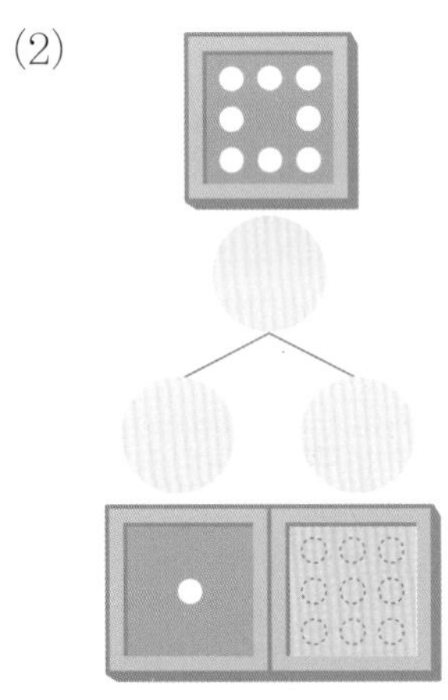

04 모으기와 가르기를 해 보세요.

(1) (2)

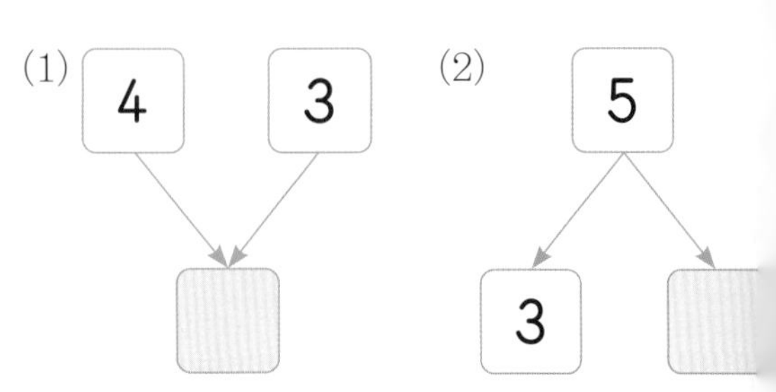

05 그림을 보고 덧셈식을 만들어 보세요.

꼬리를 편 공작은 2마리이고,
꼬리를 펴지 않은 공작은 5마리이므로
공작은 모두 7마리입니다.

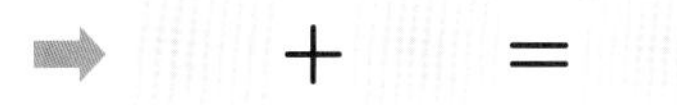

➡ ☐ + ☐ = ☐

06 덧셈식을 2가지 방법으로 읽어 보세요.

3+5=8

① ______________________

② ______________________

07 모으기 하여 덧셈을 해 보세요.

7 + 2 = ☐

08 덧셈을 해 보세요.

(1) 4 + 4 = ☐

(2) 5 + 2 = ☐

09 그림을 보고 뺄셈식을 만들어 보세요.

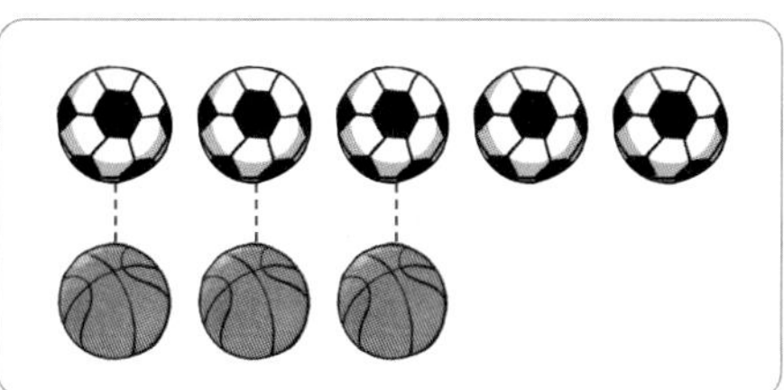

축구공은 5개, 농구공은 3개이므로
축구공이 농구공보다 2개 더 많습니다.

➡ ☐ − ☐ = ☐

10 뺄셈식을 2가지 방법으로 읽어 보세요.

8−6=2

① ______________________

② ______________________

11 가르기 하여 뺄셈을 해 보세요.

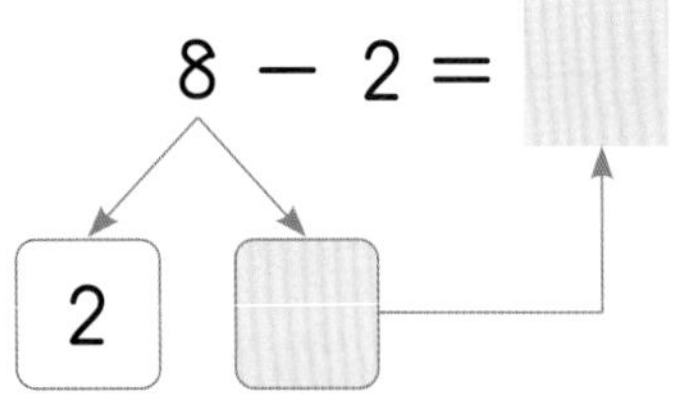

12 뺄셈을 해 보세요.

(1) $7-3=$ □

(2) $9-4=$ □

13 그림을 보고 □ 안에 알맞은 수를 써넣으세요.

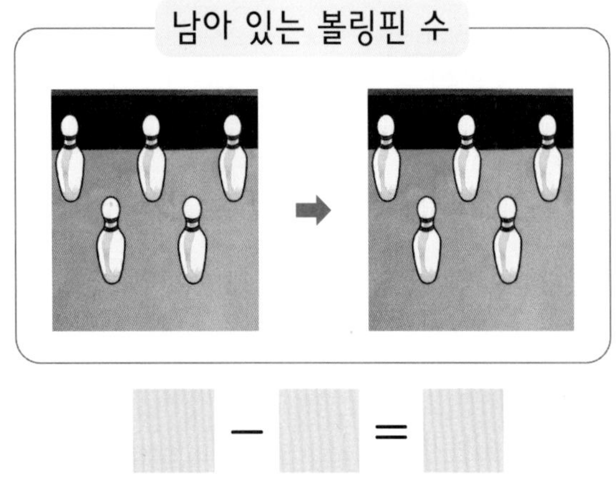

□ − □ = □

14 □ 안에 알맞은 수를 써넣으세요.

(1)

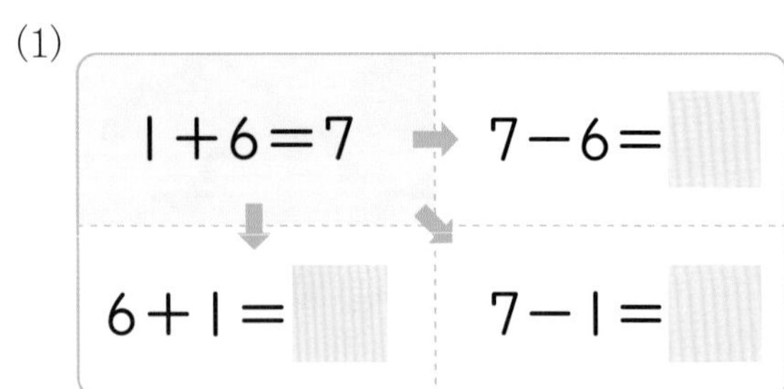

(2)

$5+3=8$ ➡	$8-3=$ □
$3+5=$ □	$8-5=$ □

15 주어진 수 카드를 모두 사용하여 덧셈식과 뺄셈식을 각각 2개씩 만들어 보세요.

4 9 5

덧셈식 □ + □ = □

□ + □ = □

뺄셈식 □ − □ = □

□ − □ = □

16 계산을 해 보세요.

(1) $4+3=$ ☐

(2) $6-4=$ ☐

(3) $1+7=$ ☐

(4) $9-0=$ ☐

(5) $7-7=$ ☐

17 덧셈을 해 보세요.

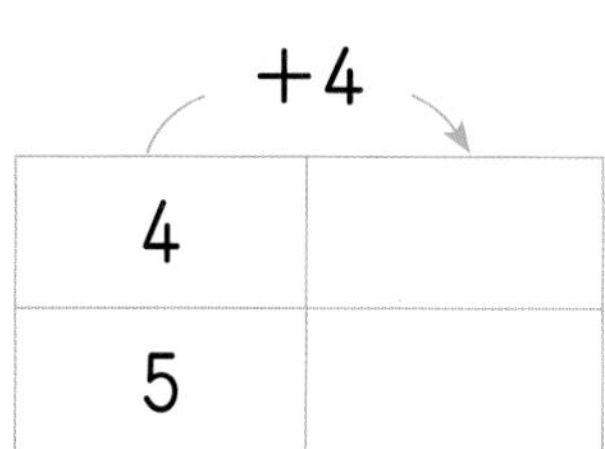

18 뺄셈을 해 보세요.

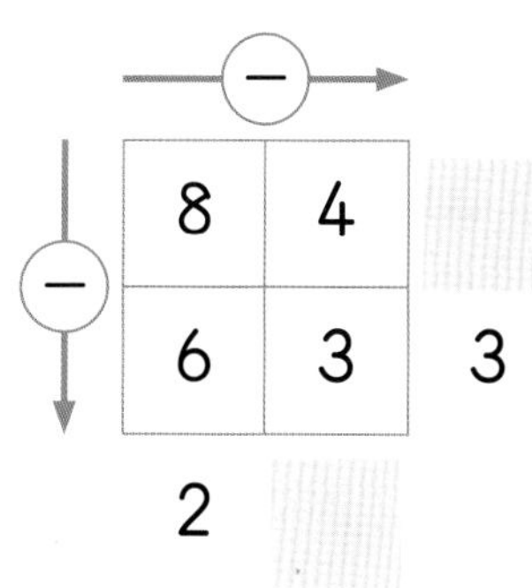

19 계산 결과가 가장 큰 것을 찾아 ○표 하세요.

5+2	9−0	4+4
(　　)	(　　)	(　　)

20 모양은 모양보다 몇 개 더 많은지 알아보세요.

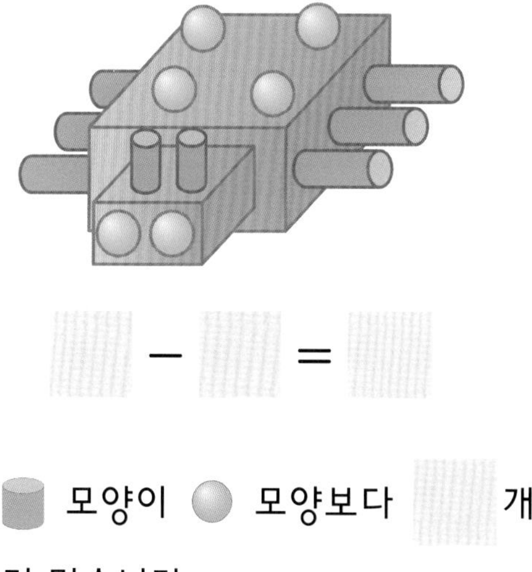

☐ − ☐ = ☐

➡ 모양이 모양보다 ☐ 개 더 많습니다.

정답 30쪽

분

점수 점

1 모으기를 해 보세요.

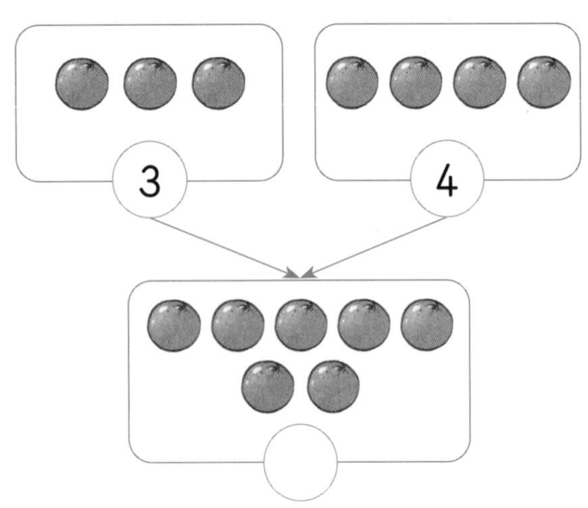

2 안에 알맞은 수를 써넣어 가르기를 해 보세요.

(1)

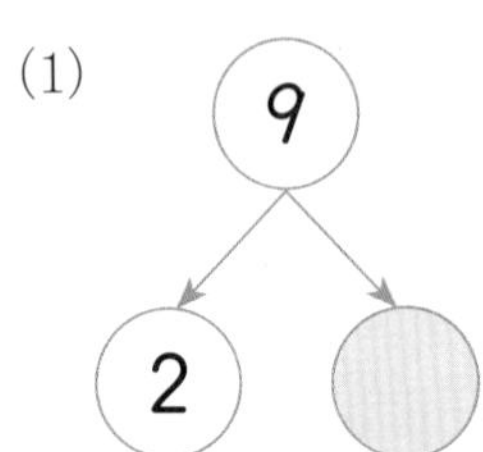

(2)

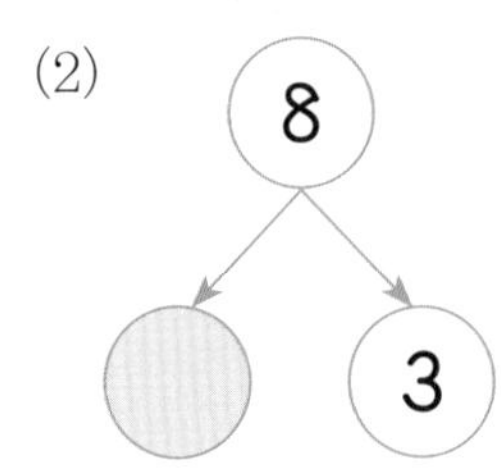

3 두 수를 모아 6이 되는 것에 ○표 하세요.

1, 5	4, 3	6, 2
( )	( )	( )

4 그림에 알맞은 덧셈식을 쓰고 읽어 보세요.

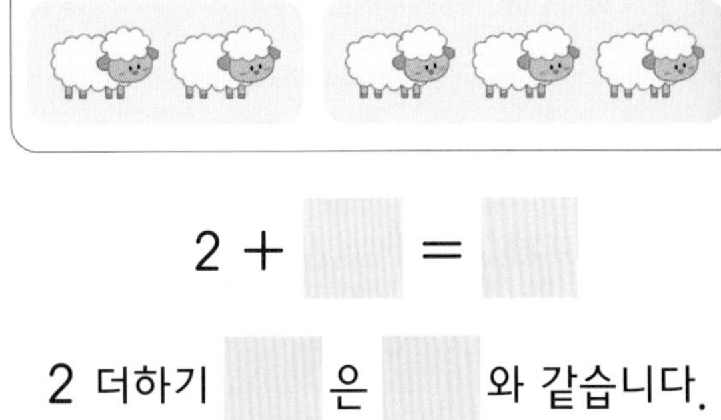

2 + ☐ = ☐

2 더하기 ☐ 은 ☐ 와 같습니다.

5 덧셈을 해 보세요.

(1) 4 + 4 = ☐

(2) 6 + 3 = ☐

6 그림에 알맞은 뺄셈식을 쓰세요.

(1)

뺄셈식 ______

(2)

뺄셈식 ______

7 관계있는 것끼리 이어 보세요.

3+3	•	•	5
2+3	•	•	6
7−0	•	•	7
6+2	•	•	8

8 계산 결과가 같은 식을 모두 찾아 ○표 하세요.

7+2　2+4　6+3　8−4

9 □ 안에 + 또는 −를 알맞게 써넣으세요.

5 □ 3 = 2

10 그림을 보고 뺄셈식을 써 보세요.

□ − □ = □

11 5를 위와 아래의 두 수로 가르기 해 보세요.

<table>
<tr><td rowspan="2">5</td><td>1</td><td>2</td><td>3</td><td>4</td></tr>
<tr><td></td><td></td><td></td><td></td></tr>
</table>

12 계산 결과가 7인 식을 모두 찾아 색칠해 보세요.

3+3	8−1
0+7	7−7

13 두 수의 합과 차를 각각 구해 보세요.

5 0

합 (   )

차 (   )

14 덧셈과 뺄셈을 해 보세요.

(1) $3+0=\square$

(2) $9-3=\square$

(3) $8+1=\square$

(4) $4-4=\square$

(5) $6-2=\square$

15 그림을 보고 덧셈식과 뺄셈식을 만들어 보세요.

$\square+\square=\square$

$\square-\square=\square$

16 모으기를 하여 주어진 수가 되는 두 수를 4개 찾아 묶어 보세요.

6 모으기

3	4	2	1
5	6	3	2
2	3	5	6
4	5	4	1

17 계산 결과가 큰 것부터 차례로 기호를 쓰세요.

㉠ 8−2　　㉡ 3+1

㉢ 6+3　　㉣ 4+4

(　　,　　,　　,　　)

18 주어진 수를 모두 사용하여 덧셈식과 뺄셈식을 만들어 보세요.

9　4　5

□ + □ = □

□ − □ = □

19 두 수의 합이 3인 덧셈식을 만들어 보세요.

□ + □ = 3

□ + □ = 3

20 주어진 수 카드를 한 번씩만 사용하여 덧셈식이나 뺄셈식을 만들어 보세요.

(1) 5　1　6　3

□ + □ = 6

□ + □ = 9

(2) 4　7　1　2

□ − □ = 3

□ − □ = 5

memo

논리적 사고력과 창의적 문제해결력을 키워 주는

매스티안 교재 활용법!

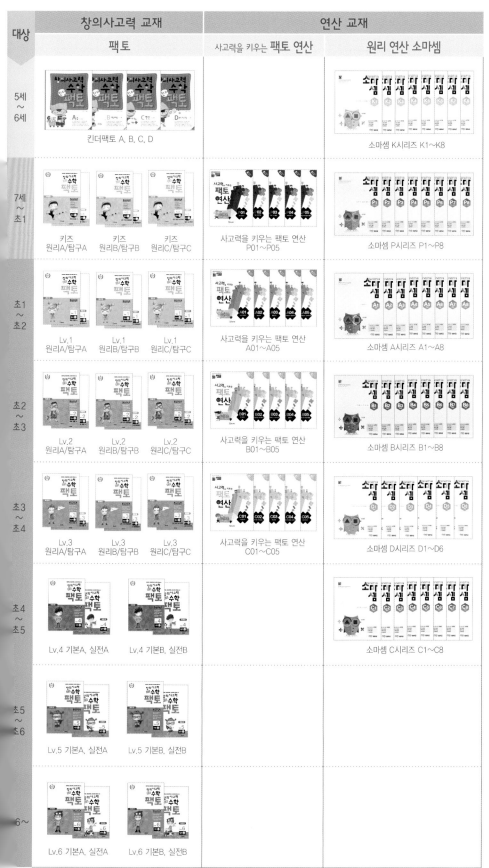

대상	창의사고력 교재 팩토			연산 교재 사고력을 키우는 팩토 연산	원리 연산 소마셈
5세~6세	 킨더팩토 A, B, C, D				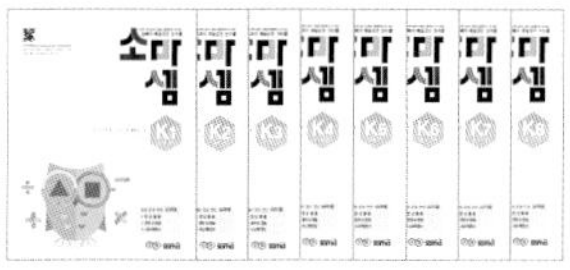 소마셈 K시리즈 K1~K8
7세~초1	 키즈 원리A/탐구A	키즈 원리B/탐구B	키즈 원리C/탐구C	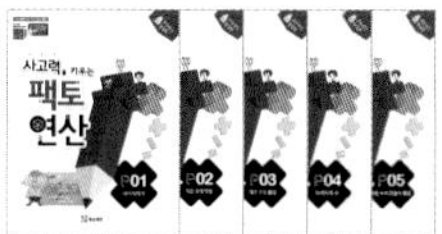 사고력을 키우는 팩토 연산 P01~P05	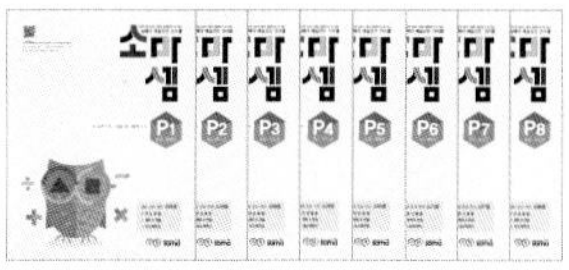 소마셈 P시리즈 P1~P8
초1~초2	 Lv.1 원리A/탐구A	Lv.1 원리B/탐구B	Lv.1 원리C/탐구C	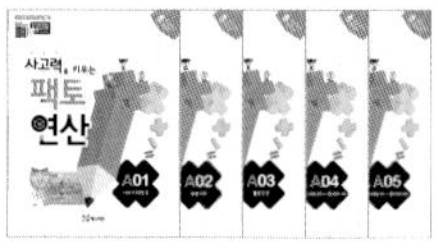 사고력을 키우는 팩토 연산 A01~A05	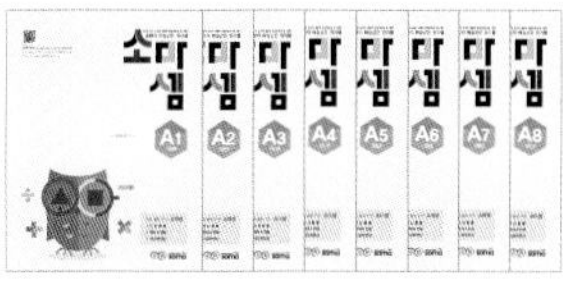 소마셈 A시리즈 A1~A8
초2~초3	 Lv.2 원리A/탐구A	Lv.2 원리B/탐구B	Lv.2 원리C/탐구C	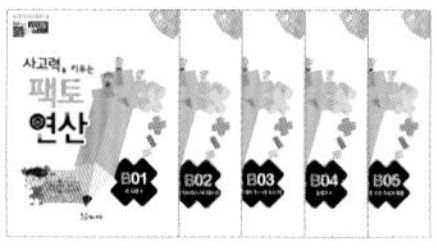 사고력을 키우는 팩토 연산 B01~B05	 소마셈 B시리즈 B1~B8
초3~초4	 Lv.3 원리A/탐구A	Lv.3 원리B/탐구B	Lv.3 원리C/탐구C	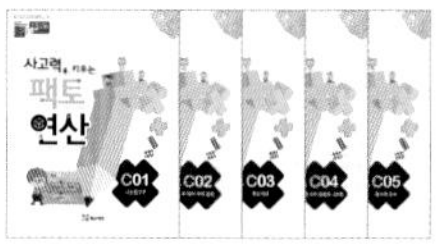 사고력을 키우는 팩토 연산 C01~C05	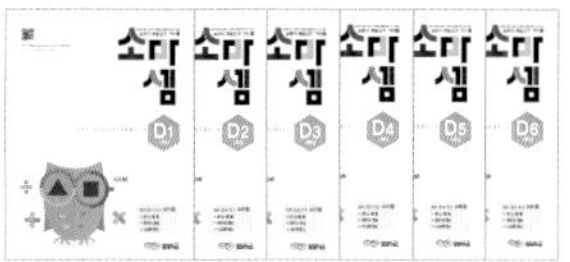 소마셈 D시리즈 D1~D6
초4~초5	 Lv.4 기본A, 실전A	Lv.4 기본B, 실전B			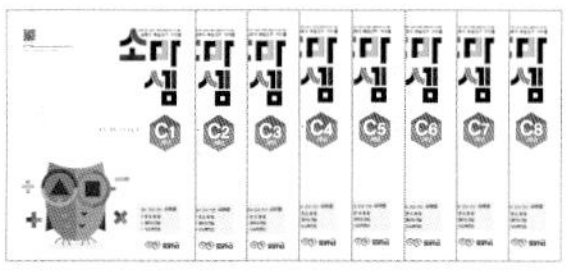 소마셈 C시리즈 C1~C8
초5~초6	 Lv.5 기본A, 실전A	Lv.5 기본B, 실전B			
초6~	 Lv.6 기본A, 실전A	Lv.6 기본B, 실전B			

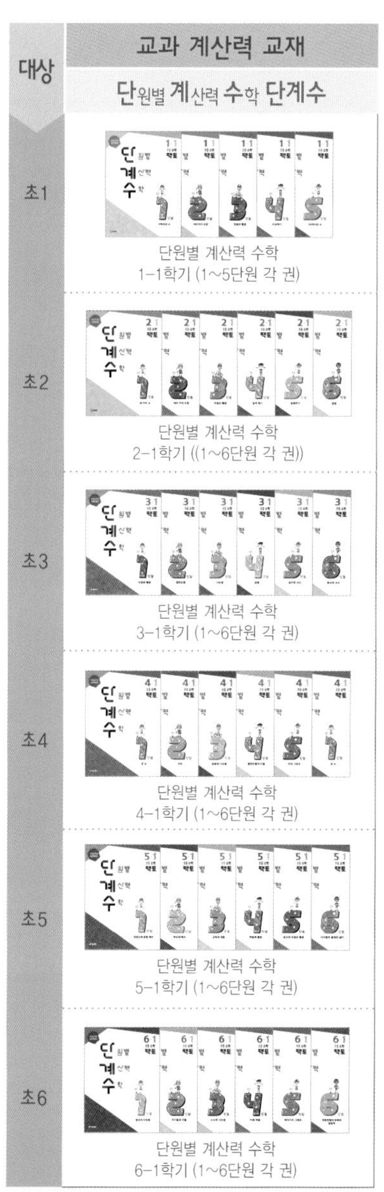

대상	교과 계산력 교재 단원별 계산력 수학 단계수
초1	단원별 계산력 수학 1-1학기 (1~5단원 각 권)
초2	단원별 계산력 수학 2-1학기 ((1~6단원 각 권))
초3	단원별 계산력 수학 3-1학기 (1~6단원 각 권)
초4	단원별 계산력 수학 4-1학기 (1~6단원 각 권)
초5	단원별 계산력 수학 5-1학기 (1~6단원 각 권)
초6	단원별 계산력 수학 6-1학기 (1~6단원 각 권)

대상	교과 수학 교재 1학기	2학기
초1	팩토 수학교과서/익힘책 1-1	팩토 수학교과서/익힘책 1-2
초2	팩토 수학교과서/익힘책 2-1	팩토 수학교과서/익힘책 2-2

단계수 학습 순서

매일 학습

단원별로 꼭 알아야 할 개념만 쏙쏙 학습하고 다양한 연산 문제를 통해 연산 과정을 숙달하여 계산력을 쑥쑥 키울 수 있습니다.

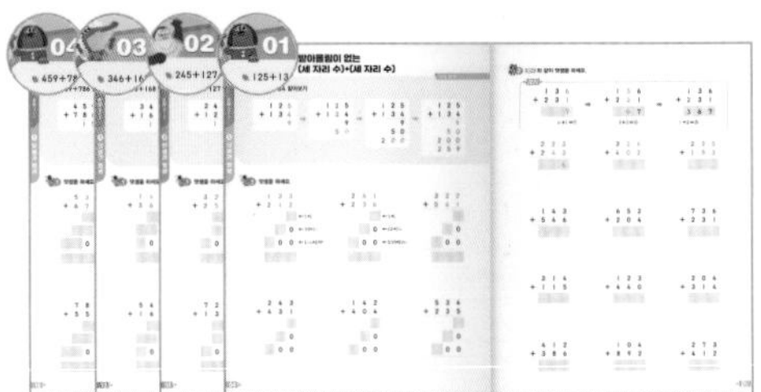

도전! 응용문제

응용 문제와 **서술형** 문제를 통해 사고력과 문제해결력을 기를 수 있습니다.

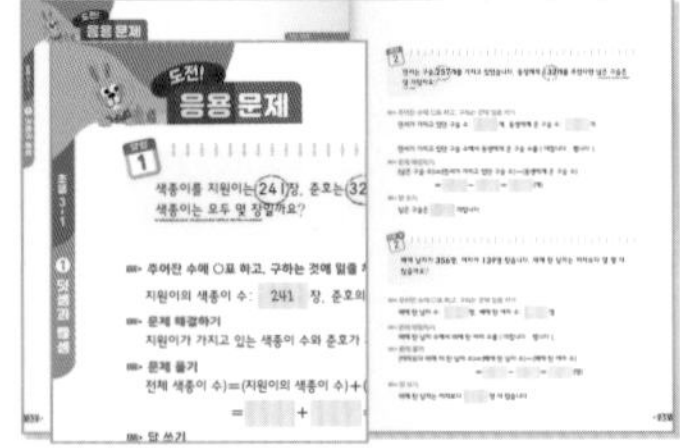

형성 평가

단원의 **복습 단계**로 문제를 풀면서 학습한 내용을 다시 한 번 확인할 수 있습니다.

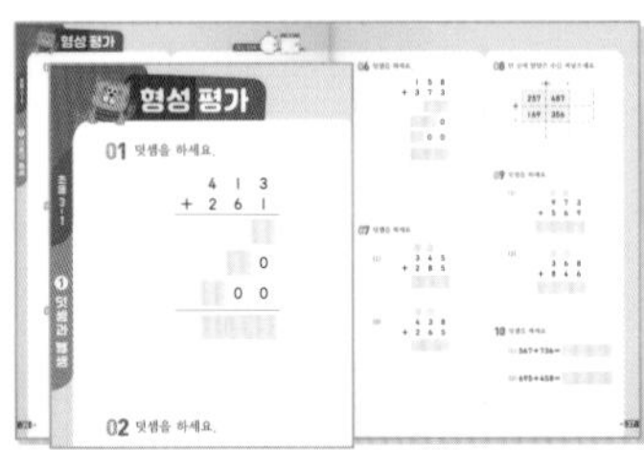

단원 평가

단원의 **마무리 학습**으로 학교 시험에 자주 나오는 문제를 통해 수시 평가 등 학교 시험에 대비할 수 있습니다.

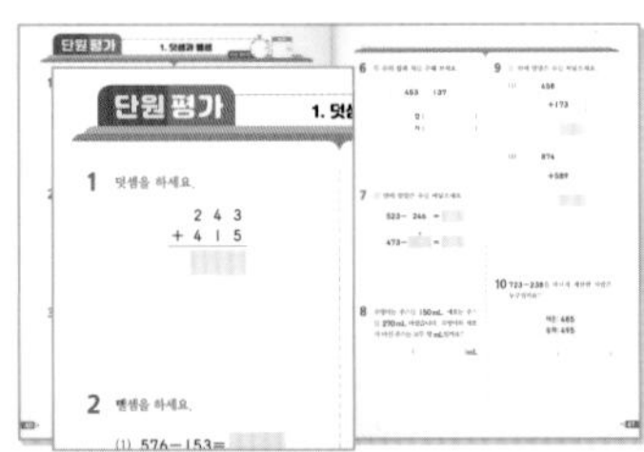

매스티안 http://www.mathtian.com

자율안전확인신고필증번호 : B361H200-4001
1. 주소 : 06153 서울특별시 강남구 봉은사로 442 (삼성동)
2. 문의전화 : 1588-6066
3. 제조국 : 대한민국
4. 사용연령 : 8세 이상
※ KC마크는 이 제품이 공통안전기준에 적합하였음을 의미합니다.

⚠ 주의
종이, 모서리에 다칠 수 있으니 주의하세요!

초등학교	반
이름	

FACTO school

단원별 계산력 수학

1-1 초등 수학 팩토

단원

비교하기

ㅐ스티안

팩토는 자유롭게 자신감있게 창의적으로 생각하는 주니어수학자입니다.

단원별 계산력 수학

펴낸 곳 (주)타임교육C&P **펴낸이** 이길호 **지은이** 매스티안R&D센터
주소 06153 서울특별시 강남구 봉은사로 442 (삼성동) **문의전화** 1588.6066
팩토카페 http://cafe.naver.com/factos **홈페이지** http://www.mathtian.com

※ 정답과 풀이는 온라인 팩토카페(http://cafe.naver.com/factos)를 통해서도 확인할 수 있습니다.

FACTO school

1-1

초등 수학 팩토

단원별 계산력 수학

4단원

비교하기

매스티안

2-1

4. 길이 재기

· 길이 비교하기
· 1cm와 '자' 활용하기
· 길이 어림하기, 길이 재기

4. 비교하기

· 길이, 무게, 넓이, 들이 비교하기

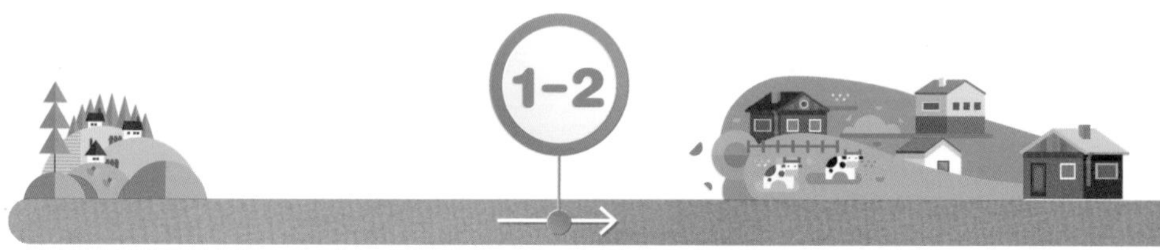

5. 시계 보기와 규칙 찾기

· '몇 시', '몇 시 30분'
· 물체, 무늬, 수 배열에서 규칙 찾기

4 비교하기

Teaching Guide

- 길이, 높이와 키, 무게, 넓이, 용기에 담을 수 있는 양(들이)을 다양한 용어(길다, 짧다, 높다, 낮다, 크다, 작다, 무겁다, 가볍다, 넓다, 좁다, 많다, 적다)를 사용하여 표현합니다. 이때 아이들은 '많다'의 반대말을 '작다'라고 잘못 표현하는 경우가 많습니다. 올바른 표현인 '많다'와 '적다', '크다'와 '작다'를 혼동하지 않게 해 줍니다.
- 길이는 시각적인 접근이 가능하지만, 무게는 시각적으로 쉽게 판정할 수가 없습니다. 따라서 무게에 대한 양감은 경험이 가장 중요합니다. 사과와 풍선, 티슈와 사전 등 크기가 비슷한 두 물건을 직접 들어서 무게를 비교하는 경험을 많이 할 수 있도록 해 줍니다.

3. 길이 재기

· 1m=100cm
· 길이의 합과 차
· 길이 어림하기

5. 들이와 무게

· 들이와 무게 비교하기
· 들이와 무게의 덧셈과 뺄셈

4. 시각과 시간

· 시각을 분 단위로 읽기
· 1일=24시간, 1주일=7일, 1년=12개월

5. 길이와 시간

· 1cm=10mm, 1km=1000m
· 길이 어림하고 재어 보기
· 시간의 덧셈과 뺄셈

공부한 날짜

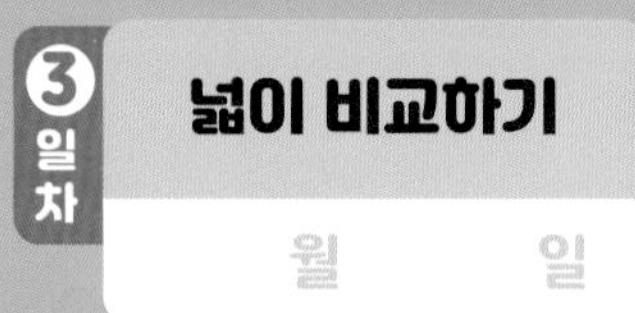

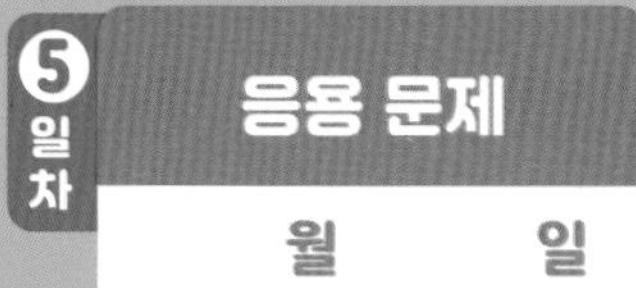

01 길이 비교하기

정답 31쪽

길이 비교하기

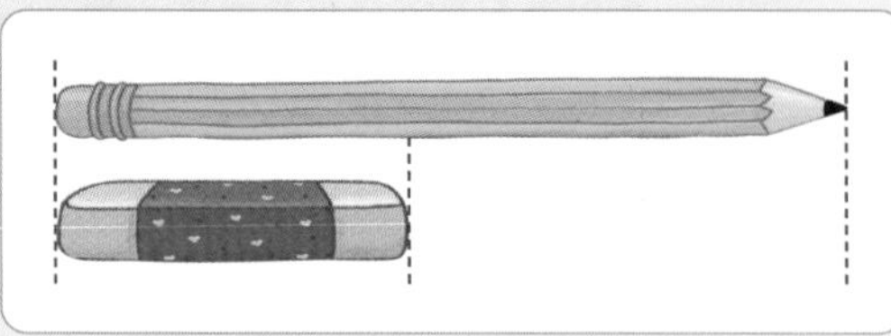

➡ 연필은 지우개보다 더 깁니다.

➡ 지우개는 연필보다 더 짧습니다.

1 길이를 비교하고, 비교하는 말을 써 보세요.

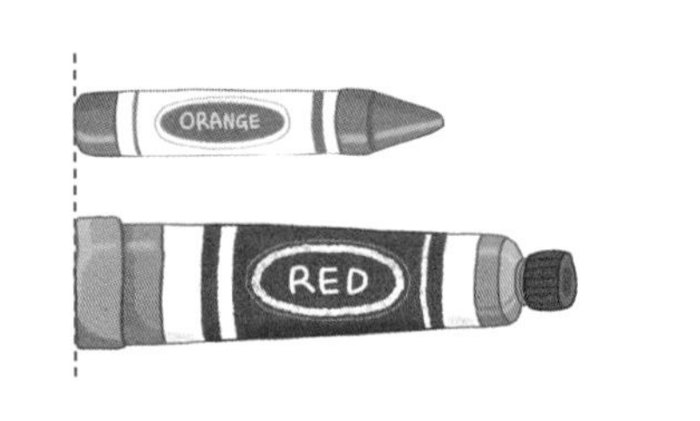

➡ 크레파스는 물감보다 더 짧습니다.

➡ 물감은 크레파스보다 더 깁니다.

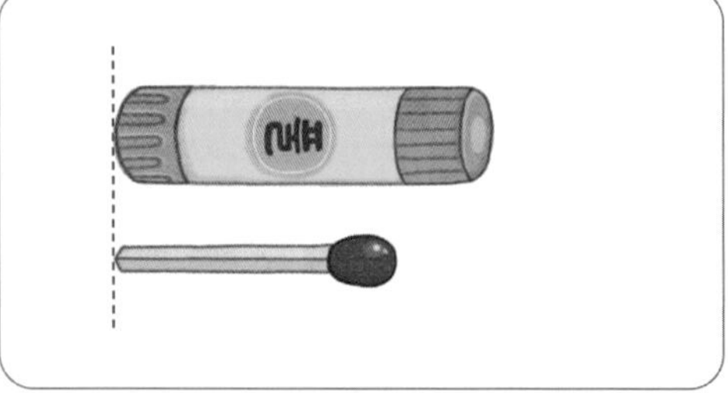

➡ 풀은 성냥보다 더 깁니다.

➡ 성냥은 풀보다 더 짧습니다.

➡ 기차는 자동차보다 더 ______.

➡ 자동차는 기차보다 더 ______.

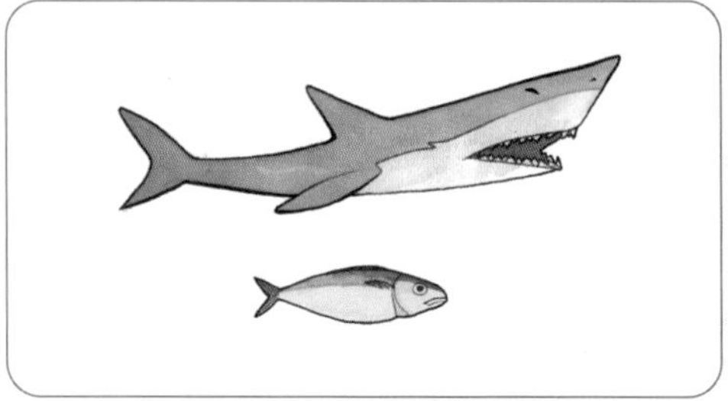

➡ 상어는 고등어보다 더 ______.

➡ 고등어는 상어보다 더 ______.

2 길이를 비교하여 가장 긴 것에 ◯표 하세요.

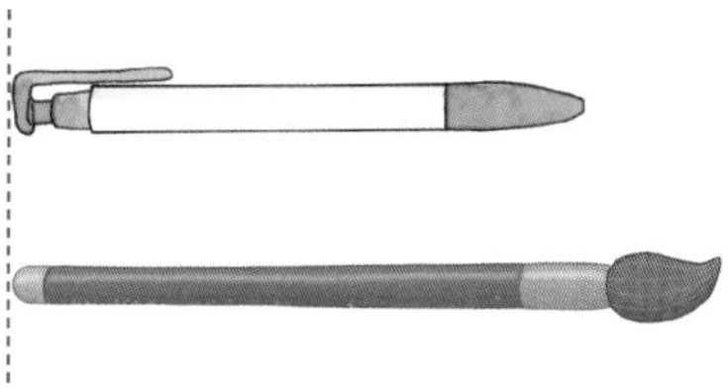

( )
( )

( )
( )

( )
( )

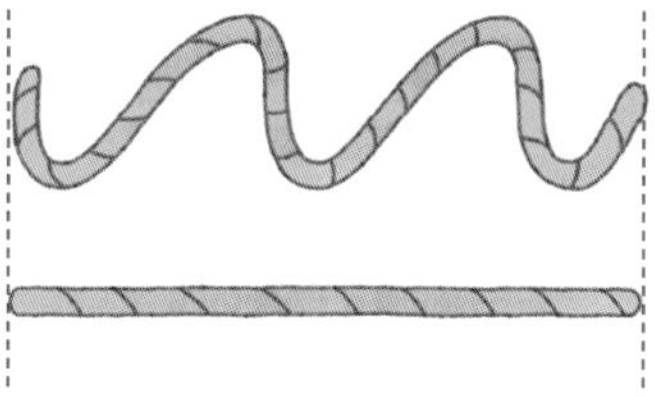

( )
( )

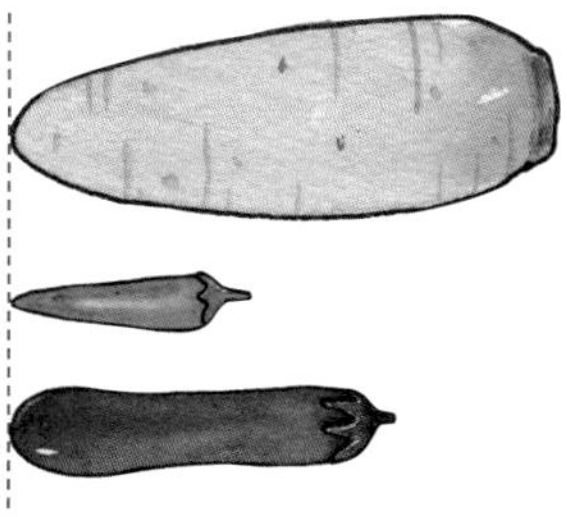

( )
( )
( )

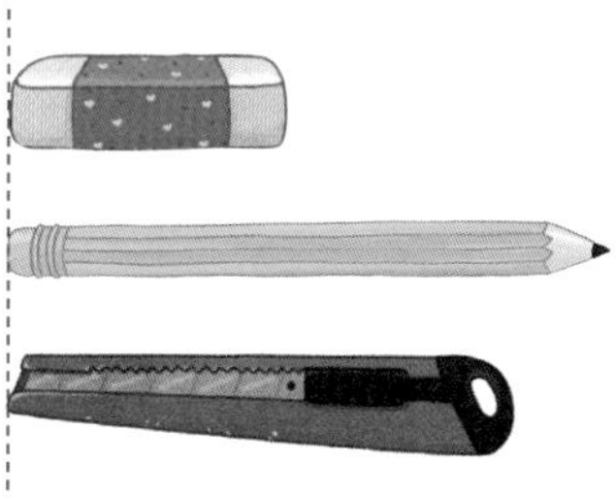

( )
( )
( )

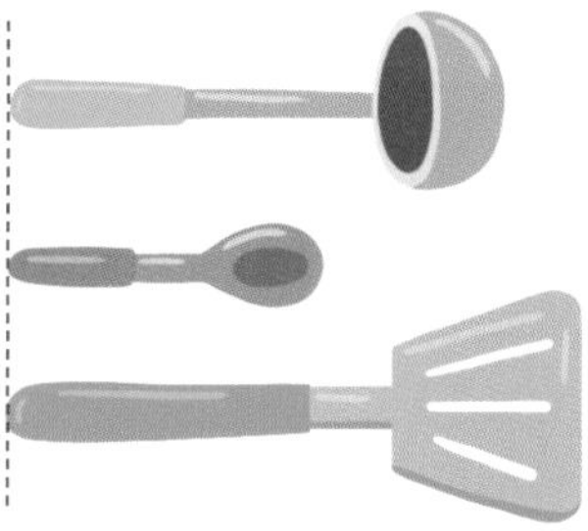

( )
( )
( )

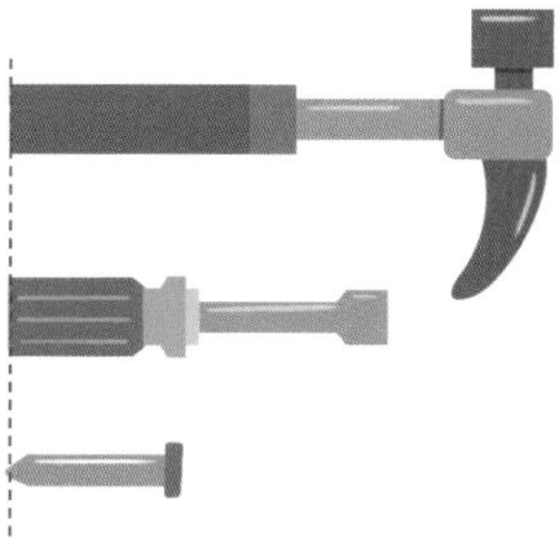

( )
( )
( )

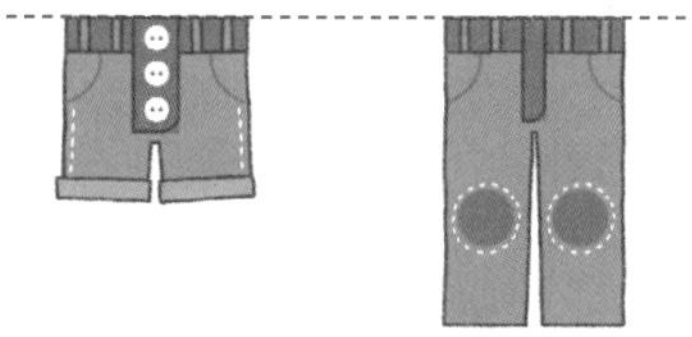

( ) ( )

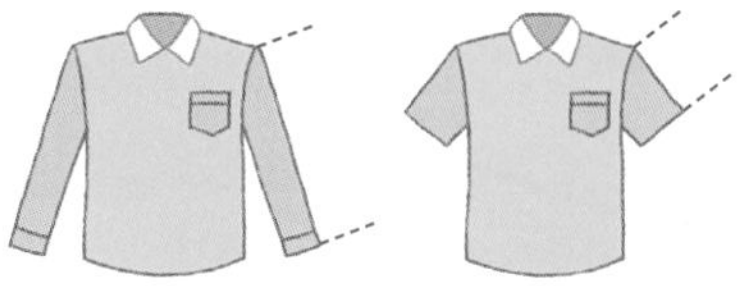

( ) ( )

( ) ( ) ( )

3 왼쪽 물건보다 더 긴 것을 모두 찾아 ○표 하세요.

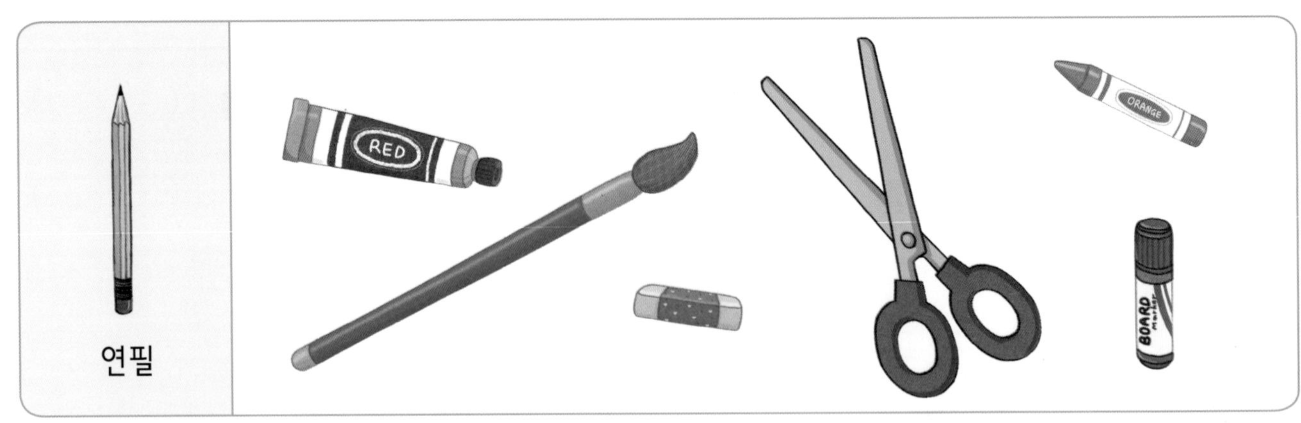

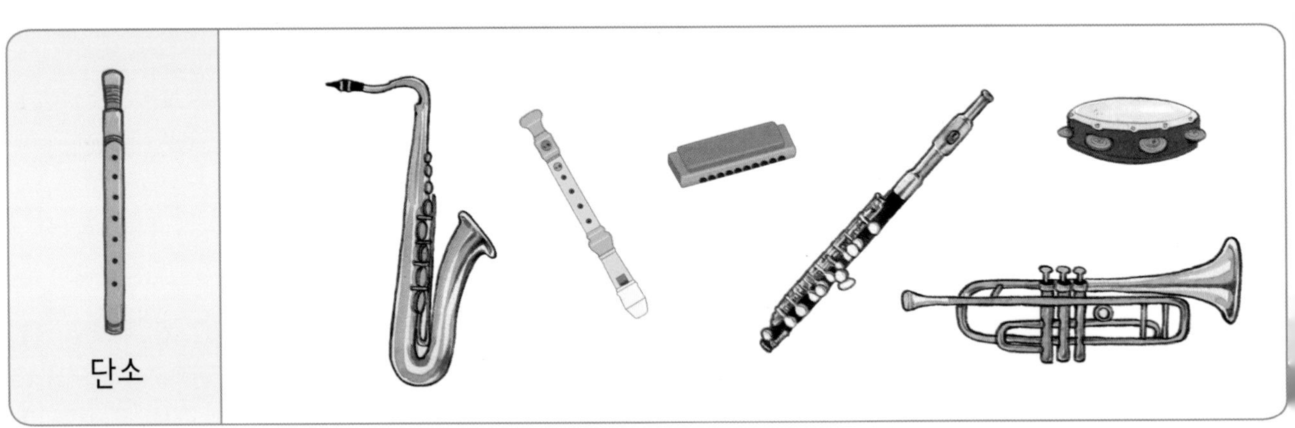

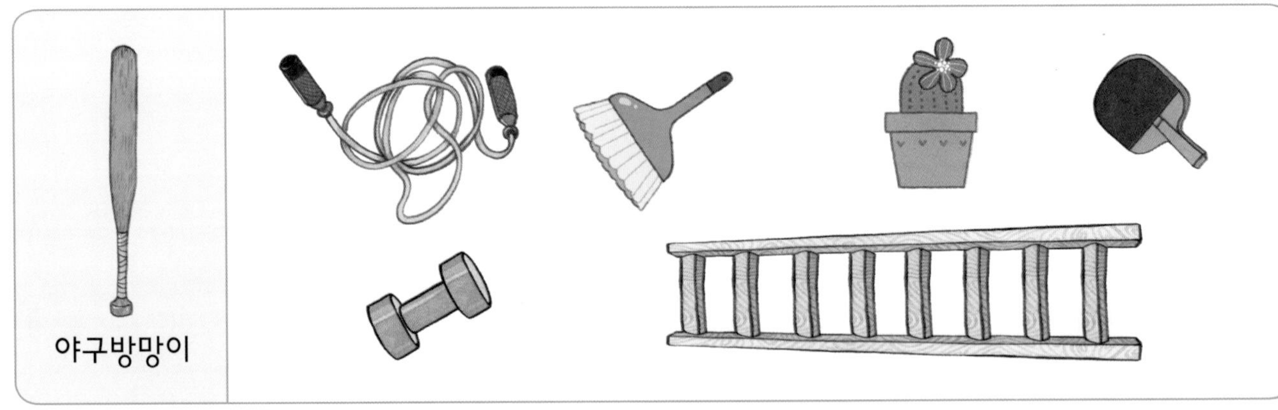

4 길이를 비교하여 가장 긴 것부터 차례로 번호를 써넣으세요.

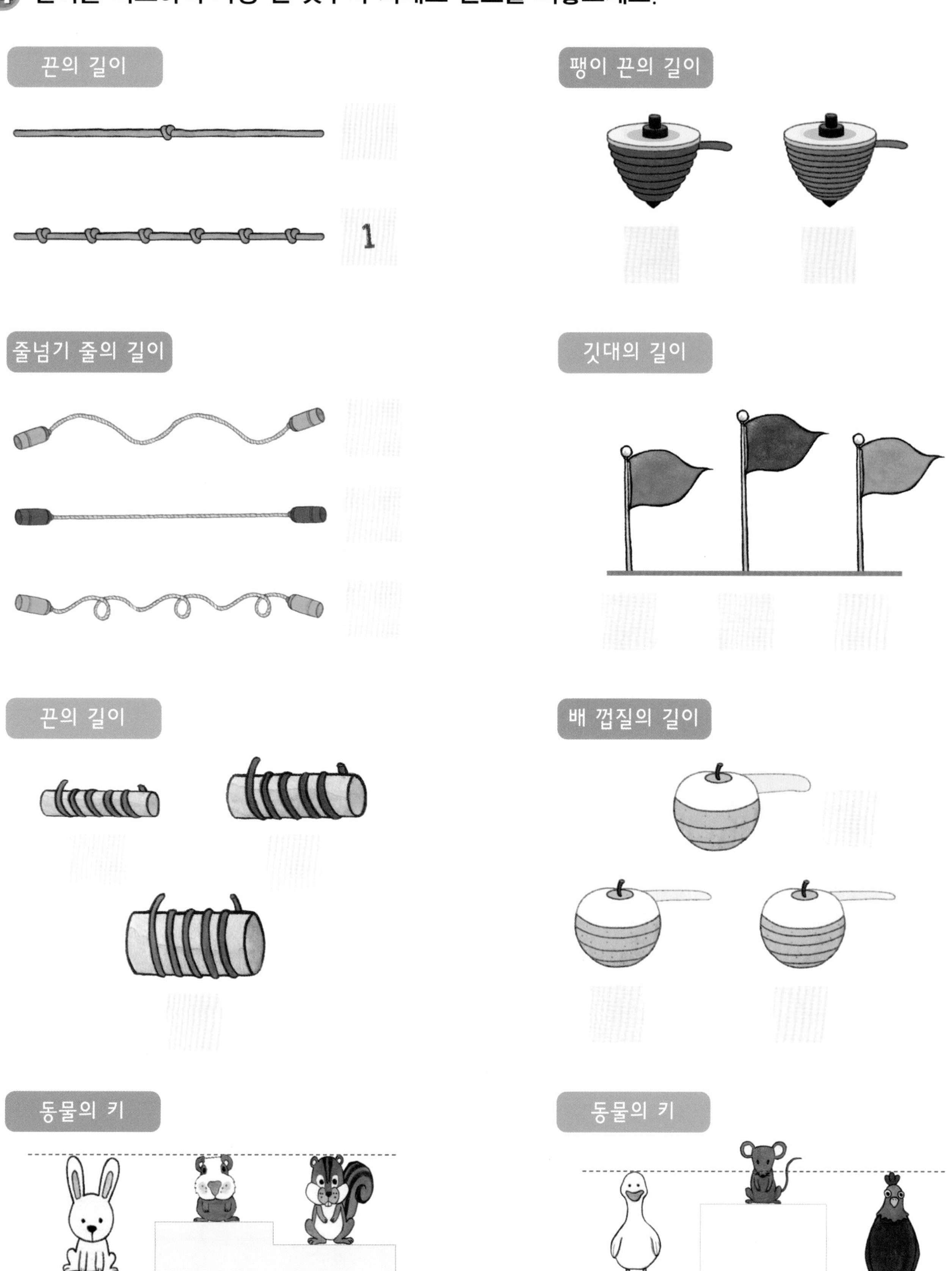

02 무게 비교하기

정답 32쪽

무게 비교하기

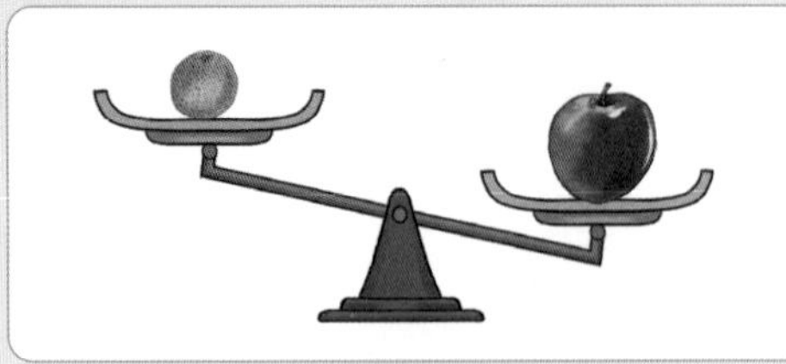

➡ 사과는 귤보다 더 무겁습니다.

➡ 귤은 사과보다 더 가볍습니다.

1 무게를 비교하고, 비교하는 말을 써 보세요.

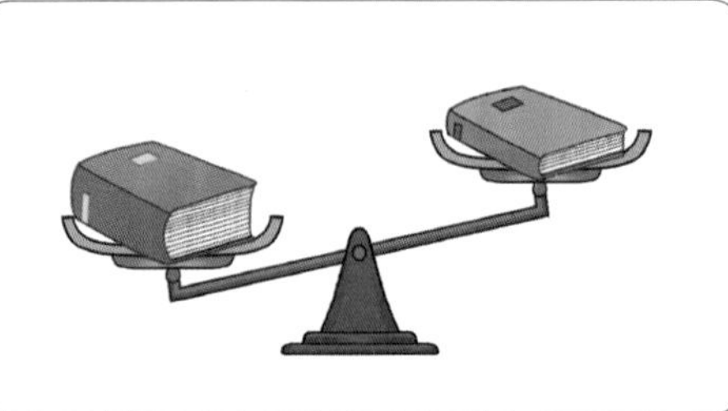

➡ 빨간 책은 파란 책보다 더 무겁습니다 .

➡ 파란 책은 빨간 책보다 더 가볍습니다 .

➡ 모자는 컵보다 더 가볍습니다 .

➡ 컵은 모자보다 더 무겁습니다 .

➡ 야구공은 털실보다 더 ______ .

➡ 털실은 야구공보다 더 ______ .

➡ 레몬은 당근보다 더 ______ .

➡ 당근은 레몬보다 더 ______ .

2 무게를 비교하여 가장 무거운 것에 ○표 하세요.

( ) ( )

( ) ( )

( ) ( )

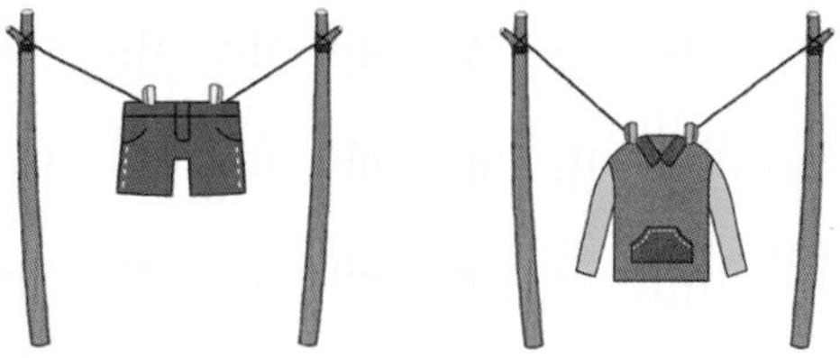

( ) ( )

( ) ( ) ( )

( ) ( ) ( )

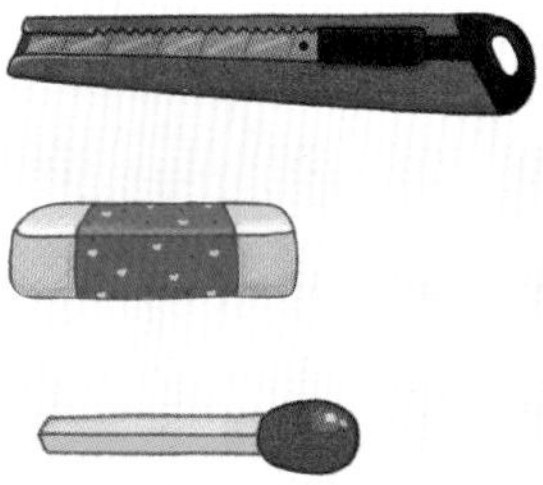

( )

( )

( )

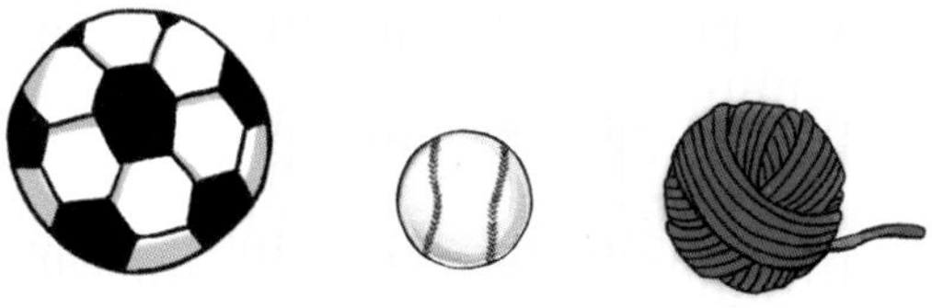

( ) ( ) ( )

( ) ( ) ( )

( ) ( ) ( )

3 주어진 것보다 무게가 더 무거운 것을 모두 찾아 ◯표 하세요.

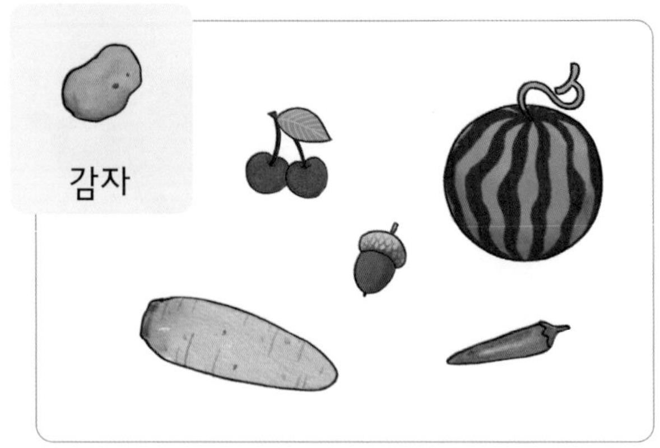

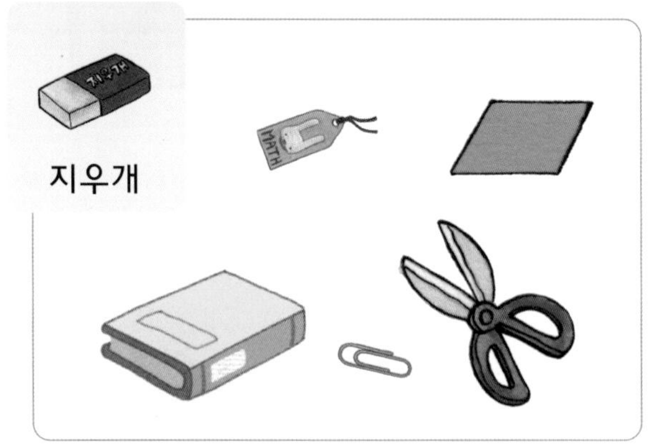

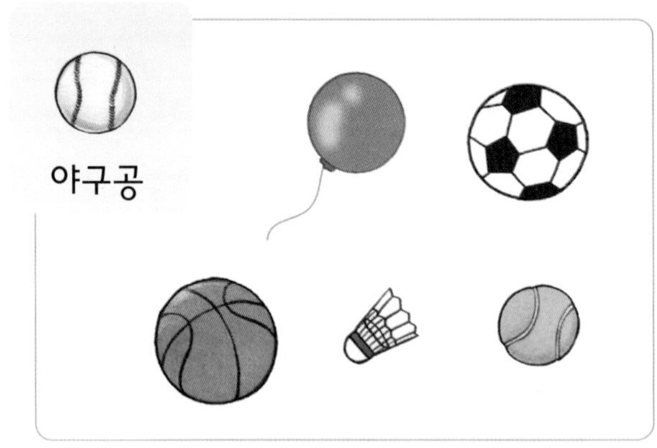

4 무게를 비교하려고 합니다. □ 안에 알맞게 써넣으세요.

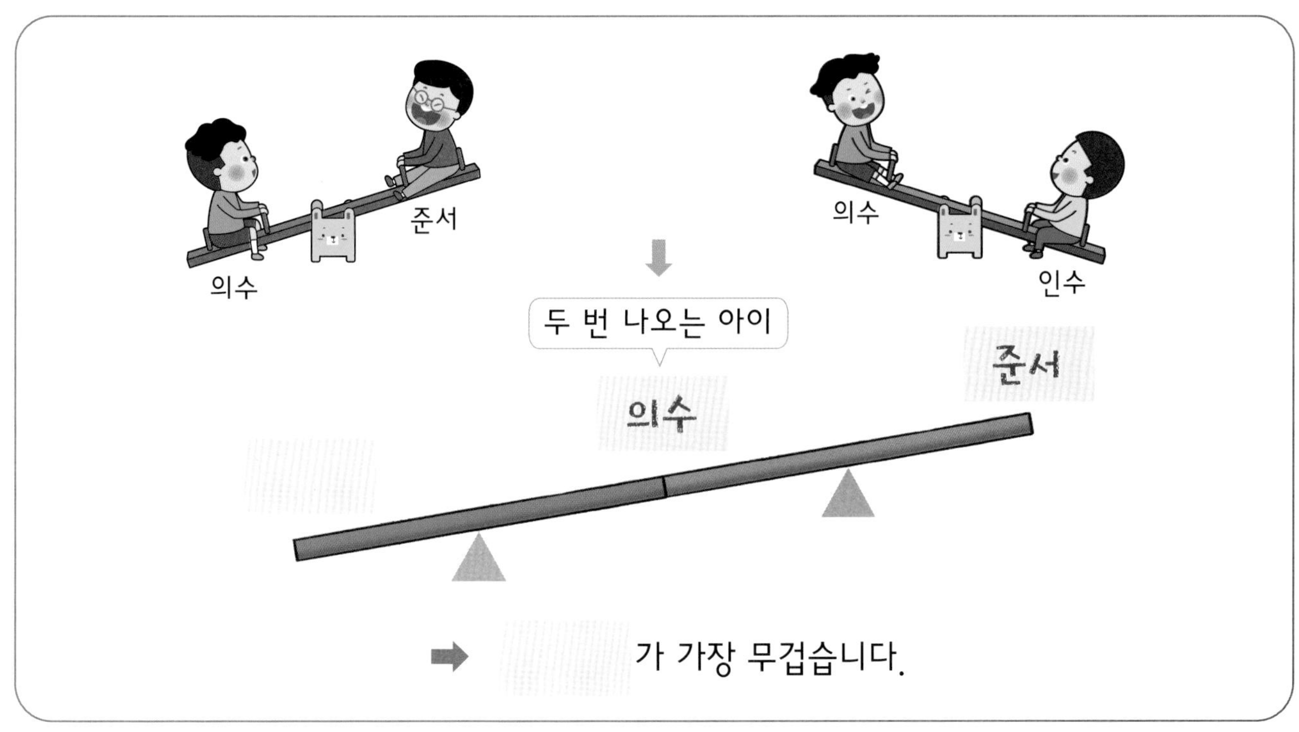

➡ □가 가장 무겁습니다.

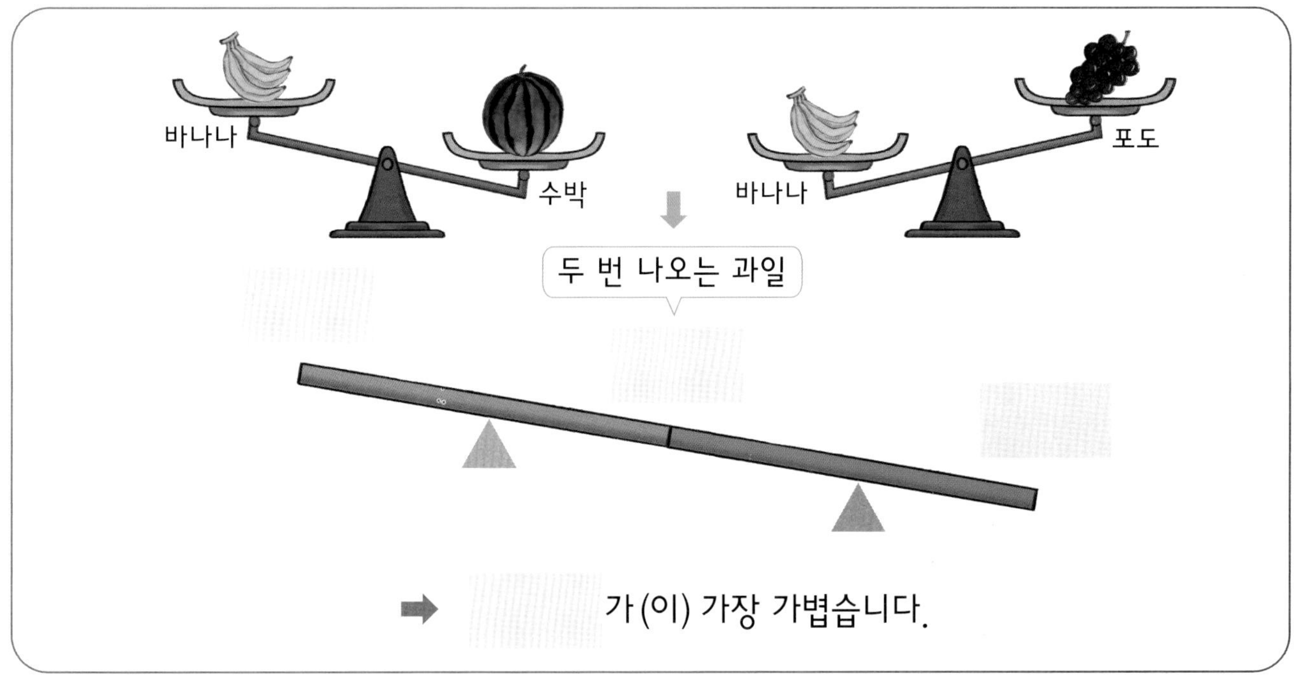

➡ □가(이) 가장 가볍습니다.

➡ □가 가장 무겁습니다.

➡ □이 가장 가볍습니다.

03 넓이 비교하기

정답 33쪽

넓이 비교하기

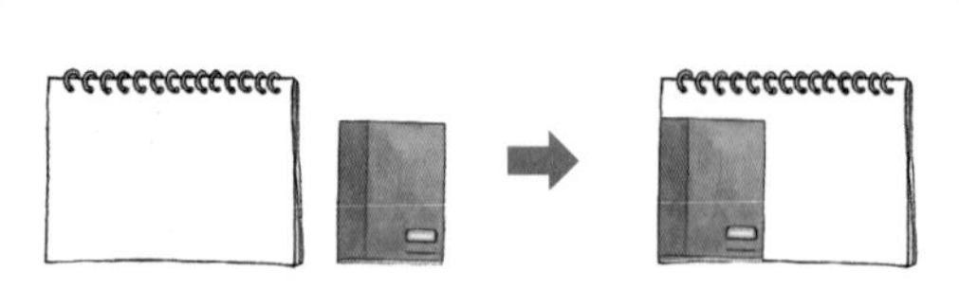

➡ 스케치북은 공책보다 더 넓습니다.

➡ 공책은 스케치북보다 더 좁습니다.

1 넓이를 비교하고, 비교하는 말을 써 보세요.

➡ 창문은 액자보다 더 넓습니다.

➡ 액자는 창문보다 더 좁습니다.

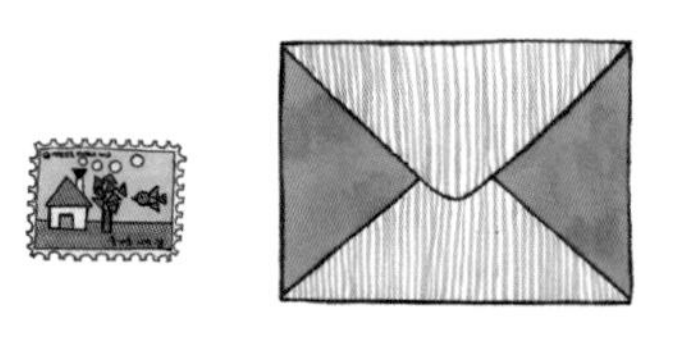

➡ 우표는 봉투보다 더 좁습니다.

➡ 봉투는 우표보다 더 넓습니다.

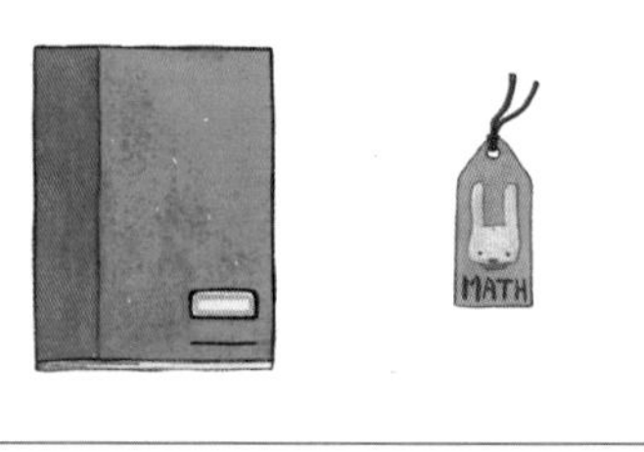

➡ 공책은 책갈피보다 더 ______.

➡ 책갈피는 공책보다 더 ______.

➡ 수첩은 신문지보다 더 ______.

➡ 신문지는 수첩보다 더 ______.

2 넓이를 비교하여 가장 넓은 것에 ○표 하세요.

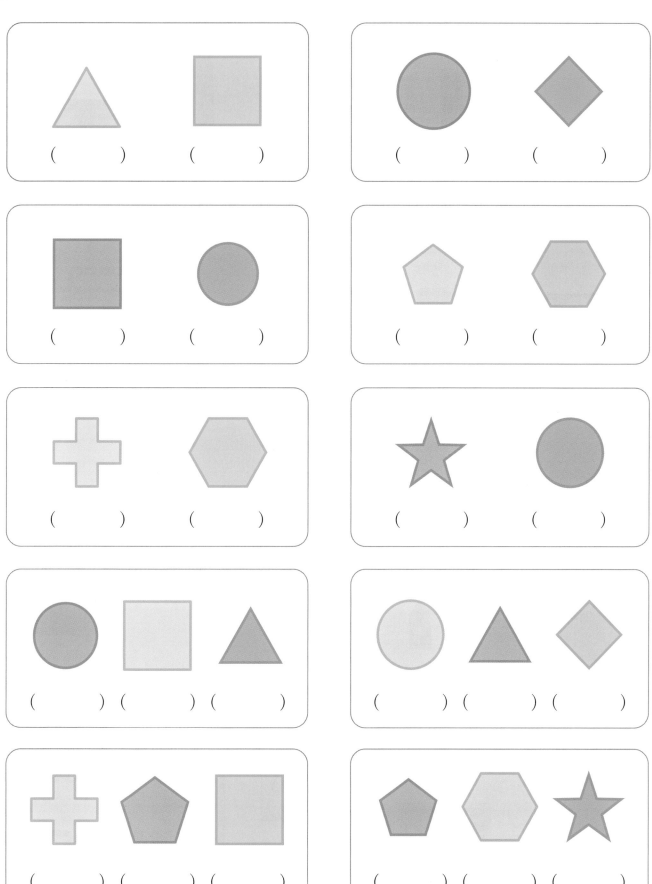

( ) ( )

( ) ( )

( ) ( )

( ) ( )

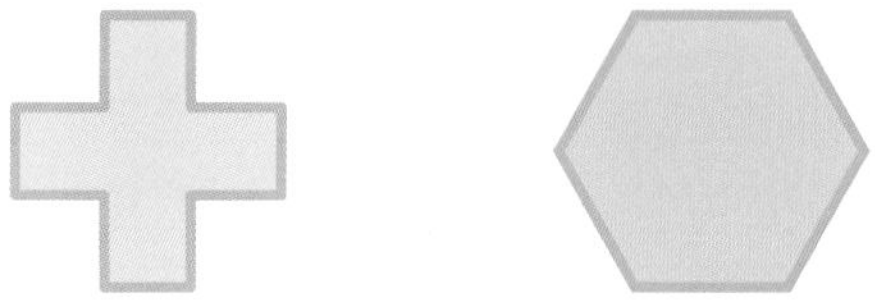

( ) ( )

( ) ( )

( ) ( ) ( )

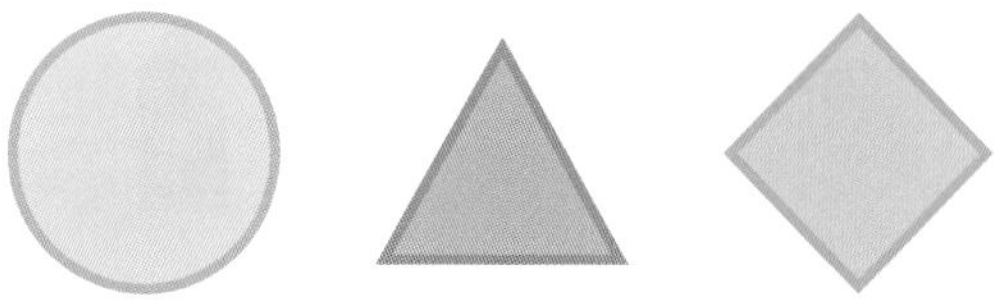

( ) ( ) ( )

( ) ( ) ( )

( ) ( ) ( )

3 왼쪽 물건보다 더 넓은 것을 모두 찾아 ◯표 하세요.

기준 물건	
신문지	
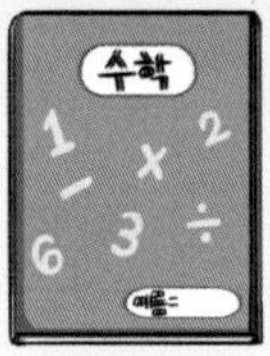 수학 책	
액자	
거울	

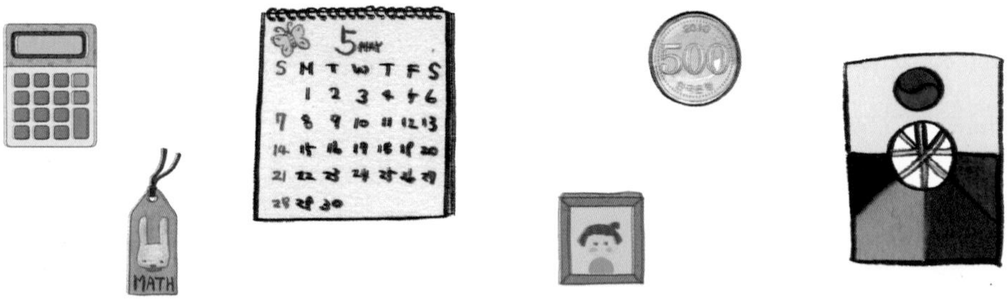

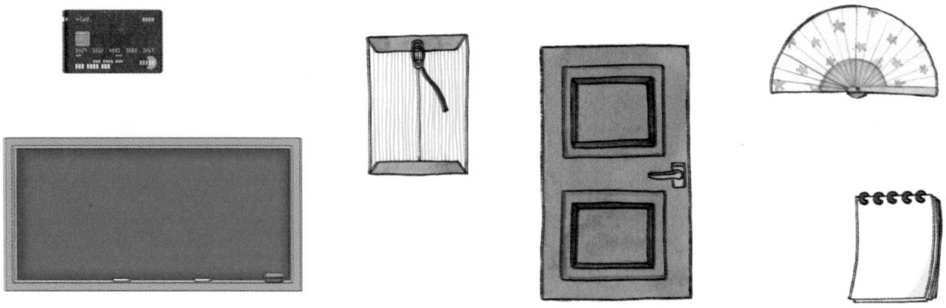

4 가장 넓은 것부터 차례로 기호를 써 보세요.

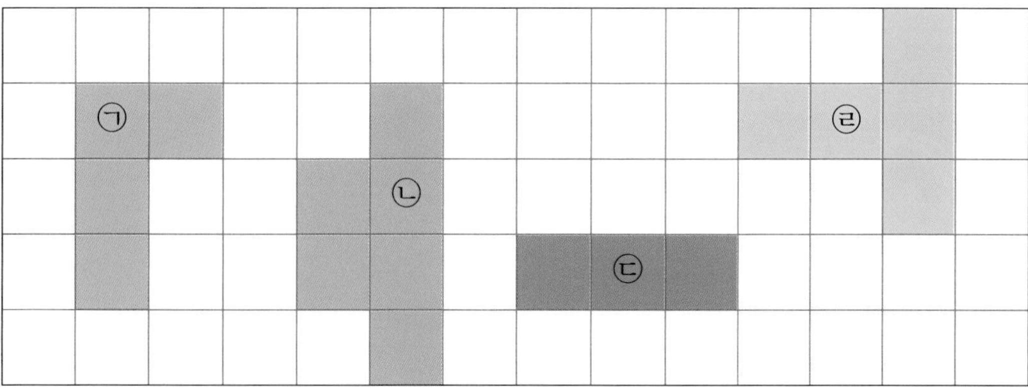

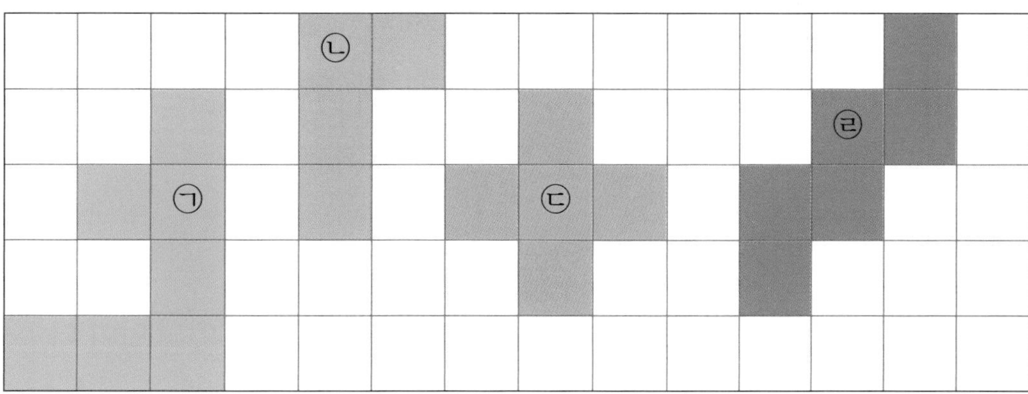

㉠ ㉡ ㉢ ㉣

㉠ ㉡ ㉢ ㉣

04 들이 비교하기

정답 34쪽

담을 수 있는 양 비교하기

➡ 주전자는 컵보다 담을 수 있는 양이 더 많습니다.

➡ 컵은 주전자보다 담을 수 있는 양이 더 적습니다.

1 들이를 비교하고, 비교하는 말을 써 보세요.

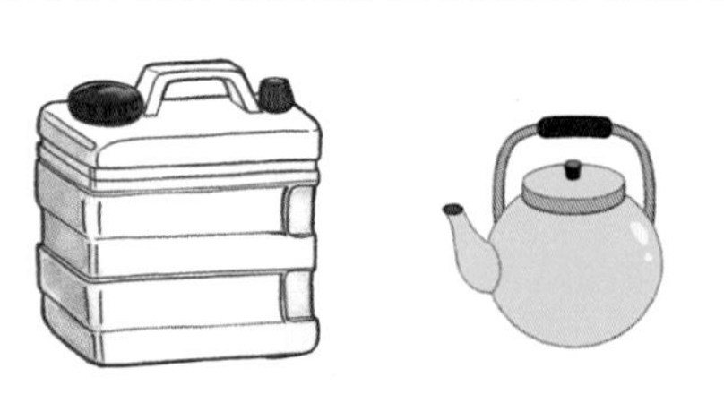

➡ 물통은 주전자보다 담을 수 있는 양이 더 많습니다

➡ 주전자는 물통보다 담을 수 있는 양이 더 적습니다

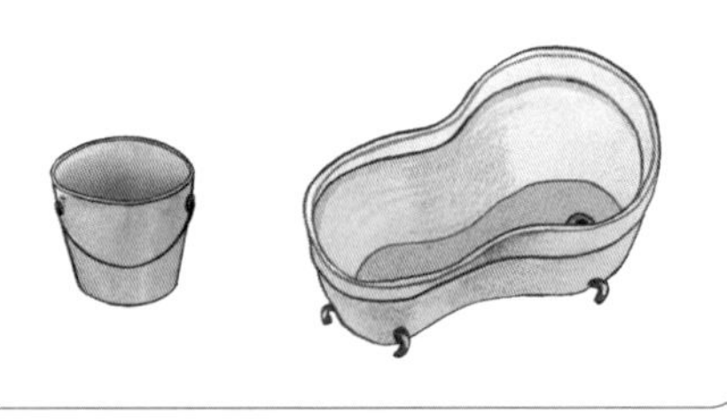

➡ 양동이는 욕조보다 담을 수 있는 양이 더 적습니다

➡ 욕조는 양동이보다 담을 수 있는 양이 더 많습니다

➡ 보온병은 컵보다 담을 수 있는 양이 더

➡ 컵은 보온병보다 담을 수 있는 양이 더

➡ 그릇은 냄비보다 담을 수 있는 양이 더

➡ 냄비는 그릇보다 담을 수 있는 양이 더

2 담을 수 있는 양이 가장 많은 것에 ○표 하세요.

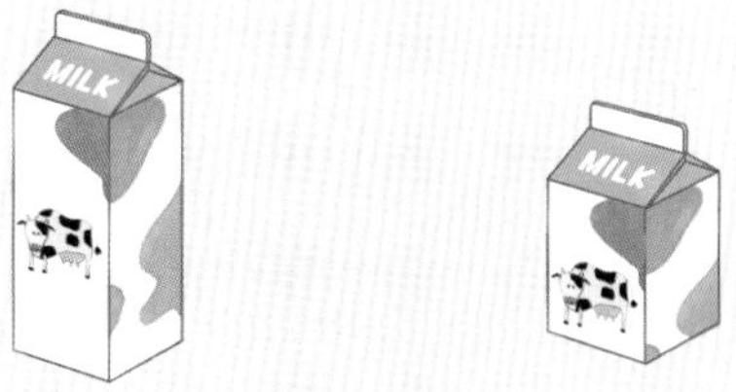

( ) ( )　　( ) ( )

( ) ( )　　( ) ( )

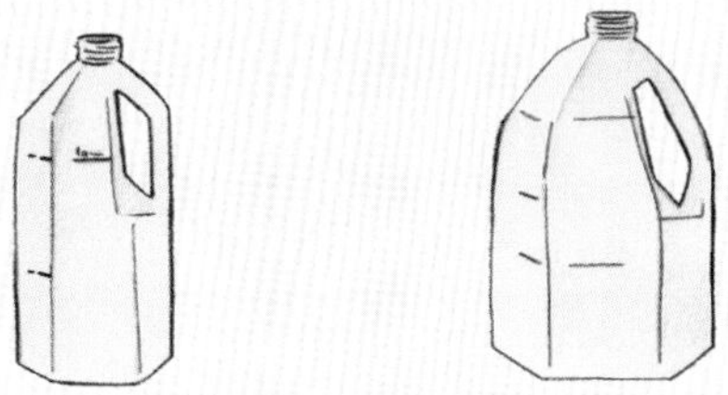

( ) ( ) ( )　　( ) ( ) ( )

( ) ( ) ( )　　( ) ( ) ( )

( ) ( ) ( )　　( ) ( ) ( )

3 담긴 물의 양이 가장 많은 것에 ○표 하세요.

보기

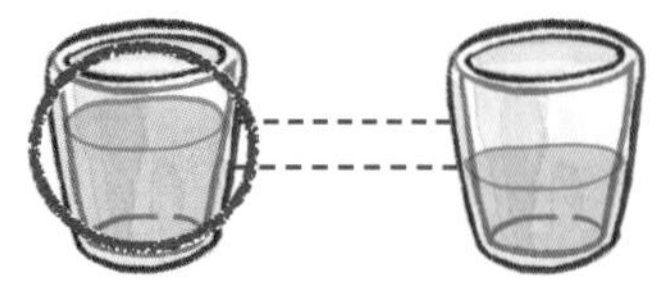

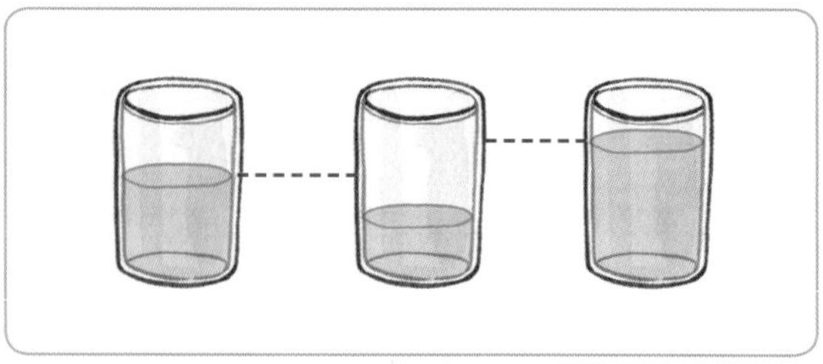

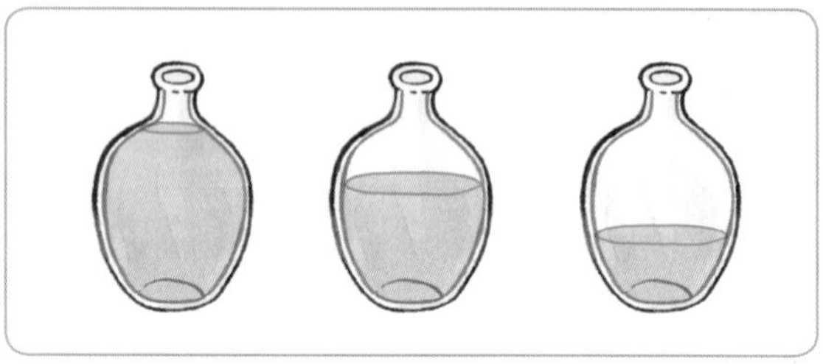

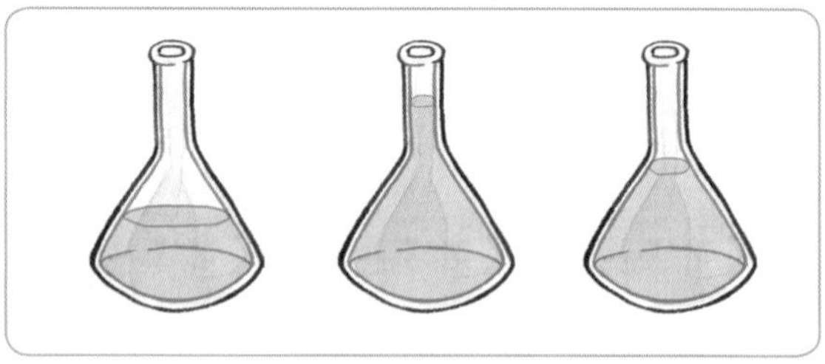

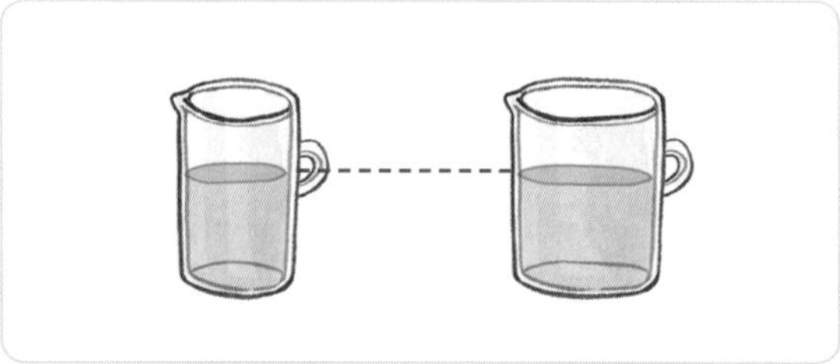

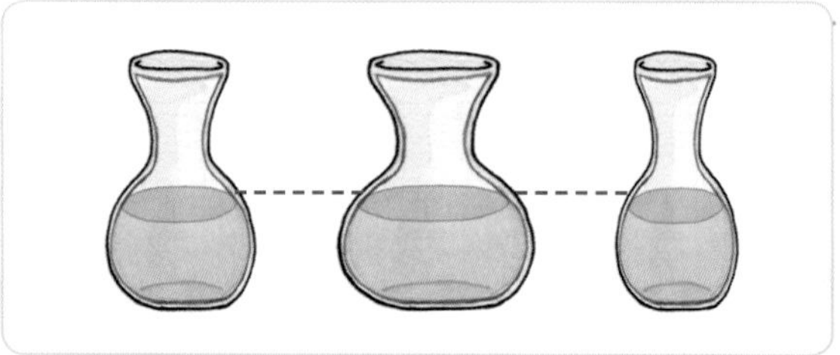

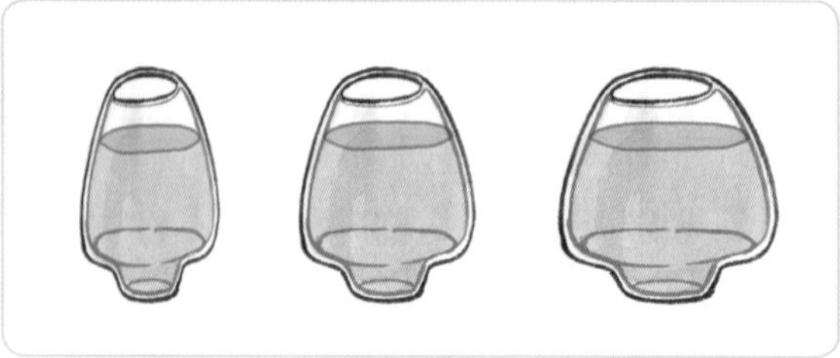

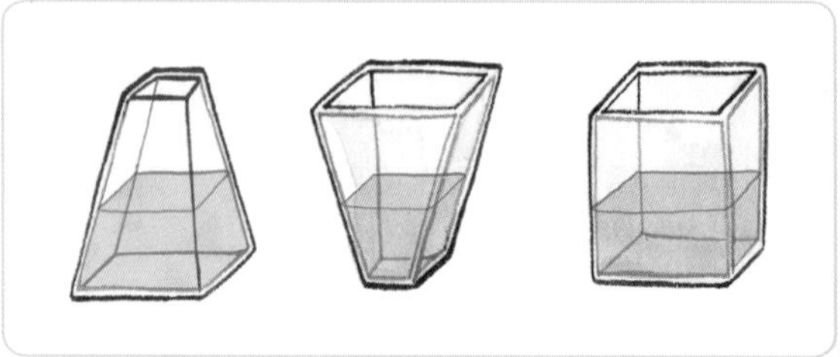

4 물을 옮겨 담으면 어떻게 될지 그려 보세요.

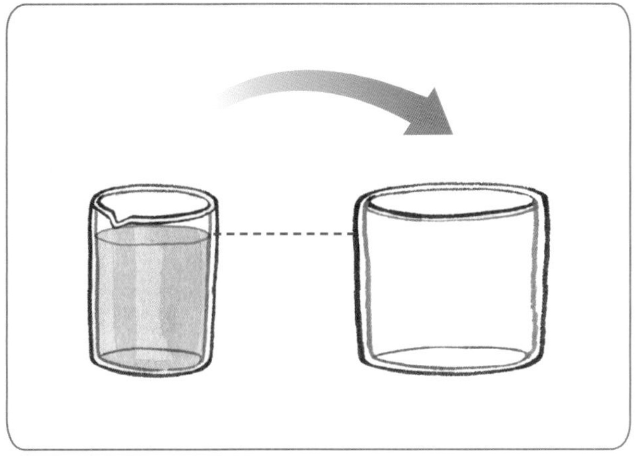

더 큰 그릇으로 옮기면 물의 높이는 내려갑니다.

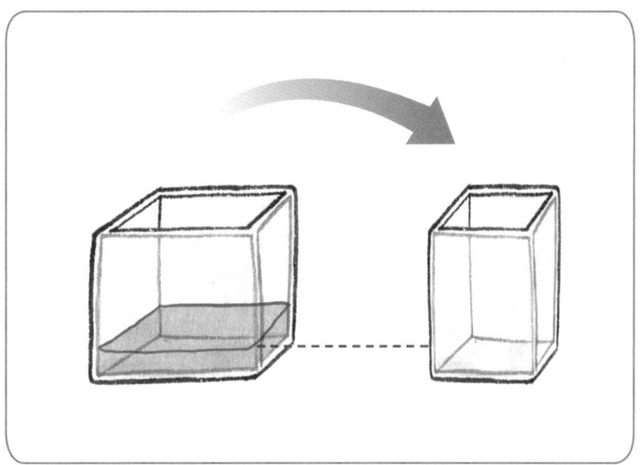

더 작은 그릇으로 옮기면 물의 높이는 올라갑니다.

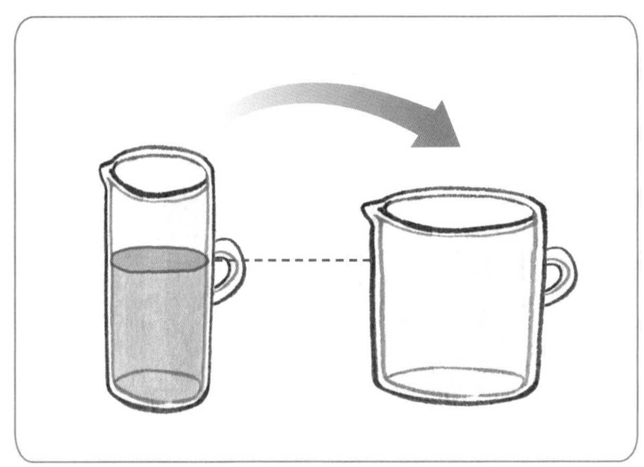

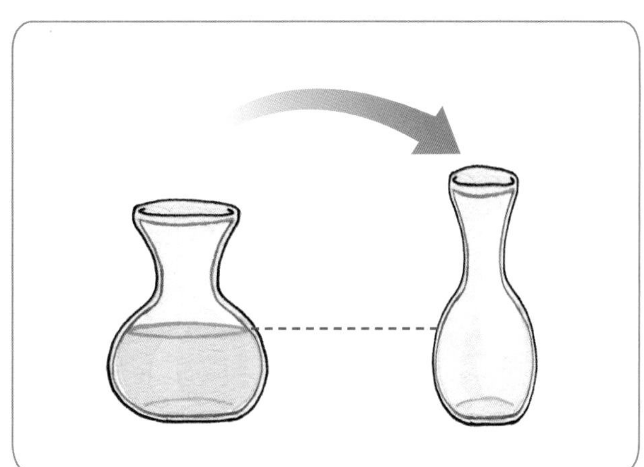

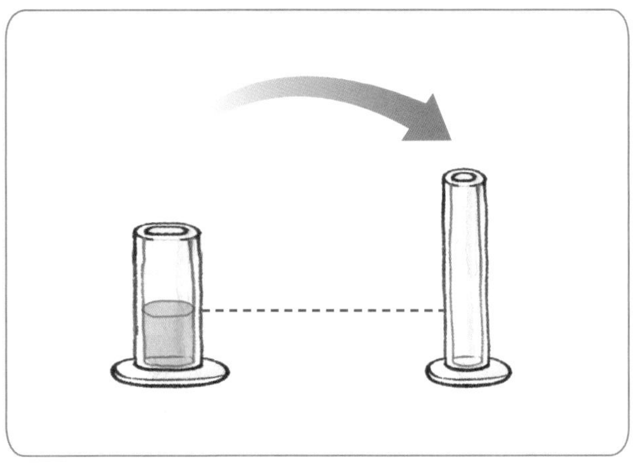

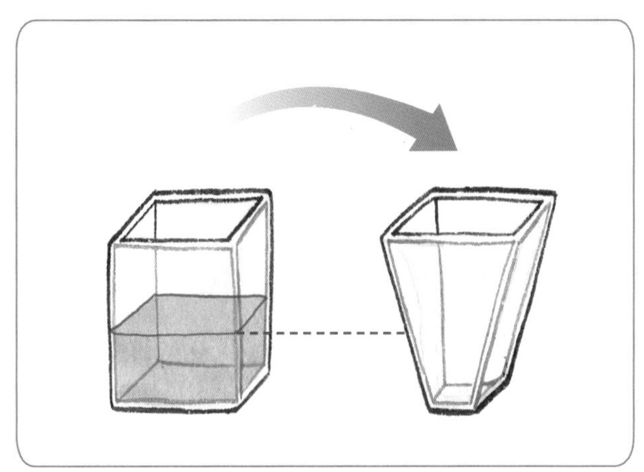

도전! 응용 문제

정답 35쪽

비교하는 말 알아보기

무게 비교

무겁다 가볍다

빠르기 비교

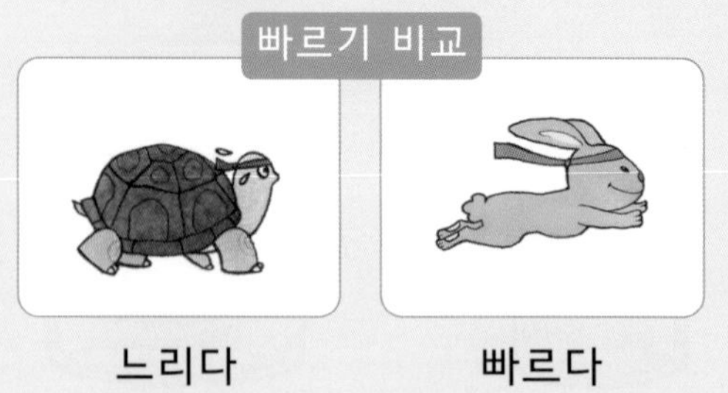

느리다 빠르다

응용 1 각 상황에 알맞은 비교하는 말을 ▯ 안에 써넣으세요.

길다	높다	무겁다	넓다	많다	두껍다	크다	빠르다
짧다	낮다	가볍다	좁다	적다	얇다	작다	느리다

길이 비교

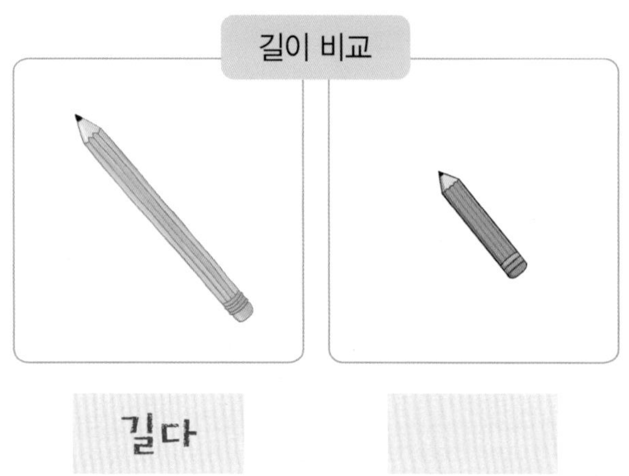

길다 ▯

높이 비교

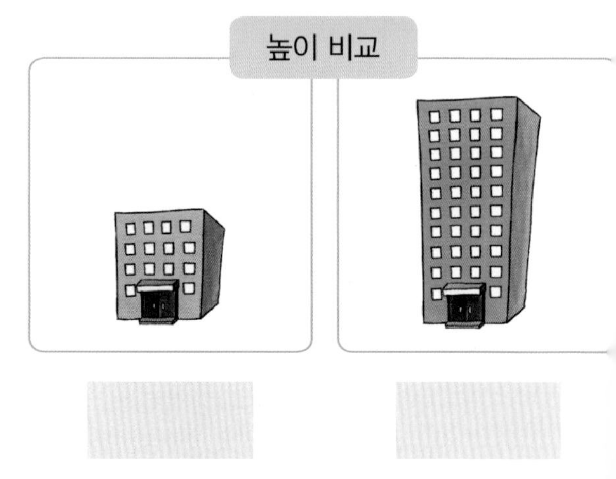

▯ ▯

넓이 비교

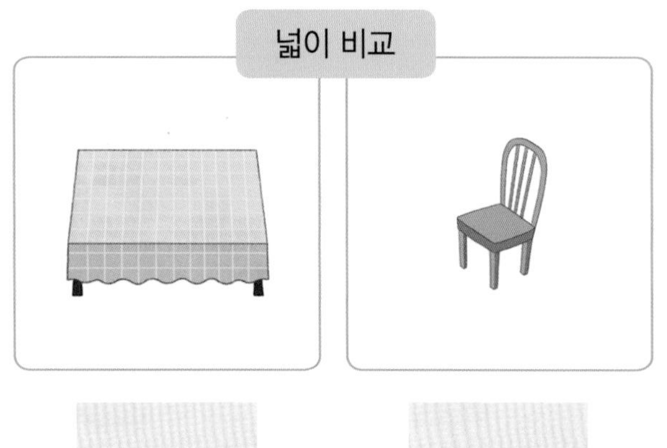

▯ ▯

크기 비교

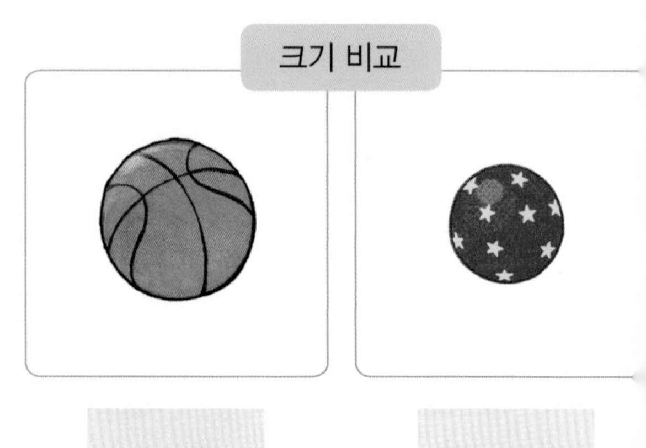

▯ ▯

응용 2 그림을 보고 무엇을 비교하는 것인지 알맞은 것에 ○표 하세요.

(높이 , 들이)

(크기 , 무게)

(두께 , 키)

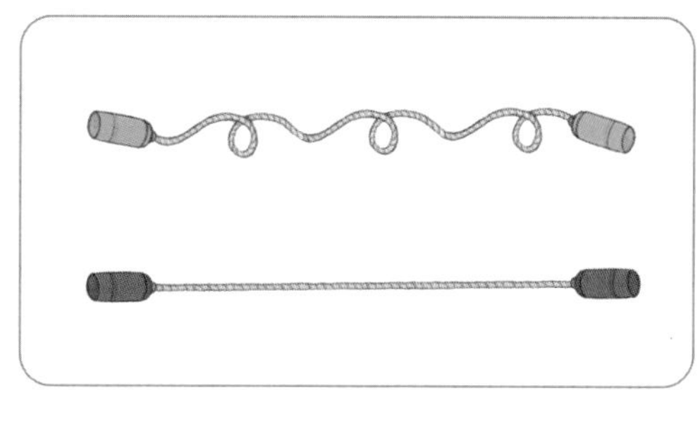

(길이 , 넓이)

(개수 , 넓이)

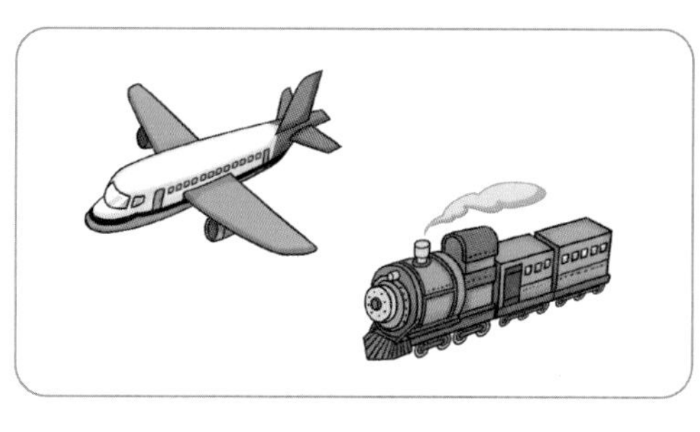

(들이 , 빠르기)

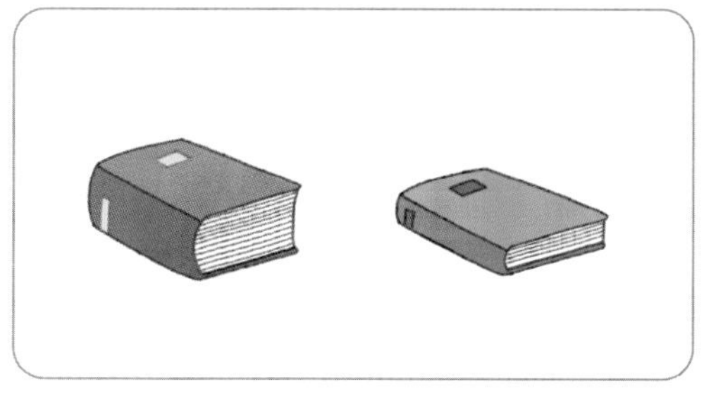

(길이 , 두께)

(개수 , 크기)

응용 3 ▒ 안에 알맞게 써넣으세요.

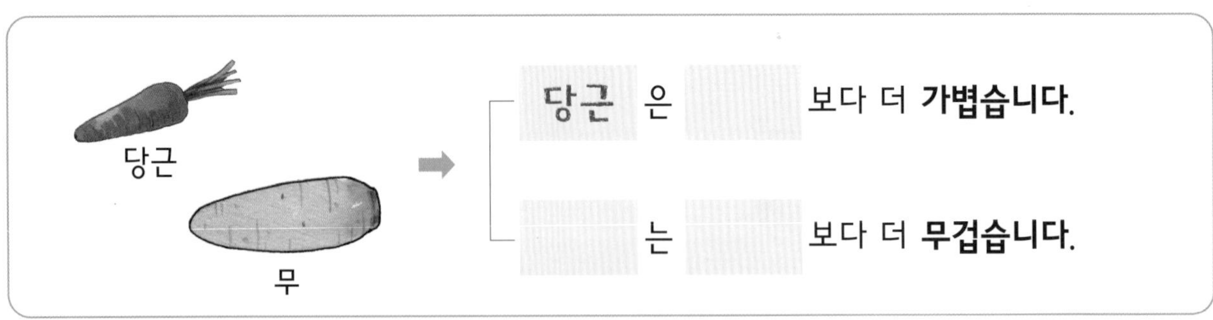

당근
무
당근 은 보다 더 가볍습니다.
는 보다 더 무겁습니다.

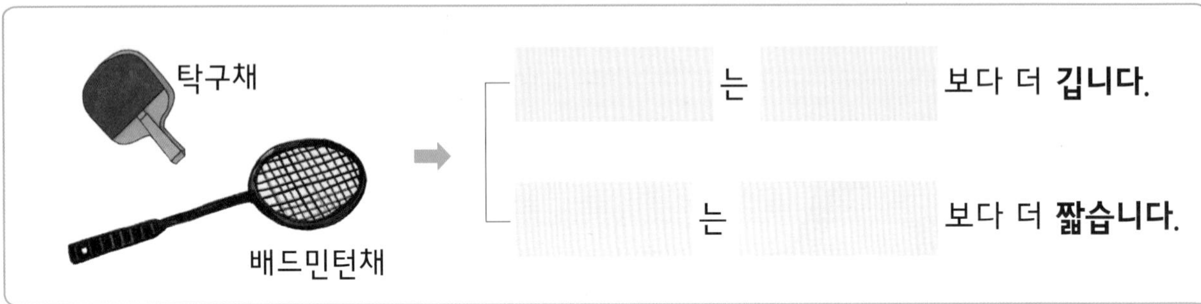

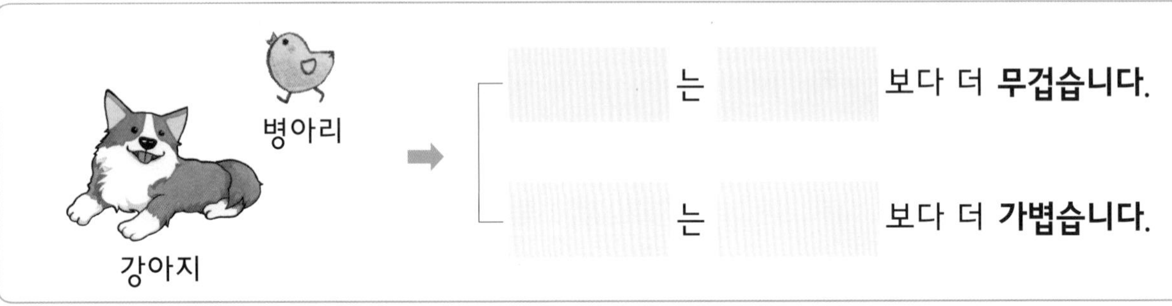

병아리
강아지
는 보다 더 무겁습니다.
는 보다 더 가볍습니다.

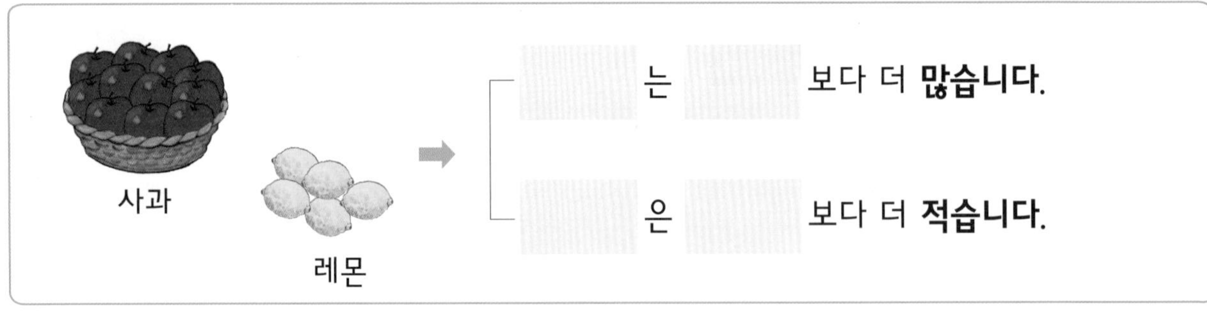

사과
레몬
는 보다 더 많습니다.
은 보다 더 적습니다.

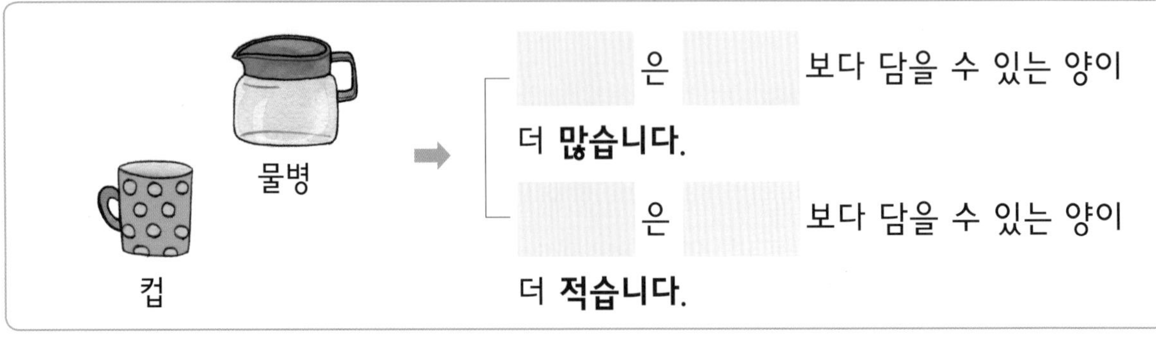

물병
컵
은 보다 담을 수 있는 양이 더 많습니다.
은 보다 담을 수 있는 양이 더 적습니다.

응용 4 그림을 보고 알맞은 말에 ◯표 하세요.

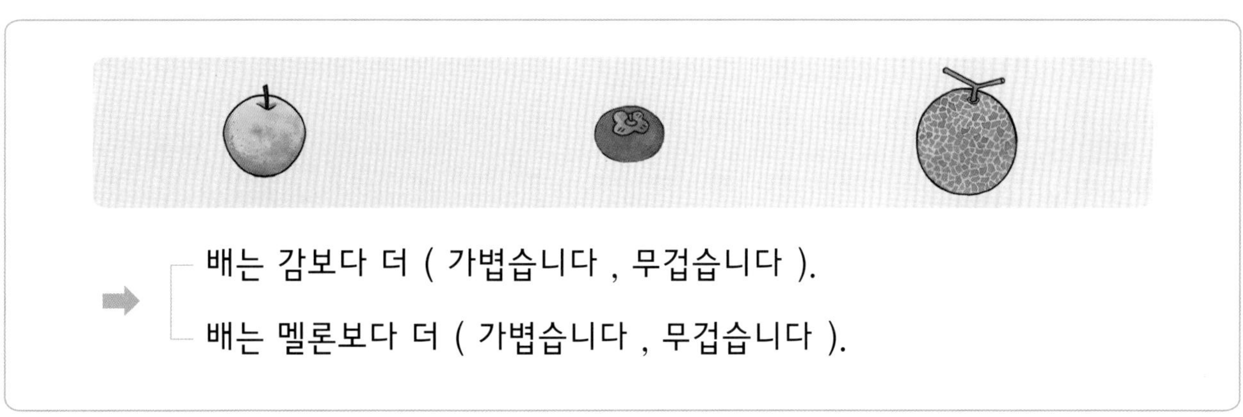

➡ 배는 감보다 더 (가볍습니다 , 무겁습니다).
배는 멜론보다 더 (가볍습니다 , 무겁습니다).

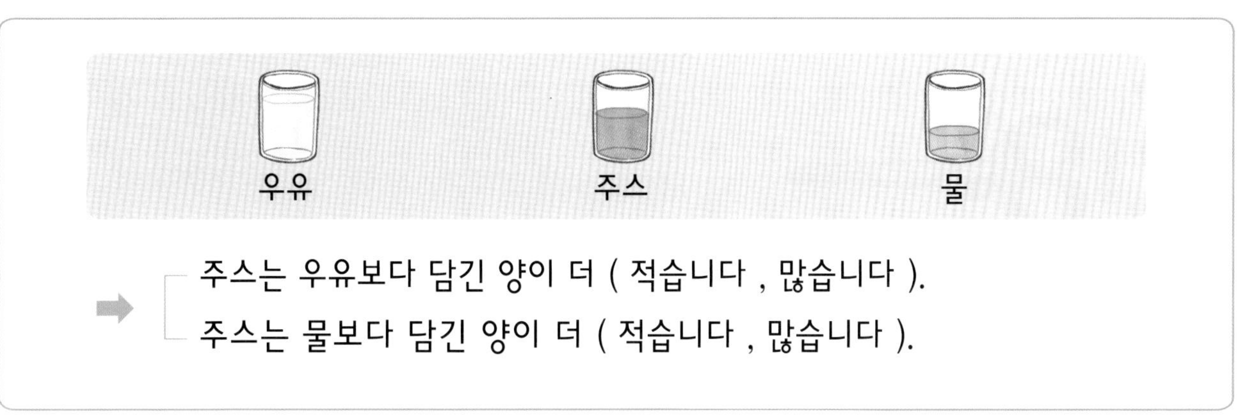

➡ 주스는 우유보다 담긴 양이 더 (적습니다 , 많습니다).
주스는 물보다 담긴 양이 더 (적습니다 , 많습니다).

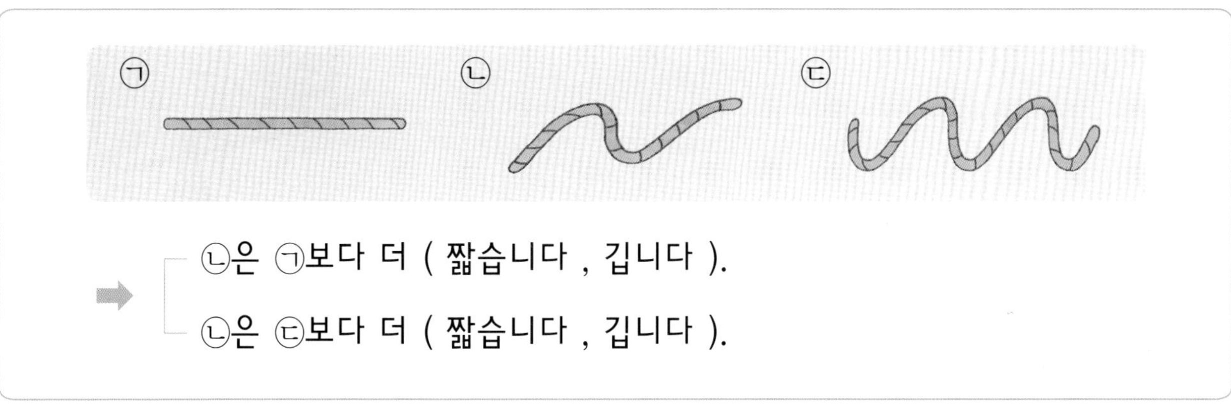

➡ ㉡은 ㉠보다 더 (짧습니다 , 깁니다).
㉡은 ㉢보다 더 (짧습니다 , 깁니다).

➡ ㉢은 ㉠보다 더 (좁습니다 , 넓습니다).
㉢은 ㉡보다 더 (좁습니다 , 넓습니다).

형성평가

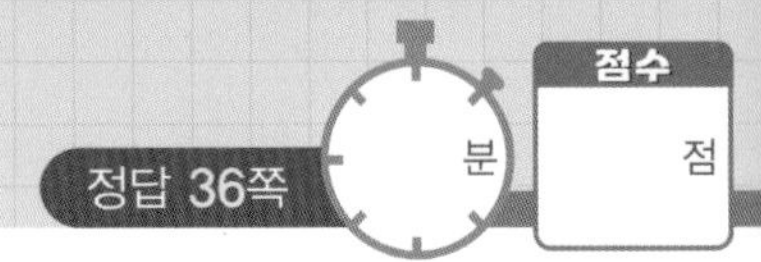

정답 36쪽

01 더 긴 것에 ○표 하세요.

( )
( )

02 길이를 비교하는 말을 써 보세요.

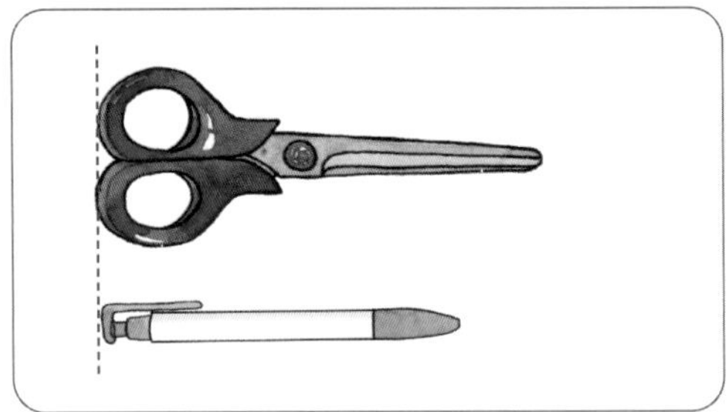

➡ 가위는 펜보다 더 ______.

➡ 펜은 가위보다 더 ______.

03 가장 키가 큰 것의 기호를 쓰세요.

( )

04 키를 비교하여 키가 가장 큰 것부터 차례로 번호를 써넣으세요.

05 무게를 비교하는 말을 써 보세요.

➡ 컵라면은 콜라보다 더 ______.

➡ 콜라는 컵라면보다 더 ______.

06 더 무거운 것에 ○표 하세요.

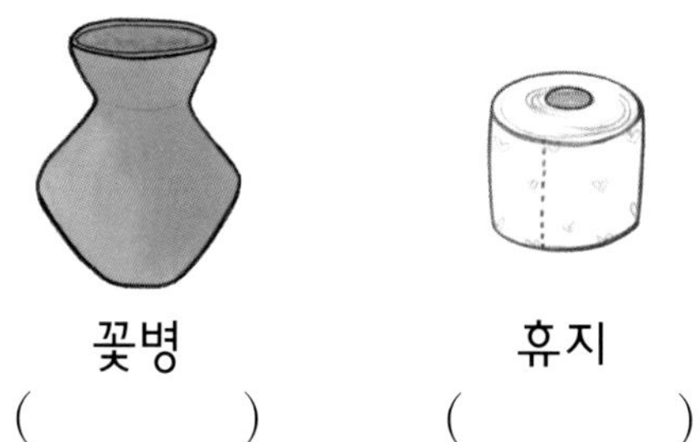

( ) ( )

07 가장 무거운 것에 ○표 하세요.

( ) ( ) ( )

08 가장 무거운 것에 ○표 하세요.

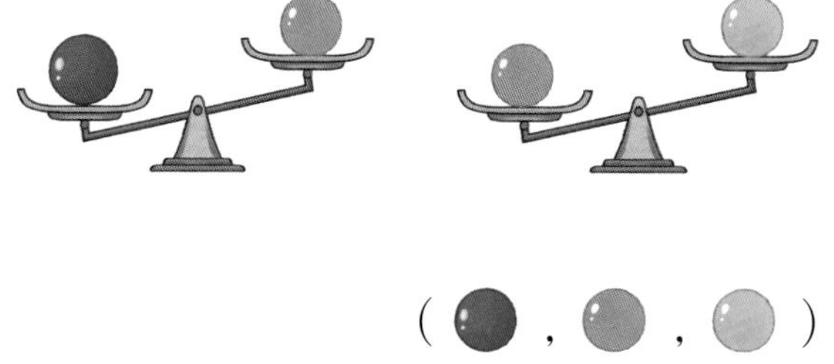

09 넓이를 비교하는 말을 써 보세요.

➡ 100원은 500원짜리 동전보다 더 ______.

➡ 500원은 100원짜리 동전보다 더 ______.

10 더 넓은 것에 ○표 하세요.

(1)

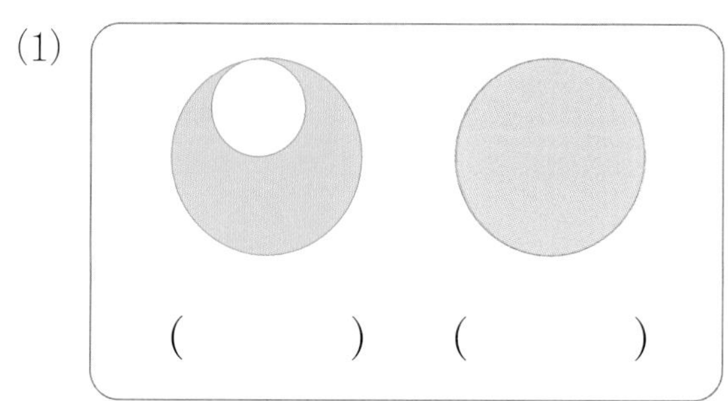

( ) ( )

(2)

( ) ( )

11 가장 넓은 것부터 순서대로 번호를 써 보세요.

12 작은 한 칸의 크기는 모두 같습니다. 가장 넓은 것부터 차례로 기호를 써 보세요.

(1)

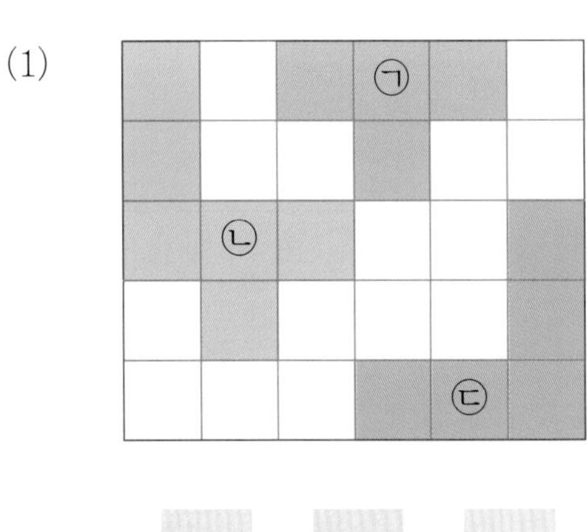

___ — ___ — ___

(2)

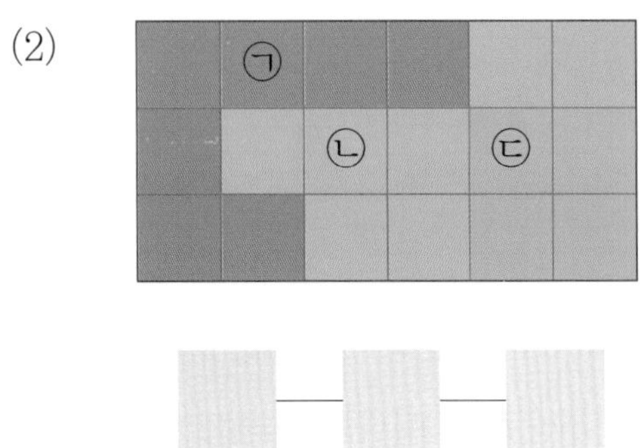

___ — ___ — ___

13 담을 수 있는 양을 비교하는 말을 써 보세요.

➡ 주전자는 그릇보다 담을 수 있는 양이 더 ______.

➡ 그릇은 주전자보다 담을 수 있는 양이 더 ______.

14 담을 수 있는 양이 더 많은 것에 ○표 하세요.

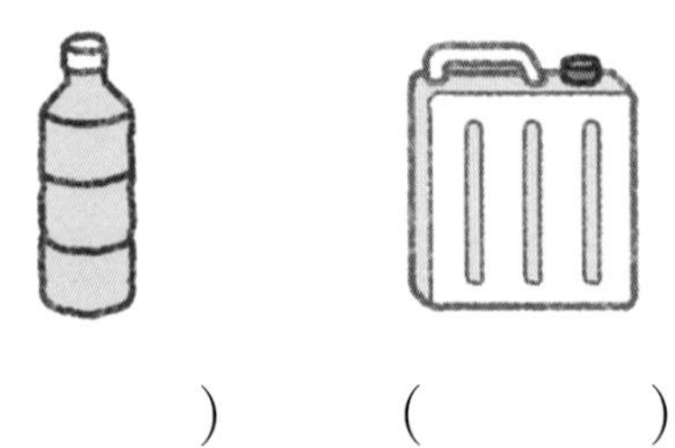

(　　　)　　(　　　)

15 담을 수 있는 양이 가장 적은 것의 기호를 쓰세요.

(　　　)

16 담긴 양이 가장 많은 것부터 순서대로 번호를 쓰세요.

17 물을 옮겨 담으면 어떻게 될지 그려 보세요.

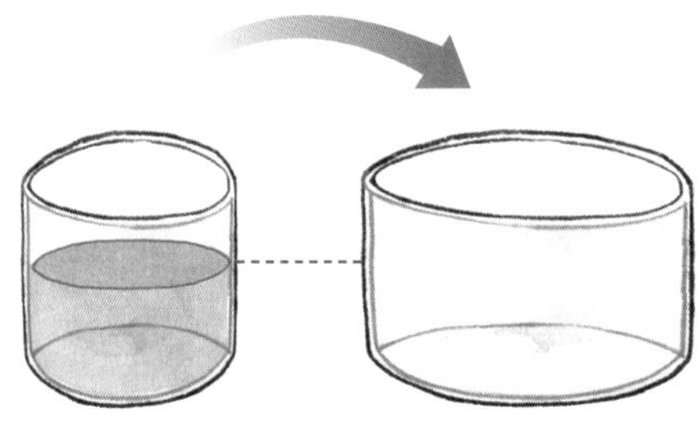

18 키가 더 큰 동물에 ○표 하세요.

19 가지보다 더 긴 것을 모두 찾아 ○표 하세요.

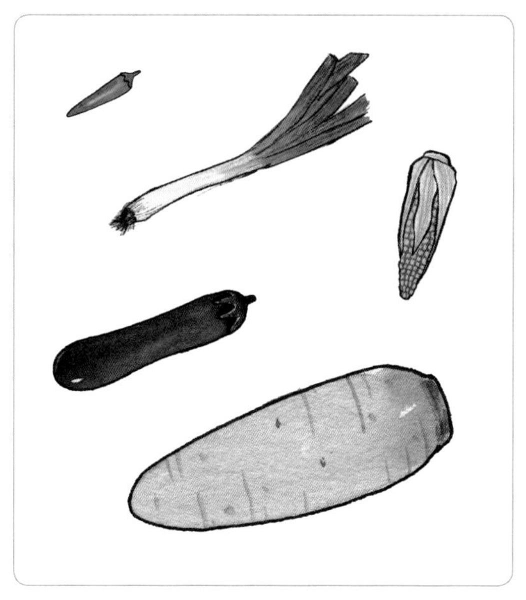

20 짧은 줄넘기 줄부터 차례로 1, 2, 3을 써넣으세요.

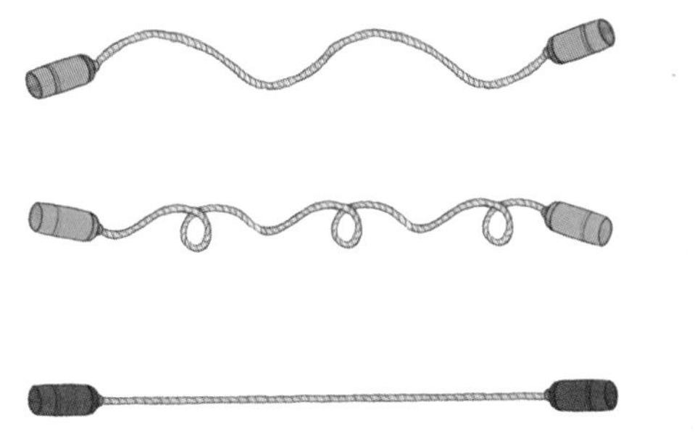

정답 37쪽

분 점수 점

1 더 긴 것에 ○표 하세요.

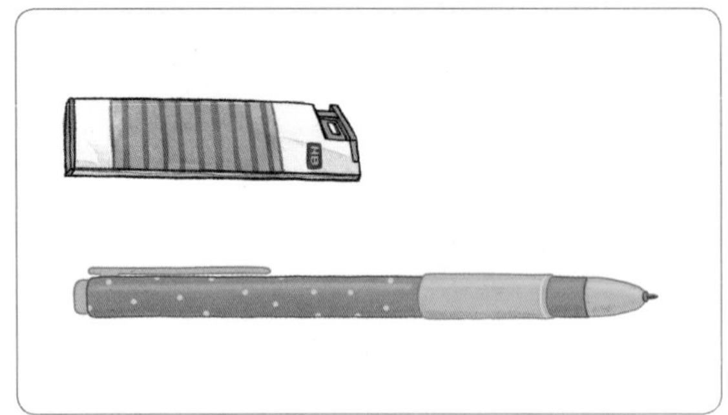

2 그림을 보고 알맞은 말에 ○표 하세요.

양파는 호박보다 더
(가볍습니다 , 무겁습니다).

3 더 좁은 것에 색칠해 보세요.

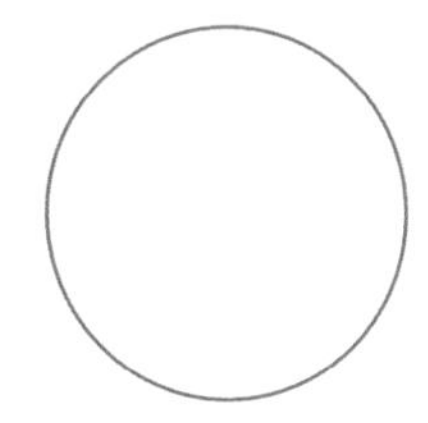

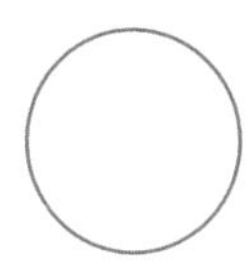

4 담을 수 있는 양이 더 많은 것에 ○표 하세요.

5 관계있는 것끼리 이어 보세요.

(1)

더 높다 더 낮다

(2)

더 많다 더 적다

6 가장 가벼운 것에 ○표 하세요.

풍선

축구공

수박

7 가장 넓은 것에 ○표, 가장 좁은 것에 △표 하세요.

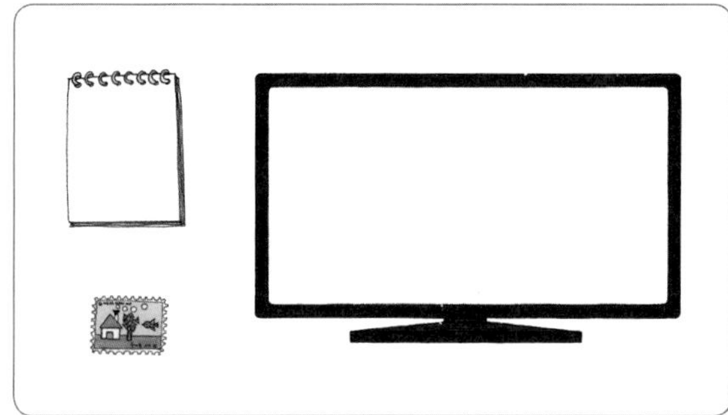

8 물이 가장 많이 담긴 것부터 차례로 1, 2, 3을 써 보세요.

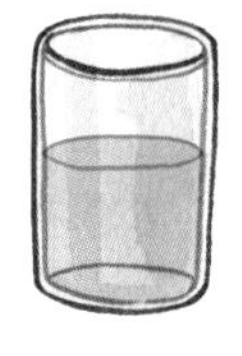
(　　)

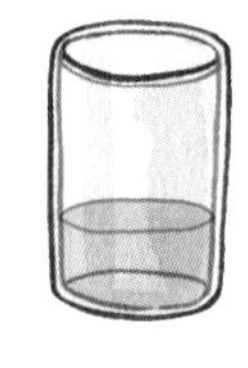
(　　)

(　　)

9 건물의 높이를 비교하려고 합니다. 　 안에 알맞은 말을 써넣으세요.

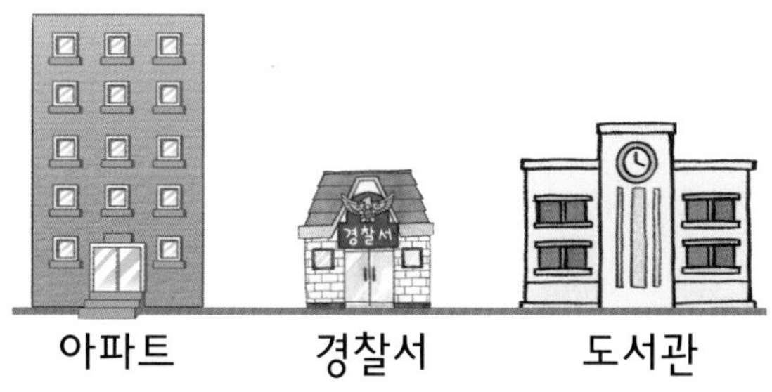

도서관은 경찰서보다 더 　　　,

아파트보다 더 　　　.

10 키가 가장 작은 동물은 무엇인가요?

(　　　　)

11 작은 한 칸의 크기는 모두 같습니다. ㉠과 ㉡ 중에서 더 넓은 곳의 기호를 써 보세요.

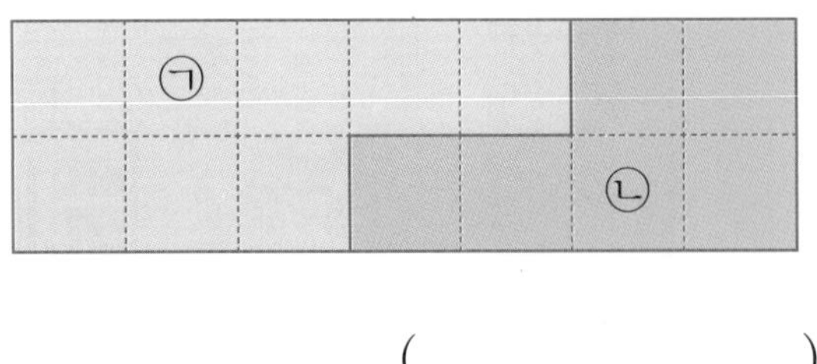

(　　　　　　)

12 가장 무거운 것에 ○표, 가장 가벼운 것에 △표 하세요.

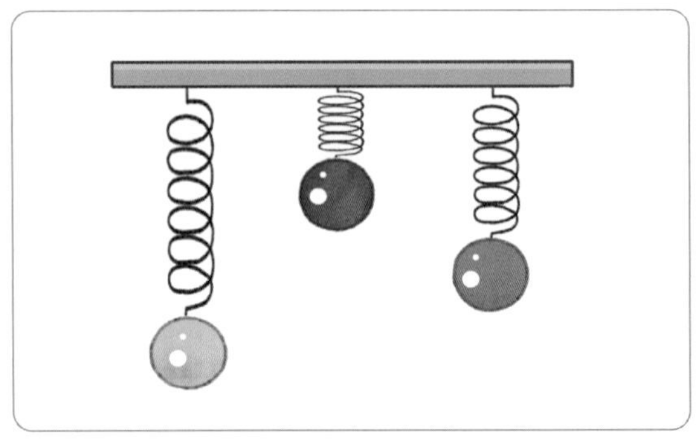

13 물이 가장 많이 들어 있는 그릇을 찾아 ○표 하세요.

14 길이를 비교하는 말을 ☐ 안에 알맞게 써넣으세요.

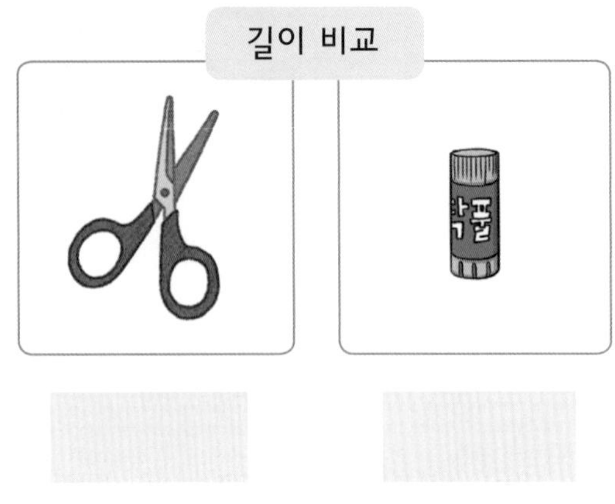

15 그림을 보고 무엇을 비교하는 것인지 알맞은 것에 ○표 하세요.

(1)

(개수 , 무게)

(2)

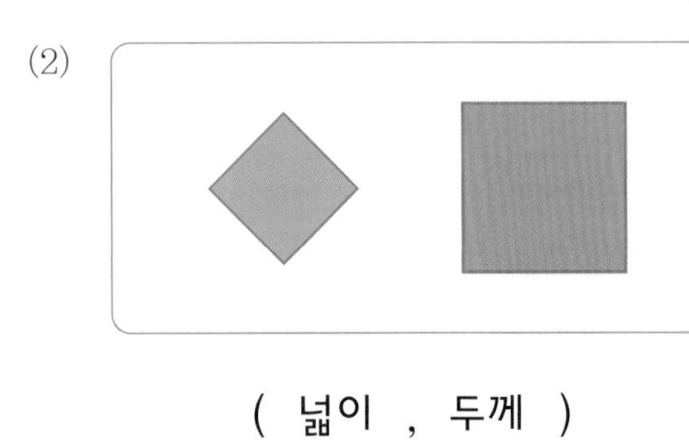

(넓이 , 두께)

16 무거운 동물부터 차례로 이름을 써 보세요.

(, ,)

17 ▒ 안에 알맞은 말을 써넣으세요.

스케치북

책

▒ 은 ▒ 보다 더 넓습니다.

▒ 은 ▒ 보다 더 무겁습니다.

18 ▒ 안에 알맞게 써넣으세요.

→ ▒ 는 ▒ 보다 더 많습니다.

▒ 는 ▒ 보다 더 적습니다.

19 모양과 크기가 같은 컵에 물을 가득 따라 마시고 남은 것입니다. 물을 가장 적게 마신 사람은 누구인가요?

( )

20 다음을 읽고 가장 무거운 동물을 찾아 이름을 써 보세요.

- 코뿔소는 낙타보다 무겁습니다.
- 원숭이는 낙타보다 가볍습니다.

( )

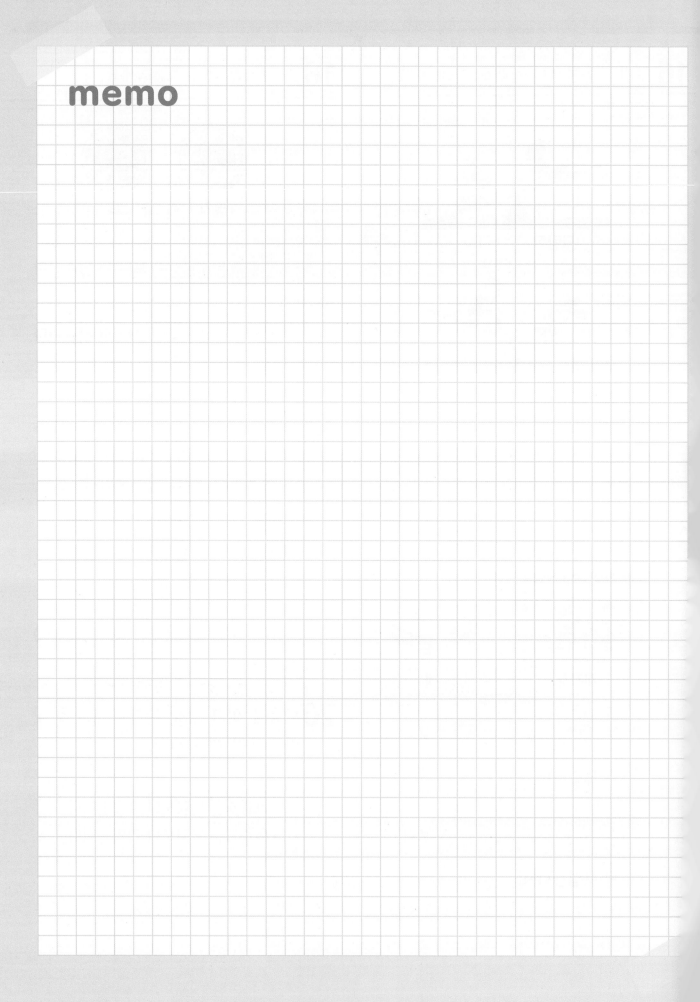
memo

논리적 사고력과 창의적 문제해결력을 키워 주는

매스티안 교재 활용법!

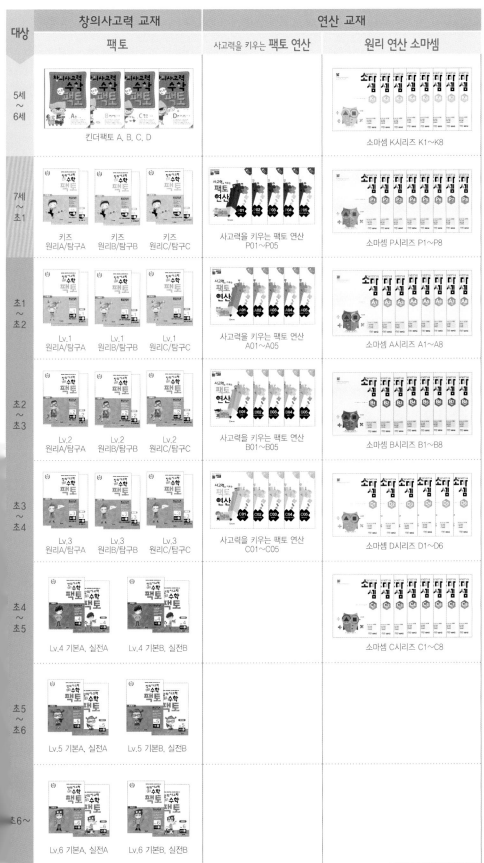

대상	창의사고력 교재 팩토	연산 교재 사고력을 키우는 팩토 연산	연산 교재 원리 연산 소마셈
5세~6세	 킨더팩토 A, B, C, D		 소마셈 K시리즈 K1~K8
7세~초1	 키즈 원리A/탐구A,  키즈 원리B/탐구B,  키즈 원리C/탐구C	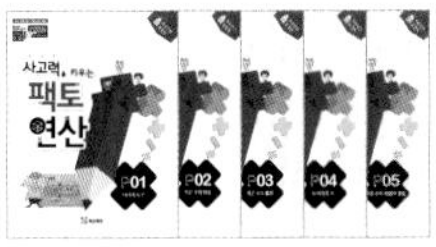 사고력을 키우는 팩토 연산 P01~P05	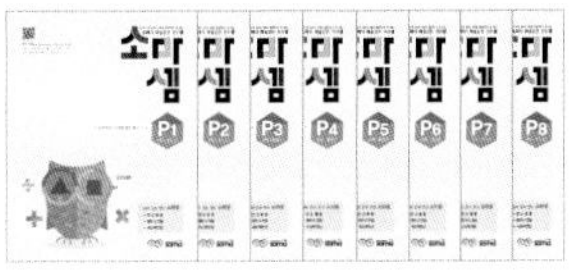 소마셈 P시리즈 P1~P8
초1~초2	 Lv.1 원리A/탐구A,  Lv.1 원리B/탐구B,  Lv.1 원리C/탐구C	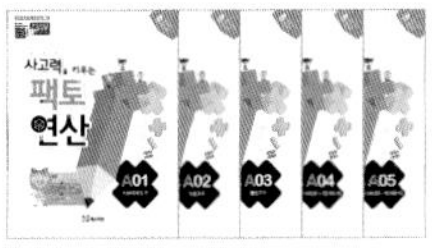 사고력을 키우는 팩토 연산 A01~A05	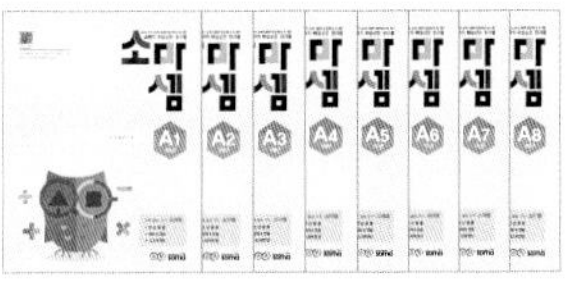 소마셈 A시리즈 A1~A8
초2~초3	 Lv.2 원리A/탐구A,  Lv.2 원리B/탐구B,  Lv.2 원리C/탐구C	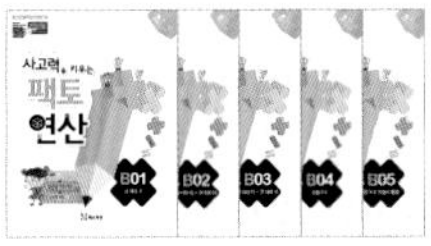 사고력을 키우는 팩토 연산 B01~B05	 소마셈 B시리즈 B1~B8
초3~초4	 Lv.3 원리A/탐구A,  Lv.3 원리B/탐구B,  Lv.3 원리C/탐구C	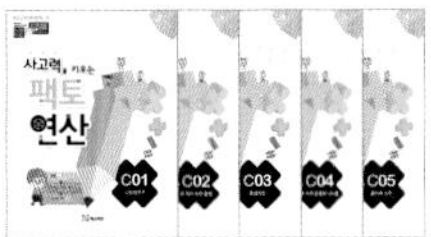 사고력을 키우는 팩토 연산 C01~C05	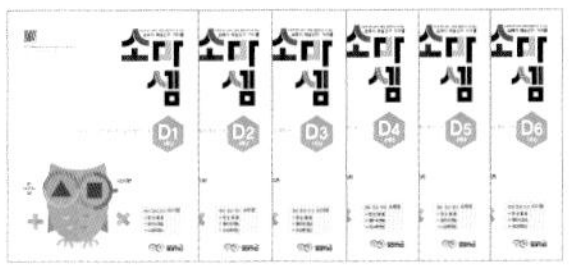 소마셈 D시리즈 D1~D6
초4~초5	 Lv.4 기본A, 실전A,  Lv.4 기본B, 실전B		 소마셈 C시리즈 C1~C8
초5~초6	 Lv.5 기본A, 실전A,  Lv.5 기본B, 실전B		
초6~	 Lv.6 기본A, 실전A,  Lv.6 기본B, 실전B		

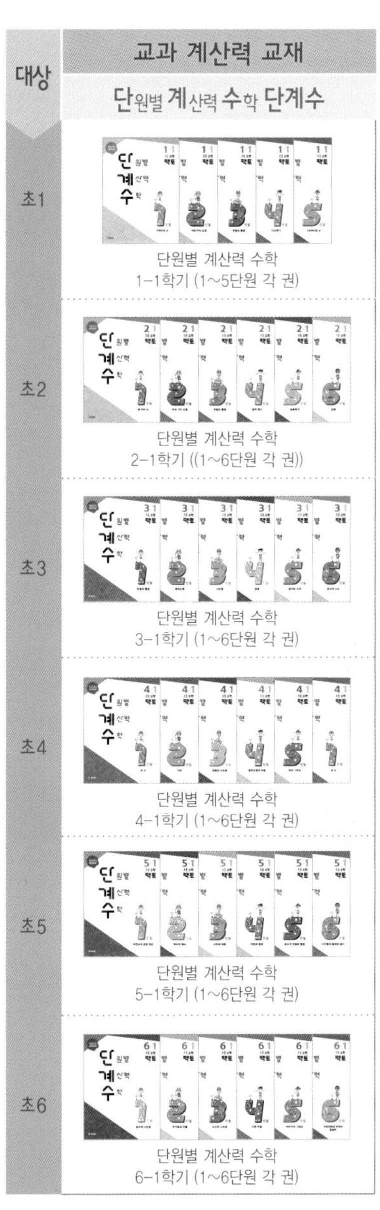

대상	교과 계산력 교재 단원별 계산력 수학 단계수
초1	단원별 계산력 수학 1-1학기 (1~5단원 각 권)
초2	단원별 계산력 수학 2-1학기 ((1~6단원 각 권))
초3	단원별 계산력 수학 3-1학기 (1~6단원 각 권)
초4	단원별 계산력 수학 4-1학기 (1~6단원 각 권)
초5	단원별 계산력 수학 5-1학기 (1~6단원 각 권)
초6	단원별 계산력 수학 6-1학기 (1~6단원 각 권)

대상	교과 수학 교재 1학기	교과 수학 교재 2학기
초1	팩토 수학교과서/익힘책 1-1	팩토 수학교과서/익힘책 1-2
초2	팩토 수학교과서/익힘책 2-1	팩토 수학교과서/익힘책 2-2

단계수 학습 순서

매일 학습

단원별로 꼭 알아야 할 개념만 쏙쏙 학습하고 다양한 연산 문제를 통해 연산 과정을 숙달하여 계산력을 쑥쑥 키울 수 있습니다.

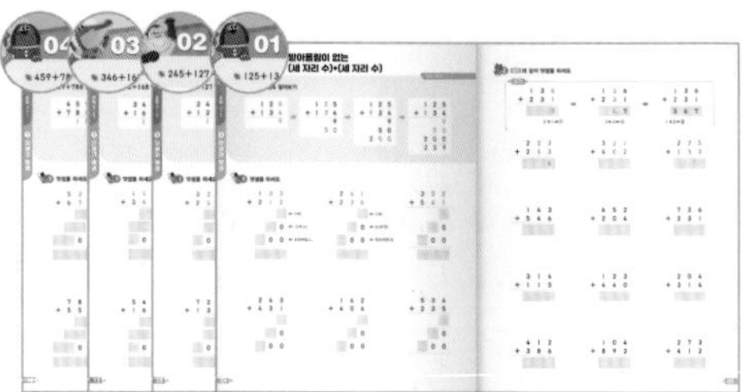

도전! 응용문제

응용 문제와 **서술형** 문제를 통해 사고력과 문제해결력을 기를 수 있습니다.

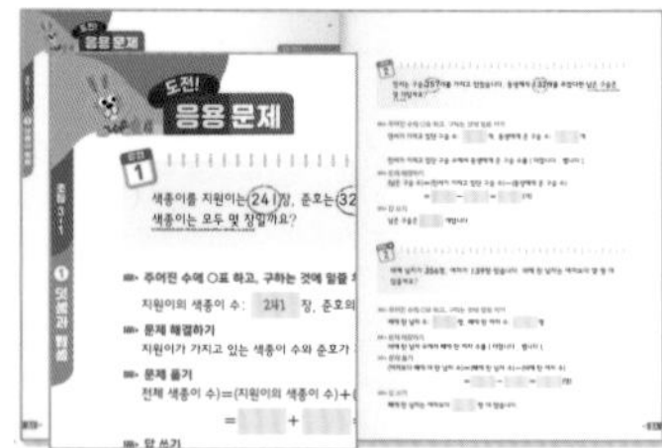

형성 평가

단원의 **복습 단계**로 문제를 풀면서 학습한 내용을 다시 한 번 확인할 수 있습니다.

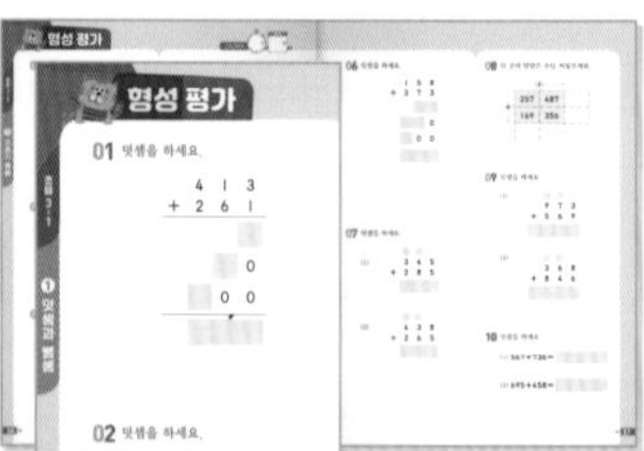

단원 평가

단원의 **마무리 학습**으로 학교 시험에 자주 나오는 문제를 통해 수시 평가 등 학교 시험에 대비할 수 있습니다.

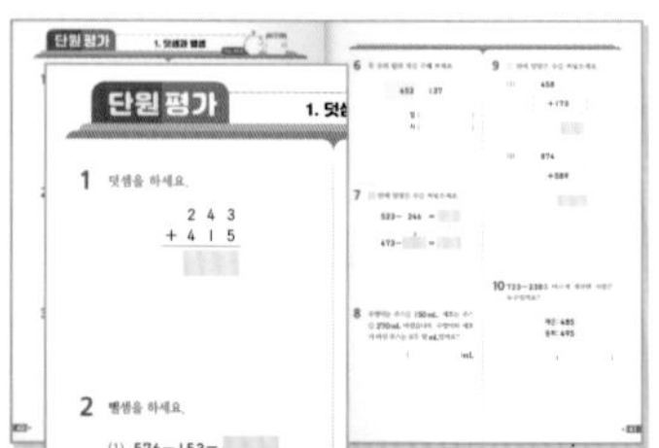

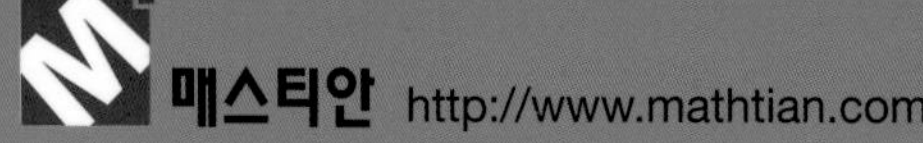

http://www.mathtian.com

초등학교	반	번
이름		

FACTO school

단원별 계산력 수학

1-1
초등 수학
팩토

50까지의 수

매스티안

팩토는 자유롭게 자신감있게 창의적으로 생각하는 주니어수학자입니다.

단원별 계산력 수학

펴낸 곳 (주)타임교육C&P **펴낸이** 이길호 **지은이** 매스티안R&D센터
주소 06153 서울특별시 강남구 봉은사로 442(삼성동) **문의전화** 1588.6066
팩토카페 http://cafe.naver.com/factos **홈페이지** http://www.mathtian.com

※ 정답과 풀이는 온라인 팩토카페(http://cafe.naver.com/factos)를 통해서도 확인할 수 있습니다.

JW21

생각이 자유로운 사람들! 매스티안R&D센터

매스티안R&D센터의 논리적 사고력과 창의적 문제해결력을 키우는 수학 콘텐츠는 국내외 수많은 교육 현장에서 그 우수성을 높이 평가받고 있습니다.
매스티안R&D센터는 여기에 안주하지 않고 앞으로도 학생, 교사, 학부모 모두가 행복한 수학 시간을 만들 수 있도록 노력하겠습니다.

매스티안 공식 홈페이지 ··· (http://www.mathtian.com)

· 매스티안의 다양한 출간 교재 소개
· 출간 교재와 관련된 학습 자료(보충 학습지, 활동지 등) 제공
· 출간 교재와 관련된 평가 시험 및 분석 제공

매스티안 공식 카페 ··· 팩토 (http://cafe.naver.com/factos)

· 창의사고력 수학 팩토 무료 동영상 강의 제공
· 출간 교재에 관한 질문 및 답변
· 영재교육원 대비 자료(기출 문제, 예상 문제) 제공
· 초등 수학 비법 및 Q&A

FACTO school

1-1

초등 수학 팩토

단원별 계산력 수학

5단원

50까지의 수

매스티안

5 50까지의 수

Teaching Guide

- 1단원에서 1~9까지의 수에 대해 다루었다면, 5단원에서는 10 ~ 50까지의 두 자리 수를 배우면서 처음으로 기수법 원리에 대해 익히게 됩니다. 수 세기에서 10개가 모이면 자리가 바뀌는 십진법에 대해 여러 가지 활동 통해 익히지 않으면, 12를 '일이'라고 읽는 실수를 하기도 합니다. 9 다음에 하나가 더 있으면 10이 되며, 10을 10개씩 묶음 1개와 낱개 0개와 같이 표현한 것이라는 것을 아이가 알 수 있도록 지도합니다.
- 수의 크기를 비교하는 방법을 가르칠 때는 이 단원에서는 '십의 자리 수', '일의 자리 수'라는 용어를 사용하지 않기 때문에, "10개씩 묶음의 수를 비교한 후, 낱개의 수를 비교한다."와 같이 지도합니다.

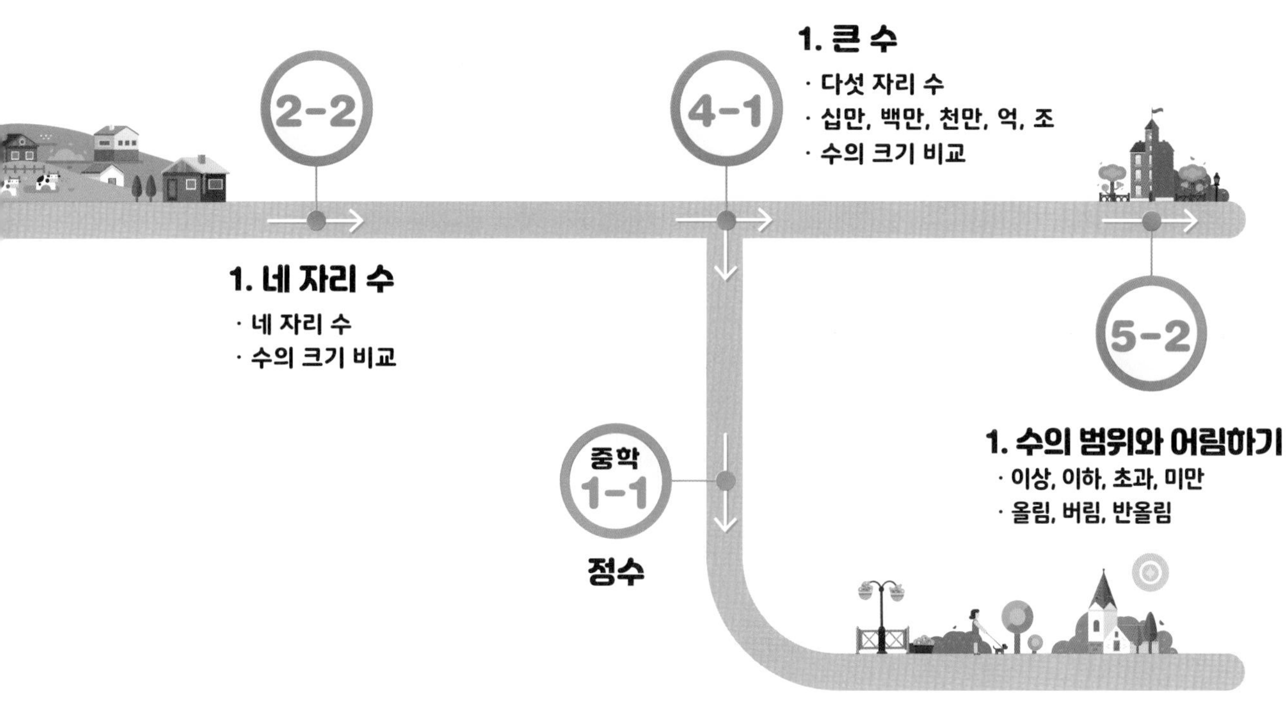

2-2
1. 네 자리 수
· 네 자리 수
· 수의 크기 비교
4-1
1. 큰 수
· 다섯 자리 수
· 십만, 백만, 천만, 억, 조
· 수의 크기 비교
중학 1-1
정수
5-2
1. 수의 범위와 어림하기
· 이상, 이하, 초과, 미만
· 올림, 버림, 반올림

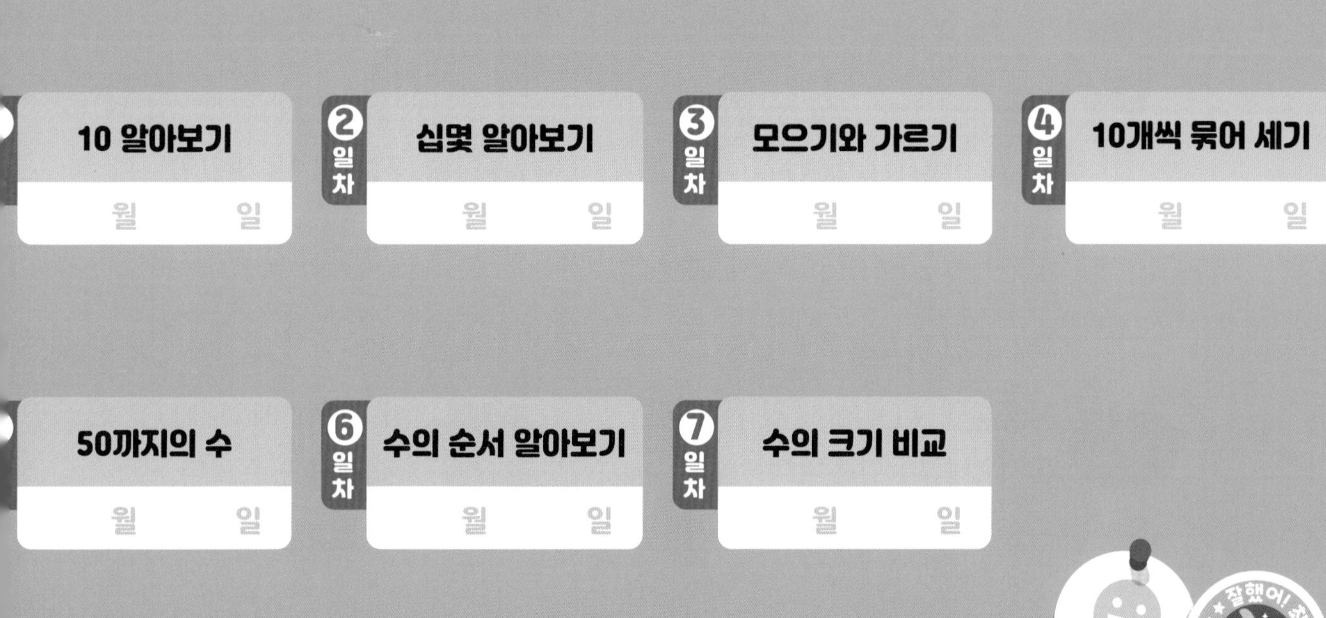

공부한 날짜
10 알아보기
월 일
2 일차
십몇 알아보기
월 일
3 일차
모으기와 가르기
월 일
4 일차
10개씩 묶어 세기
월 일
50까지의 수
월 일
6 일차
수의 순서 알아보기
월 일
7 일차
수의 크기 비교
월 일

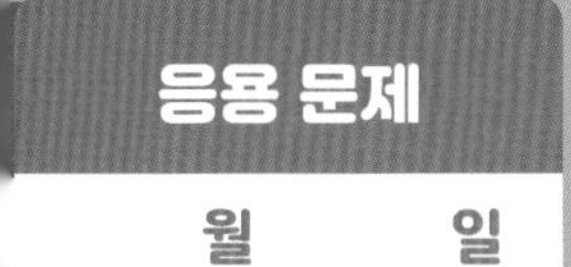

응용 문제
월 일

9 일차
형성 평가
월 일

10 일차
단원 평가
월 일

참 잘했어요!
잘했어! 최고야!

01 10 알아보기

정답 38쪽

10 알아보기

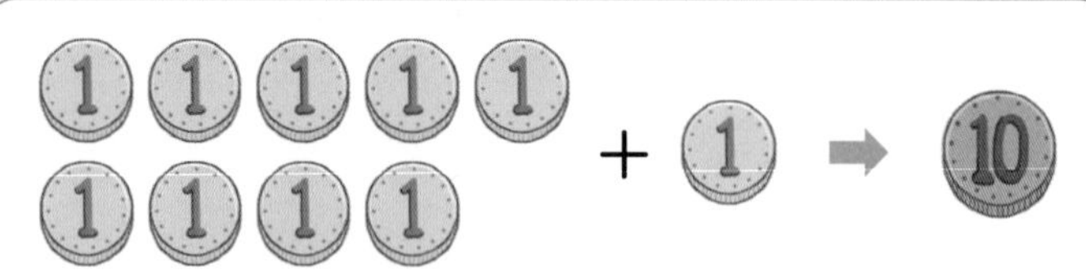

10

십, 열

9보다 1 큰 수를 10이라고 합니다.

1 안에 알맞은 말을 써넣고, 10을 어떻게 읽어야 하는지 ○표 하세요.

수	1	2	3	4	5	6	7	8	9	10
읽기	일	이	삼	사	오	육		팔		십
	하나		셋	넷	다섯		일곱	여덟		열

보기

꽃병에 꽃이 10(십 , 열) 송이 꽂혀 있습니다.

앞으로 10(십 , 열)일만 지나면 내 생일입니다.

저금통에 10(십 , 열)원짜리 동전이 들어 있습니다.

바구니에 사과가 10(십 , 열) 개 담겨 있습니다.

필통에 연필이 10(십 , 열) 자루 들어 있습니다.

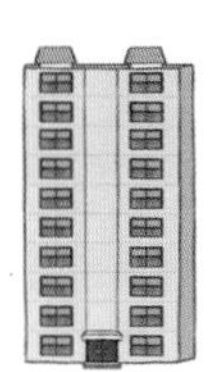

우리 집은 10(십 , 열)층에 있습니다.

2 10 가르기를 해 보세요.

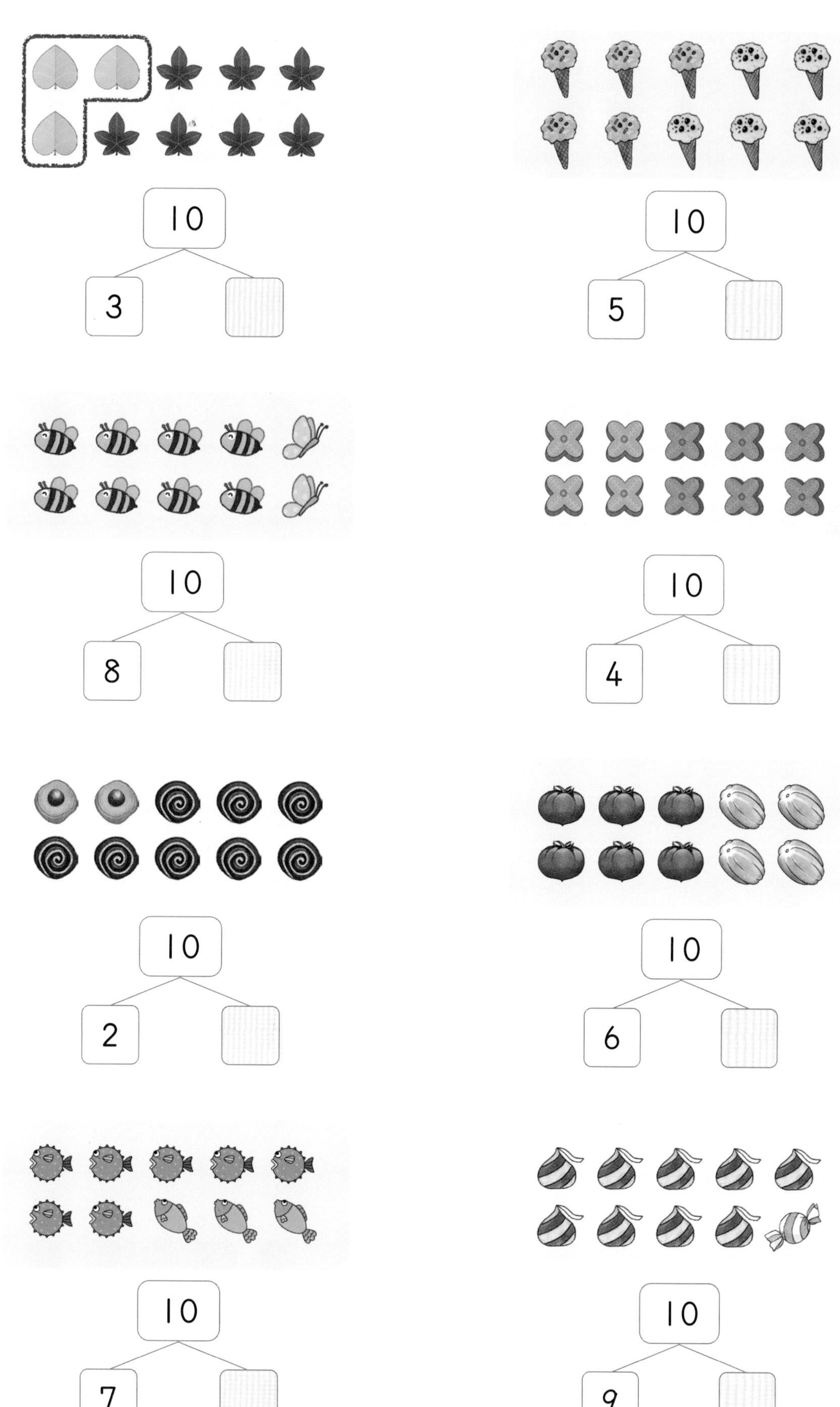

3 10 모으기를 해 보세요.

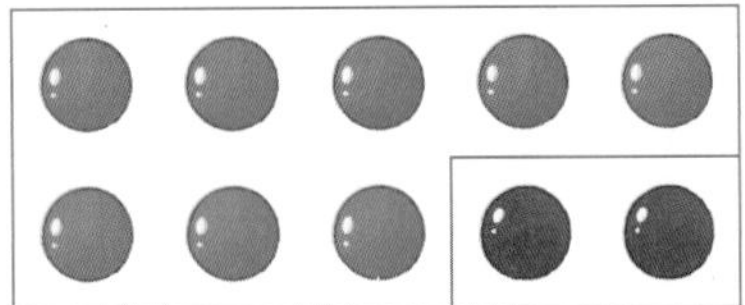

8과 ☐ 를 모으면 10이 됩니다.

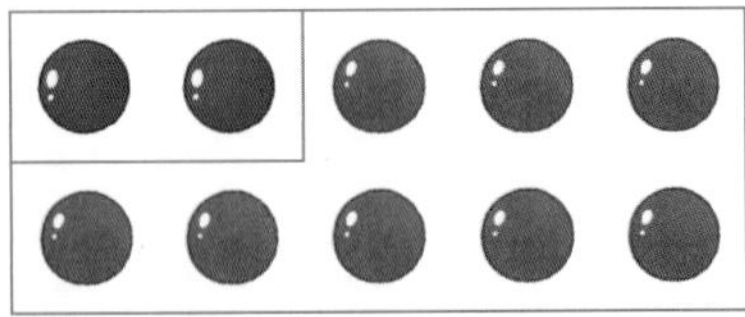

2와 ☐ 을 모으면 10이 됩니다.

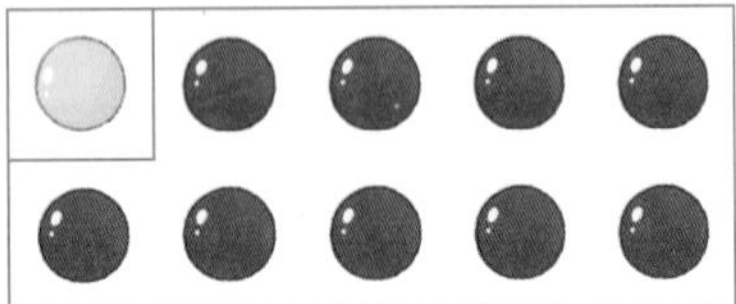

1과 ☐ 를 모으면 10이 됩니다.

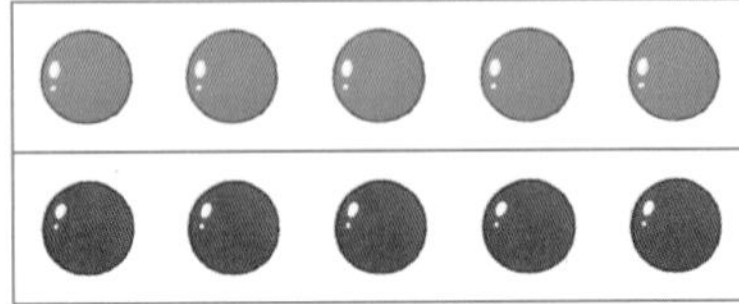

5와 ☐ 를 모으면 10이 됩니다.

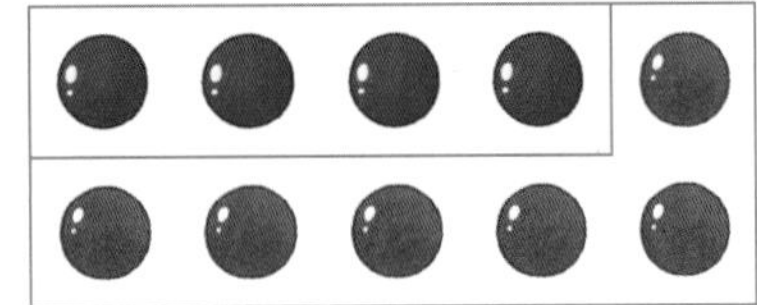

4와 ☐ 을 모으면 10이 됩니다.

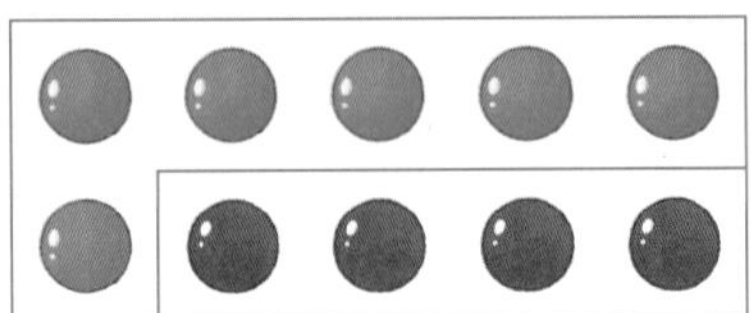

6과 ☐ 를 모으면 10이 됩니다.

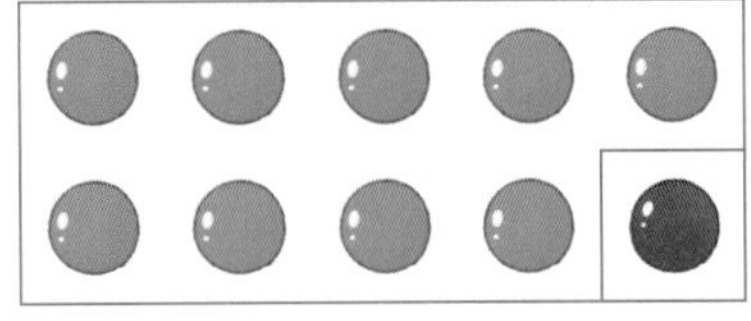

9와 ☐ 을 모으면 10이 됩니다.

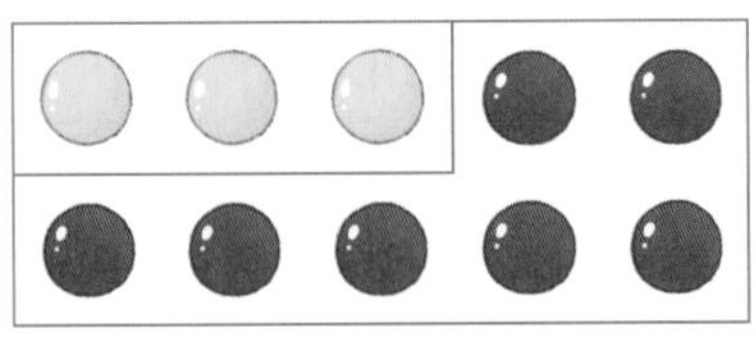

3과 ☐ 을 모으면 10이 됩니다.

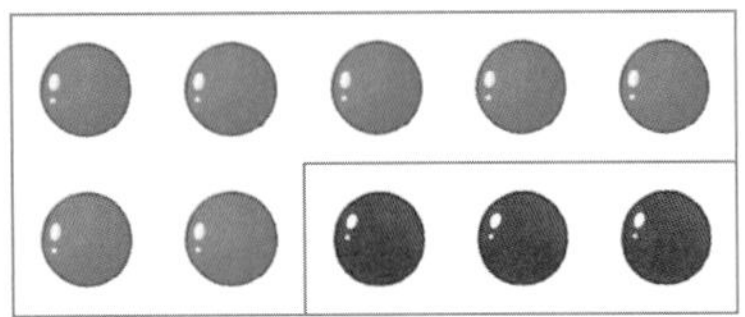

7과 ☐ 을 모으면 10이 됩니다.

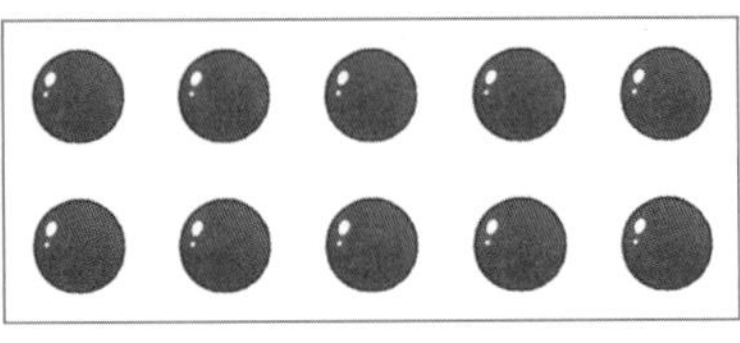

0과 ☐ 을 모으면 10이 됩니다.

4 안에 알맞은 수를 써넣으세요.

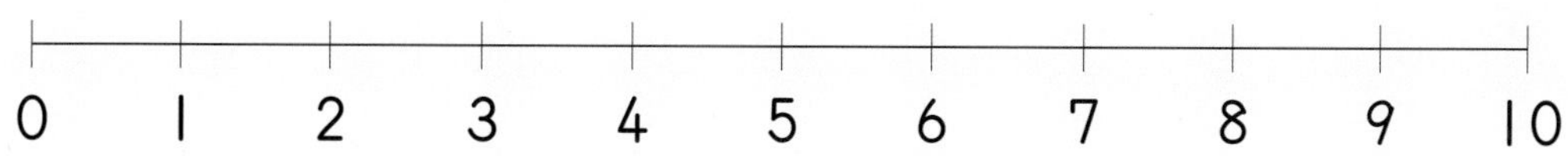

• 7보다 3 큰 수는 ☐ 입니다.

• 10은 8보다 ☐ 큽니다.

• 6보다 4 큰 수는 ☐ 입니다.

• 10은 7보다 ☐ 큽니다.

• 5보다 5 큰 수는 ☐ 입니다.

• 10은 2보다 ☐ 큽니다.

• 2보다 8 큰 수는 ☐ 입니다.

• 10은 1보다 ☐ 큽니다.

• 9보다 1 큰 수는 ☐ 입니다.

• 10은 3보다 ☐ 큽니다.

• 3보다 7 큰 수는 ☐ 입니다.

• 10은 5보다 ☐ 큽니다.

• 4보다 6 큰 수는 ☐ 입니다.

• 10은 9보다 ☐ 큽니다.

• 8보다 2 큰 수는 ☐ 입니다.

• 10은 7보다 ☐ 큽니다.

02 십몇 알아보기

정답 39쪽

십몇 알아보기

십, 열　삼, 셋　십삼, 열셋

1 그림을 보고 알맞은 수를 □ 안에 쓰고 읽어 보세요.

십사, 열넷

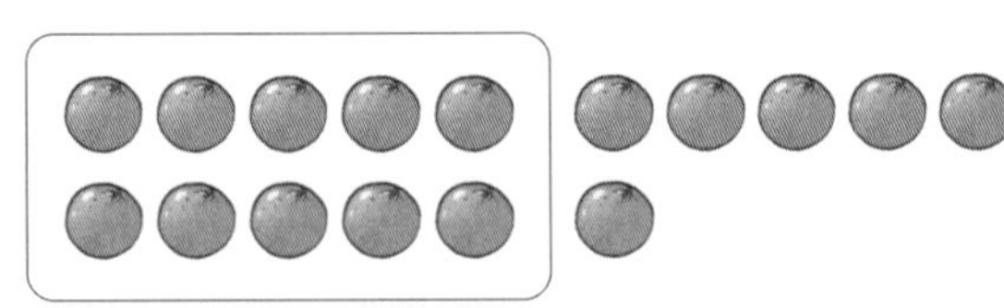

십육, 열여섯

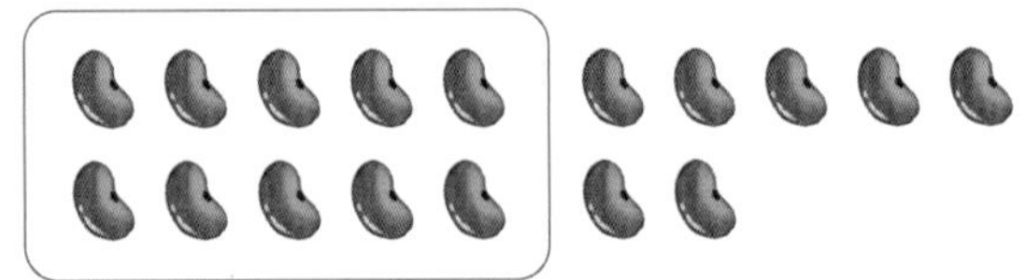

십칠,

, 열여덟

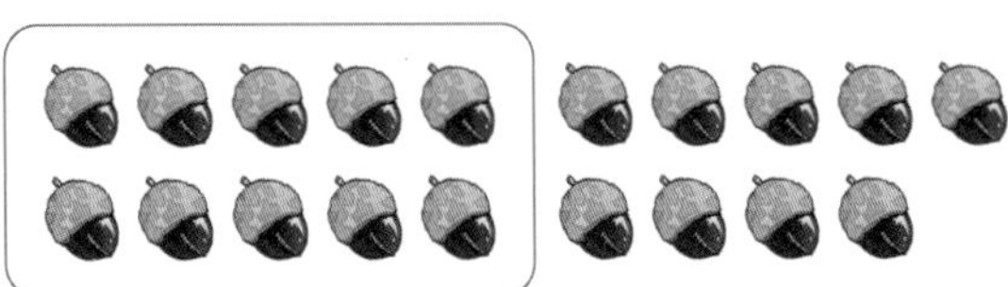

→ 1 ,

,

2 개수를 세어 ▢ 안에 알맞은 수를 써넣으세요.

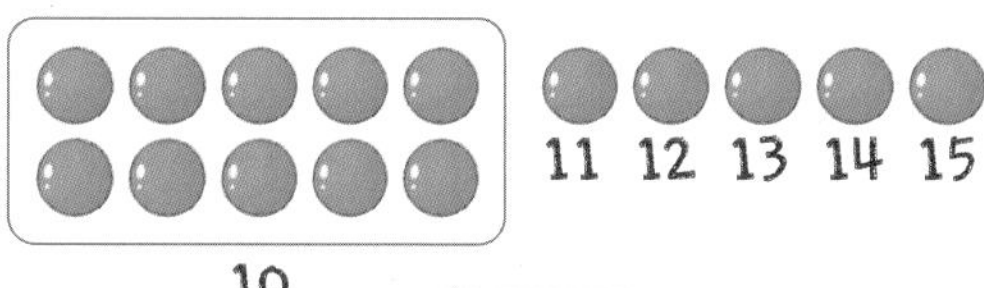

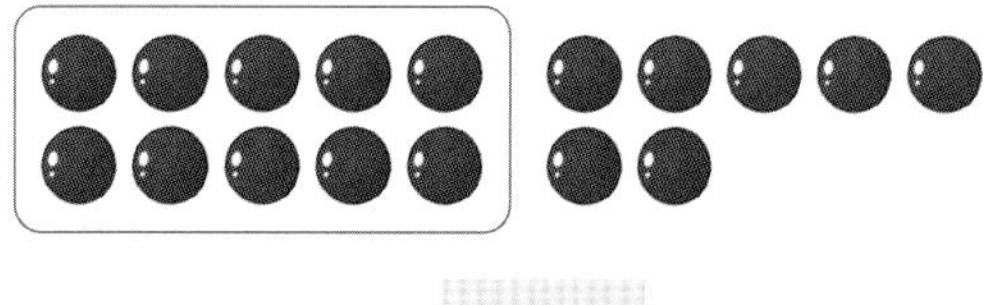

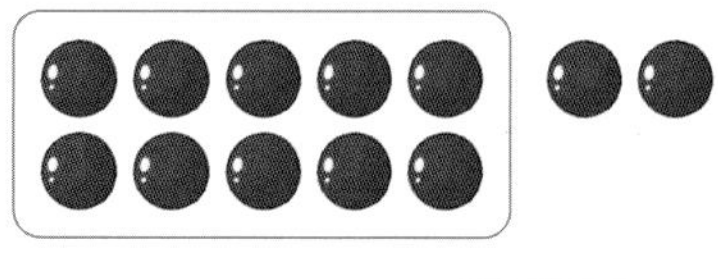

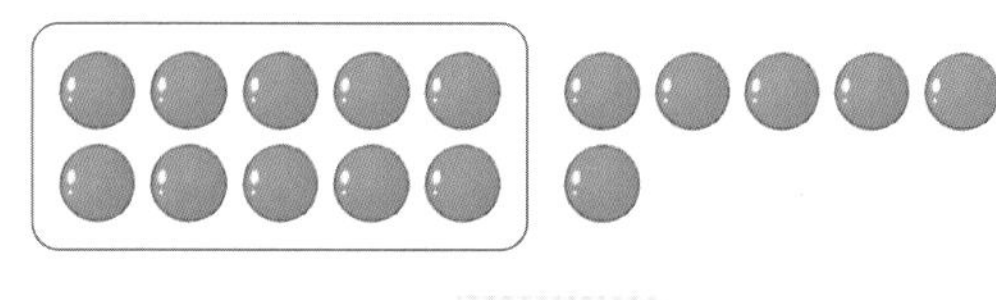

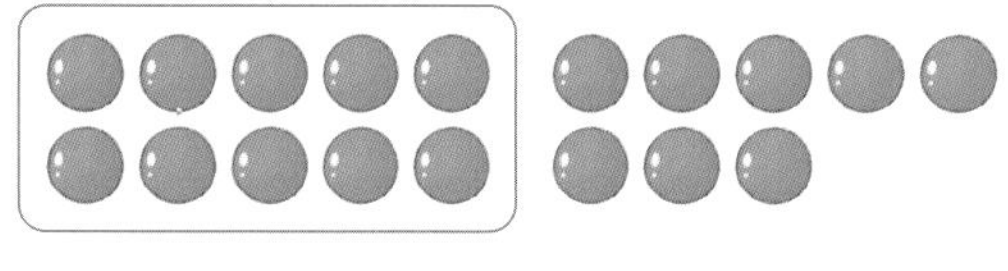

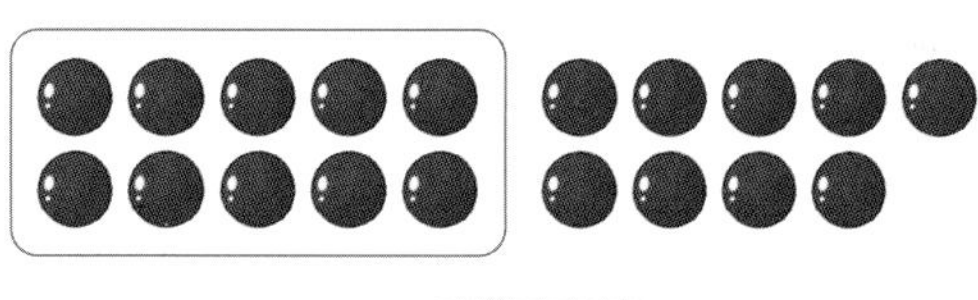

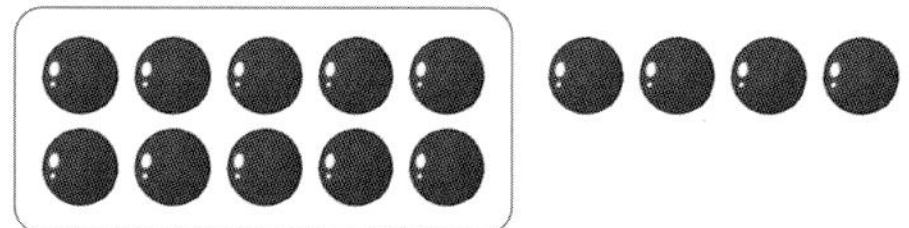

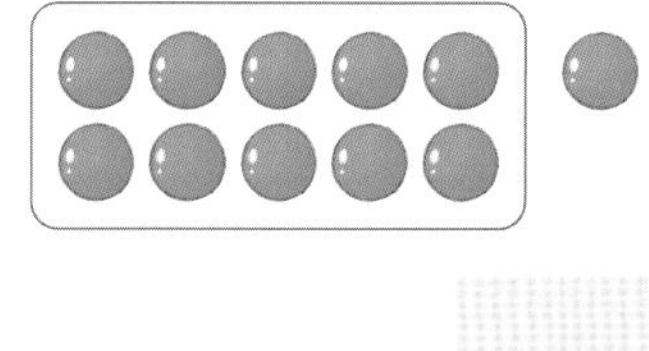

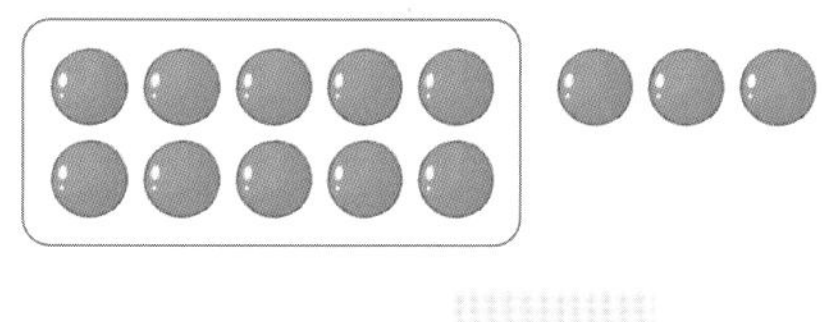

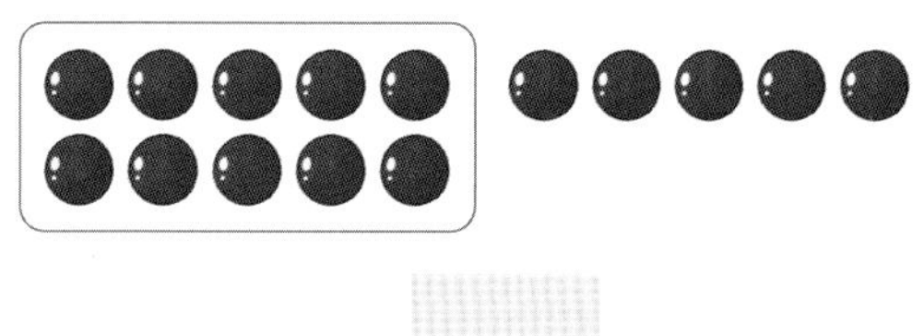

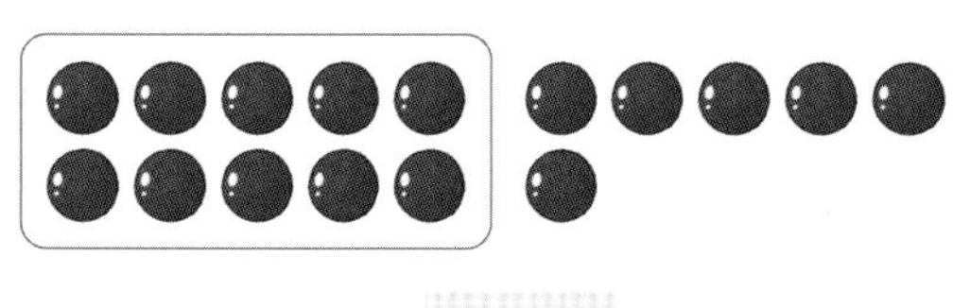

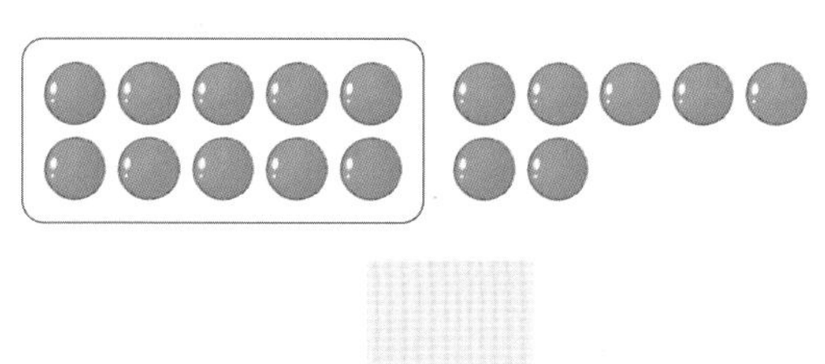

3 10개씩 묶어 보고 ▢ 안에 알맞은 수를 써넣으세요.

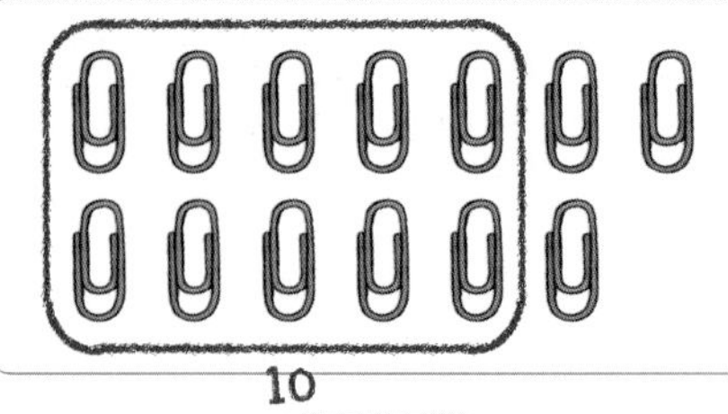

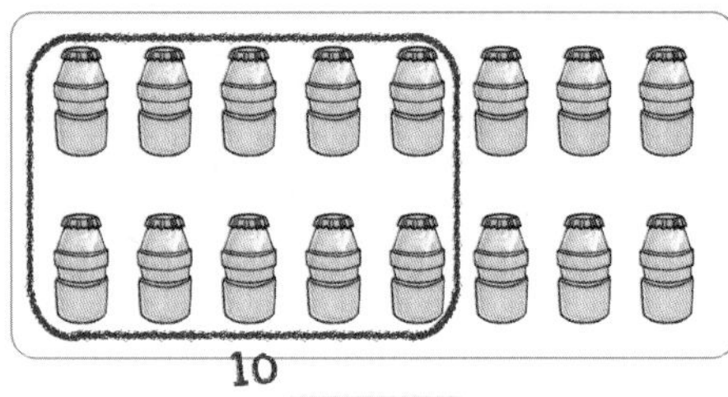

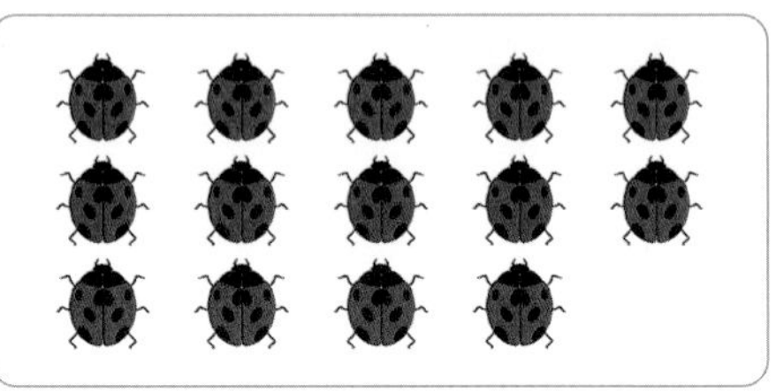

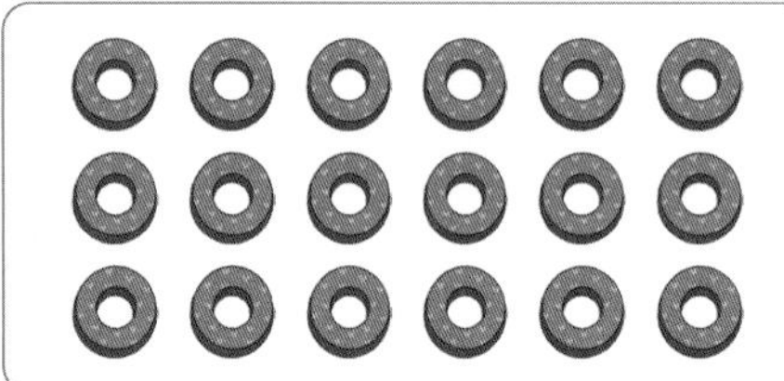

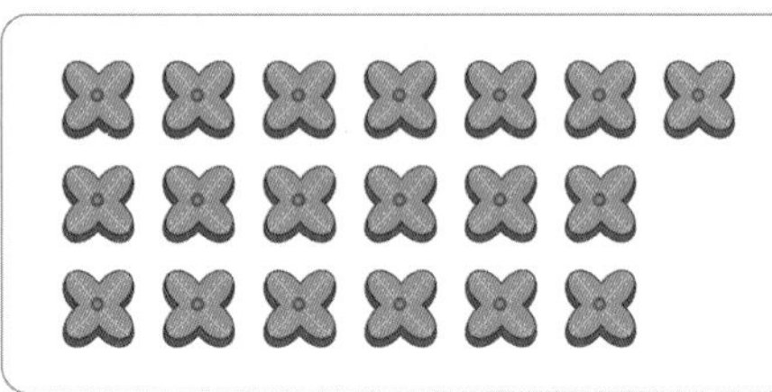

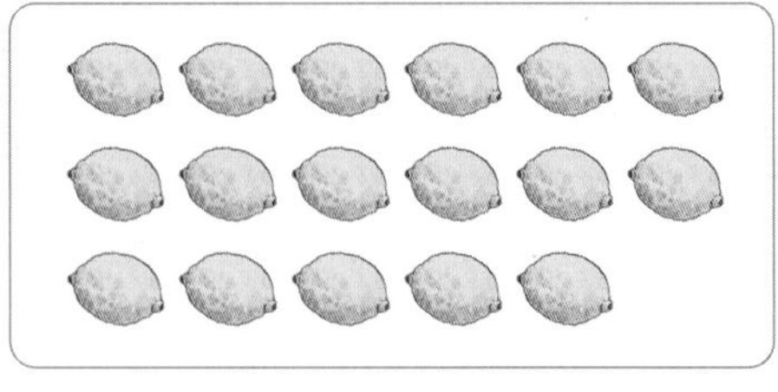

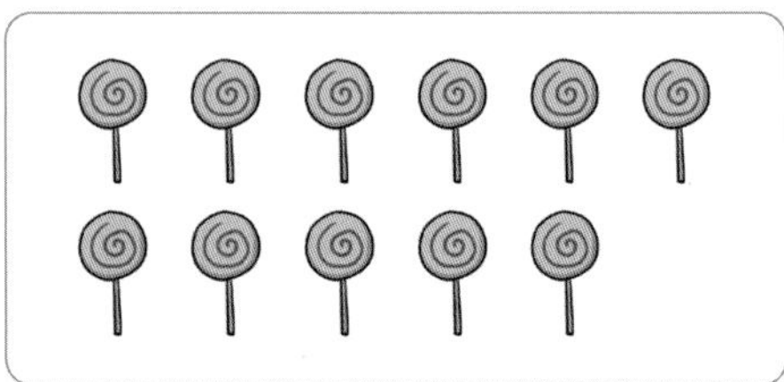

4 다음 중 나타내는 수가 다른 하나를 찾아 ○표 하세요.

열여덟 (10 8)	18
열하나 (10 1)	십팔 (10 8)

13	열넷
십삼	열셋

십칠	열일곱
열여덟	17

십이	십오
열다섯	15

열넷	14
십사	열둘

열여섯	16
십육	십사

열셋	십이
12	열둘

19	십구
열아홉	열여섯

모으기와 가르기

정답 40쪽

모으기와 가르기

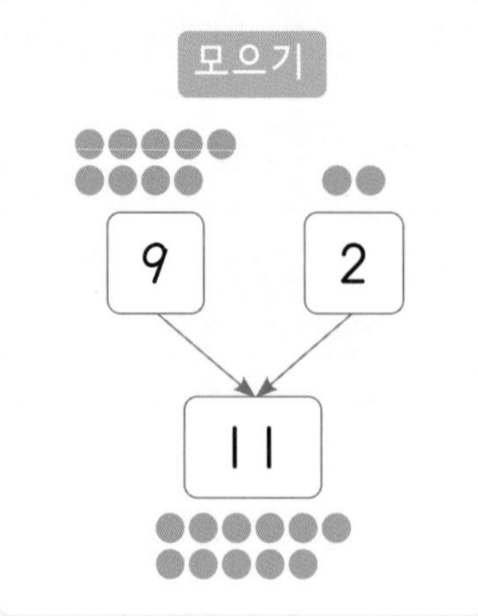

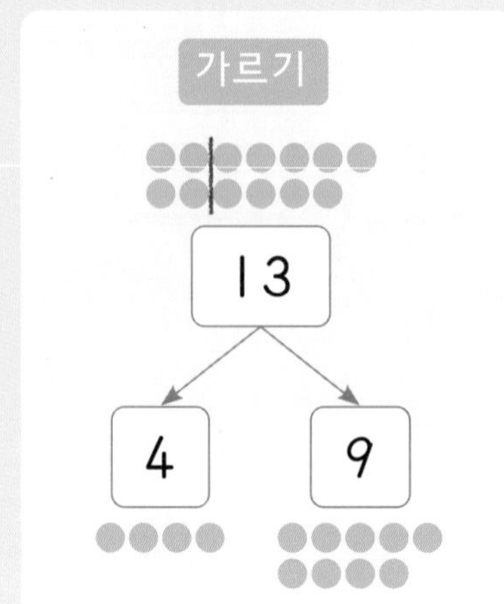

1 모으기와 가르기를 해 보세요.

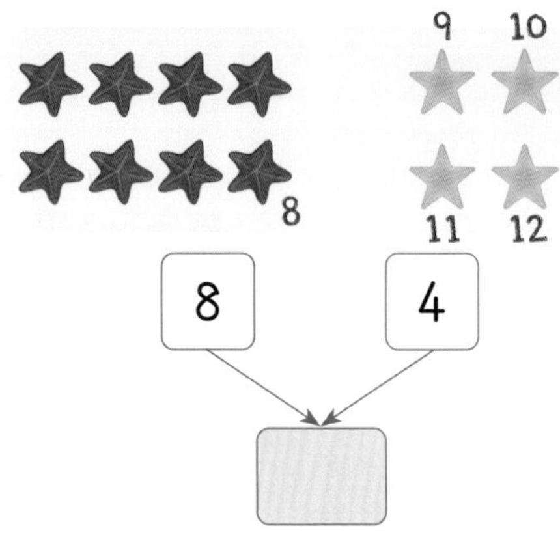

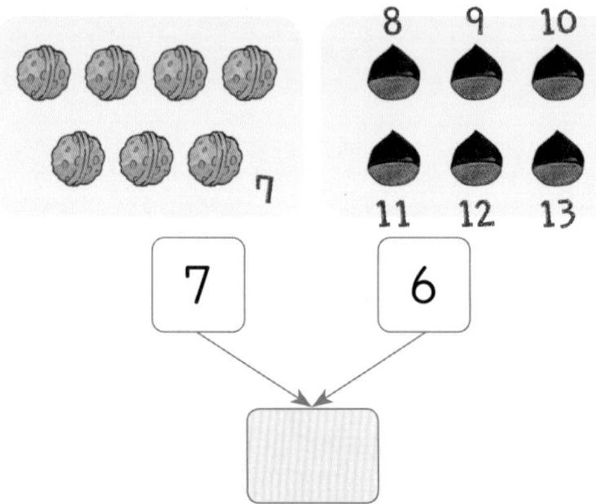

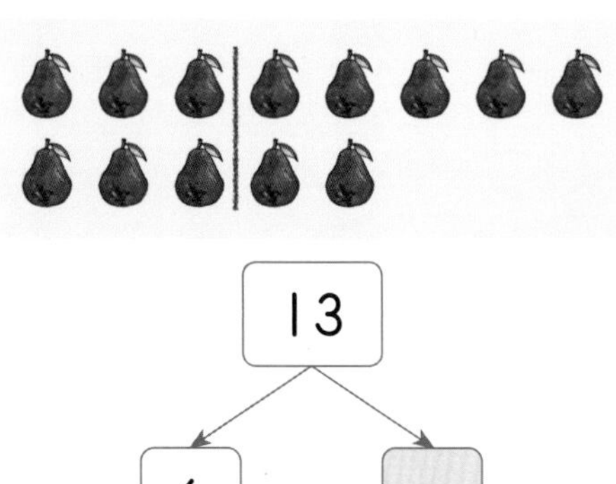

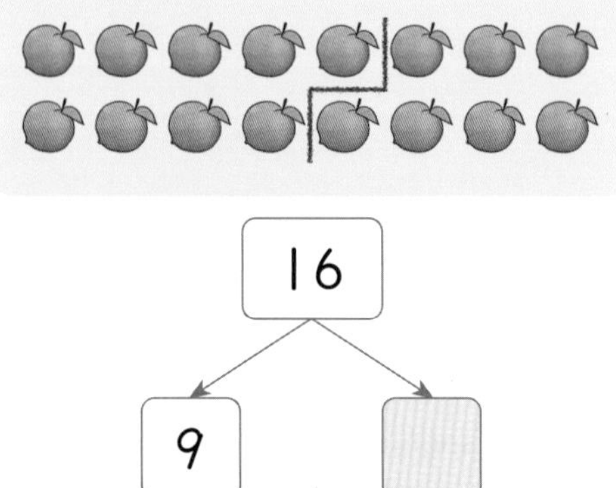

2 보기 와 같이 모으기를 해 보세요.

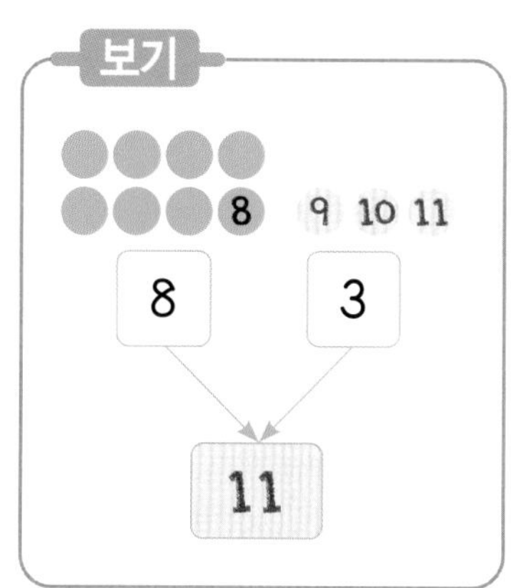

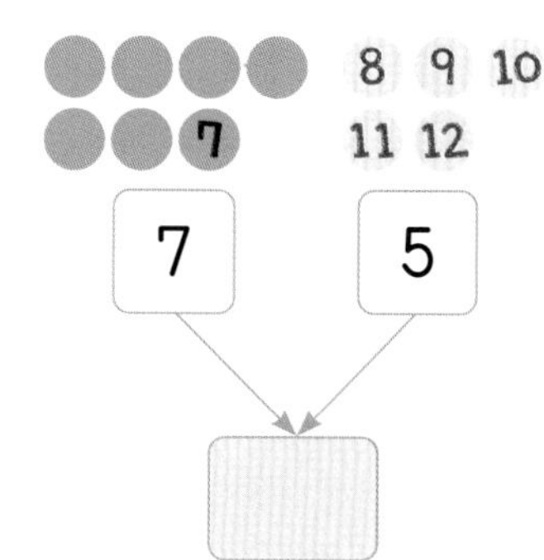

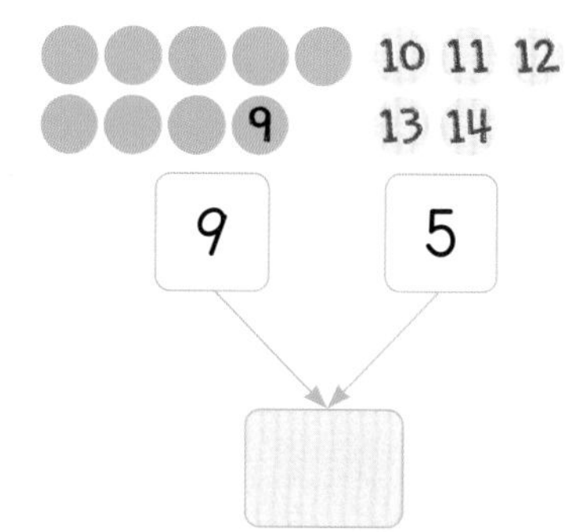

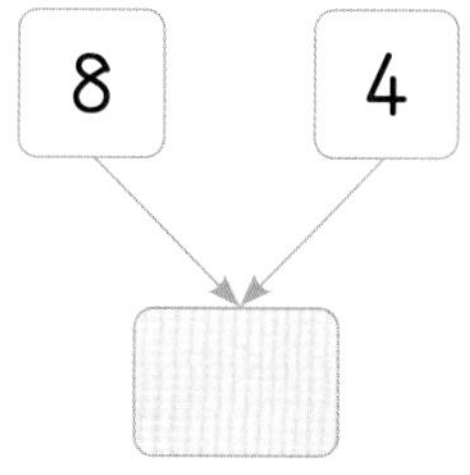

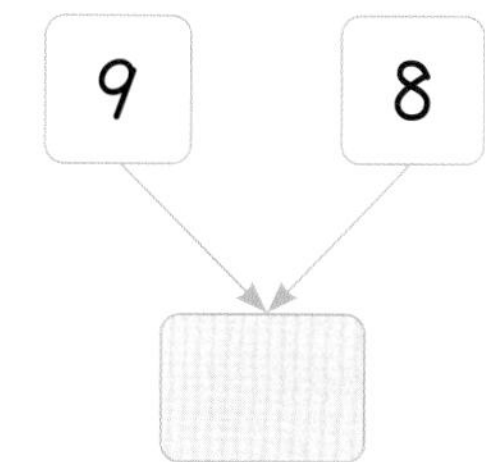

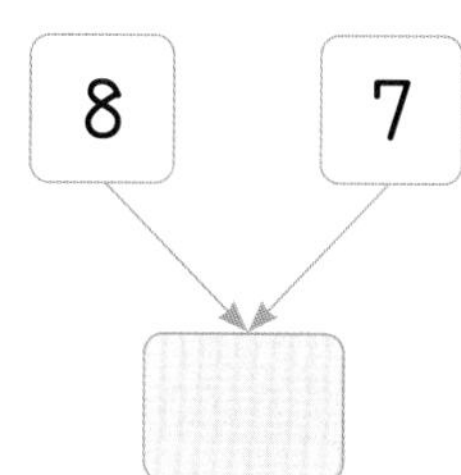

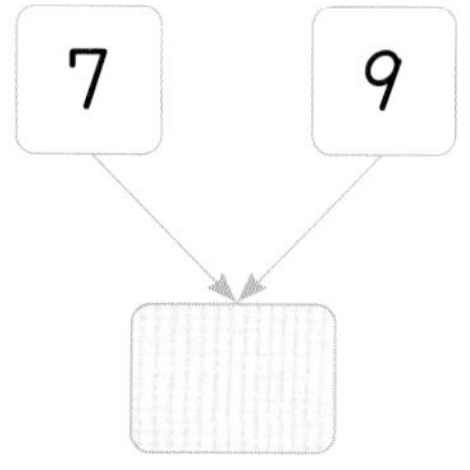

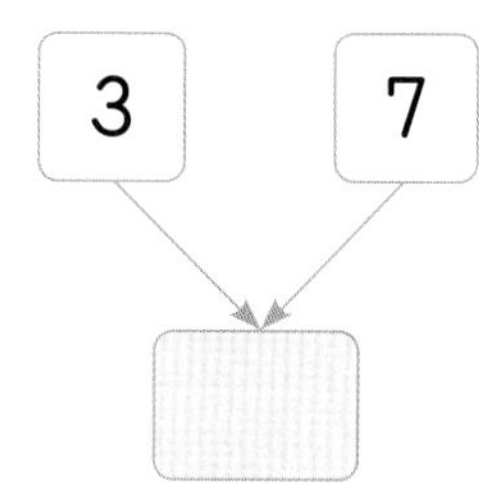

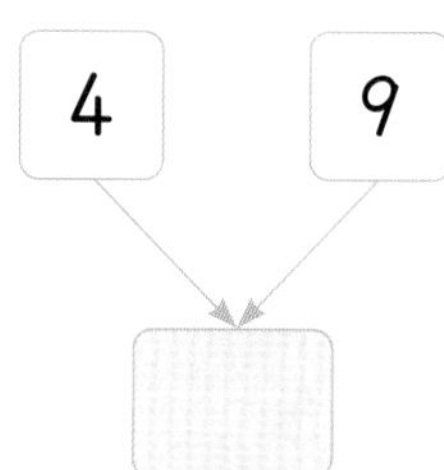

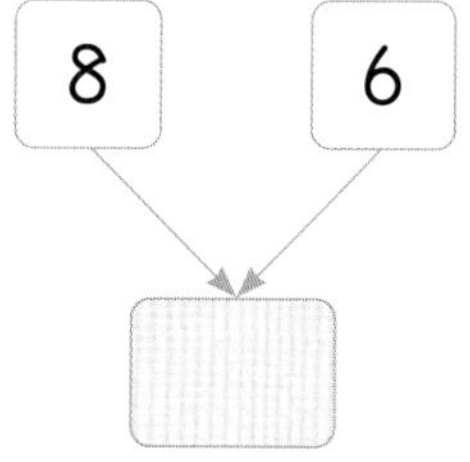

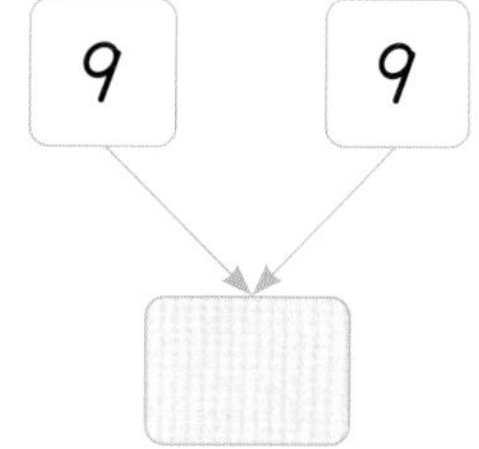

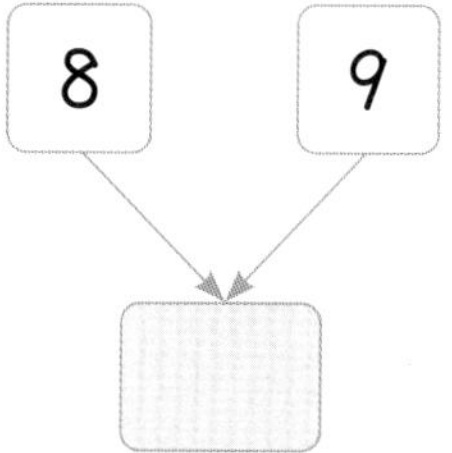

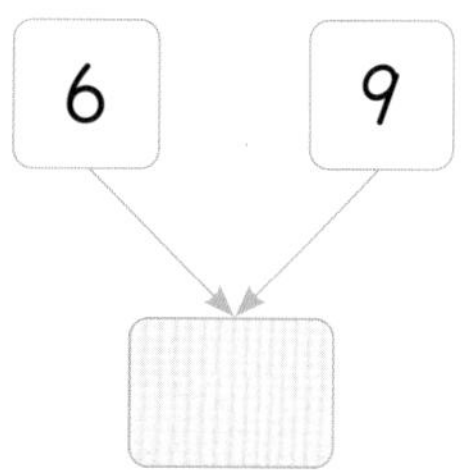

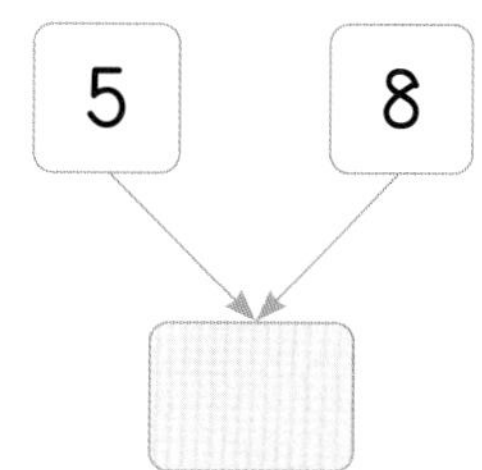

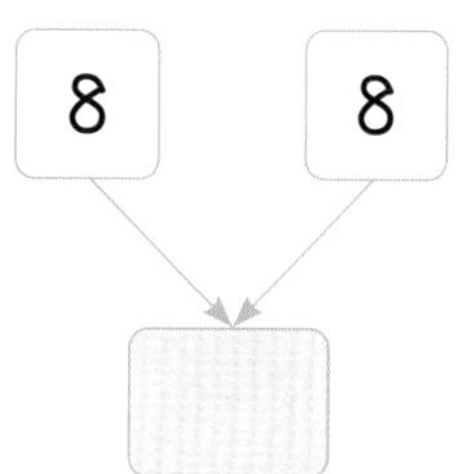

3 보기 와 같이 가르기를 해 보세요.

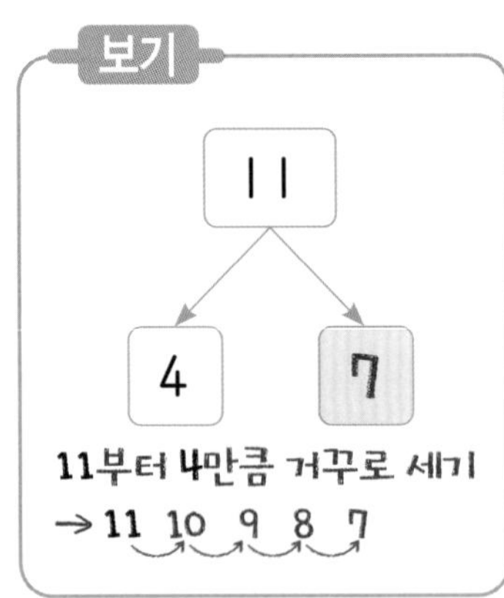

보기
11
4
7
11부터 4만큼 거꾸로 세기
→ 11 10 9 8 7

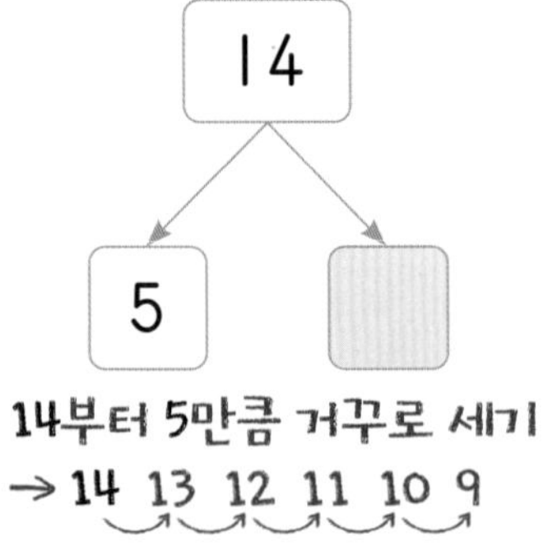

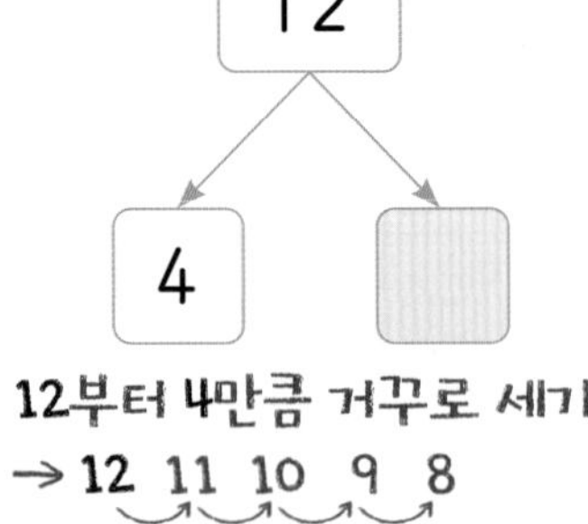

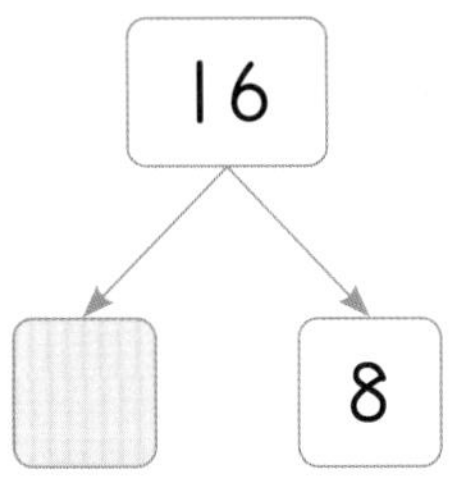

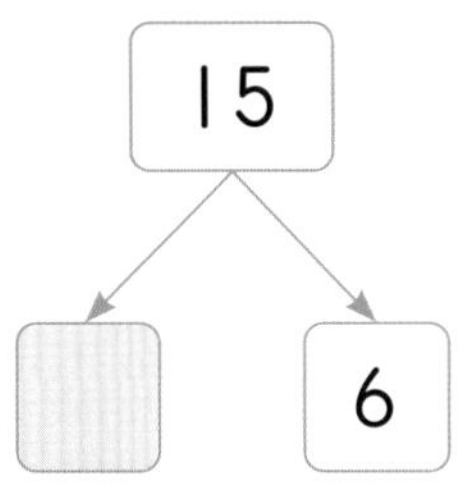

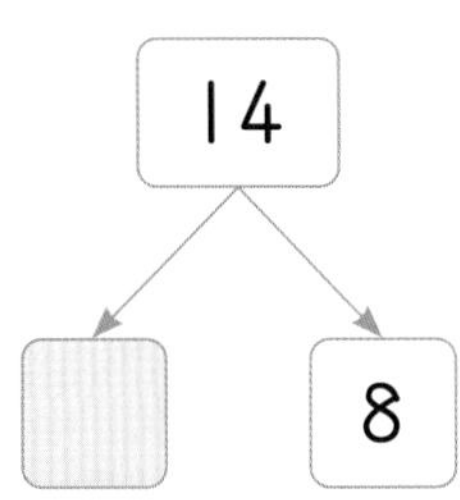

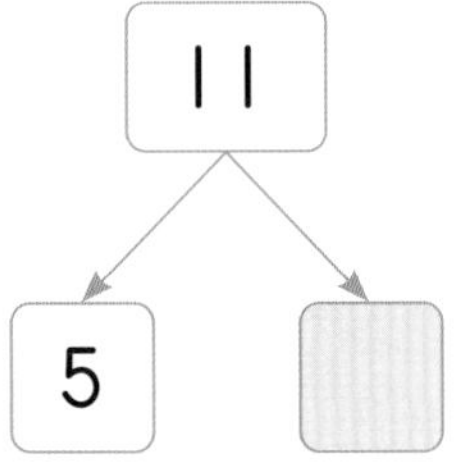

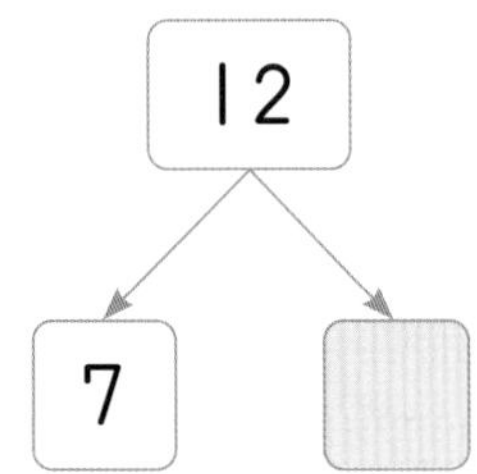

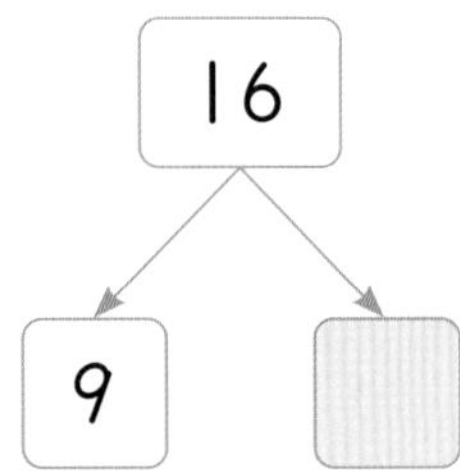

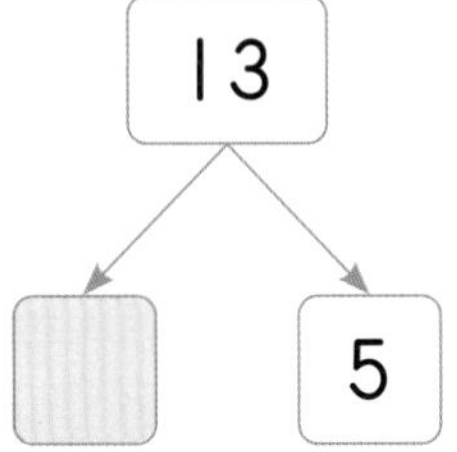

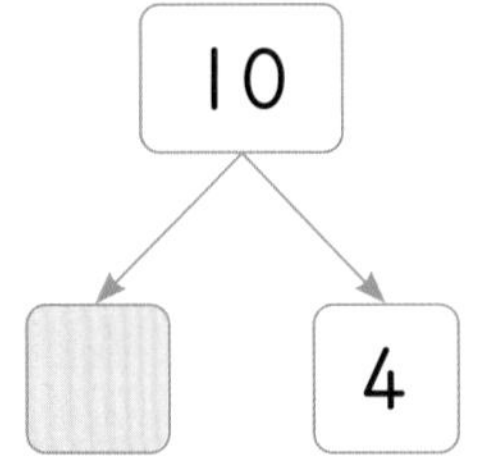

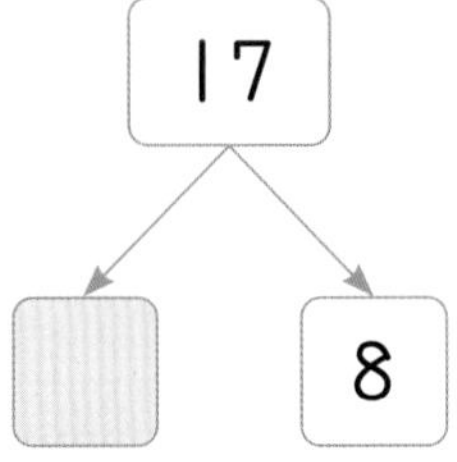

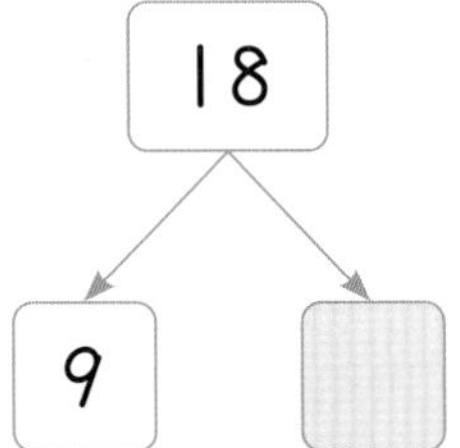

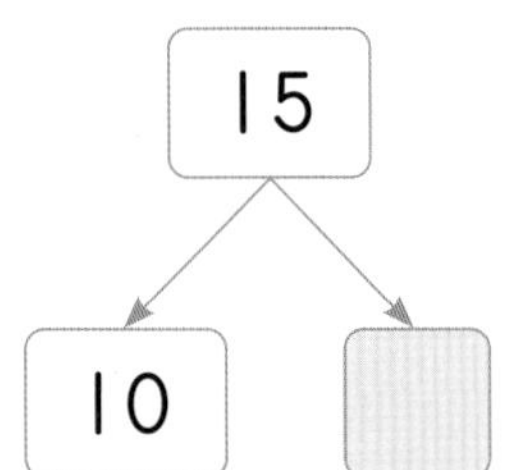

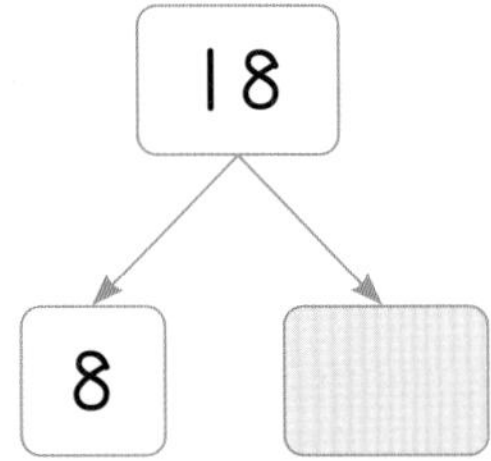

4 모으기와 가르기 실력을 점검해 보세요.

실력평가

맞힌 개수 개 | 제한 시간 10 분

1. 4 7

2. 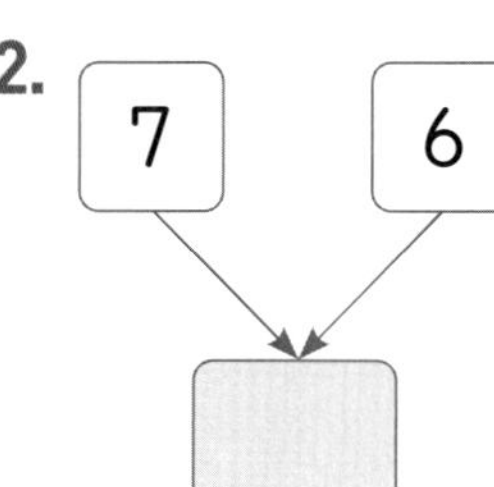

3. 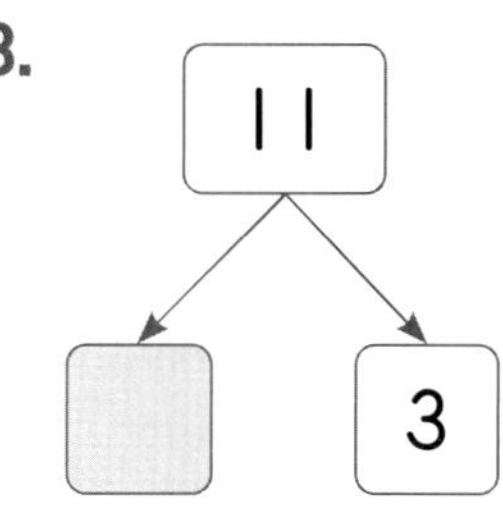

4. 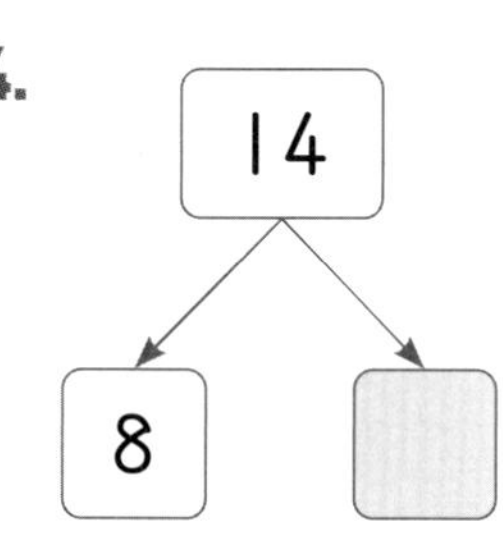

5. 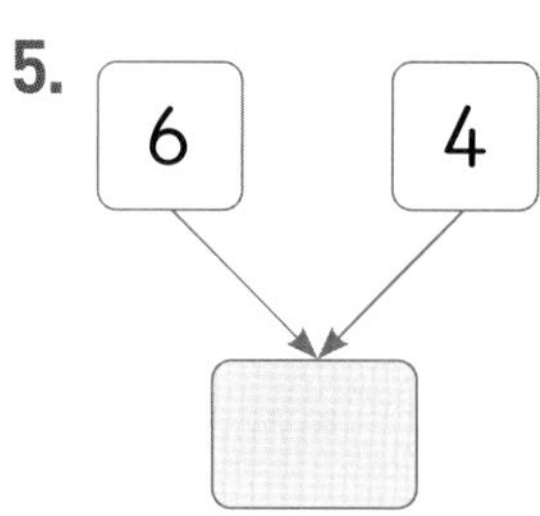

6. 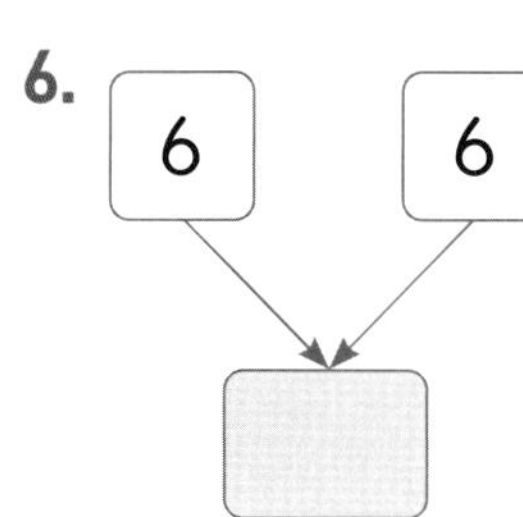

7. 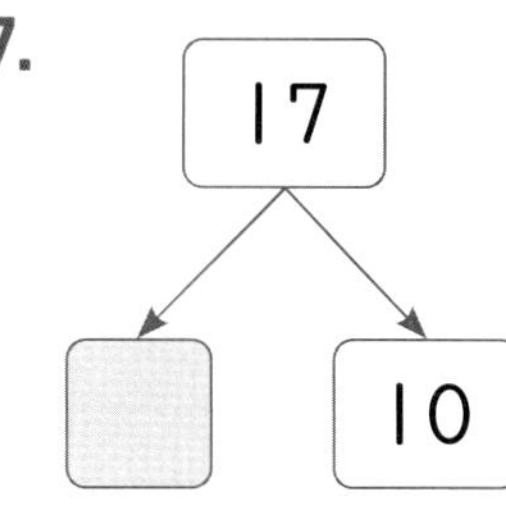

8. 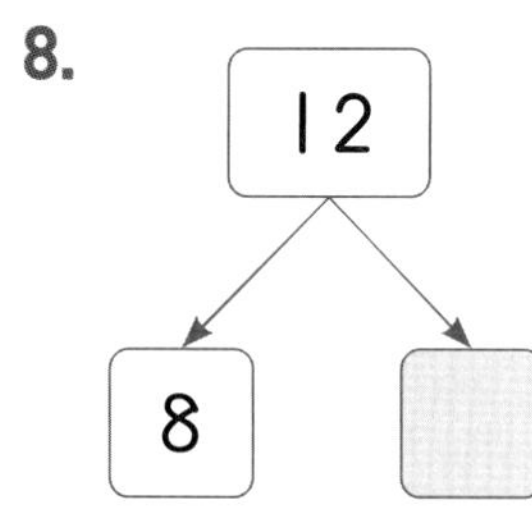

9. 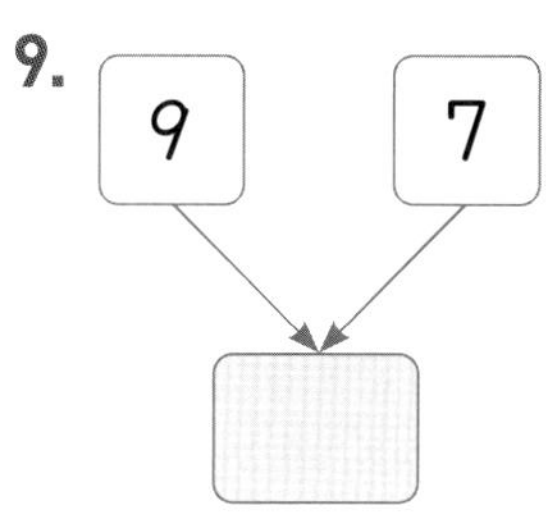

10. 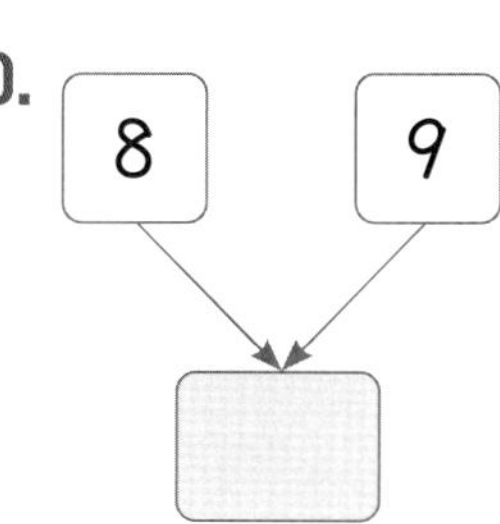

11. 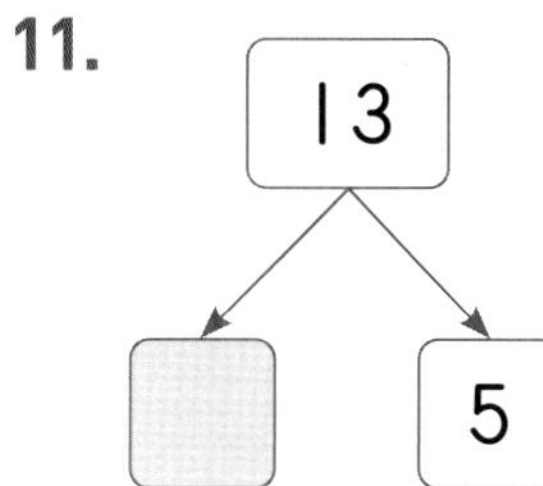

12. 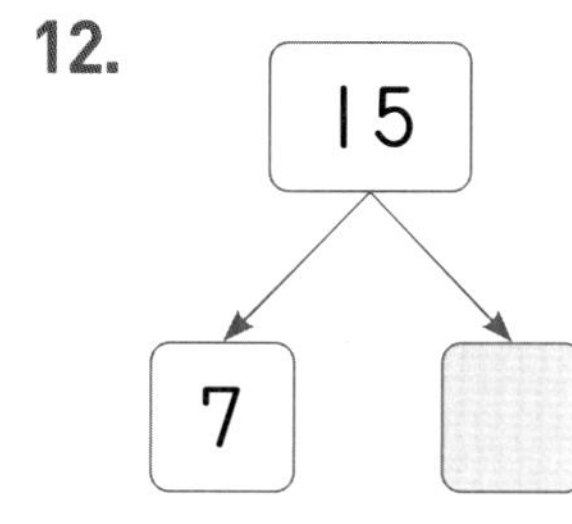

13. 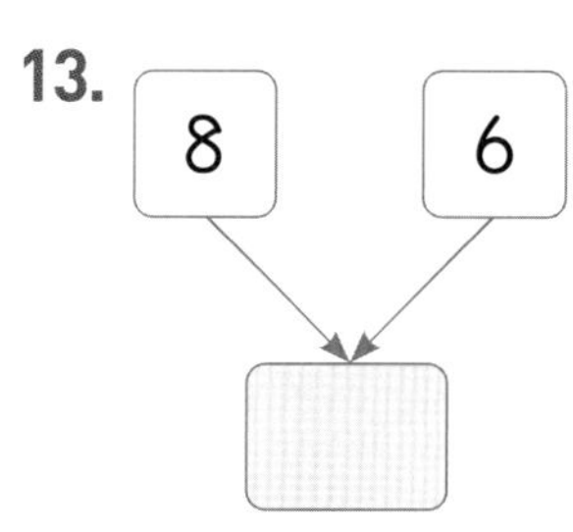

14. 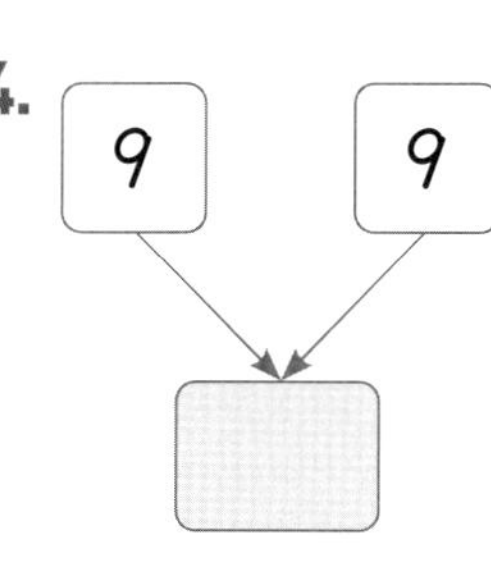

15. 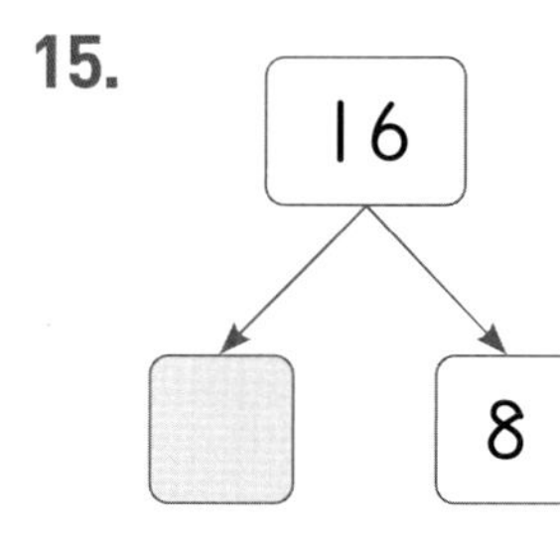

16. 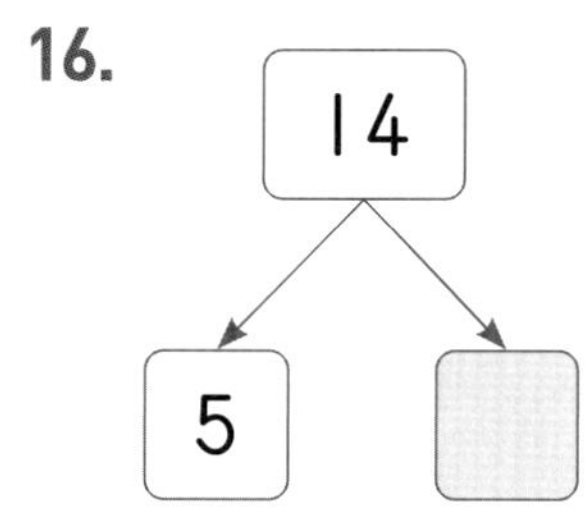

17. 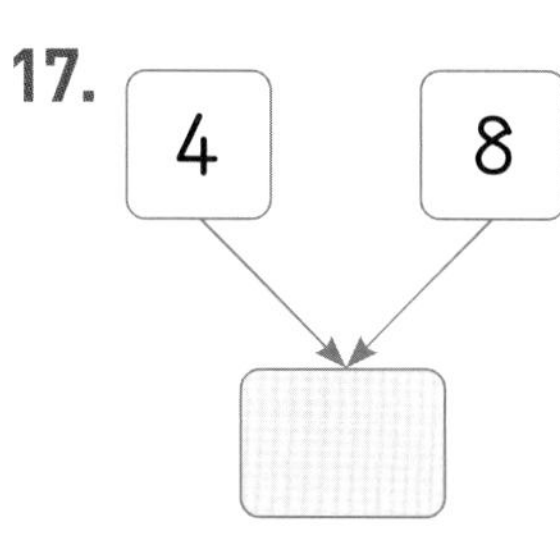

18. 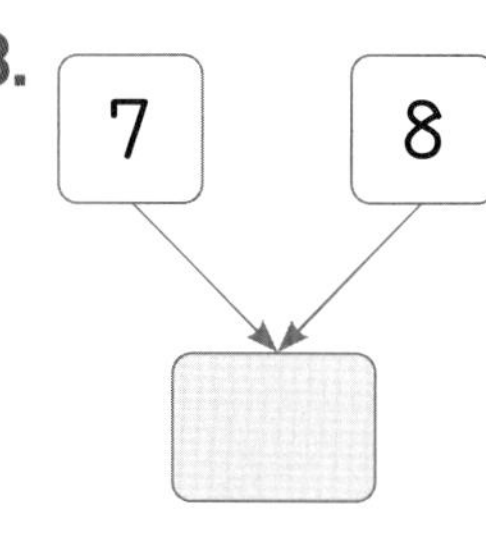

19. 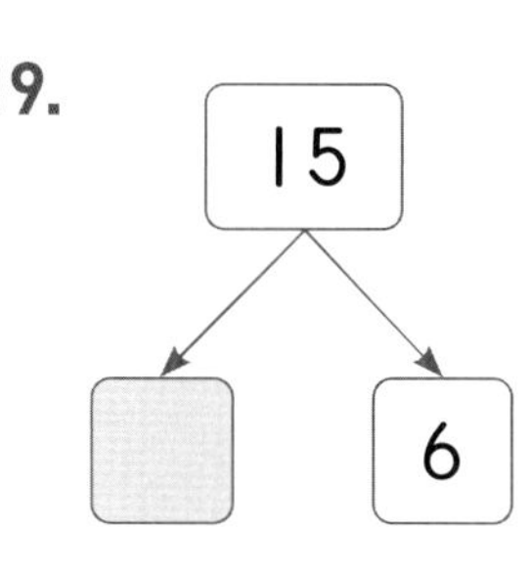

20. 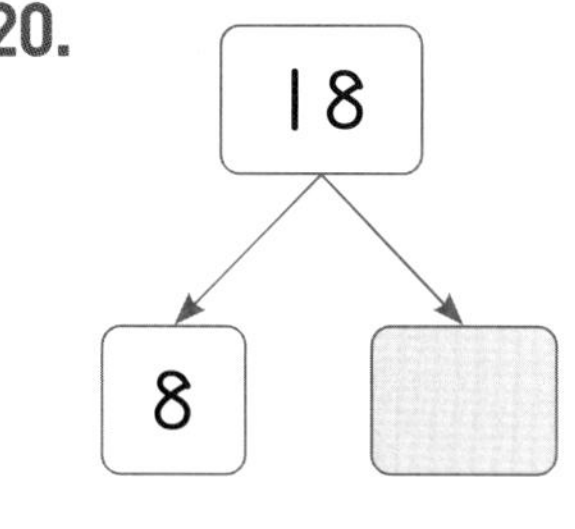

04 10개씩 묶어 세기

정답 41쪽

10 알아보기

수
읽기
10개씩 2묶음이면 20 ➡ 이십, 스물
10개씩 3묶음이면 30 ➡ 삼십, 서른
10개씩 4묶음이면 40 ➡ 사십, 마흔
10개씩 5묶음이면 50 ➡ 오십, 쉰

1 수를 읽으며 따라 써 보세요.

십	십	십	10	열	열	열
이십	이십	이십	20	스물	스물	스물
삼십	삼십	삼십	30	서른	서른	서른
사십	사십	사십	40	마흔	마흔	마흔
오십	오십	오십	50	쉰	쉰	쉰

2 같은 수끼리 이어 보세요.

• 50 • • 삼십

• 30 • • 오십

• 20 • • 이십

• 40 • • 사십

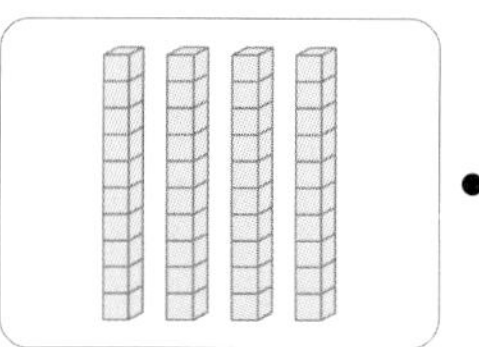

• 20 • • 쉰

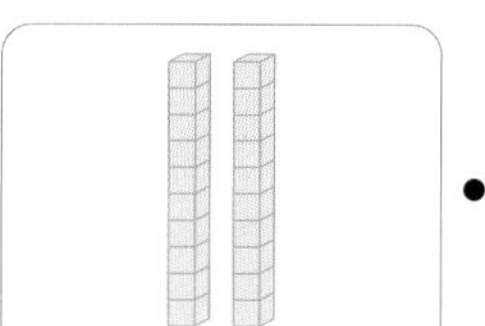

• 40 • • 서른

• 30 • • 마흔

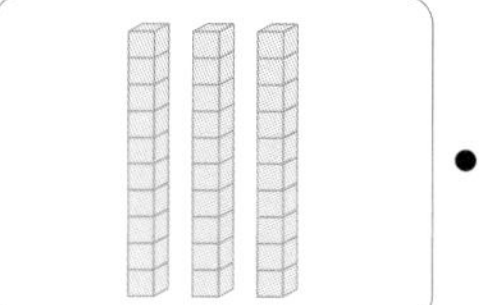

• 50 • • 스물

3 그림을 보고 ▒ 안에 알맞은 수를 써넣으세요.

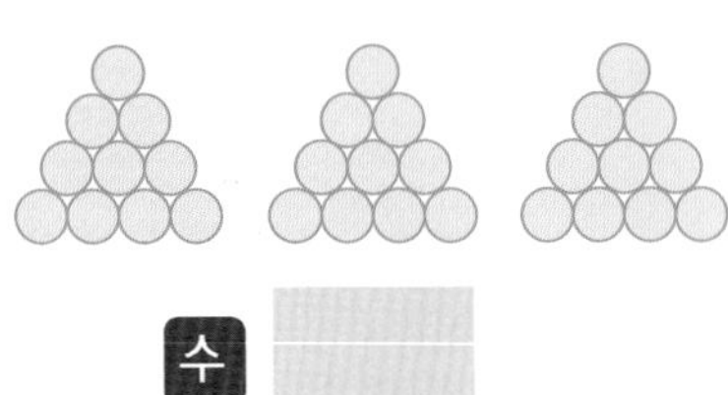

수

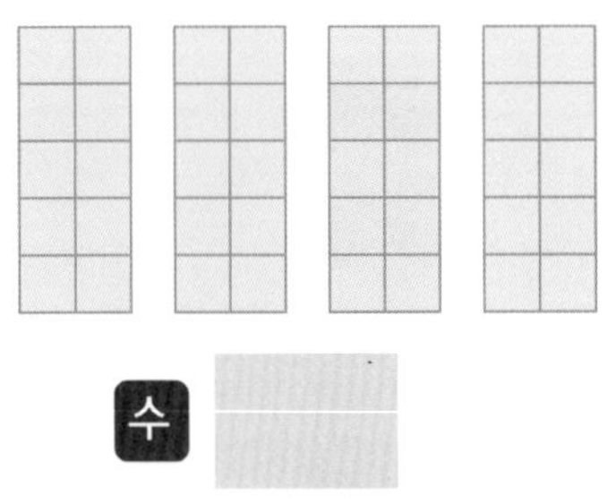

수

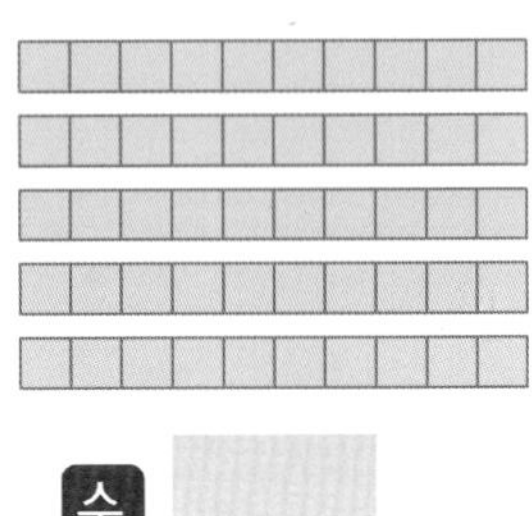

수

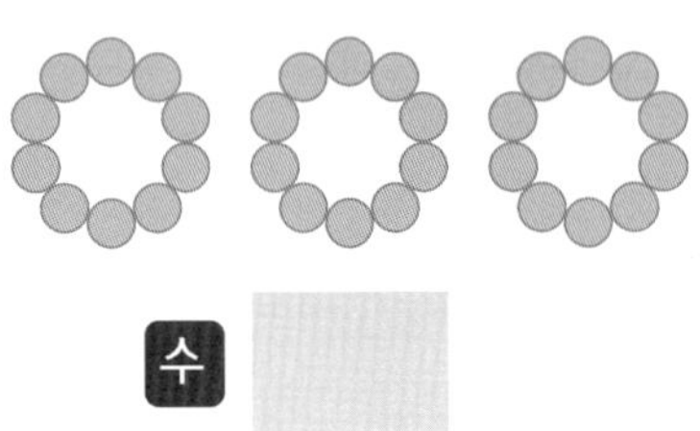

수

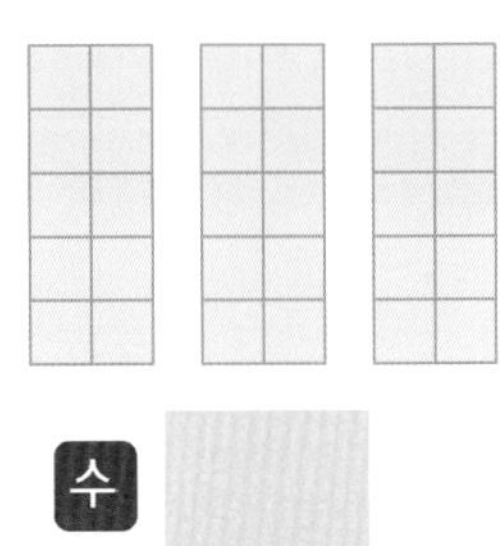

수

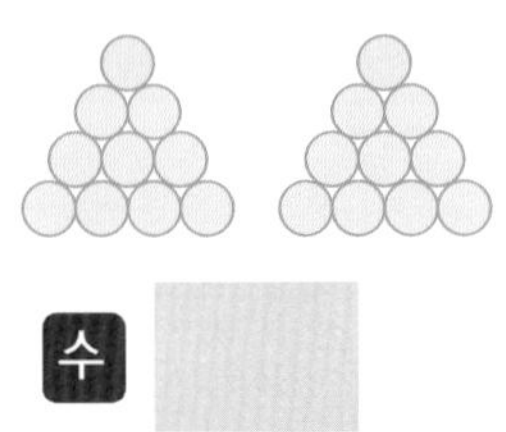

수

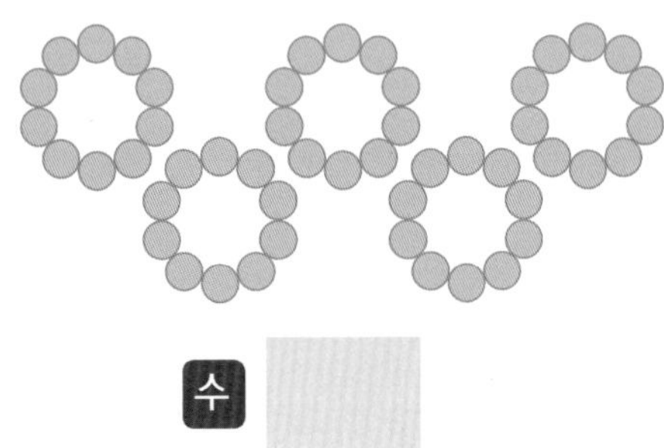

수

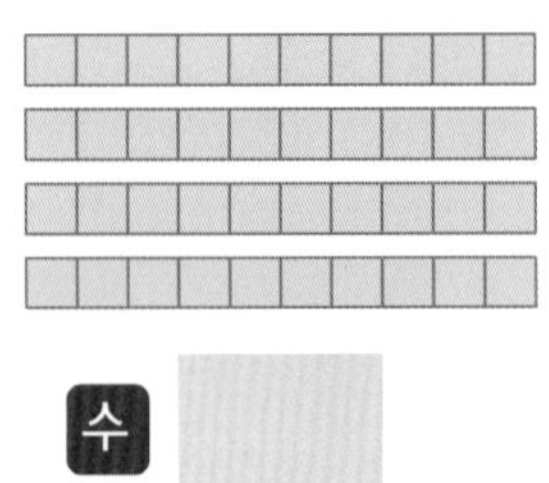

수

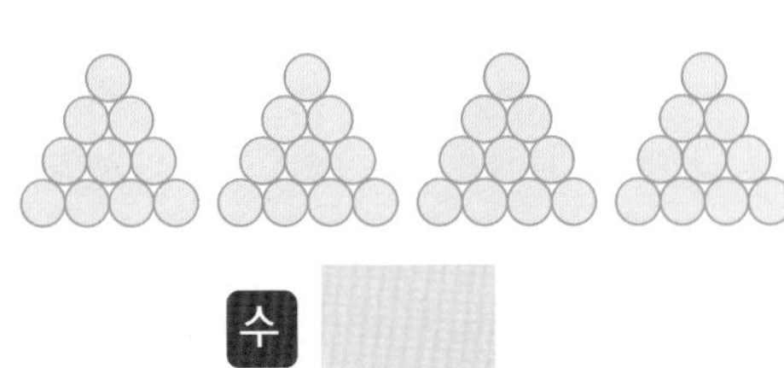

수

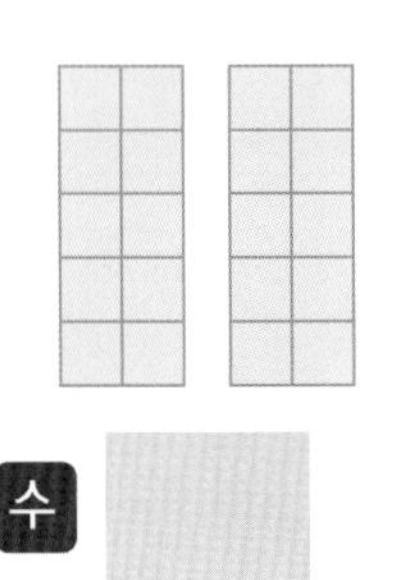

수

4 10개씩 묶어 세어 보세요.

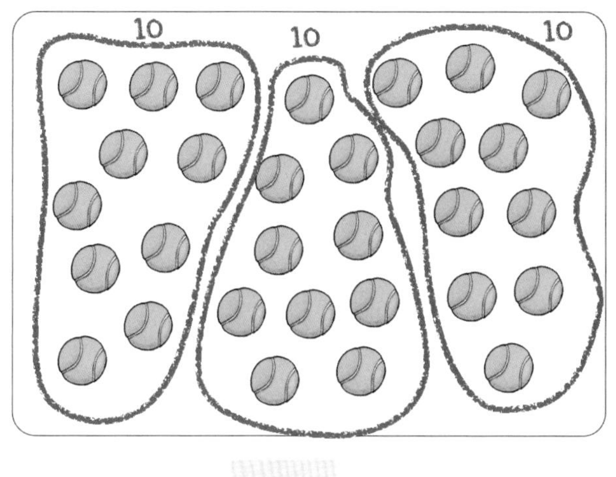

개

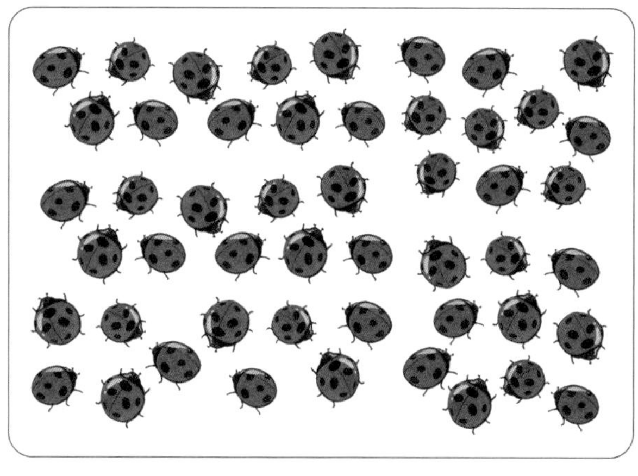

마리

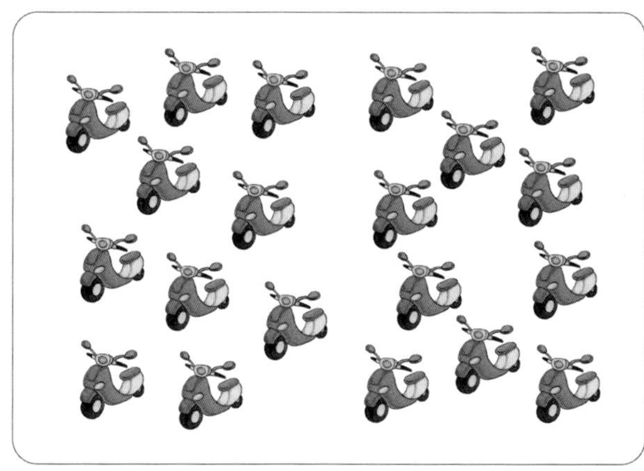

개

개

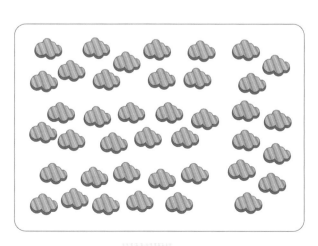

개

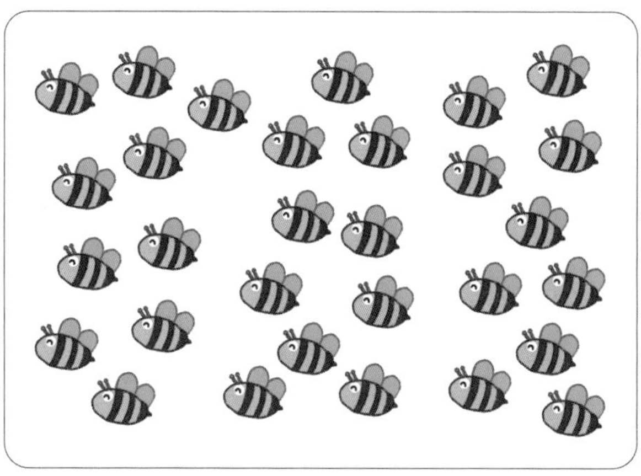

마리

05 50까지의 수

정답 42쪽

몇십 몇 알아보기

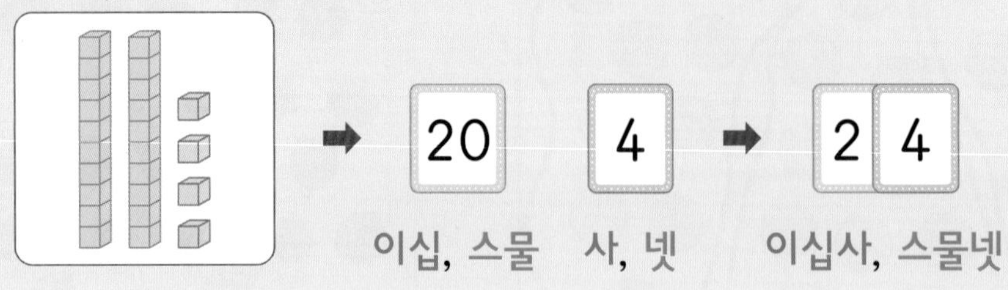

1 그림을 보고 □ 안에 알맞은 수를 쓰고 읽어 보세요.

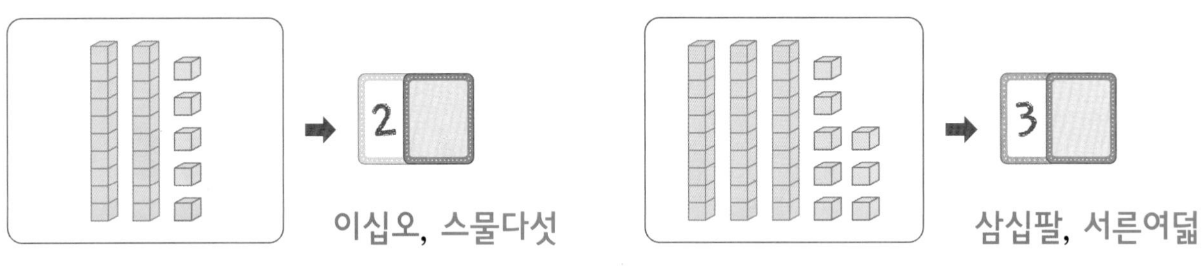

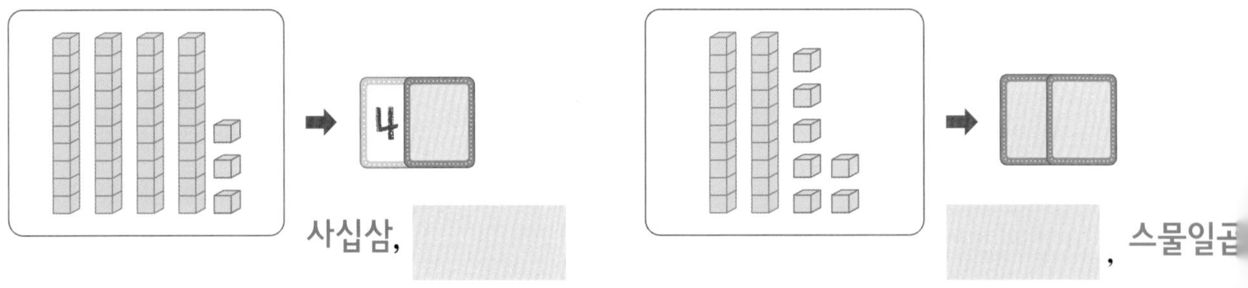

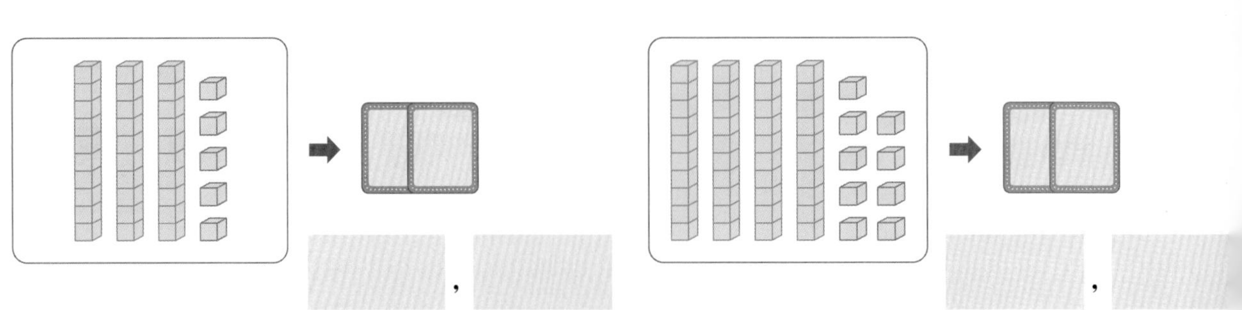

2 동전을 세어 안에 알맞은 수를 써넣으세요.

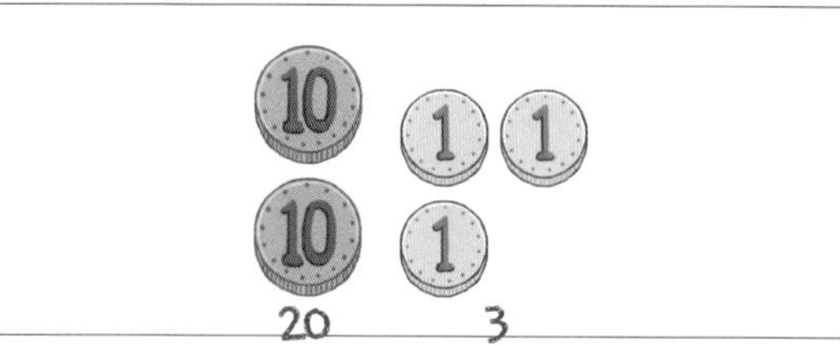

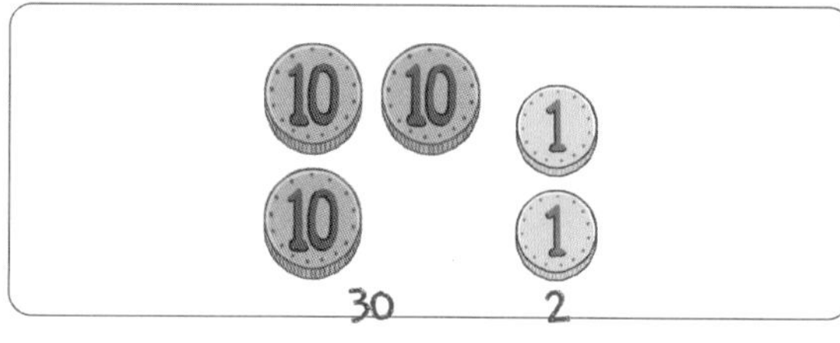

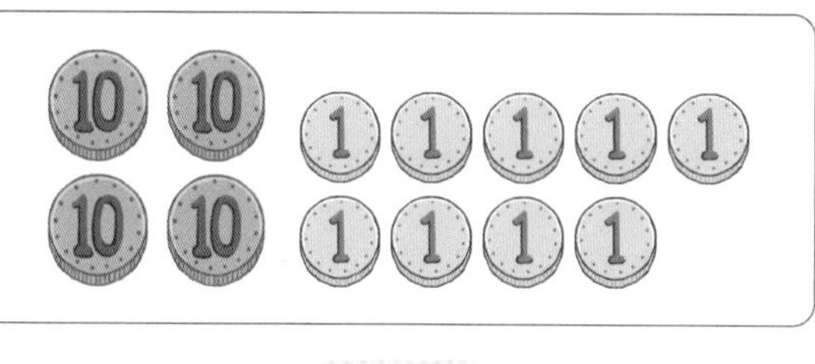

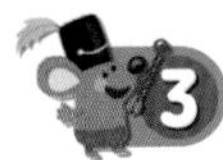

3 그림을 보고 수로 나타내고 읽어 보세요.

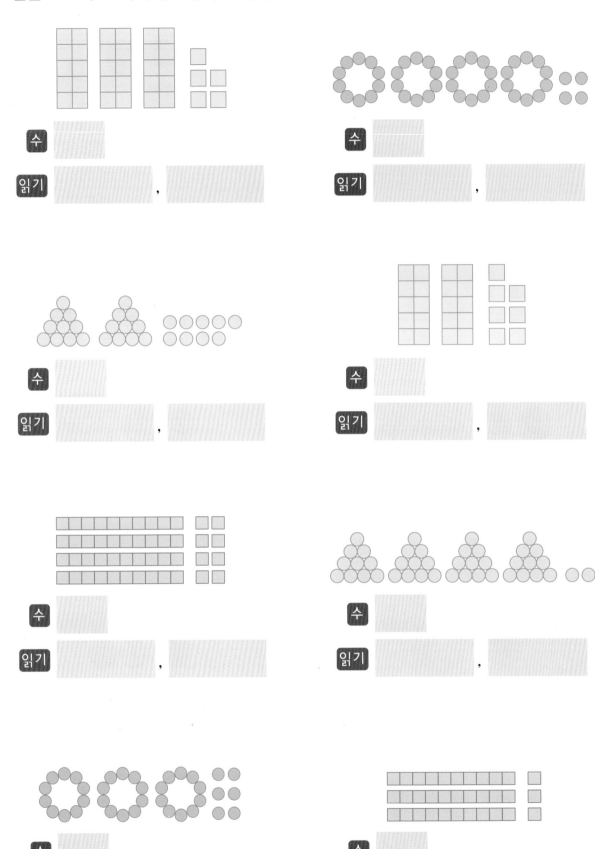

수

읽기 ,

수

읽기 ,

수

읽기 ,

수

읽기 ,

수

읽기 ,

수

읽기 ,

수

읽기 ,

수

읽기 ,

4 빈 곳에 알맞은 수를 써넣으세요.

이십|삼 (20 3) ➡

삼십|이 (30 2) ➡

십|삼 (10 3) ➡

사십일 ➡

이십이 ➡

사십구 ➡

삼십육 ➡

사십이 ➡

십칠 ➡

사십삼 ➡

삼십팔 ➡

이십칠 ➡

십육 ➡

이십구 ➡

삼십삼 ➡

스물|셋 (20 3) ➡

열|아홉 (10 9) ➡

스물|여섯 (20 6) ➡

마흔일곱 ➡

서른다섯 ➡

마흔넷 ➡

서른일곱 ➡

스물여덟 ➡

서른아홉 ➡

마흔여덟 ➡

열다섯 ➡

스물넷 ➡

서른넷 ➡

마흔여섯 ➡

열여덟 ➡

수의 순서 알아보기

정답 43쪽

수의 순서 알아보기

1	2	3	4	5	6	7	8	9	10
11	12	13	14	15	16	17	18	19	20
21	22	23	24	25	26	27	28	29	30
31	32	33	34	35	36	37	38	39	40
41	42	43	44	45	46	47	48	49	50

1 순서를 생각하며 빈칸에 알맞은 수를 써넣으세요.

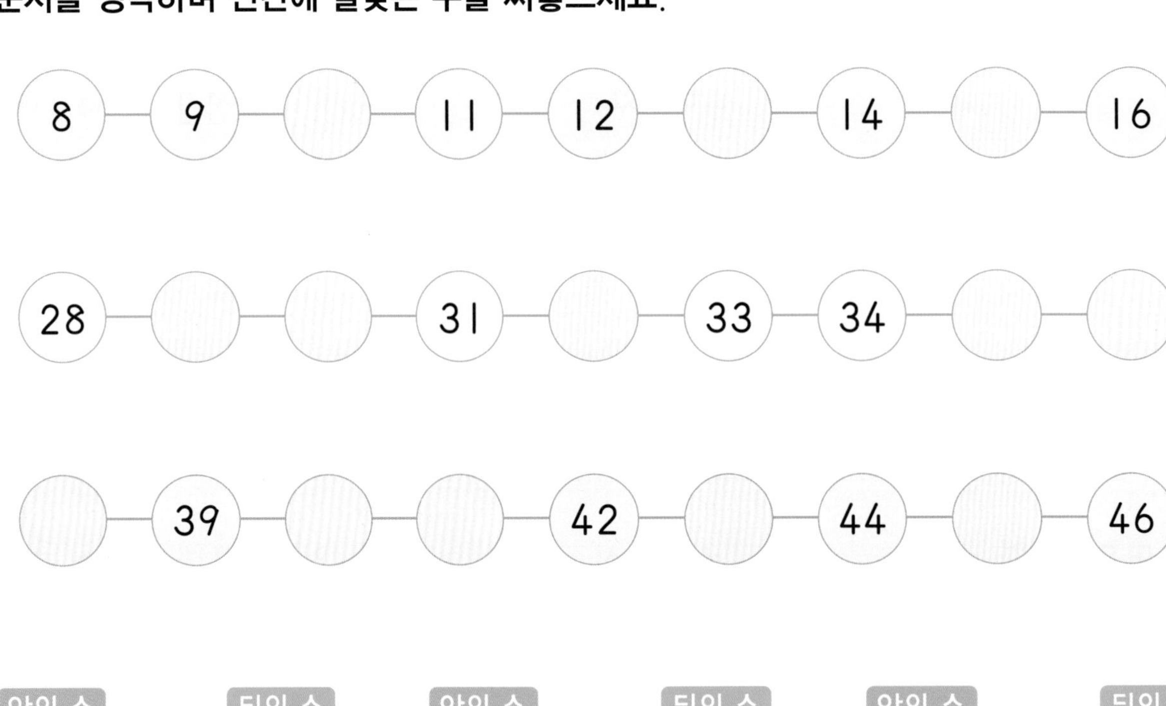

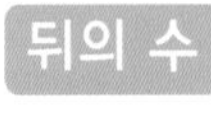

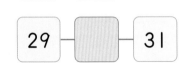

앞의 수		뒤의 수	앞의 수		뒤의 수	앞의 수		뒤의 수
15		17	25		27	30		32
23		25	29		31	41		43
39		41	27		29	44		46

2 보기 와 같이 규칙을 찾아 빈칸에 알맞은 수를 써넣으세요.

보기

11	12	13
16	15	14
17	18	19

26	25	20
27		21
	23	22

17	18	19
	25	20
23	22	

24		30
25	28	
26	27	32

21	16	15
20		14
	18	13

37		35
32		34
31	30	29

	45	44
	48	43
40	41	42

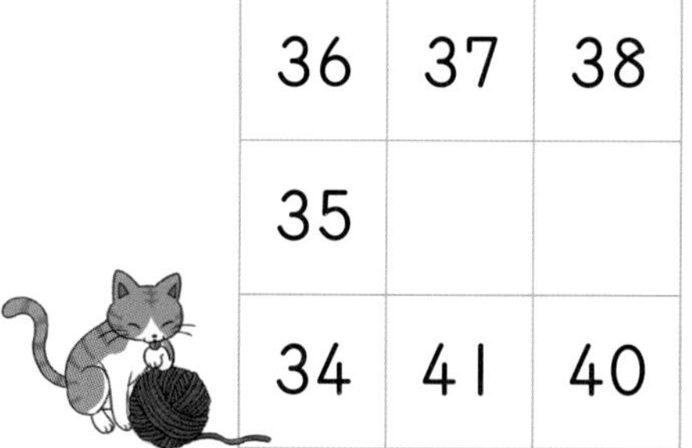

36	37	38
35		
34	41	40

3 수를 순서대로 선으로 이어 보세요.

시작
11 12 19
16 18 13
17 15 14

시작
27 26 34
28 33 31
29 30 32

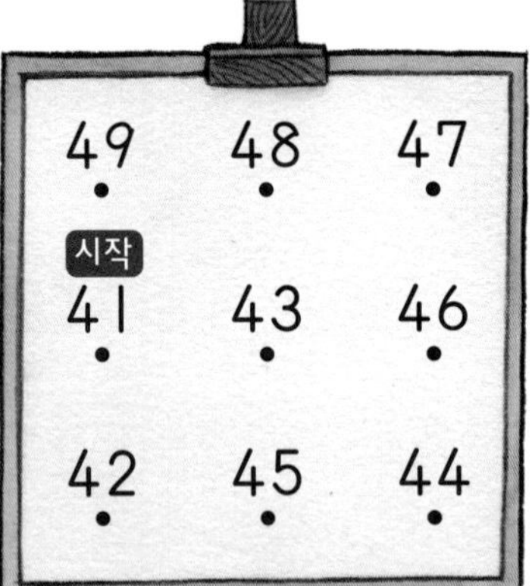

21 22 23
시작
17 18 24
19 20 25

시작
32 30 36
31 33 37
34 35 38

16 17 18
15 19 20
시작
13 14 21

시작
43 38 37
44 39 40
45 42 41

4 주어진 표에서 빠진 수를 찾아 써 보세요.

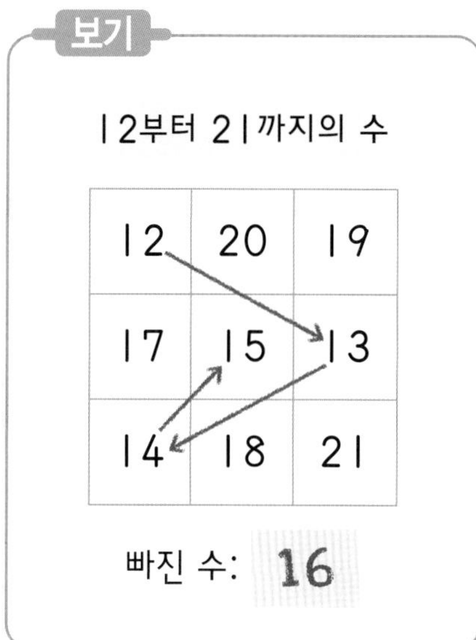

보기
12부터 21까지의 수
12 20 19
17 15 13
14 18 21
빠진 수: 16

24부터 33까지의 수

30	33	26
27	24	31
32	28	25

빠진 수:

27부터 36까지의 수

32	34	30
33	27	35
29	36	28

빠진 수:

32부터 41까지의 수

33	32	38
39	35	37
34	40	41

빠진 수:

35부터 44까지의 수

41	44	35
37	39	38
36	42	40

빠진 수:

41부터 50까지의 수

50	47	44
49	46	41
45	43	42

빠진 수:

07 수의 크기 비교

정답 44쪽

수의 크기 비교하기

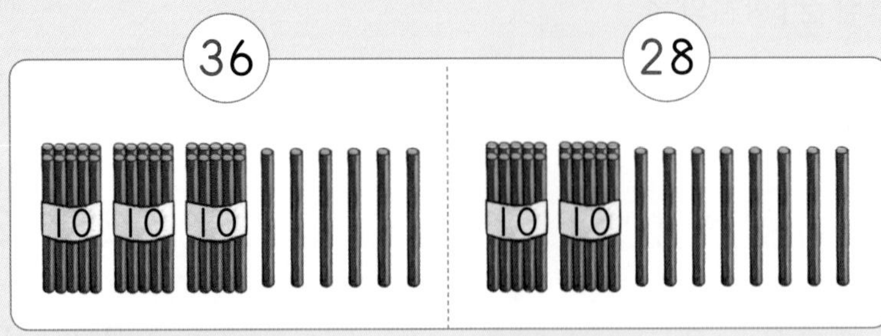

➡ 36은 28보다 더 큽니다.

➡ 28은 36보다 더 작습니다.

1 알맞은 말에 ○표 하세요

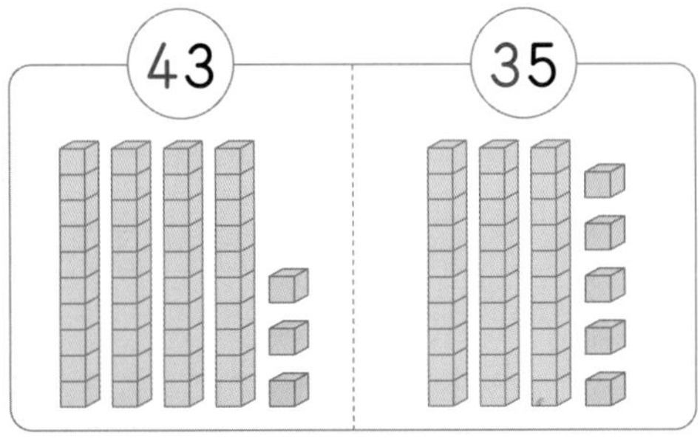

➡ 43은 35보다
더 (큽니다 , 작습니다).

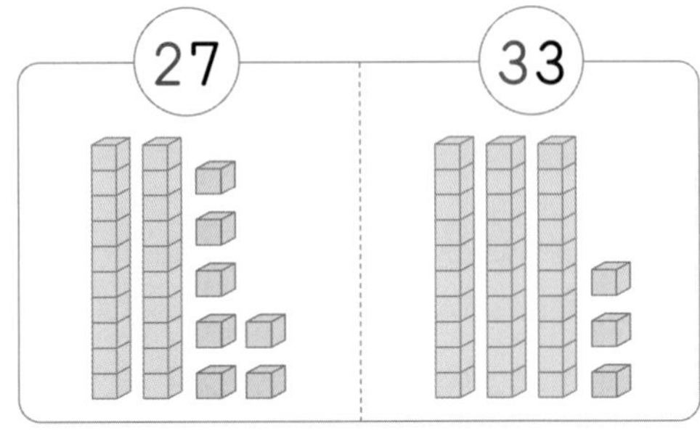

➡ 27은 33보다
더 (큽니다 , 작습니다).

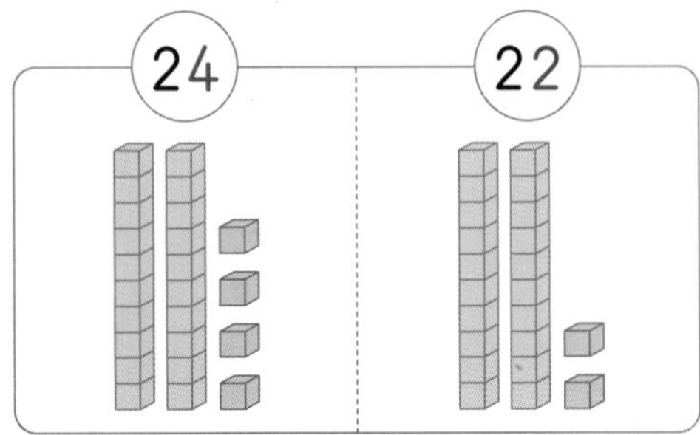

➡ 24는 22보다
더 (큽니다 , 작습니다).

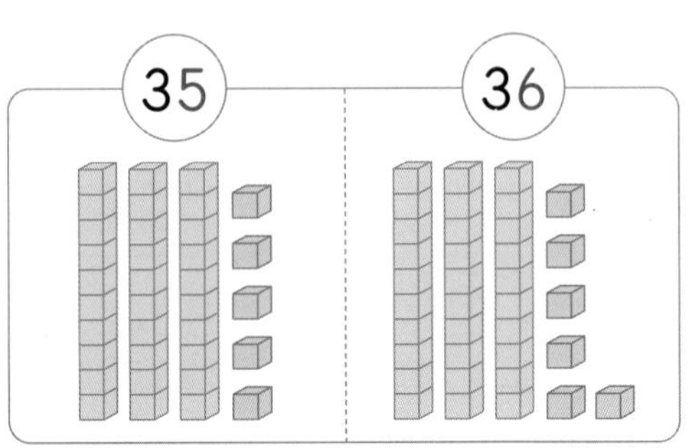

➡ 35는 36보다
더 (큽니다 , 작습니다).

2 보기 와 같은 방법으로 두 수의 크기를 비교해 보세요.

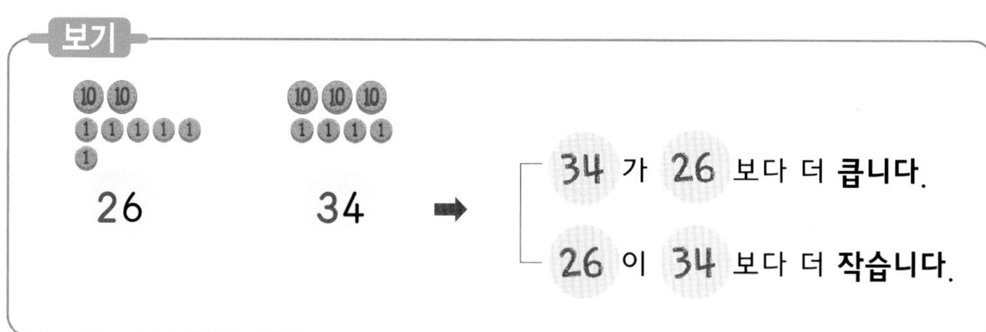
보기
26
34
34 가 26 보다 더 크습니다.
26 이 34 보다 더 작습니다.

32	28

➡ ( ) 가(이) ( ) 보다 더 **큽니다**.

33	42

➡ ( ) 가(이) ( ) 보다 더 **작습니다**.

17	24

➡ ( ) 가(이) ( ) 보다 더 **큽니다**.

39	26

➡ ( ) 가(이) ( ) 보다 더 **작습니다**.

43	29

➡ ( ) 가(이) ( ) 보다 더 **큽니다**.

27	15

➡ ( ) 가(이) ( ) 보다 더 **작습니다**.

23	35

➡ ( ) 가(이) ( ) 보다 더 **큽니다**.

19	31

➡ ( ) 가(이) ( ) 보다 더 **작습니다**.

3 보기 와 같은 방법으로 두 수의 크기를 비교해 보세요.

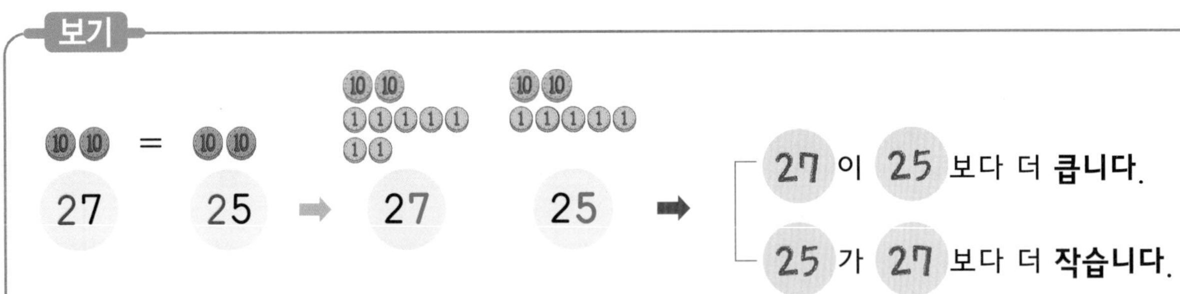

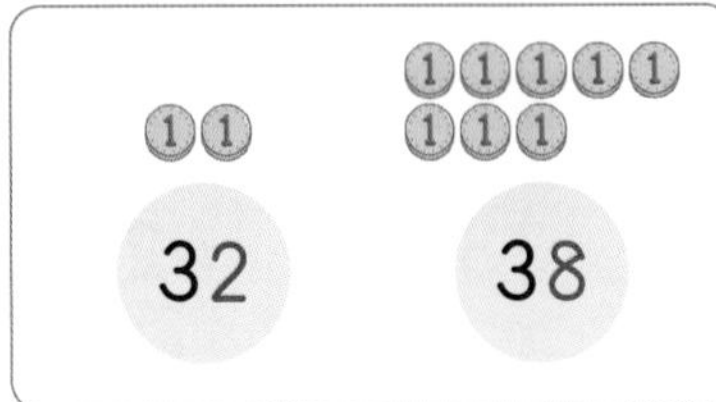

➡ ( ) 가(이) ( ) 보다 더 **큽니다**.

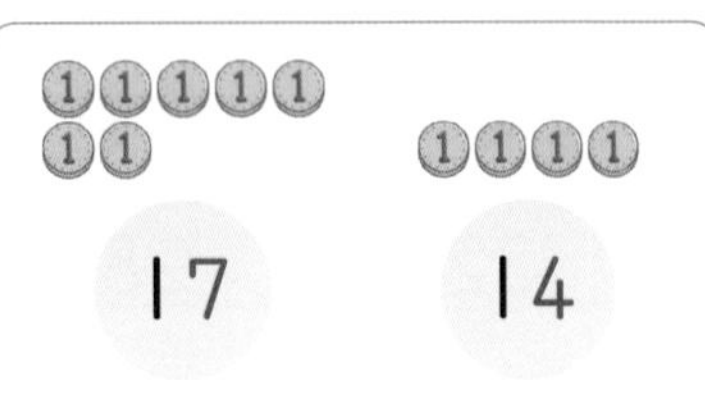

➡ ( ) 가(이) ( ) 보다 더 **작습니다**.

27 24

➡ ( ) 가(이) ( ) 보다 더 **큽니다**.

42 46

➡ ( ) 가(이) ( ) 보다 더 **작습니다**.

19 16

➡ ( ) 가(이) ( ) 보다 더 **큽니다**.

28 22

➡ ( ) 가(이) ( ) 보다 더 **작습니다**.

43 45

➡ ( ) 가(이) ( ) 보다 더 **큽니다**.

32 37

➡ ( ) 가(이) ( ) 보다 더 **작습니다**.

4 두 수의 크기를 비교하여 ○ 안에 알맞게 써넣으세요.

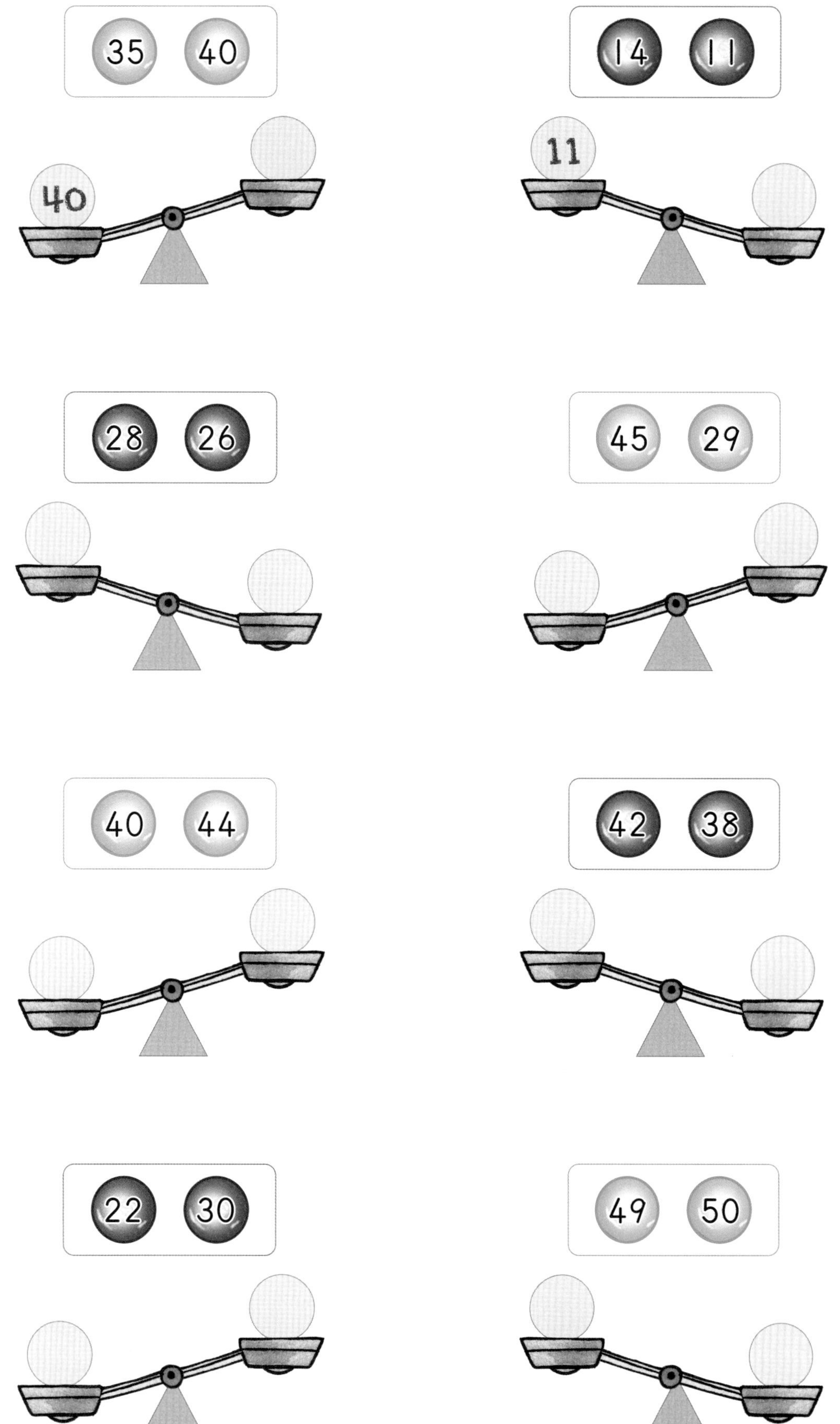

도전! 응용 문제

정답 45쪽

수 배열표 알아보기

1	2	3	4	5	6	7	8	9	10
11	12	13	14	15	16	17	18	19	20
21	22	23	24	25	26	27	28	29	30
31	32	33	34	35	36	37	38	39	40
41	42	43	44	45	46	47	48	49	50

1 작은 수 ← 12 → 1 큰 수

20 ↑ 10 작은 수, 30 ↓ 10 큰 수

응용 1 수 배열표의 일부분입니다. ▒ 안에 알맞은 수를 써넣으세요.

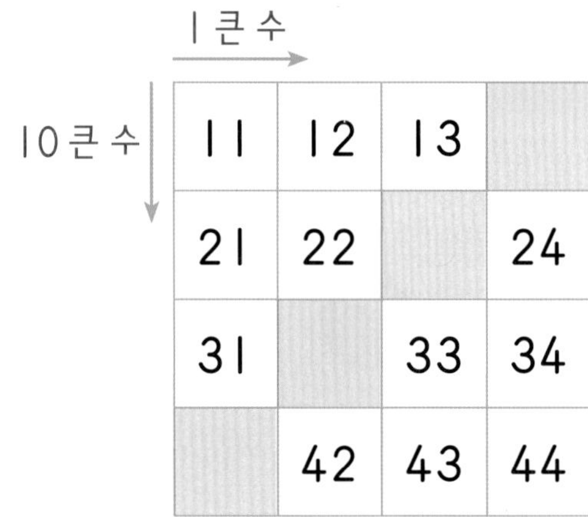

(→ 1 큰 수, ↓ 10 큰 수)

11	12	13	
21	22		24
31		33	34
	42	43	44

(→ 1 큰 수, ↓ 10 큰 수)

17		19	20
27	28		30
	38	39	40
47	48	49	

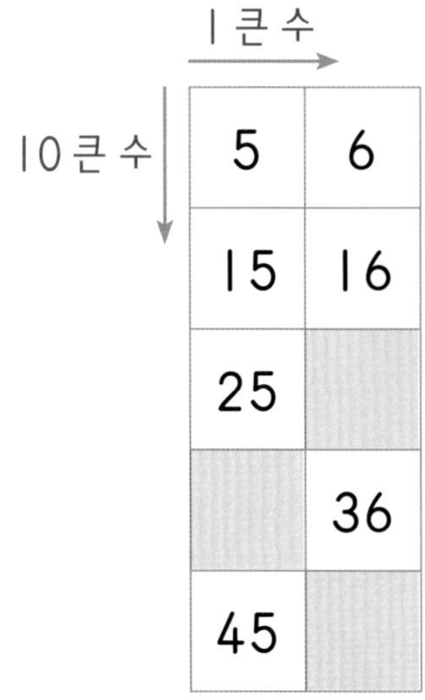

(→ 1 큰 수, ↓ 10 큰 수)

5	6
15	16
25	
	36
45	

(→ 1 큰 수, ↓ 10 큰 수)

23	24		26	27
	34	35	36	

(→ 1 큰 수)

25	26		28	29	

(↓ 10 큰 수)

8
28
38

응용 2 수 배열표를 보고 안에 알맞은 수를 써넣으세요.

1	2	3	4	5	6	7	8	9	10
11	12	13	14	15	16	17	18	19	20
21	[illegible]	[illegible]	[illegible]	[illegible]	[illegible]	[illegible]	[illegible]	[illegible]	30
31	32	33	34	35	36	37	38	39	40
41	42	43	44	45	46	47	48	49	50

2	3	
22		24

17		19
		29
	38	

	24		26	
33		35		37
	44			

	29	
38		

		14
32		34

6		
16	17	
		28
36	37	

		13	
			24
31	32		34
		43	

		9	
		19	20
	28		
37		39	

응용 3 주어진 수 중에서 조건에 맞는 수를 ○ 안에 써넣으세요.

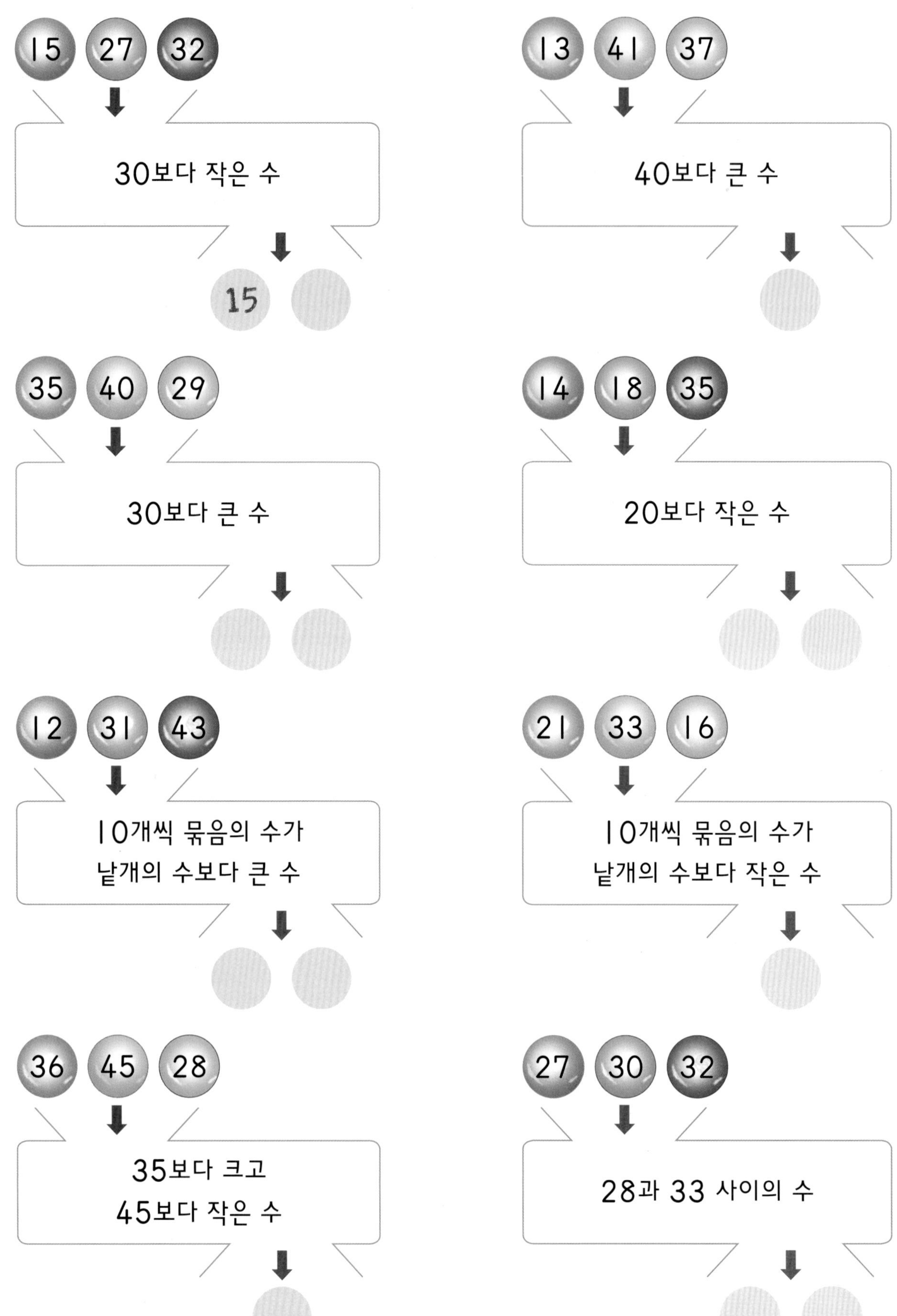

응용 4 주어진 수 카드를 사용하여 조건에 맞는 두 자리 수를 만들어 보세요.

1	2	4	➡	〈만들 수 있는 두 자리 수〉 12, 14, 21, 24, 41, 42	➡	조건: 가장 큰 수입니다. → 42

1 2 3

<만들 수 있는 두 자리 수>
→ 12, 13, 21, 23, 31, 32

조건: 가장 큰 수입니다.

➡ □□

2 3 4

조건: 가장 작은 수입니다.

➡ □□

1 2 4

조건: 40보다 큰 수입니다.

➡ □□, □□

1 3 4

조건: 30보다 작은 수입니다.

➡ □□, □□

2 0 3

조건: 가장 큰 수입니다.

➡ □□

3 0 4

조건: 가장 작은 수입니다.

➡ □□

정답 46쪽

01 10 가르기를 해 보세요.

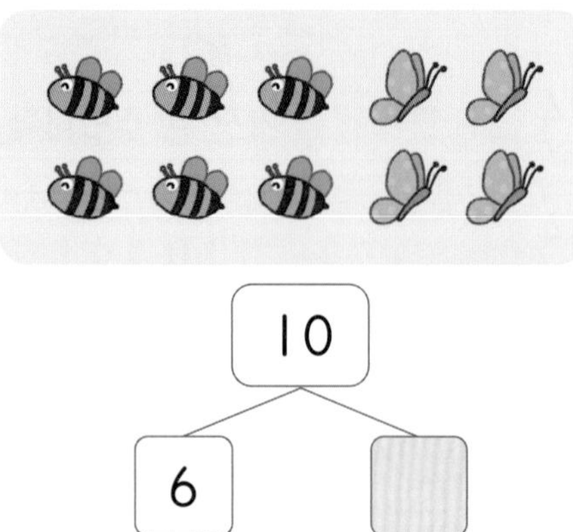

10

6 ☐

02 10 모으기를 해 보세요.

(1)

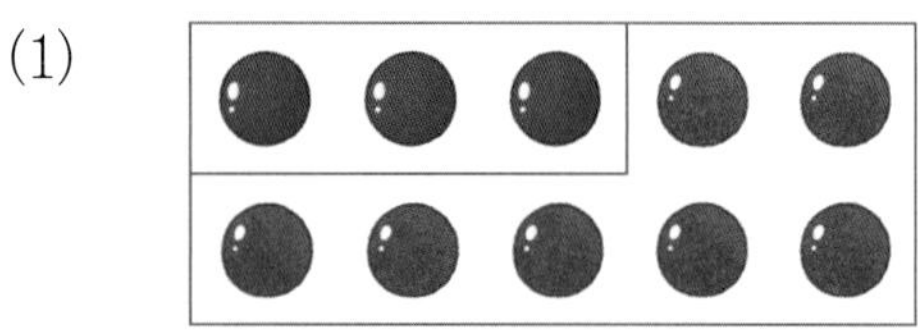

➡ 3과 ☐ 을 모으면 10이 됩니다.

(2)

➡ 6과 ☐ 를 모으면 10이 됩니다.

03 ☐ 안에 알맞은 수를 써넣으세요.

(1) 5보다 5 큰 수는 ☐ 입니다.

(2) 10은 3보다 ☐ 큽니다.

04 개수를 세어 ☐ 안에 알맞은 수를 써넣으세요.

(1)

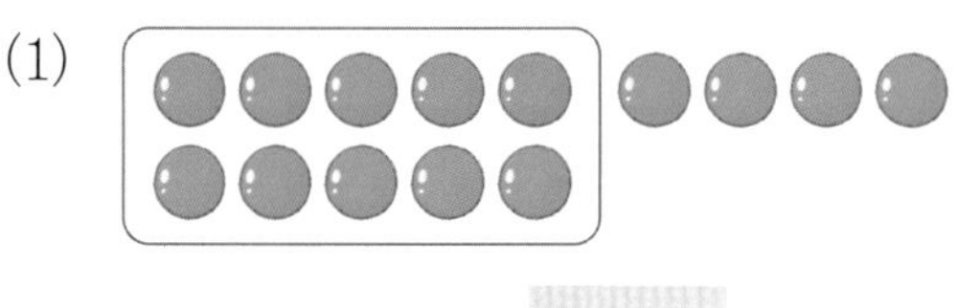

☐

(2)

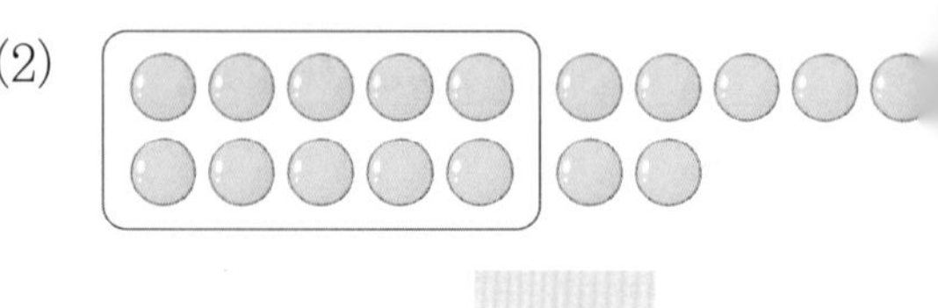

☐

05 10개씩 묶어 보고 ☐ 안에 알맞은 수를 써넣으세요.

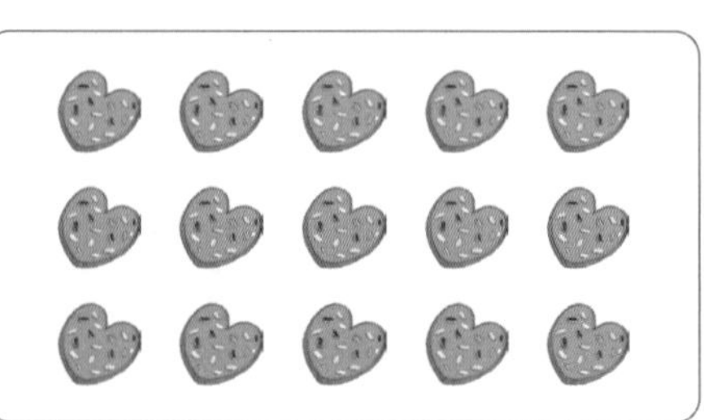

☐

06 다음 중 나타내는 수가 다른 하나를 찾아 ○표 하세요.

07 모으기를 해 보세요.

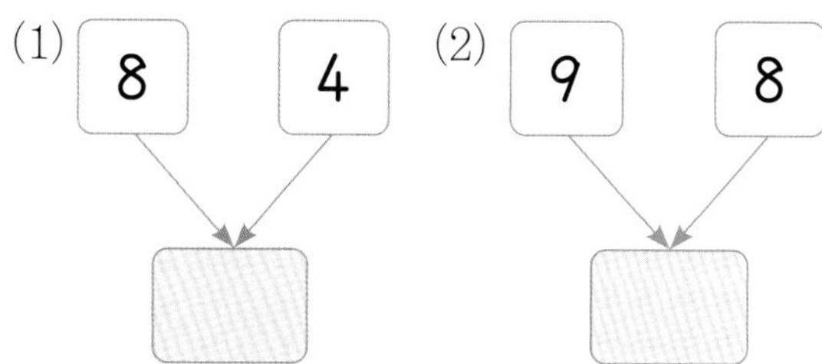

08 가르기를 해 보세요.

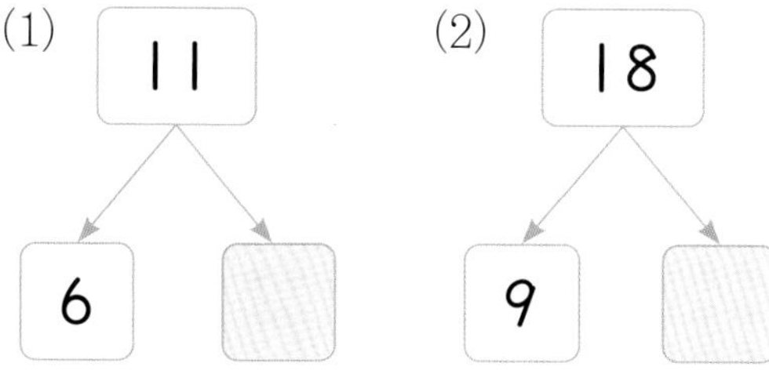

09 같은 수끼리 이어 보세요.

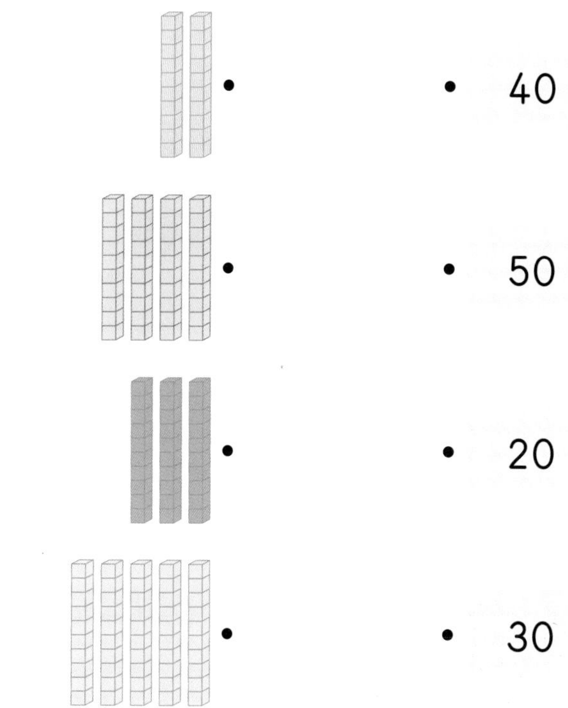

10 수를 두 가지 방법으로 읽어 보세요.

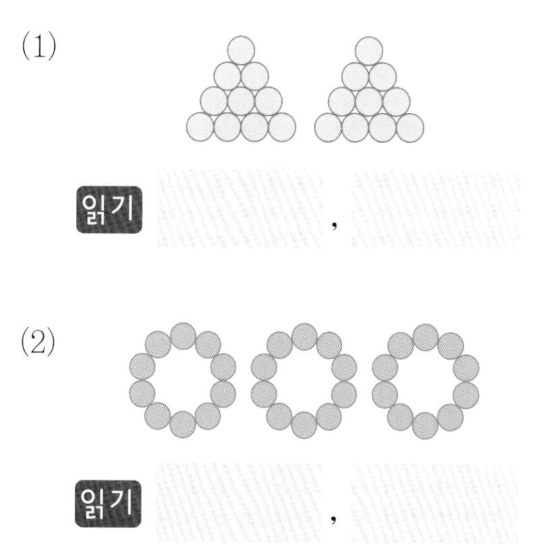

11 동전을 세어 ▨ 안에 알맞은 수를 써넣으세요.

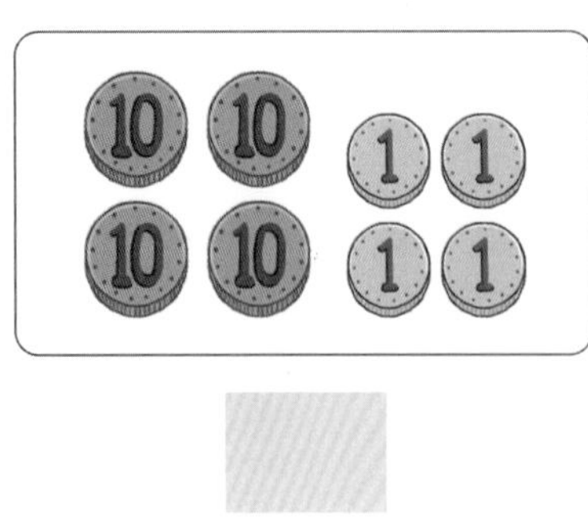

12 그림을 보고 수로 나타내고 읽어 보세요.

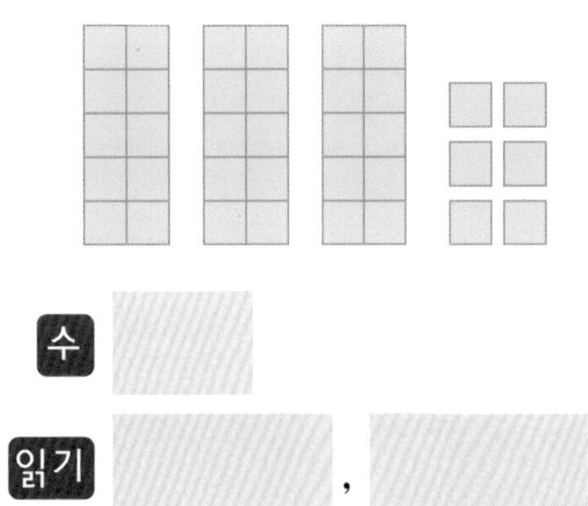

수

읽기 ,

13 빈칸에 알맞은 수를 써넣으세요.

수	10개씩 묶음	낱개
47	4	
	3	1

14 빈 곳에 알맞은 수를 써넣으세요.

(1) 삼십팔 ➡

(2) 마흔둘 ➡

15 순서를 생각하며 규칙을 찾아 빈칸에 알맞은 수를 써넣으세요.

(1)

23	24	
28		26
	30	31

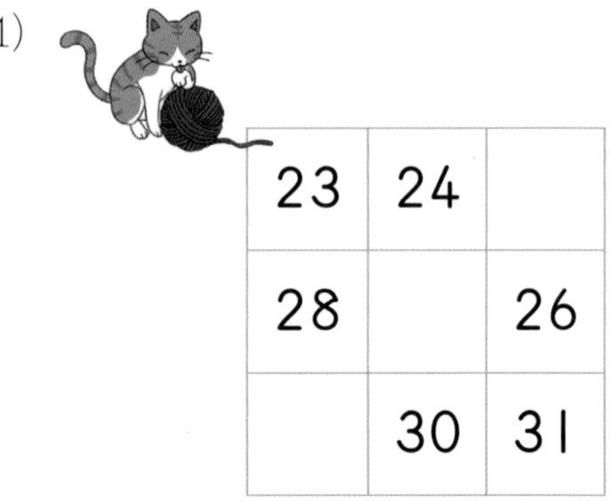

(2)

	34	
36	39	32
37		31

16 수를 순서대로 선으로 이어 보세요.

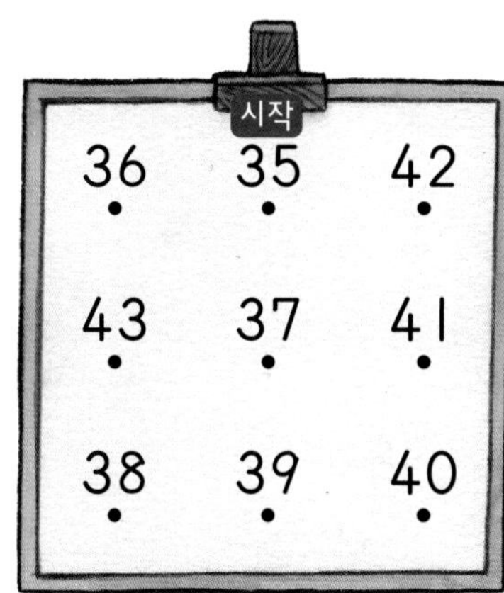

17 두 수의 크기를 비교해 보세요.

(1)

➡ ◯ 가(이) ◯ 보다 더 큽니다.

(2) 35 41

➡ ◯ 가(이) ◯ 보다 더 작습니다.

18 주어진 표에서 빠진 수를 찾아 써 보세요.

36부터 45까지의 수

41	44	36
37	39	38
45	43	40

빠진 수: ◯

19 연습장의 찢어진 쪽수를 모두 써 보세요.

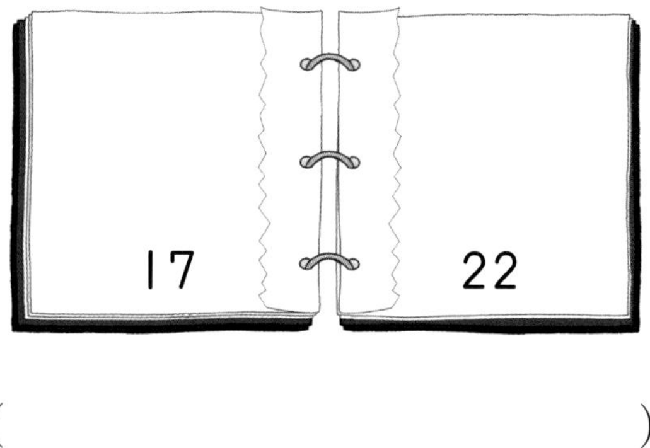

(　　　　　　　　)

20 다음 중 나타내는 수가 <u>다른</u> 하나를 찾아 기호를 써 보세요.

㉠ 스물넷
㉡ 23보다 1 큰 수
㉢ 10개씩 묶음 2개와 낱개 3개인 수

(　　　　)

정답 47쪽

분 점수 점

1 그림을 보고 ▢ 안에 알맞은 수를 써 넣으세요.

9보다 1 큰 수는 ▢ 입니다.

2 10개씩 묶고 수로 나타내어 보세요.

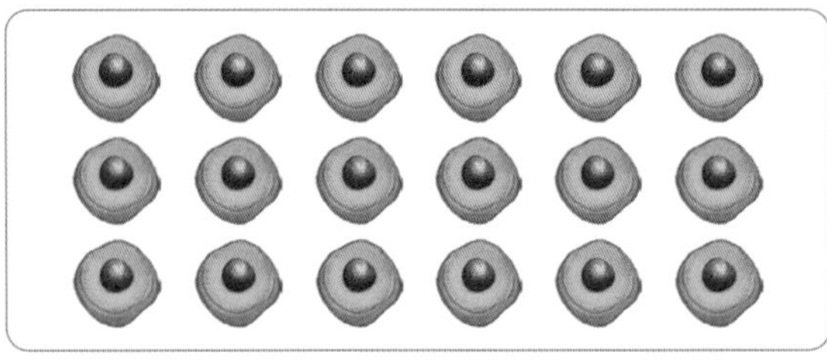

▢

3 주어진 수를 2가지 방법으로 읽어 보세요.

49

(,)

4 모으기를 하여 빈칸에 알맞은 수를 써 넣으세요.

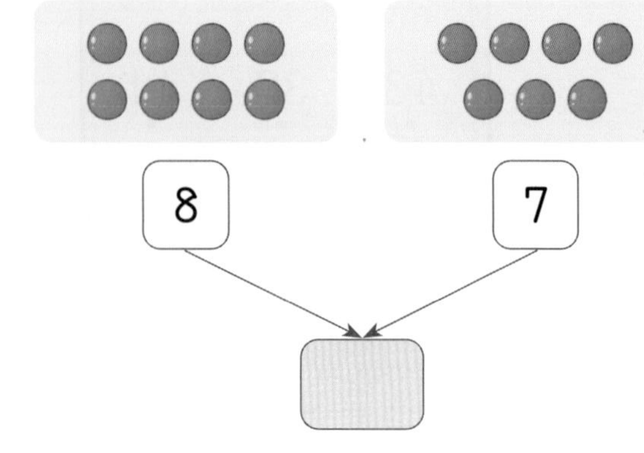

5 같은 수끼리 이어 보세요.

서른	쉰	스물	마흔
20	30	40	50
오십	이십	삼십	사십

6 가르기를 하여 빈칸에 알맞은 수를 써넣으세요.

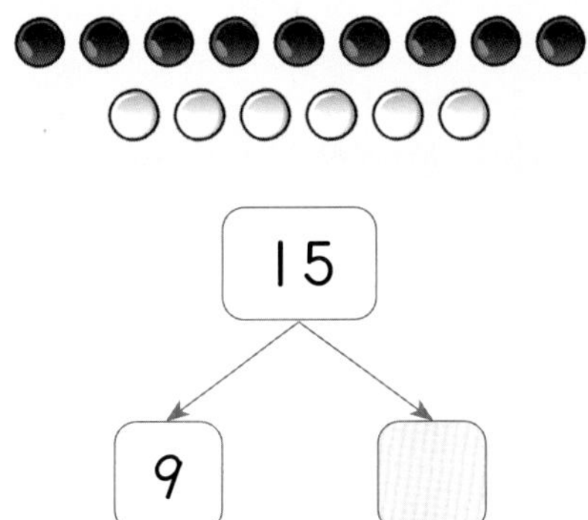

7 그림을 보고 ☐ 안에 알맞은 수를 써넣으세요.

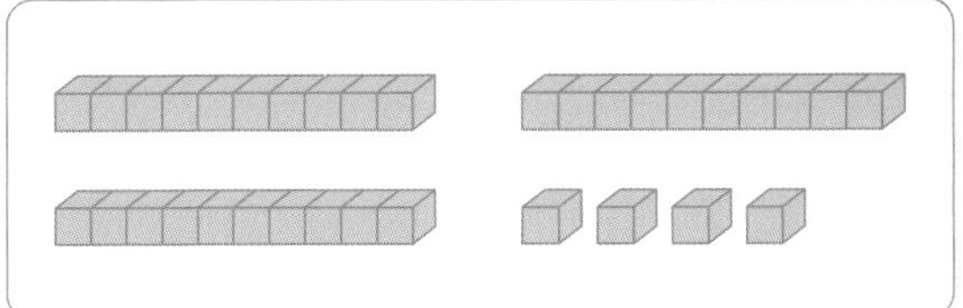

10개씩 묶음 ☐ 개와 낱개 ☐ 개는 ☐ 입니다.

8 빈칸에 알맞게 써넣으세요.

수	읽기	
15	십오	
	삼십팔	
		마흔셋

9 순서를 생각하며 빈 곳에 알맞은 수를 써넣으세요.

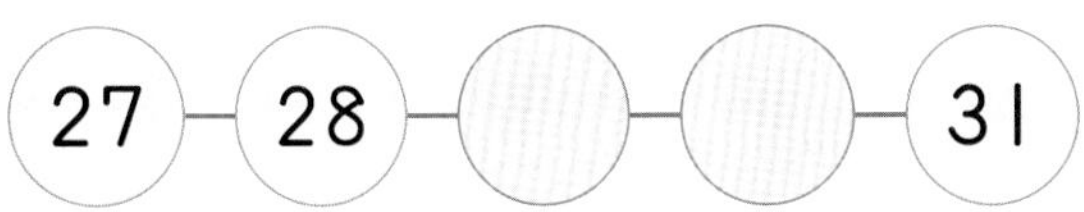

10 그림을 보고 ☐ 안에 알맞은 수를 써넣으세요.

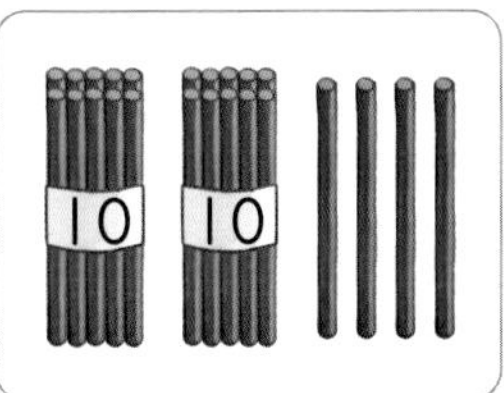

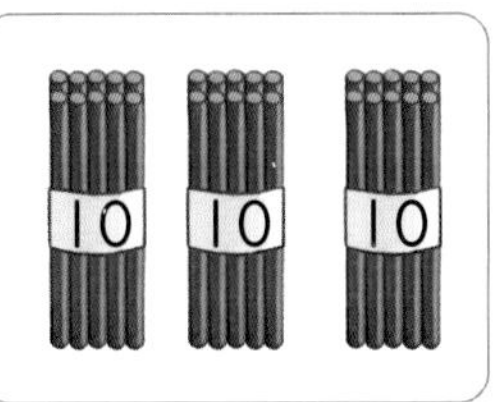

☐ 는 ☐ 보다 더 작습니다.

11 10이 되도록 ○를 그리고 ▢ 안에 알맞은 수를 써넣으세요.

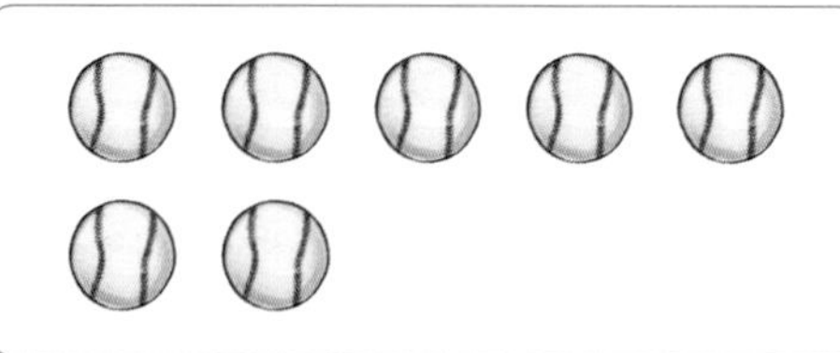

7과 ▢을 모으면 10이 됩니다.

12 서로 다른 방법으로 12칸을 2가지 색으로 색칠하고 가르기를 해 보세요.

방법1

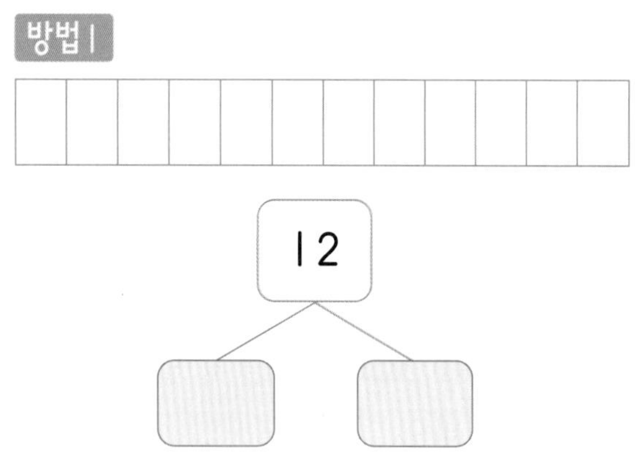

방법2

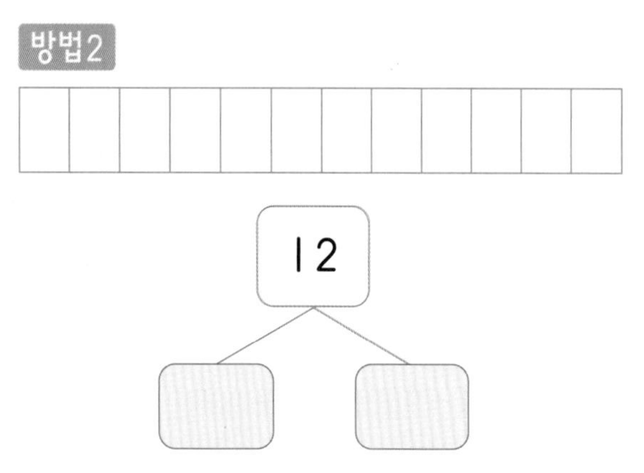

13 ▢ 안에 알맞은 수를 써넣으세요.

- 50은 10개씩 묶음이 ▢개 입니다.
- ▢은 10개씩 묶음이 3개 입니다.

14 주어진 표에서 빠진 수를 찾아 써 보세요.

32부터 48까지의 수

32	38	42	34
40	35	48	46
44	47	45	37
36	39	33	41

빠진 수: ▢

15 가장 큰 수에 ○표, 가장 작은 수에 △표 하세요.

41　　39　　42

16 수 배열의 규칙을 찾아 알맞은 수를 써넣으세요.

1	16	15	14	
2		24		12
3	18		22	11
4		20		10
	6	7	8	

17 26보다 큰 수를 모두 찾아 써 보세요.

18　　27　　40　　23　　31

(　　　　　　　　　　　　)

18 주어진 수 중에서 조건에 맞는 수를 안에 써넣으세요.

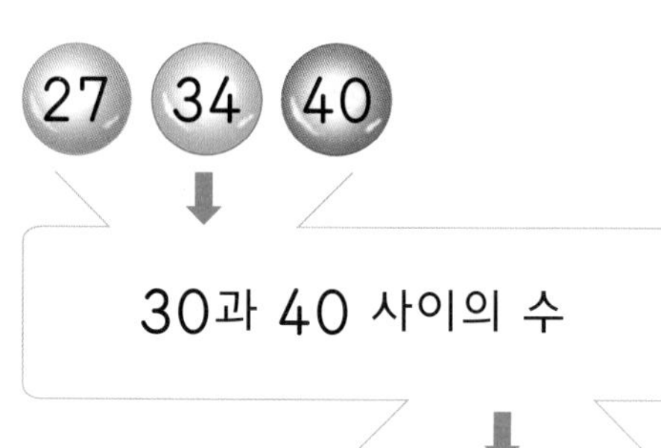

19 빈칸에 알맞은 수를 써넣으세요.

1	2	3	5	6	7	8	9	10
11	12		5	16				
21	22	2	5	26		28	29	30
31	32	3		36		38		40
41	42	4		46	47			50

20 주어진 수 카드를 사용하여 조건에 맞는 두 자리 수를 만들어 보세요.

2　3　4

조건

40보다 큰 수입니다.

➡ □□, □□

memo

논리적 사고력과 창의적 문제해결력을 키워 주는

매스티안 교재 활용법!

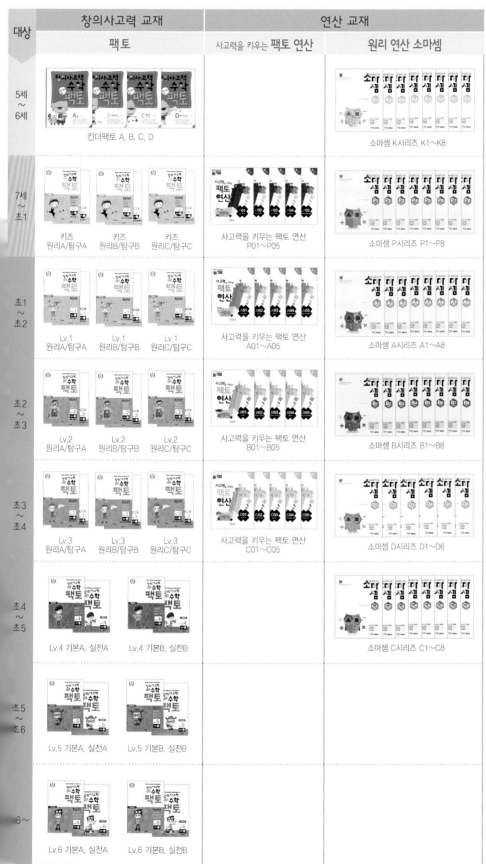

대상	창의사고력 교재	연산 교재	
	팩토	사고력을 키우는 팩토 연산	원리 연산 소마셈
5세~6세	 킨더팩토 A, B, C, D		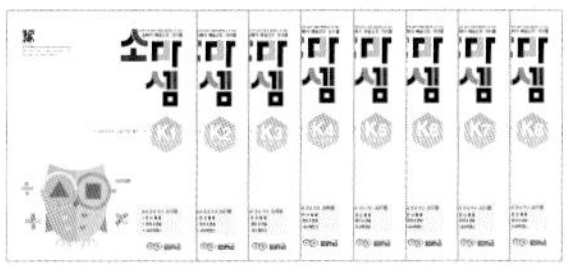 소마셈 K시리즈 K1~K8
7세~초1	 키즈 원리A/탐구A 키즈 원리B/탐구B 키즈 원리C/탐구C	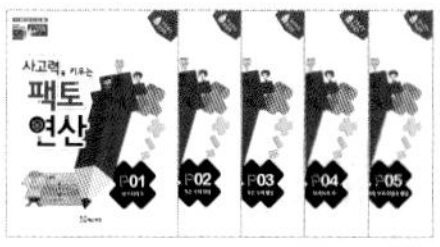 사고력을 키우는 팩토 연산 P01~P05	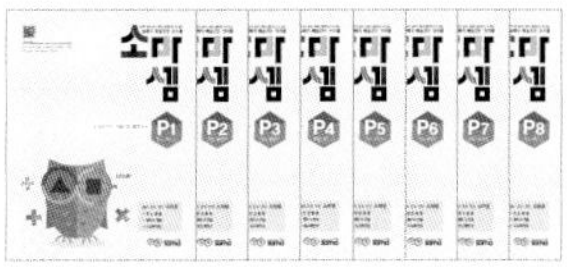 소마셈 P시리즈 P1~P8
초1~초2	 Lv.1 원리A/탐구A Lv.1 원리B/탐구B Lv.1 원리C/탐구C	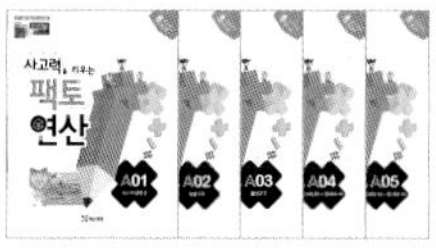 사고력을 키우는 팩토 연산 A01~A05	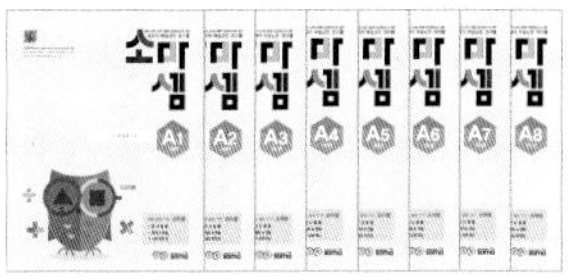 소마셈 A시리즈 A1~A8
초2~초3	 Lv.2 원리A/탐구A Lv.2 원리B/탐구B Lv.2 원리C/탐구C	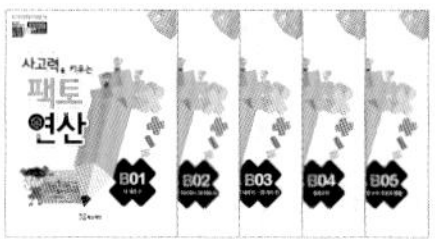 사고력을 키우는 팩토 연산 B01~B05	 소마셈 B시리즈 B1~B8
초3~초4	 Lv.3 원리A/탐구A Lv.3 원리B/탐구B Lv.3 원리C/탐구C	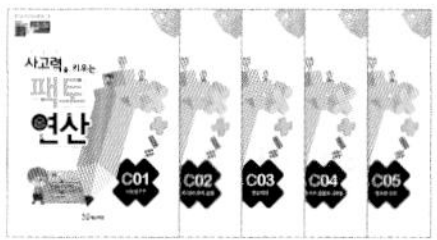 사고력을 키우는 팩토 연산 C01~C05	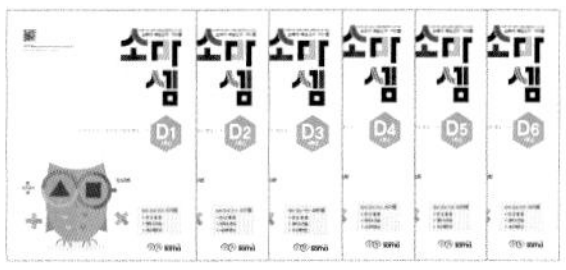 소마셈 D시리즈 D1~D6
초4~초5	 Lv.4 기본A, 실전A Lv.4 기본B, 실전B		 소마셈 C시리즈 C1~C8
초5~초6	 Lv.5 기본A, 실전A Lv.5 기본B, 실전B		
초6~	 Lv.6 기본A, 실전A Lv.6 기본B, 실전B		

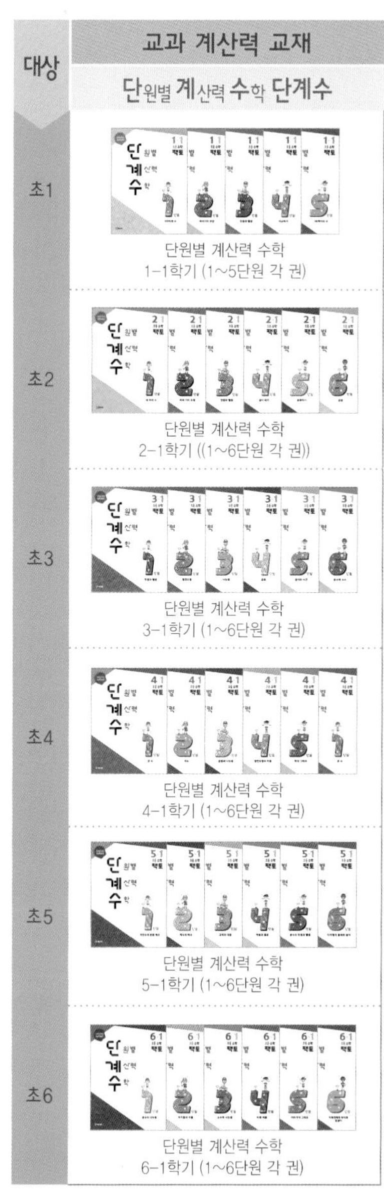

대상	교과 계산력 교재
	단원별 계산력 수학 단계수
초1	단원별 계산력 수학 1-1학기 (1~5단원 각 권)
초2	단원별 계산력 수학 2-1학기 ((1~6단원 각 권))
초3	단원별 계산력 수학 3-1학기 (1~6단원 각 권)
초4	단원별 계산력 수학 4-1학기 (1~6단원 각 권)
초5	단원별 계산력 수학 5-1학기 (1~6단원 각 권)
초6	단원별 계산력 수학 6-1학기 (1~6단원 각 권)

대상	교과 수학 교재	
	1학기	2학기
초1	팩토 수학교과서/익힘책 1-1	팩토 수학교과서/익힘책 1-2
초2	팩토 수학교과서/익힘책 2-1	팩토 수학교과서/익힘책 2-2

단계수 학습 순서

매일 학습

단원별로 꼭 알아야 할 개념만 쏙쏙 학습하고 다양한 연산 문제를 통해 연산 과정을 숙달하여 계산력을 쑥쑥 키울 수 있습니다.

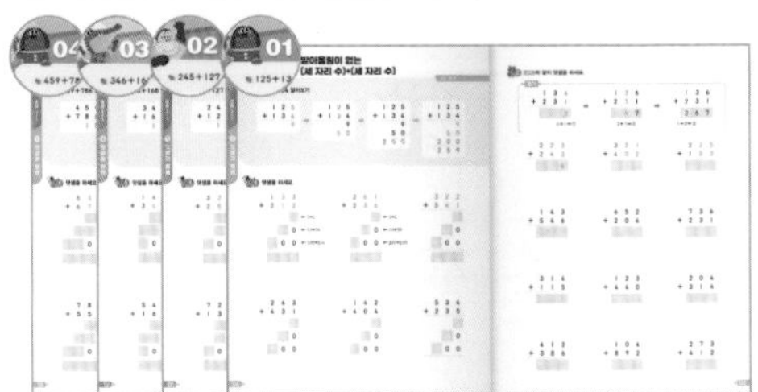

도전! 응용문제

응용 문제와 **서술형** 문제를 통해 사고력과 문제해결력을 기를 수 있습니다.

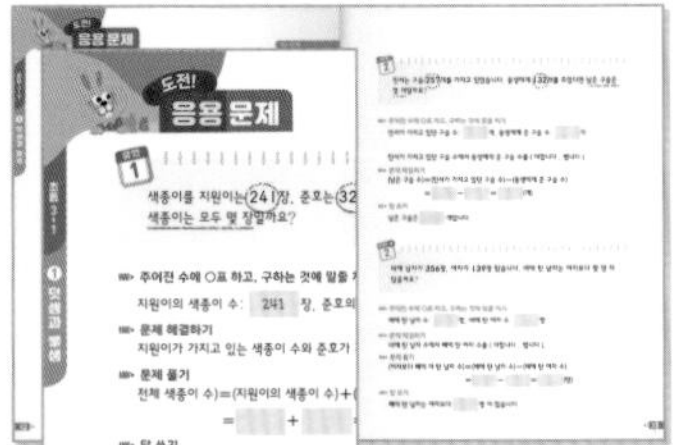

형성 평가

단원의 **복습 단계**로 문제를 풀면서 학습한 내용을 다시 한 번 확인할 수 있습니다.

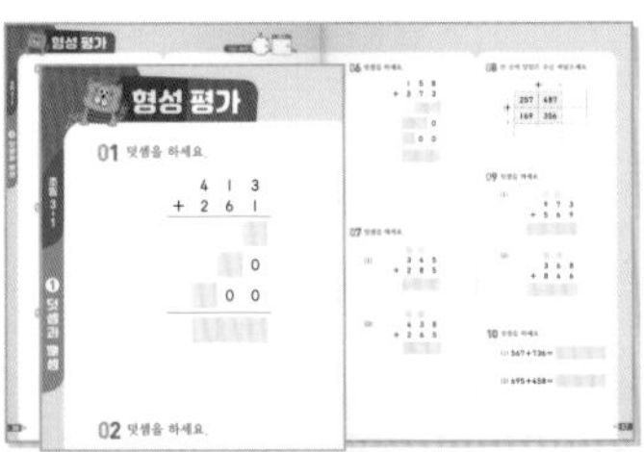

단원 평가

단원의 **마무리 학습**으로 학교 시험에 자주 나오는 문제를 통해 수시 평가 등 학교 시험에 대비할 수 있습니다.

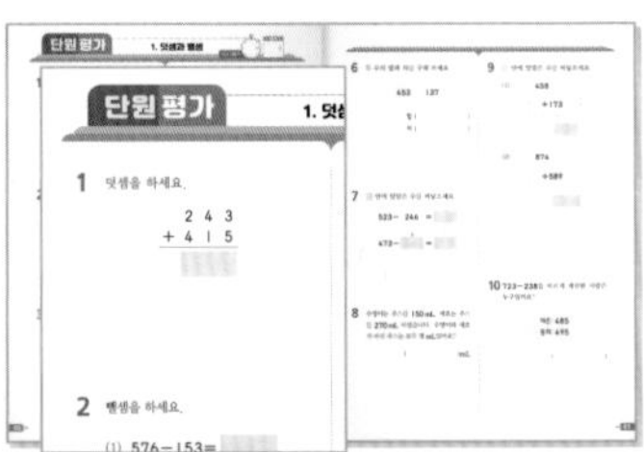

매스티안 http://www.mathtian.com

자율안전확인신고필증번호 : B361H200-4001

1. 주소 : 06153 서울특별시 강남구 봉은사로 442 (삼성동)
2. 문의전화 : 1588-6066
3. 제조국 : 대한민국
4. 사용연령 : 8세 이상

※ KC마크는 이 제품이 공통안전기준에 적합하였음을 의미합니다.

초등학교	반
이름	

FACTO school

단계수학
단원별 계산력 수학

매스티안

팩토는 자유롭게 자신감있게 창의적으로 생각하는 주니어수학자입니다.

단원별 계산력 수학

펴낸 곳 (주)타임교육C&P 펴낸이 이길호 지은이 매스티안R&D센터
주소 06153 서울특별시 강남구 봉은사로 442(삼성동) 문의전화 1588.6066
팩토카페 http://cafe.naver.com/factos 홈페이지 http://www.mathtian.com

※ 정답과 풀이는 온라인 팩토카페(http://cafe.naver.com/factos)를 통해서도 확인할 수 있습니다.

JW2

생각이 자유로운 사람들! 매스티안R&D센터

매스티안R&D센터의 논리적 사고력과 창의적 문제해결력을 키우는 수학 콘텐츠는 국내외 수많은 교육 현장에서 그 우수성을 높이 평가받고 있습니다.
매스티안R&D센터는 여기에 안주하지 않고 앞으로도 학생, 교사, 학부모 모두가 행복한 수학 시간을 만들 수 있도록 노력하겠습니다.

매스티안 공식 홈페이지 … (http://www.mathtian.com)

· 매스티안의 다양한 출간 교재 소개
· 출간 교재와 관련된 학습 자료(보충 학습지, 활동지 등) 제공
· 출간 교재와 관련된 평가 시험 및 분석 제공

매스티안 공식 카페 … 팩토 (http://cafe.naver.com/factos)

· 창의사고력 수학 팩토 무료 동영상 강의 제공
· 출간 교재에 관한 질문 및 답변
· 영재교육원 대비 자료(기출 문제, 예상 문제) 제공
· 초등 수학 비법 및 Q&A

FACTO school

1-1

초등 수학 팩토

단원별 계산력 수학

매스티안

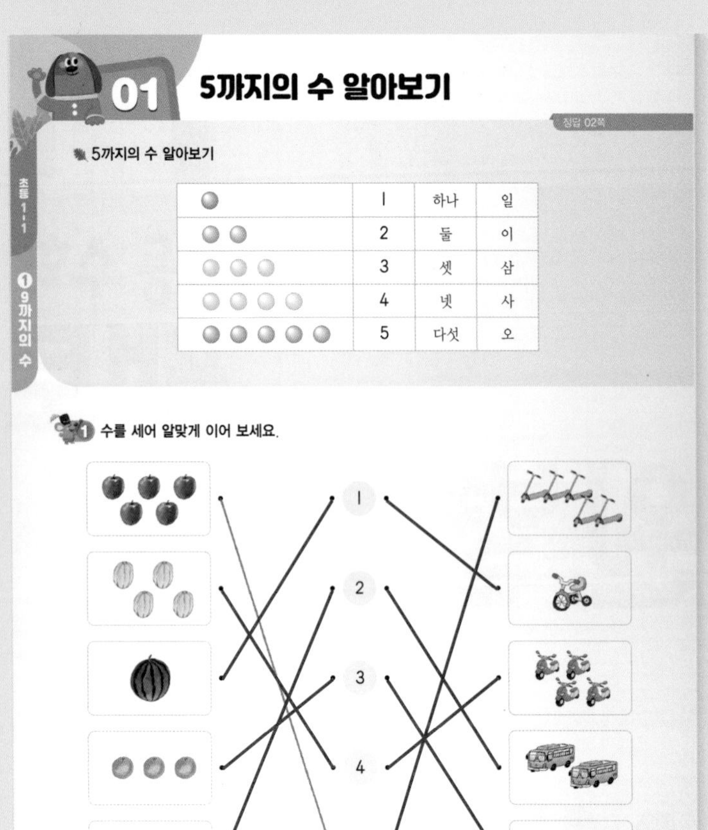
01 5까지의 수 알아보기
정답 02쪽
5까지의 수 알아보기
1 하나 일
2 둘 이
3 셋 삼
4 넷 사
5 다섯 오
1 수를 세어 알맞게 이어 보세요.
04

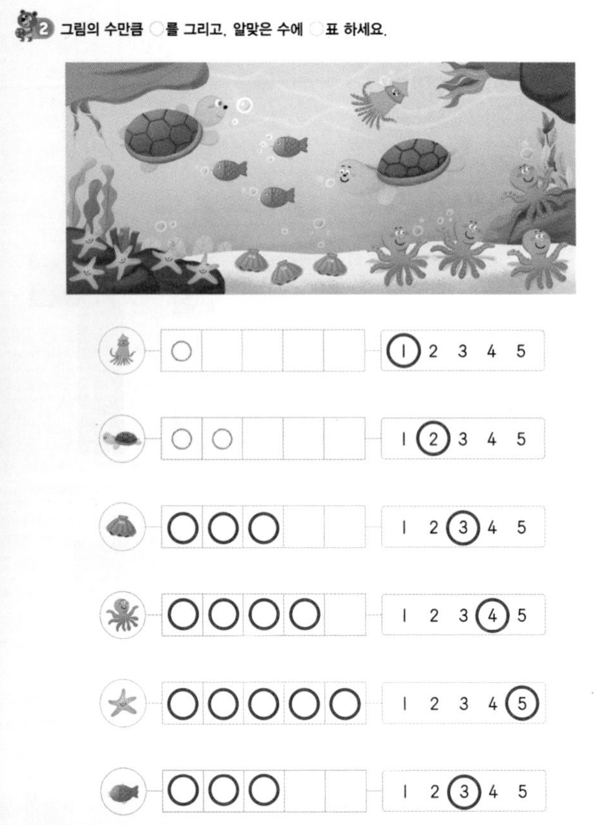
2 그림의 수만큼 ○를 그리고, 알맞은 수에 ○표 하세요.

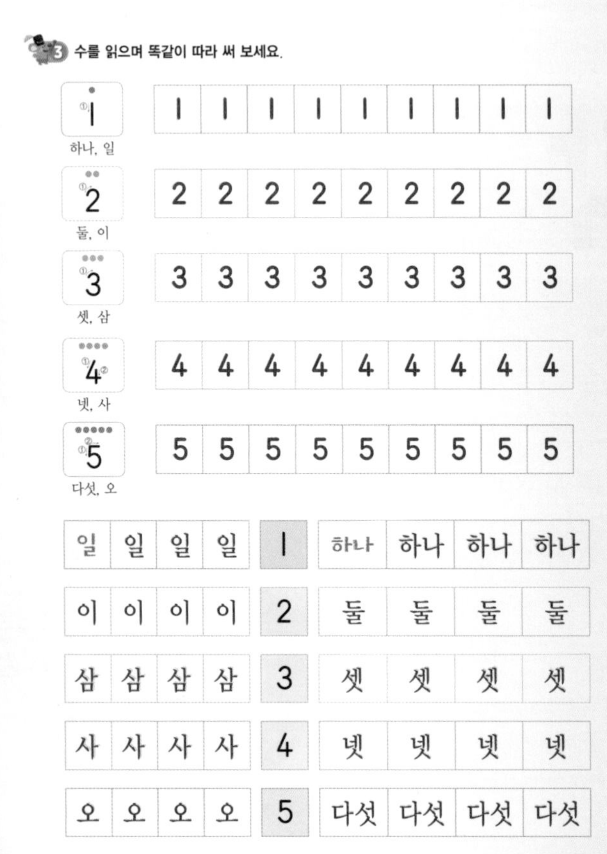
3 수를 읽으며 똑같이 따라 써 보세요.
하나, 일
둘, 이
셋, 삼
넷, 사
다섯, 오
06

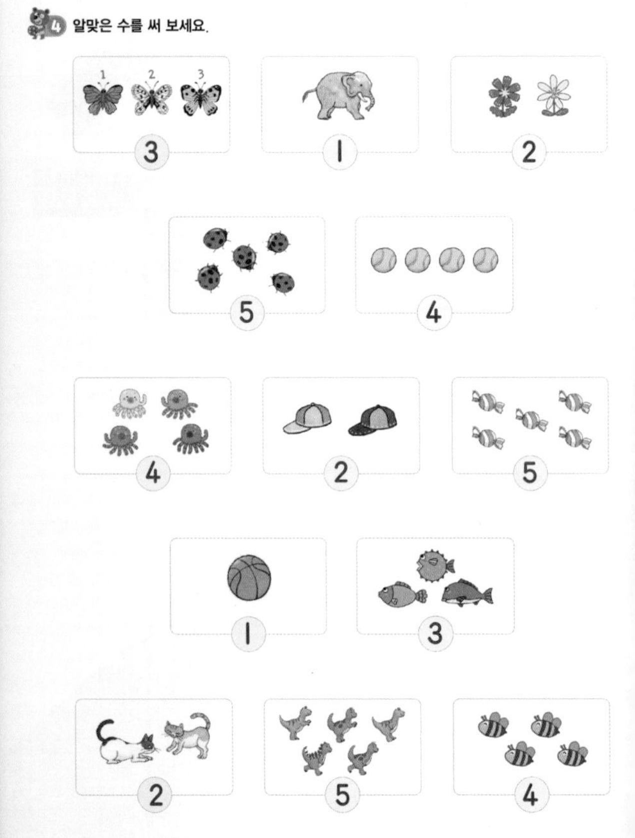
4 알맞은 수를 써 보세요.

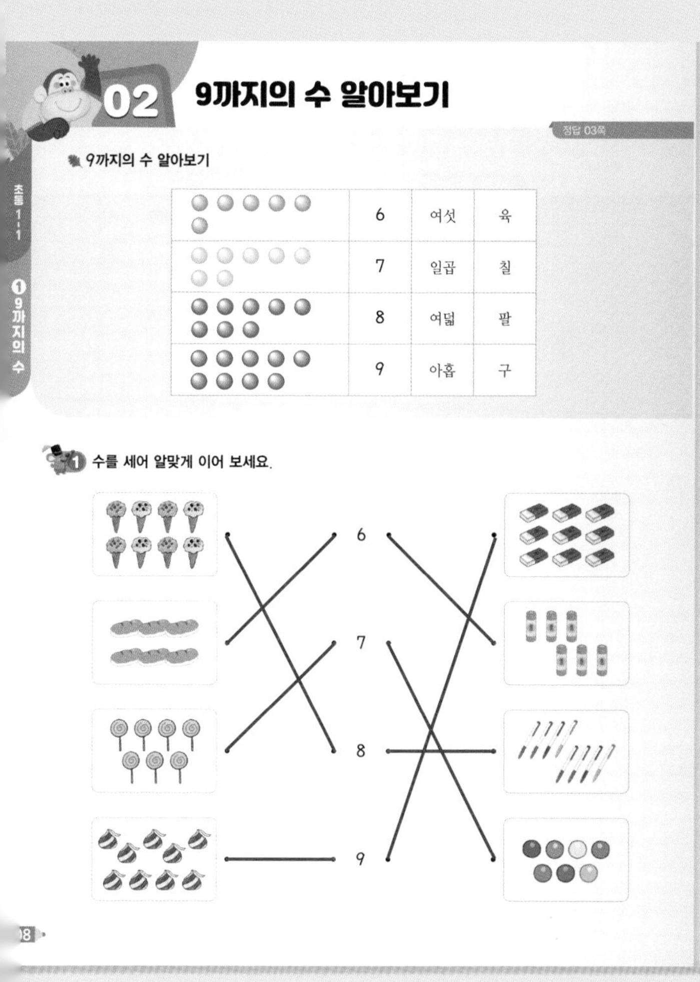
02 9까지의 수 알아보기
정답 03쪽
9까지의 수 알아보기
6 여섯 육
7 일곱 칠
8 여덟 팔
9 아홉 구
1 수를 세어 알맞게 이어 보세요.
6
7
8
9

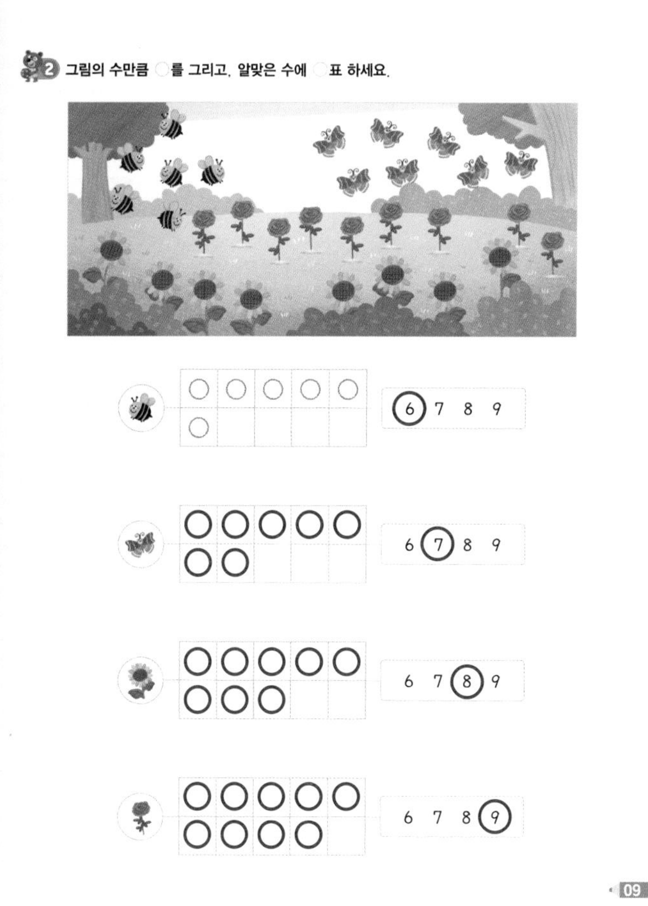
2 그림의 수만큼 ○를 그리고, 알맞은 수에 ○표 하세요.
6 7 8 9

3 수를 읽으며 똑같이 따라 써 보세요.
6 여섯, 육
7 일곱, 칠
8 여덟, 팔
9 아홉, 구
육 6 여섯
칠 7 일곱
팔 8 여덟
구 9 아홉

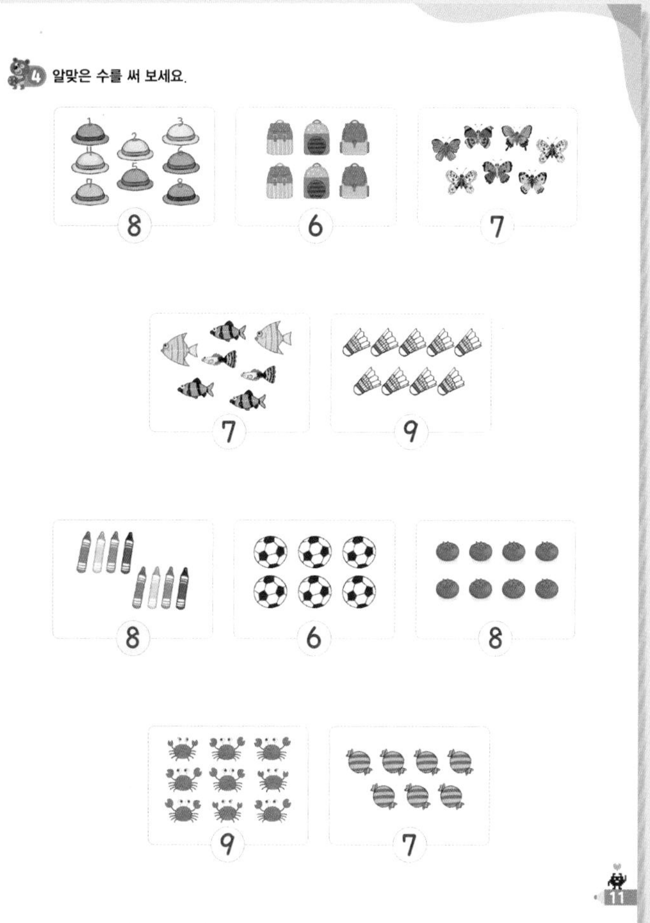
4 알맞은 수를 써 보세요.
8 6 7
7 9
8 6 8
9 7

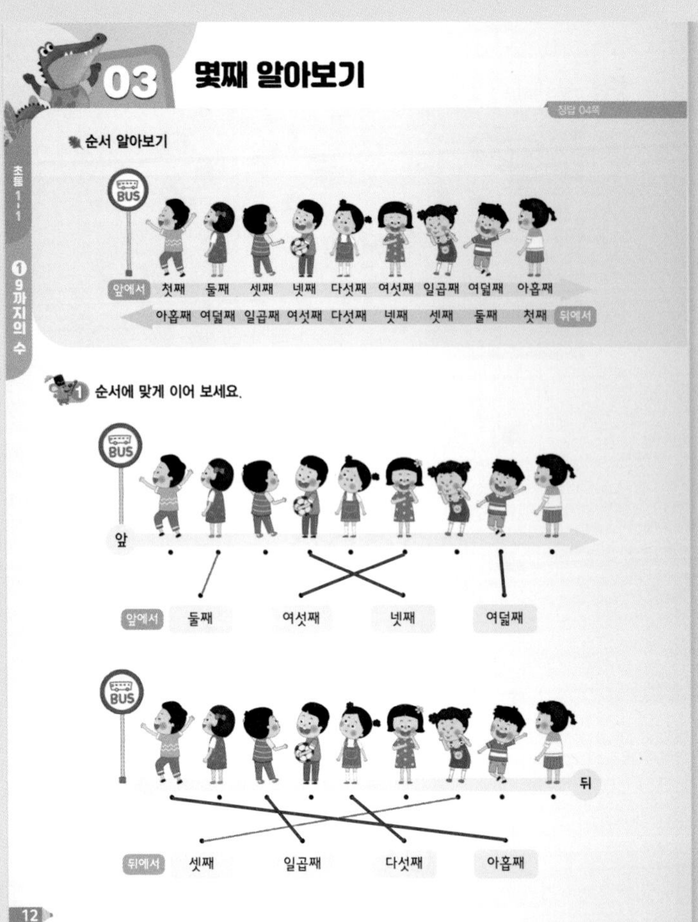
03 몇째 알아보기
정답 04쪽
순서 알아보기
앞에서 첫째 둘째 셋째 넷째 다섯째 여섯째 일곱째 여덟째 아홉째
아홉째 여덟째 일곱째 여섯째 다섯째 넷째 셋째 둘째 첫째 뒤에서
1 순서에 맞게 이어 보세요.
앞에서 둘째 여섯째 넷째 여덟째
뒤에서 셋째 일곱째 다섯째 아홉째
12

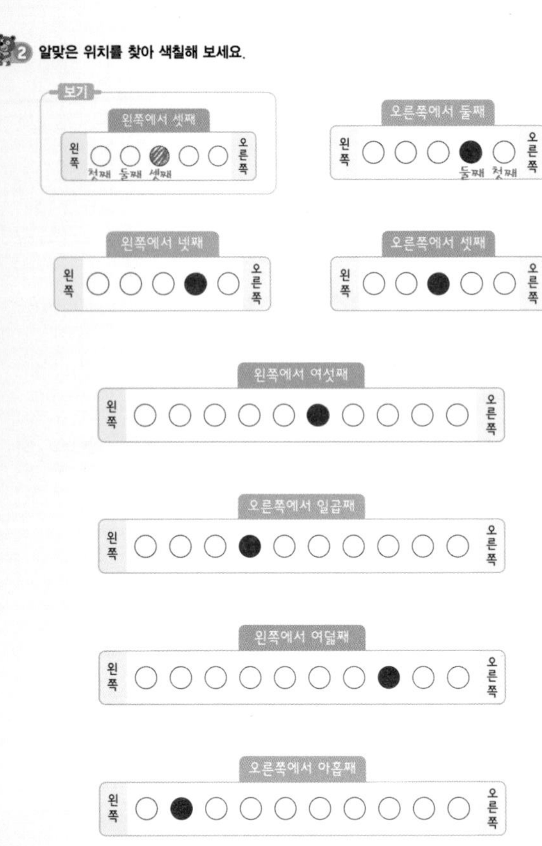
2 알맞은 위치를 찾아 색칠해 보세요.
보기
왼쪽에서 셋째
오른쪽에서 둘째
왼쪽에서 넷째
오른쪽에서 셋째
왼쪽에서 여섯째
오른쪽에서 일곱째
왼쪽에서 여덟째
오른쪽에서 아홉째

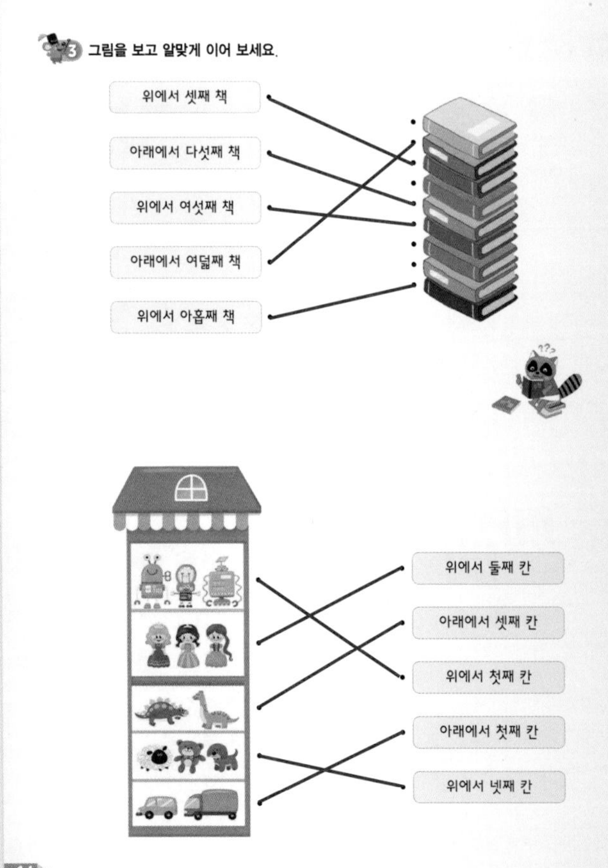
3 그림을 보고 알맞게 이어 보세요.
위에서 셋째 책
아래에서 다섯째 책
위에서 여섯째 책
아래에서 여덟째 책
위에서 아홉째 책
위에서 둘째 칸
아래에서 셋째 칸
위에서 첫째 칸
아래에서 첫째 칸
위에서 넷째 칸
14

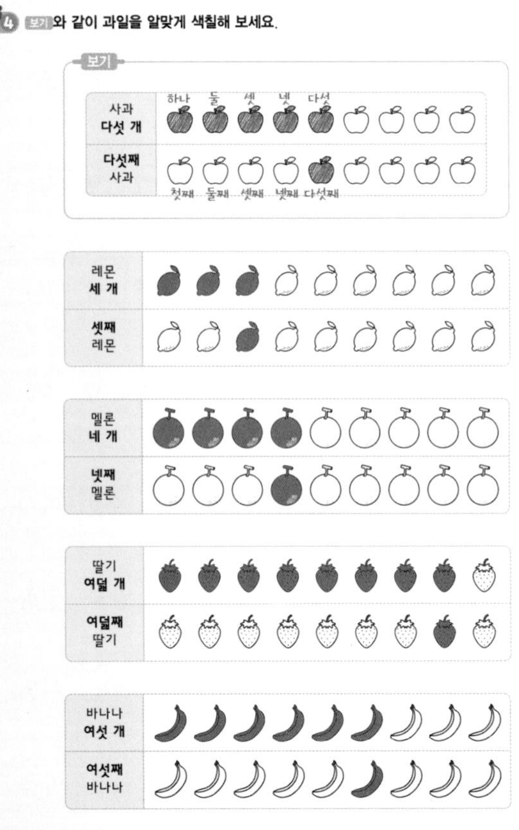
4 보기와 같이 과일을 알맞게 색칠해 보세요.
보기
사과 다섯 개
다섯째 사과
레몬 세 개
셋째 레몬
멜론 네 개
넷째 멜론
딸기 여덟 개
여덟째 딸기
바나나 여섯 개
여섯째 바나나

04 수의 순서 알아보기

정답 05쪽

수의 순서 알아보기

1 순서에 알맞게 수를 써 보세요.

1 - 2 - 3 - 4 - 5 - 6 - 7 - 8 - 9

1 - 2 - 3 - 4 - 5 - 6 - 7 - 8 - 9

1 - 2 - 3 - 4 - 5 - 6 - 7 - 8 - 9

1 - 2 - 3 - 4 - 5 - 6 - 7 - 8 - 9

1 - 2 - 3 - 4 - 5 - 6 - 7 - 8 - 9

1 - 2 - 3 - 4 - 5 - 6 - 7 - 8 - 9

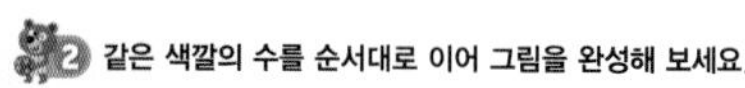

2 같은 색깔의 수를 순서대로 이어 그림을 완성해 보세요.

3 순서에 알맞게 수를 써 보세요.

보기: 2 3 4 5

6 7 8 9	1 2 3 4
3 4 5 6	4 5 6 7
5 6 7 8	6 7 8 9
4 5 6 7	2 3 4 5
9 8 7 6	3 4 5 6
7 6 5 4	8 7 6 5
5 4 3 2	6 5 4 3
9 8 7 6	4 3 2 1
	8 7 6 5

4 1부터 9까지의 수를 순서대로 연결해 보세요.

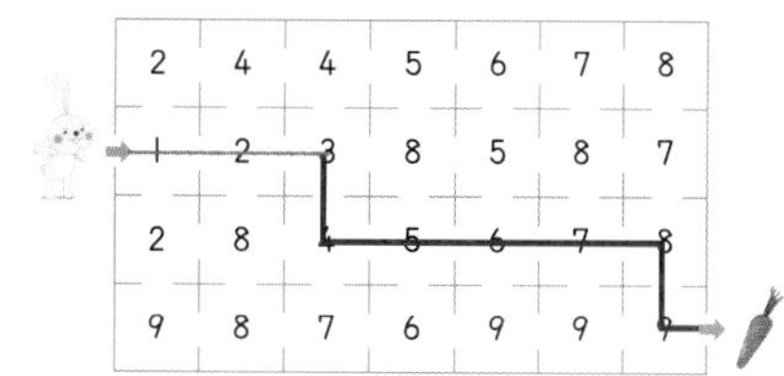

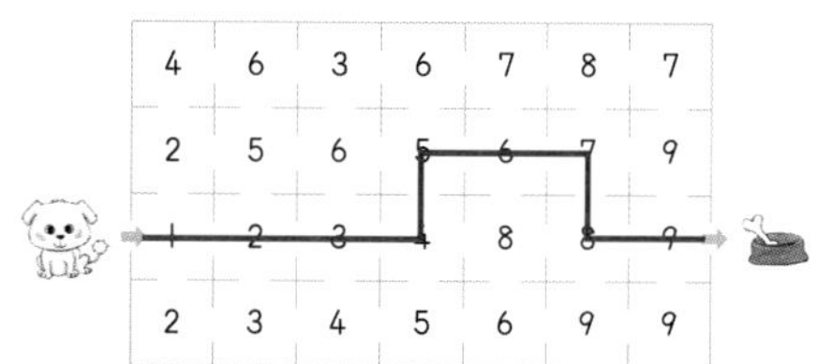

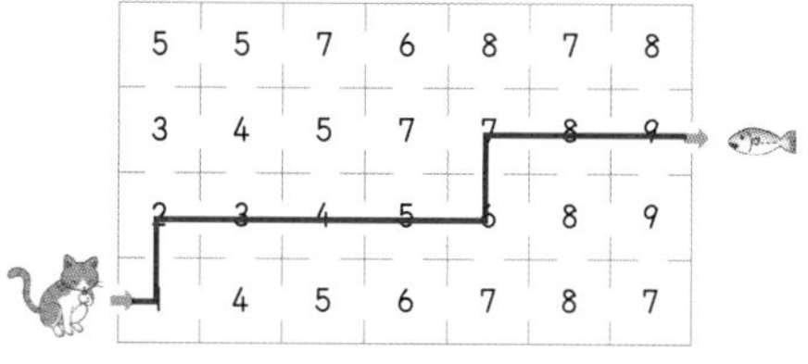

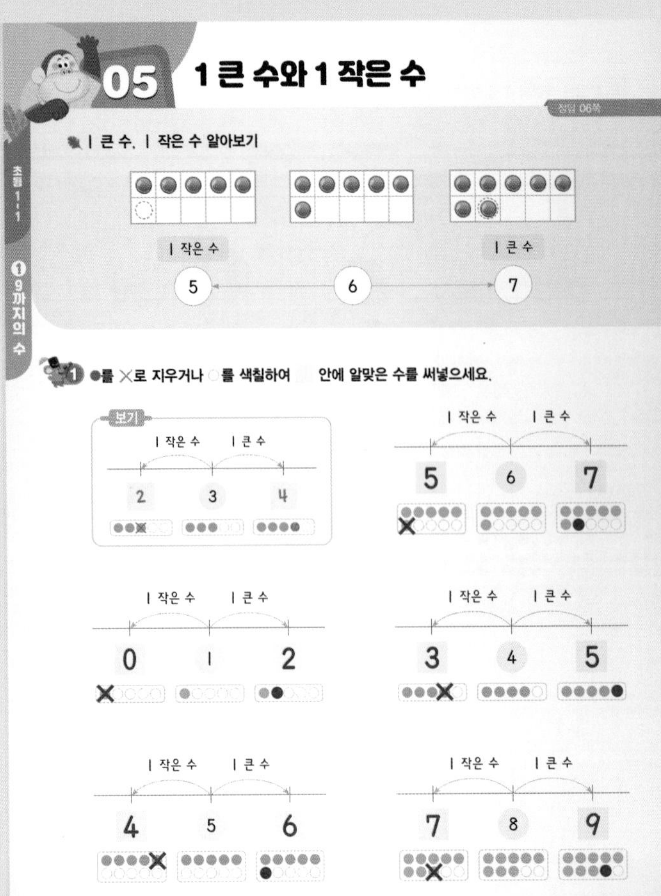
05 1 큰 수와 1 작은 수
정답 06쪽
1 큰 수, 1 작은 수 알아보기
1 작은 수
1 큰 수
5
6
7
1 ●를 ╳로 지우거나 ○를 색칠하여 □ 안에 알맞은 수를 써넣으세요.
보기
1 작은 수
1 큰 수
2
3
4
5
6
7
0
1
2
3
4
5
4
5
6
7
8
9
20

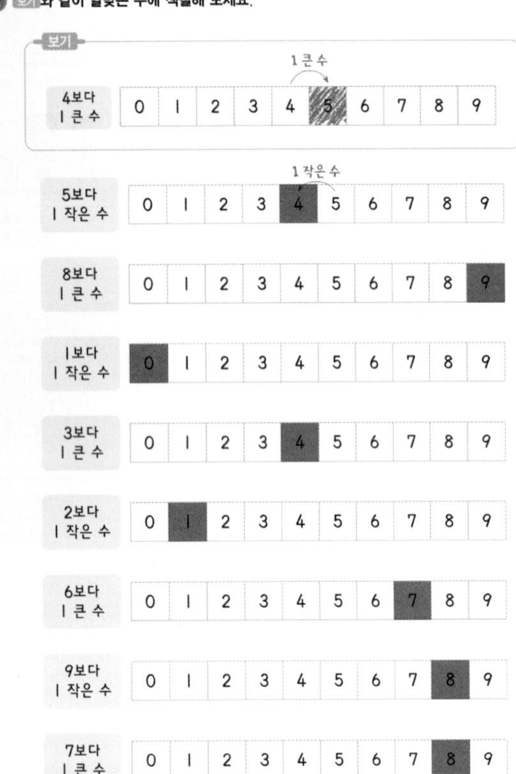
2 보기와 같이 알맞은 수에 색칠해 보세요.
보기
4보다 1 큰 수
1 큰 수
1 작은 수
5보다 1 작은 수
8보다 1 큰 수
1보다 1 작은 수
3보다 1 큰 수
2보다 1 작은 수
6보다 1 큰 수
9보다 1 작은 수
7보다 1 큰 수
0 1 2 3 4 5 6 7 8 9

3 빈 곳에 알맞은 수를 써넣으세요.
1 큰 수
0 1 2 3 4 5 6 7 8 9
1 작은 수
4 5 6
2 3 4
0 1 2
6 7 8
5 6 7
7 8 9
1 2 3
3 4 5
3 4 5
4 5 6
2 3 4
0 1 2
7 8 9
1 2 3
6 7 8
5 6 7
22

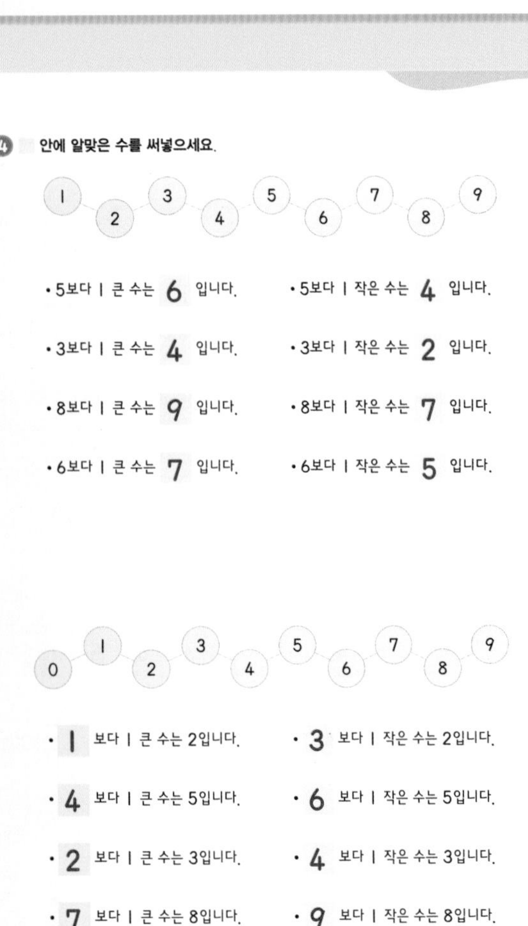
4 □ 안에 알맞은 수를 써넣으세요.
1 2 3 4 5 6 7 8 9
• 5보다 1 큰 수는 6 입니다.
• 5보다 1 작은 수는 4 입니다.
• 3보다 1 큰 수는 4 입니다.
• 3보다 1 작은 수는 2 입니다.
• 8보다 1 큰 수는 9 입니다.
• 8보다 1 작은 수는 7 입니다.
• 6보다 1 큰 수는 7 입니다.
• 6보다 1 작은 수는 5 입니다.
0 1 2 3 4 5 6 7 8 9
• 1 보다 1 큰 수는 2입니다.
• 3 보다 1 작은 수는 2입니다.
• 4 보다 1 큰 수는 5입니다.
• 6 보다 1 작은 수는 5입니다.
• 2 보다 1 큰 수는 3입니다.
• 4 보다 1 작은 수는 3입니다.
• 7 보다 1 큰 수는 8입니다.
• 9 보다 1 작은 수는 8입니다.

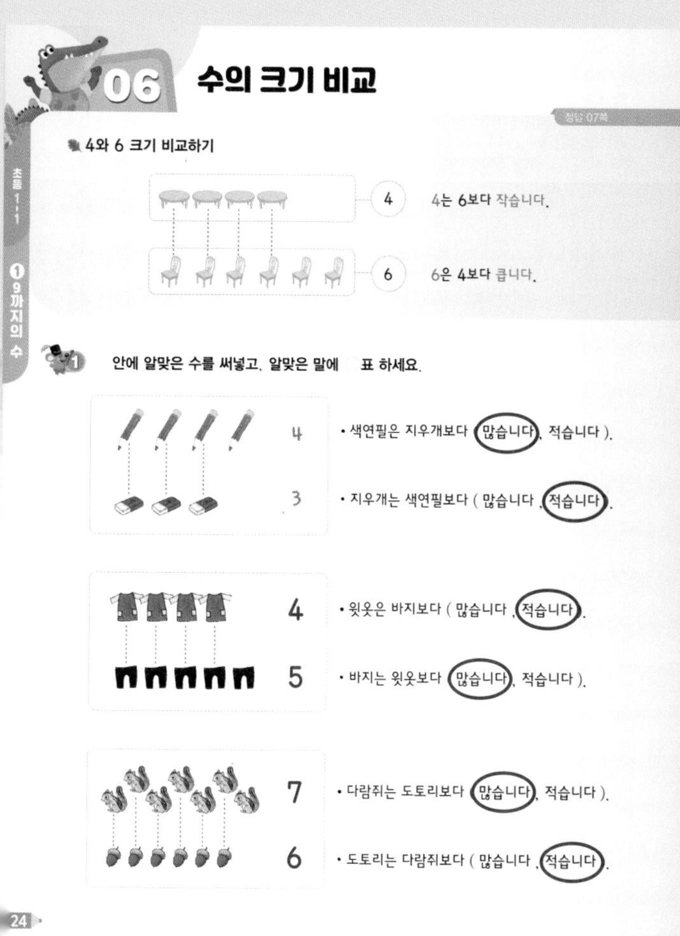
06 수의 크기 비교
정답 07쪽
4와 6 크기 비교하기
4 4는 6보다 작습니다.
6 6은 4보다 큽니다.
1 안에 알맞은 수를 써넣고, 알맞은 말에 ○표 하세요.
4 • 색연필은 지우개보다 (많습니다 , 적습니다).
3 • 지우개는 색연필보다 (많습니다 , 적습니다).
4 • 윗옷은 바지보다 (많습니다 , 적습니다).
5 • 바지는 윗옷보다 (많습니다 , 적습니다).
7 • 다람쥐는 도토리보다 (많습니다 , 적습니다).
6 • 도토리는 다람쥐보다 (많습니다 , 적습니다).
24

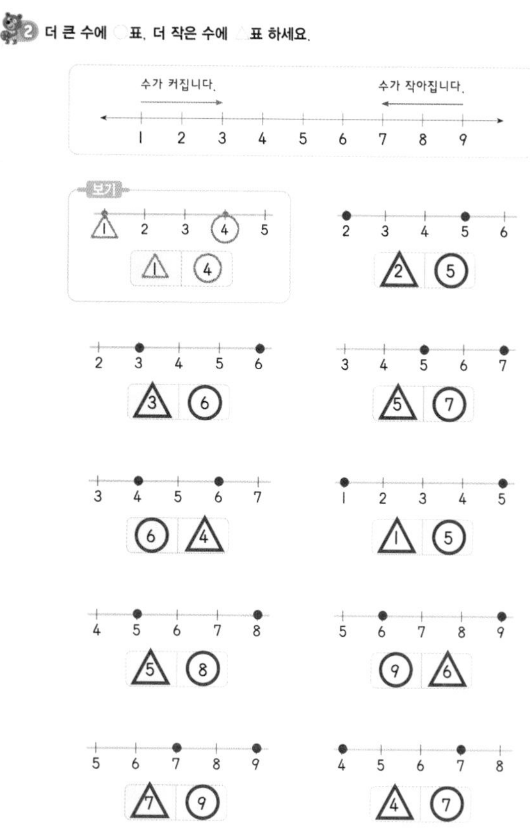
2 더 큰 수에 ○표, 더 작은 수에 △표 하세요.
수가 커집니다.
수가 작아집니다.
1 2 3 4 5 6 7 8 9
보기
25

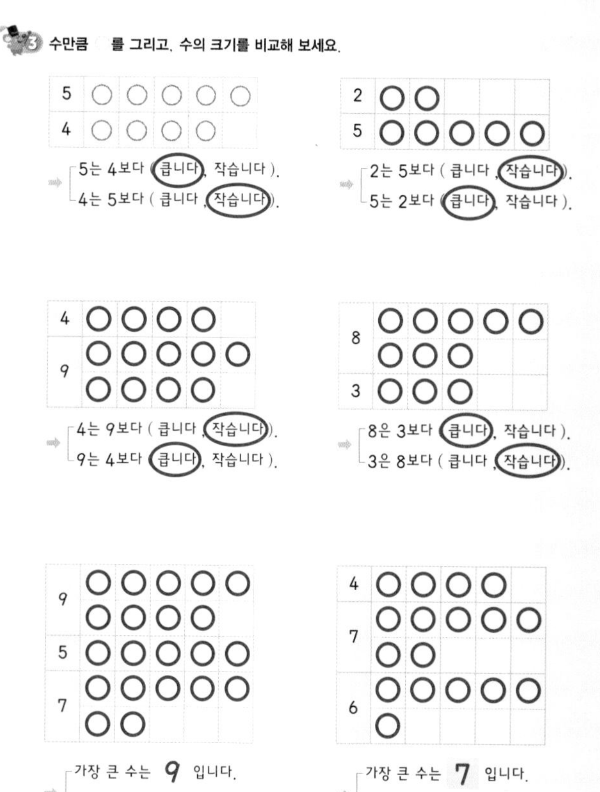
3 수만큼 ○를 그리고, 수의 크기를 비교해 보세요.
5는 4보다 (큽니다 , 작습니다).
4는 5보다 (큽니다 , 작습니다).
2는 5보다 (큽니다 , 작습니다).
5는 2보다 (큽니다 , 작습니다).
4는 9보다 (큽니다 , 작습니다).
9는 4보다 (큽니다 , 작습니다).
8은 3보다 (큽니다 , 작습니다).
3은 8보다 (큽니다 , 작습니다).
가장 큰 수는 9 입니다.
가장 작은 수는 5 입니다.
가장 큰 수는 7 입니다.
가장 작은 수는 4 입니다.

4 그림을 보고 개수를 세어 안에 알맞게 써넣으세요.
3 5 6
가장 큰 수는 6 이고 가장 작은 수는 3 입니다.
7 9 6
가장 큰 수는 9 이고 가장 작은 수는 6 입니다.
27

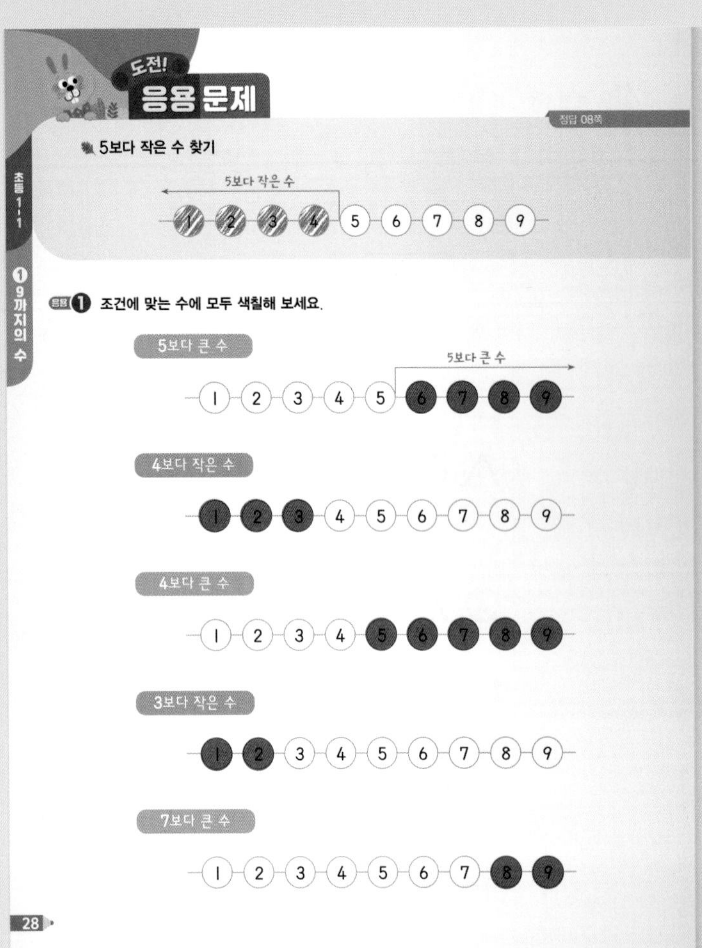
도전! 응용 문제
정답 08쪽
5보다 작은 수 찾기
5보다 작은 수
응용 1 조건에 맞는 수에 모두 색칠해 보세요.
5보다 큰 수
4보다 작은 수
4보다 큰 수
3보다 작은 수
7보다 큰 수
28

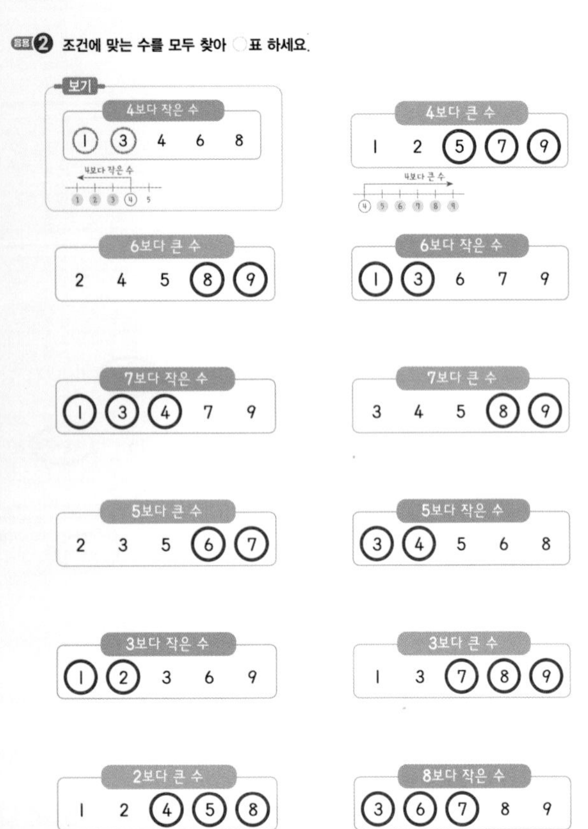
응용 2 조건에 맞는 수를 모두 찾아 ○표 하세요.
보기
4보다 작은 수
4보다 큰 수
6보다 큰 수
6보다 작은 수
7보다 작은 수
7보다 큰 수
5보다 큰 수
5보다 작은 수
3보다 작은 수
3보다 큰 수
2보다 큰 수
8보다 작은 수

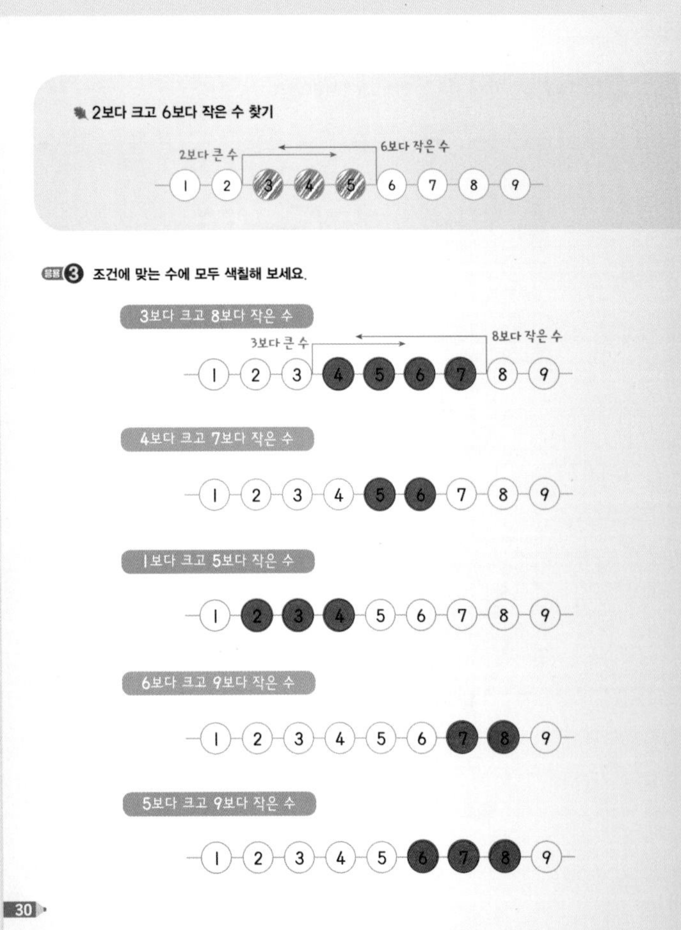
2보다 크고 6보다 작은 수 찾기
응용 3 조건에 맞는 수에 모두 색칠해 보세요.
3보다 크고 8보다 작은 수
4보다 크고 7보다 작은 수
1보다 크고 5보다 작은 수
6보다 크고 9보다 작은 수
5보다 크고 9보다 작은 수
30

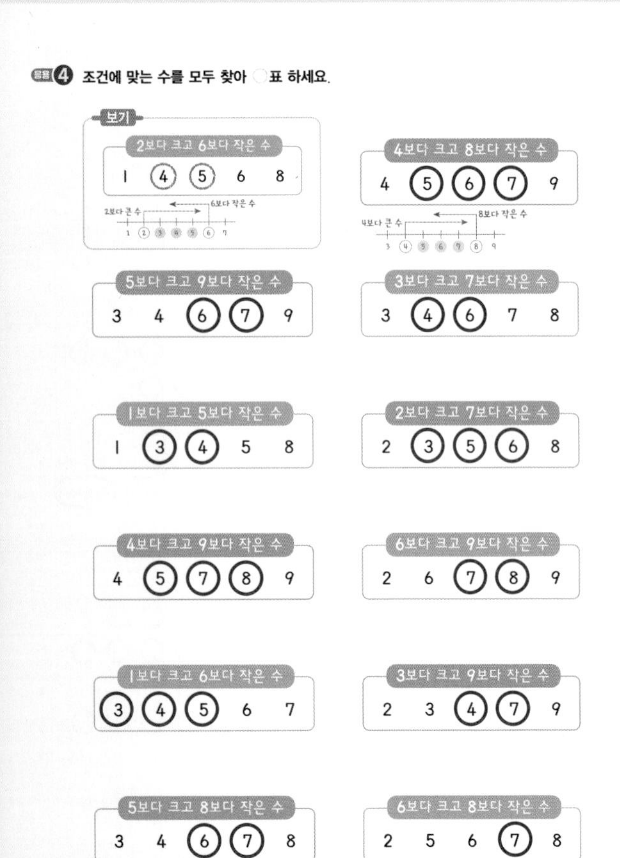
응용 4 조건에 맞는 수를 모두 찾아 ○표 하세요.
보기
2보다 크고 6보다 작은 수
4보다 크고 8보다 작은 수
5보다 크고 9보다 작은 수
3보다 크고 7보다 작은 수
1보다 크고 5보다 작은 수
2보다 크고 7보다 작은 수
4보다 크고 9보다 작은 수
6보다 크고 9보다 작은 수
1보다 크고 6보다 작은 수
3보다 크고 9보다 작은 수
5보다 크고 8보다 작은 수
6보다 크고 8보다 작은 수

형성 평가

정답 09쪽 분 점수 점

01 수를 세어 알맞게 이어 보세요.

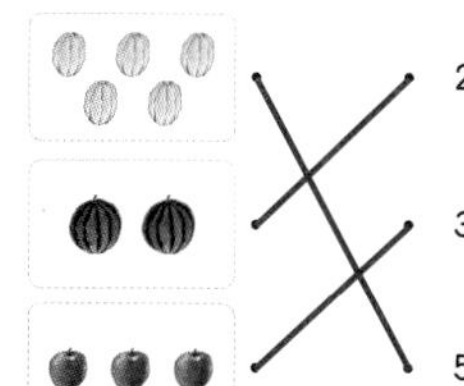

02 그림의 수만큼 ○를 그리고, 알맞은 수에 ○표 하세요.

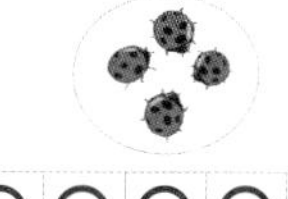

1 2 3 4 5

03 알맞은 수를 써 보세요.

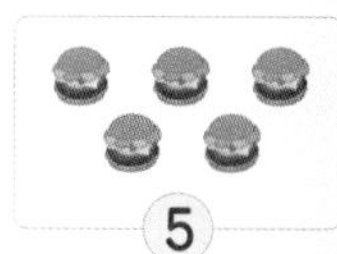

04 수를 읽어 안에 알맞게 써넣으세요.

(1) 3 ➡ (삼 , 셋)

(2) 8 ➡ (팔, 여덟)

05 알맞은 수를 써 보세요.

06 순서에 맞게 이어 보세요.

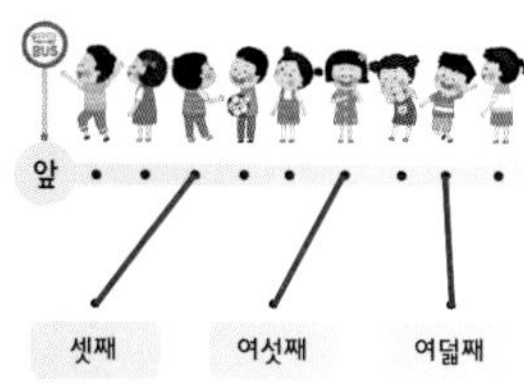

07 알맞은 위치를 찾아 색칠해 보세요.

(1) 왼쪽에서 둘째

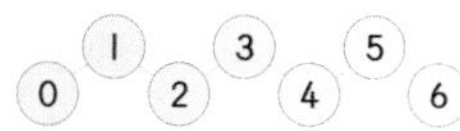

(2) 오른쪽에서 넷째

08 그림을 보고 알맞게 이어 보세요.

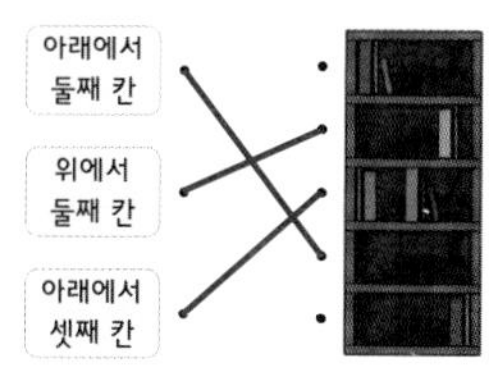

09 왼쪽에서부터 과일을 알맞게 색칠해 보세요.

레몬 네 개

넷째 레몬

10 순서에 알맞게 수를 써 보세요.

(1)

(2)

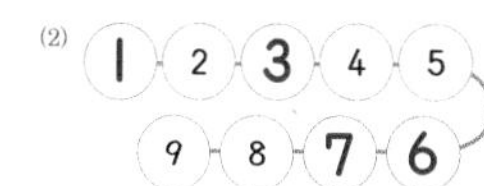

11 같은 색깔의 수를 순서대로 이어 그림을 완성해 보세요.

12 순서에 알맞게 수를 써 보세요.

(1) 4 5 6 7 8

(2) 9 8 7 6 5

13 고양이가 생선을 먹을 수 있도록 3부터 8까지 수를 순서대로 연결해 보세요.

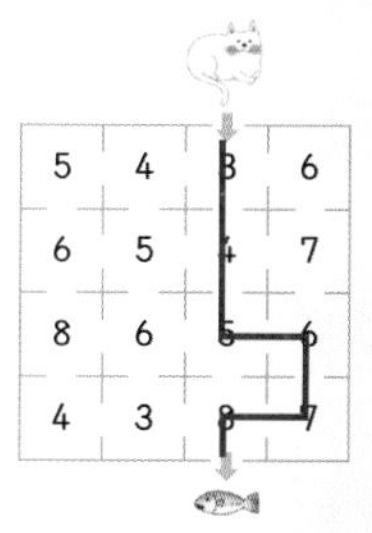

14 알맞은 수에 색칠해 보세요.

6보다 1 작은 수

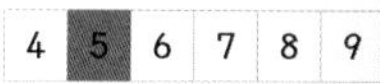

15 빈 곳에 알맞은 수를 써넣으세요.

1 작은 수 1 큰 수

(1) 1 2 3

(2) 7 8 9

16 안에 알맞은 수를 써넣으세요.

0 1 2 3 4 5 6

(1) 4보다 1 큰 수는 5 입니다.

(2) 3 보다 1 작은 수는 2입니다.

17 그림을 보고 알맞은 말에 ○표 하세요.

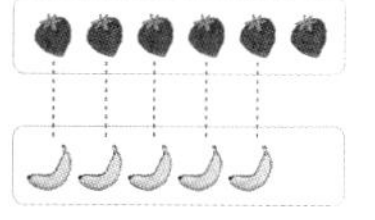

딸기는 바나나보다 (많습니다 , 적습니다).

바나나는 딸기보다 (많습니다 , 적습니다).

18 더 큰 수에 ○표, 더 작은 수에 △표 하세요.

(1) 8 5

(2) 4 7

19 현서는 딸기를 6개 먹었고, 소윤이는 8개 먹었습니다. 더 적게 먹은 사람의 이름을 쓰세요.

(현서)

20 꽃의 수를 세어 안에 알맞은 수를 써넣으세요.

5 송이 7 송이 4 송이

➡ 가장 큰 수는 7 이고,

가장 작은 수는 4 입니다.

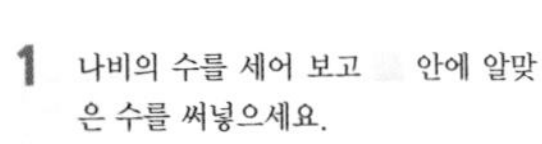

1 나비의 수를 세어 보고 안에 알맞은 수를 써넣으세요.

4

2 주어진 수만큼 색칠해 보세요.

8

3 쿠키의 수를 세어 안에 알맞은 수를 써넣으세요.

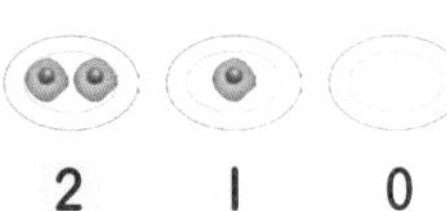

2 1 0

4 관계있는 것끼리 이어 보세요.

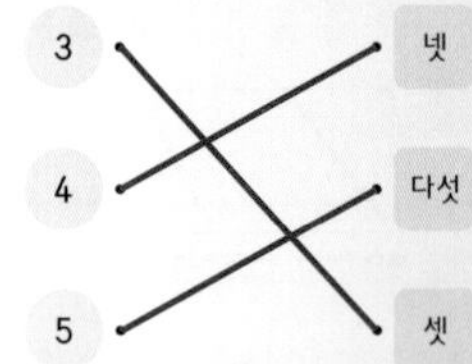

5 순서에 맞게 빈 곳에 알맞은 수를 써넣으세요.

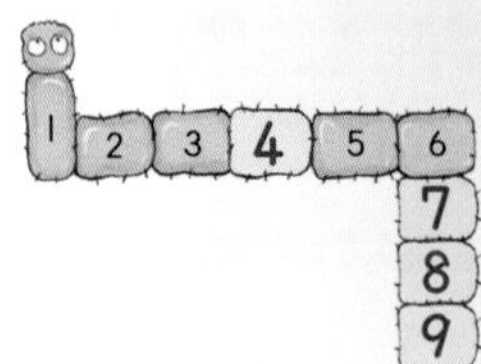

[6~7] 그림을 보고 물음에 답하세요.

6 앞에서 다섯째에 있는 과일의 이름을 써 보세요.

(포도)

7 뒤에서 넷째에 있는 과일의 이름을 써 보세요.

(수박)

8 다람쥐의 수를 세어 쓰고, 2가지 방법으로 읽어 보세요.

쓰기 (8)

읽기 (팔 , 여덟)

9 안에 수를 쓰고 알맞은 말에 ○표 하세요.

5

3

토끼는 당근보다 (많습니다, 적습니다).

5는 3보다 (큽니다, 작습니다).

10 강아지 수보다 1 큰 수에 ○표, 1 작은 수에 △표 하세요.

5 6 7 8 9

11 수를 순서대로 이어 그림을 완성해 보세요.

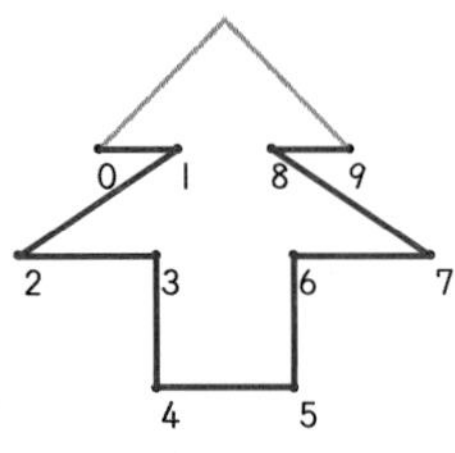

12 안에 알맞은 수를 쓰고, 더 큰 수에 ○표 하세요.

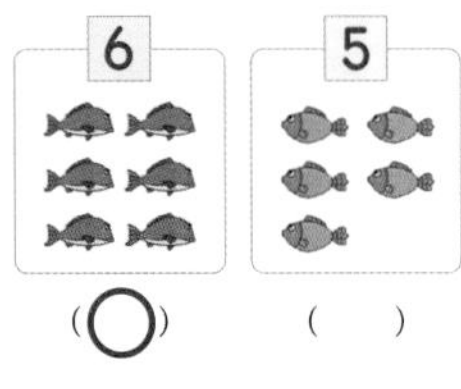

(○) ( )

13 왼쪽에서부터 알맞게 색칠해 보세요.

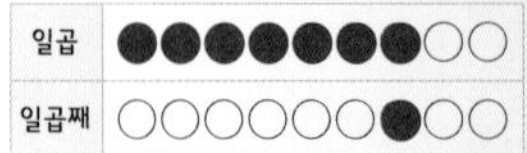

14 안에 알맞은 수를 써넣으세요.

(1) 5보다 1 큰 수는 6 이고,
3보다 1 작은 수는 2 입니다.

(2) 8보다 1 큰 수는 9 이고,
1보다 1 작은 수는 0 입니다.

15 밑줄 친 곳을 상황에 맞게 읽고 써 보세요.

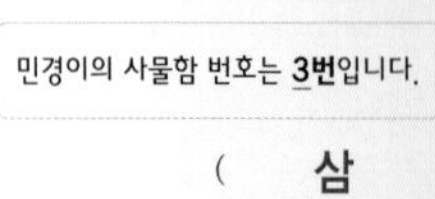

(삼)

16 가장 큰 수에 ○표, 가장 작은 수에 △표 하세요.

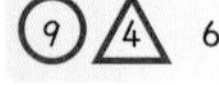

9 4 6

17 그림을 보고 안에 알맞은 수를 써넣으세요.

앞쪽에서 셋째 칸에 쓰여 있는 번호는 1 번입니다.

18 그림의 수보다 1 작은 수는 얼마인지 써 보세요.

(4)

19 조건에 맞는 수를 찾아 ○표 하세요.

(1)

(2)

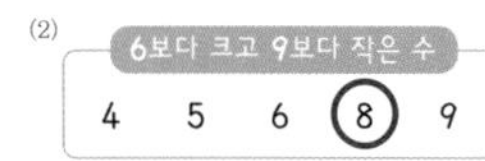

20 주어진 조건을 모두 만족하는 책 1권을 찾아 ○표 하세요.

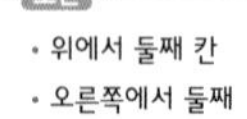

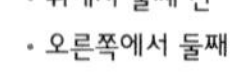

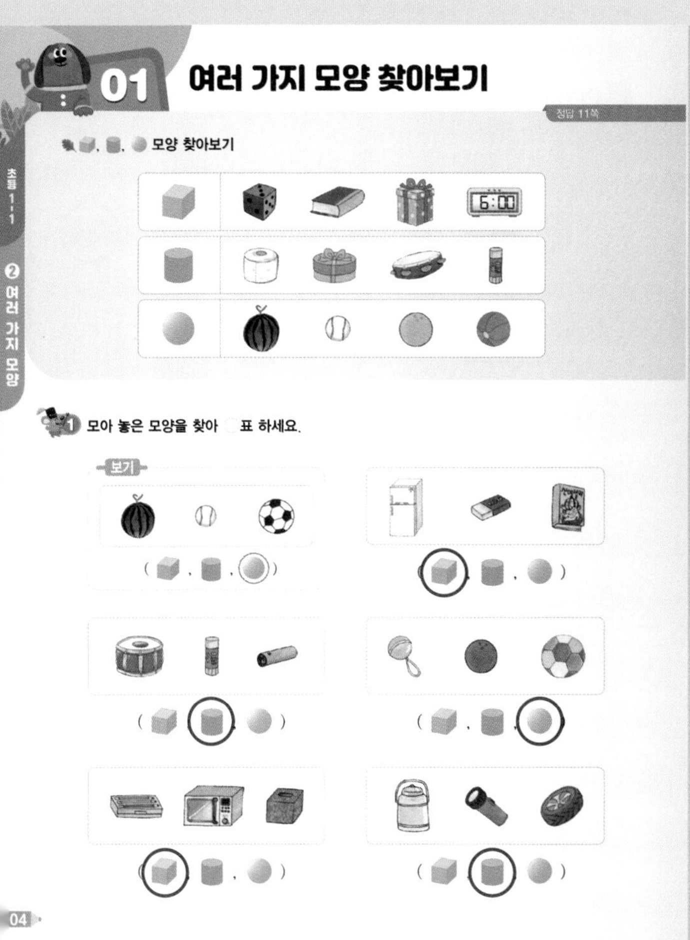
01 여러 가지 모양 찾아보기
정답 11쪽
모양 찾아보기
1 모아 놓은 모양을 찾아 ○표 하세요.
보기
04

2 주어진 모양과 같은 모양을 모두 찾아 ○표 하세요.
05

3 모양이 다른 하나를 찾아 ×표 하세요.
보기

4 각 모양의 수를 세어 써 보세요.
: 5 개 : 5 개 : 5 개
: 4 개 : 6 개 : 5 개
07

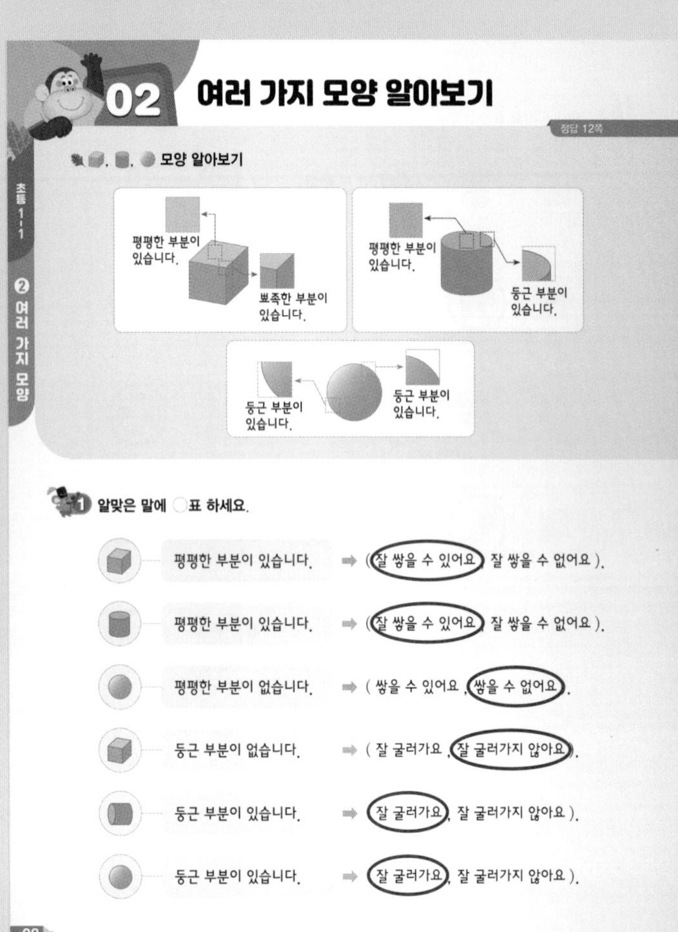
02 여러 가지 모양 알아보기
정답 12쪽
모양 알아보기
평평한 부분이 있습니다.
뾰족한 부분이 있습니다.
평평한 부분이 있습니다.
둥근 부분이 있습니다.
둥근 부분이 있습니다.
둥근 부분이 있습니다.
1 알맞은 말에 ○표 하세요.
평평한 부분이 있습니다. ⇒ (잘 쌓을 수 있어요 , 잘 쌓을 수 없어요).
평평한 부분이 있습니다. ⇒ (잘 쌓을 수 있어요 , 잘 쌓을 수 없어요).
평평한 부분이 없습니다. ⇒ (쌓을 수 있어요 , 쌓을 수 없어요).
둥근 부분이 없습니다. ⇒ (잘 굴러가요 , 잘 굴러가지 않아요).
둥근 부분이 있습니다. ⇒ (잘 굴러가요 , 잘 굴러가지 않아요).
둥근 부분이 있습니다. ⇒ (잘 굴러가요 , 잘 굴러가지 않아요).
08

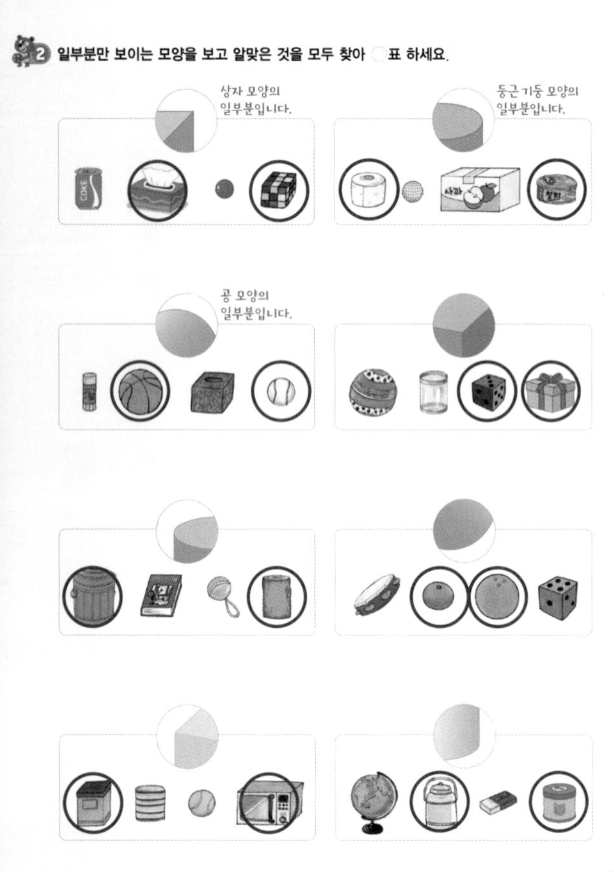
2 일부분만 보이는 모양을 보고 알맞은 것을 모두 찾아 ○표 하세요.
상자 모양의 일부분입니다.
둥근 기둥 모양의 일부분입니다.
공 모양의 일부분입니다.

3 설명에 맞는 모양을 차례로 하나씩 찾아 ○표 하세요.
잘 굴러가지 않습니다.
한 방향으로만 잘 굴러갑니다.
어느 방향으로도 잘 굴러갑니다.
쌓을 수 없습니다.
한 방향으로만 잘 쌓을 수 있습니다.
어느 방향으로도 잘 쌓을 수 있습니다.
10

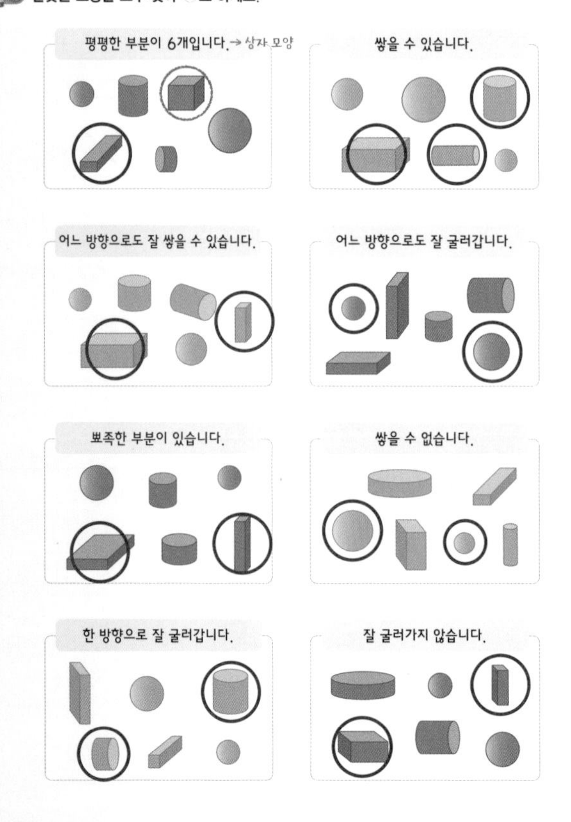
4 알맞은 모양을 모두 찾아 ○표 하세요.
평평한 부분이 6개입니다. → 상자 모양
쌓을 수 있습니다.
어느 방향으로도 잘 쌓을 수 있습니다.
어느 방향으로도 잘 굴러갑니다.
뾰족한 부분이 있습니다.
쌓을 수 없습니다.
한 방향으로 잘 굴러갑니다.
잘 굴러가지 않습니다.

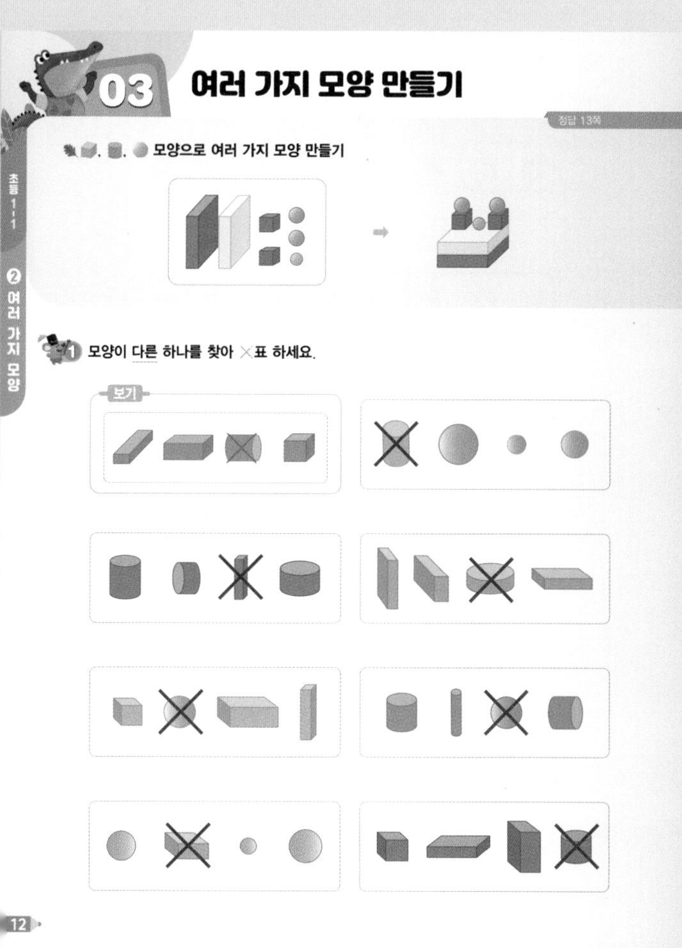
03 여러 가지 모양 만들기
정답 13쪽
모양으로 여러 가지 모양 만들기
1 모양이 다른 하나를 찾아 ×표 하세요.
보기
12

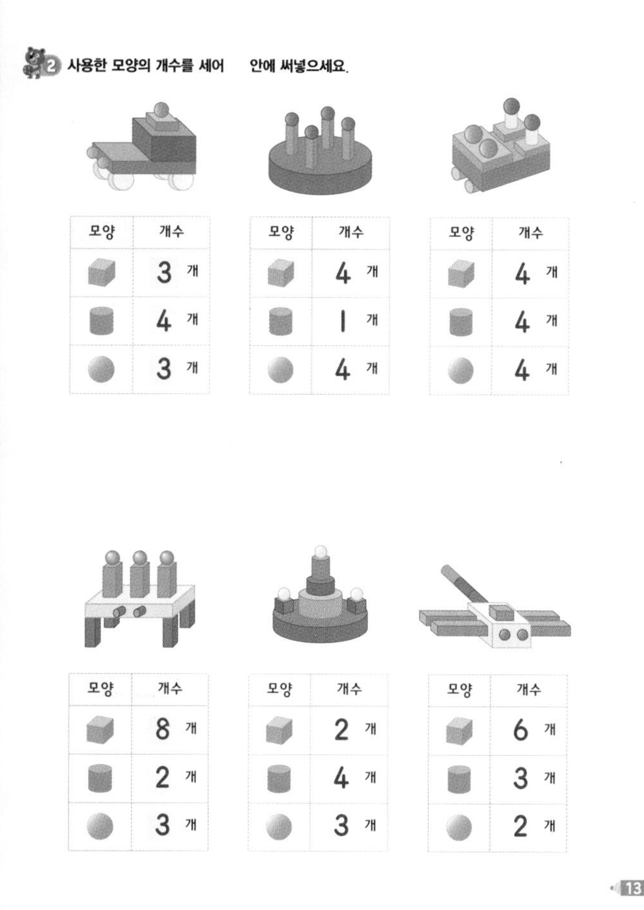
2 사용한 모양의 개수를 세어 안에 써넣으세요.
모양 개수
3 개 4 개 3 개
4 개 1 개 4 개
4 개 4 개 4 개
8 개 2 개 3 개
2 개 4 개 3 개
6 개 3 개 2 개
13

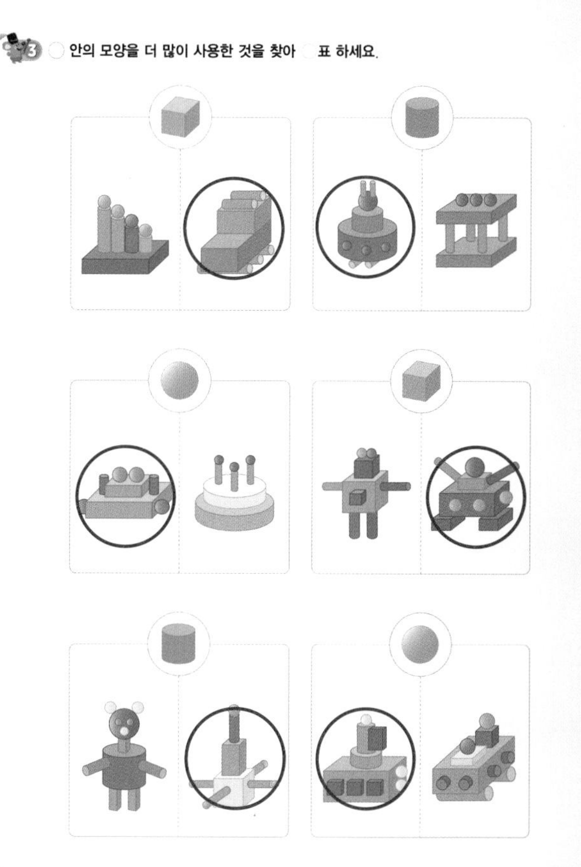
3 안의 모양을 더 많이 사용한 것을 찾아 ○표 하세요.

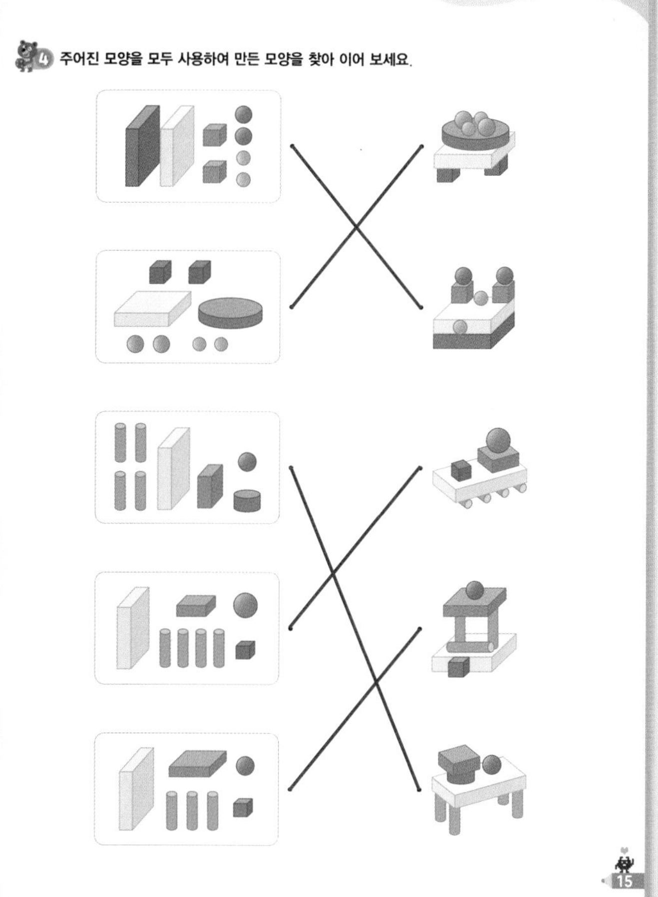
4 주어진 모양을 모두 사용하여 만든 모양을 찾아 이어 보세요.
15

도전! 응용 문제

정답 14쪽

초등 1-1 ② 여러 가지 모양

규칙 찾기

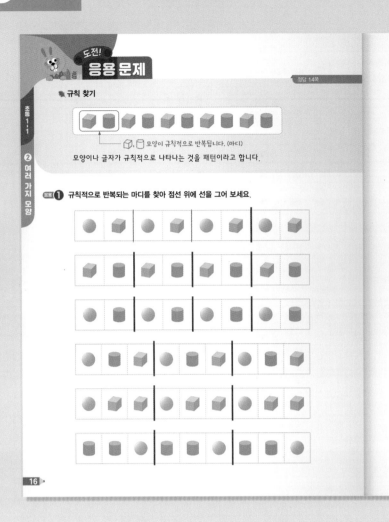

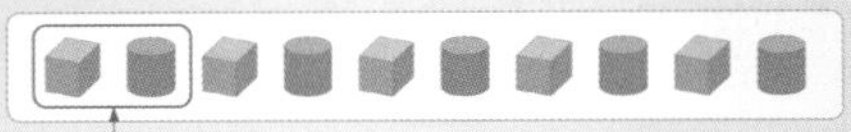

모양이 규칙적으로 반복됩니다. (마디)

모양이나 글자가 규칙적으로 나타나는 것을 패턴이라고 합니다.

응용 ① 규칙적으로 반복되는 마디를 찾아 점선 위에 선을 그어 보세요.

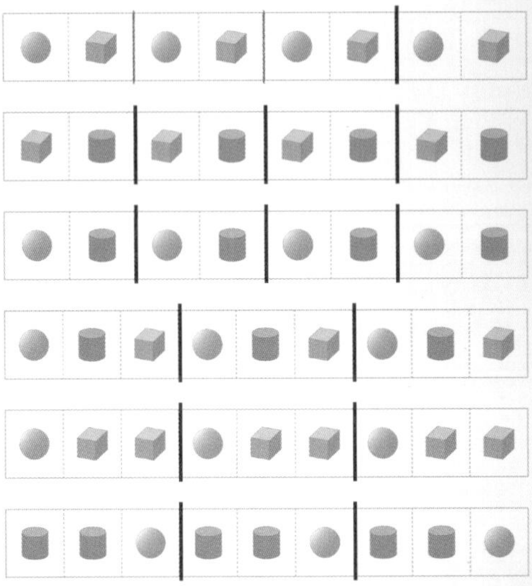

응용 ② 규칙적으로 반복되는 마디를 찾아 ?에 들어갈 알맞은 모양에 ○표 하세요.

규칙적으로 반복

?

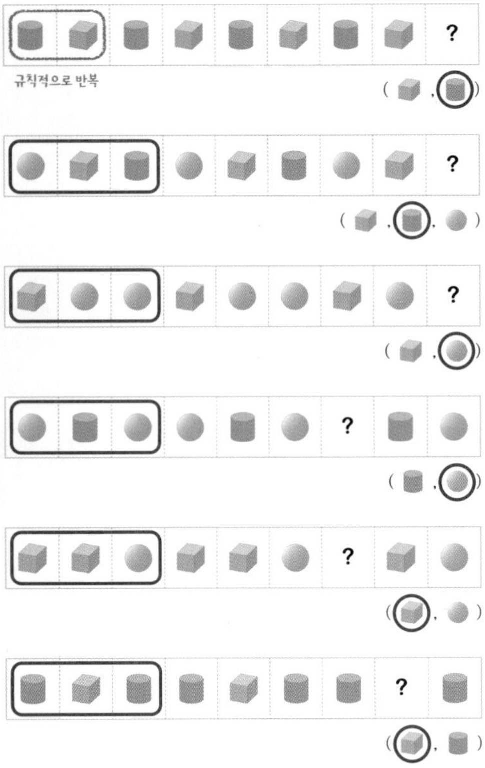

응용 ③ 규칙적으로 반복되는 마디를 찾아 ?에 들어갈 알맞은 모양에 ○표 하세요.

?

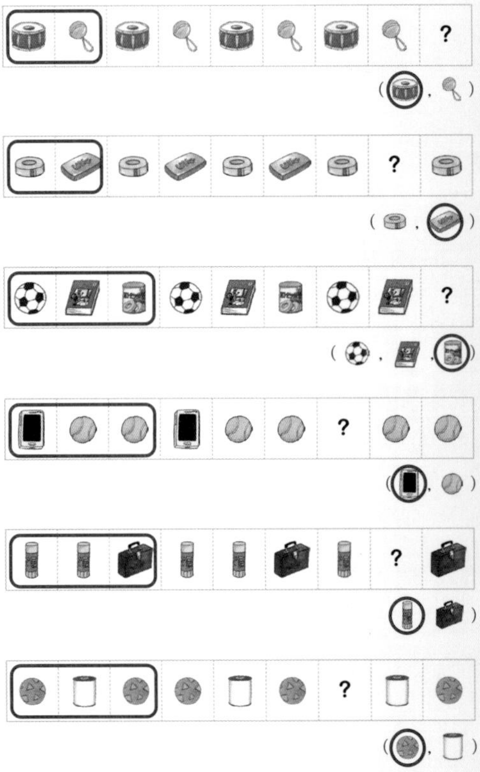

응용 ④ 규칙의 반복되는 마디와 같은 순서대로 위, 아래 또는 왼쪽, 오른쪽으로 움직이며 미로를 통과하세요.

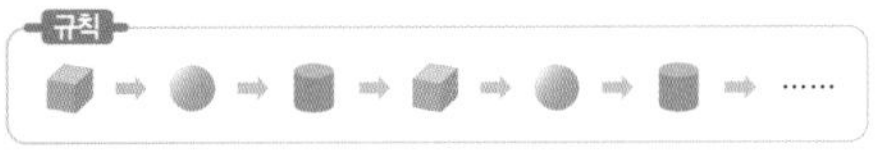

규칙

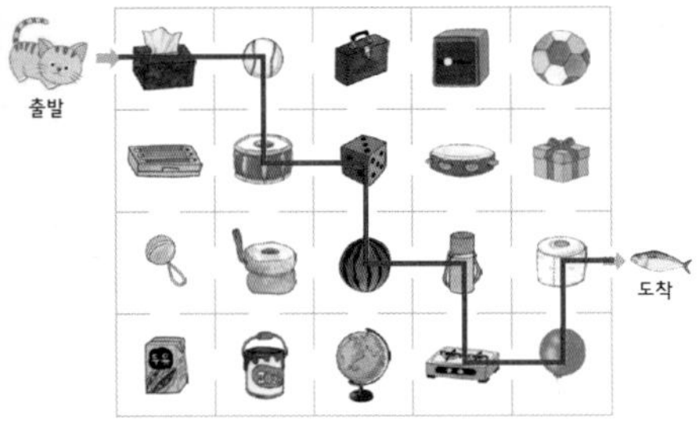

......

출발

도착

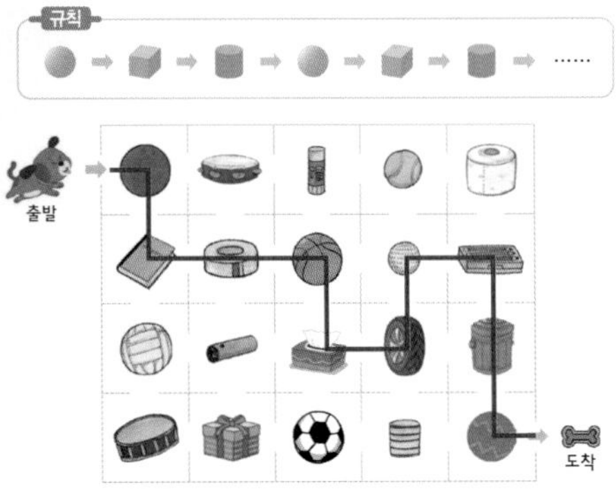

규칙

......

출발

도착

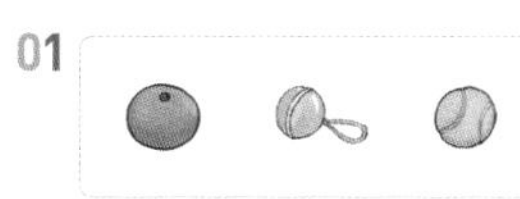

형성 평가

정답 15쪽

[01~03] 모아 놓은 모양을 찾아 ○표 하세요.

01

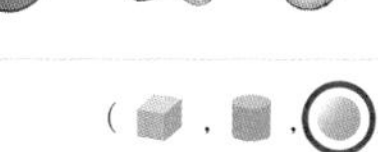

02

03

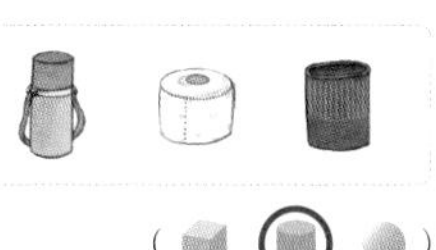

04 모양이 다른 하나를 찾아 ×표 하세요.

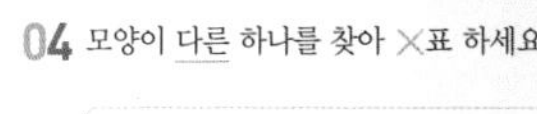

05 각 모양의 수를 세어 □ 안에 써넣으세요.

: 4 개
: 3 개
: 4 개

[06~09] 일부분만 보이는 모양을 보고 알맞은 것을 모두 찾아 ○표 하세요.

06

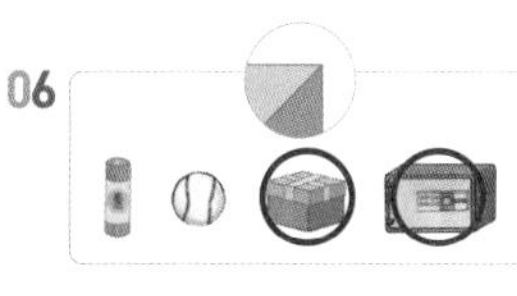

07

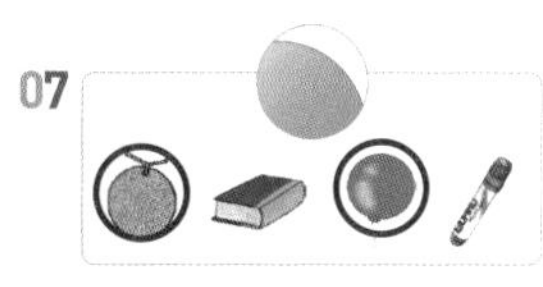

08

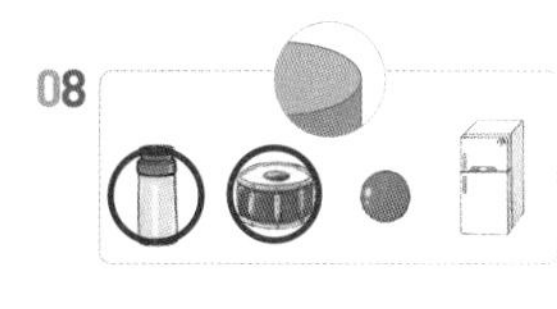

09

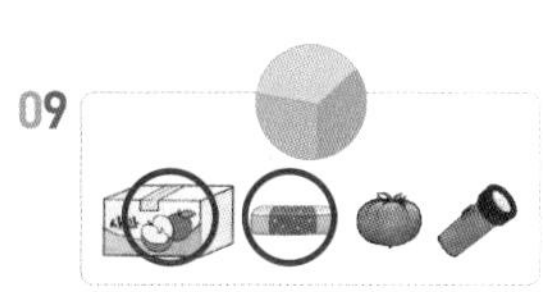

10 설명에 맞는 모양을 찾아 ○표 하세요.

(1) 어느 방향으로도 잘 굴러갑니다.

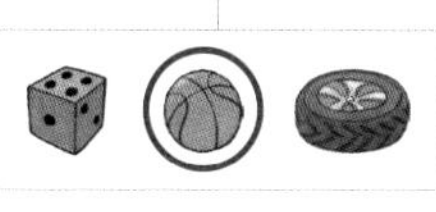

(2) 한 방향으로만 잘 쌓을 수 있습니다.

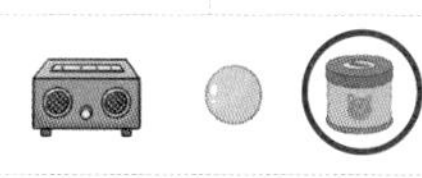

11 알맞은 모양을 모두 찾아 ○표 하세요.

어느 방향으로도 잘 쌓을 수 있습니다.

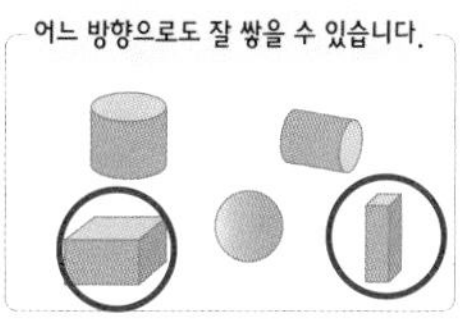

12 모양이 다른 하나를 찾아 ×표 하세요.

(1)

(2)

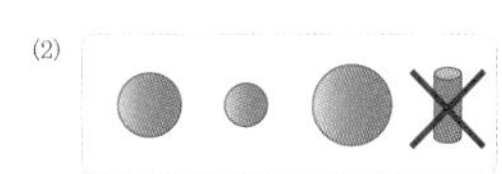

13 ○ 안의 모양을 더 많이 사용한 것을 찾아 ○표 하세요.

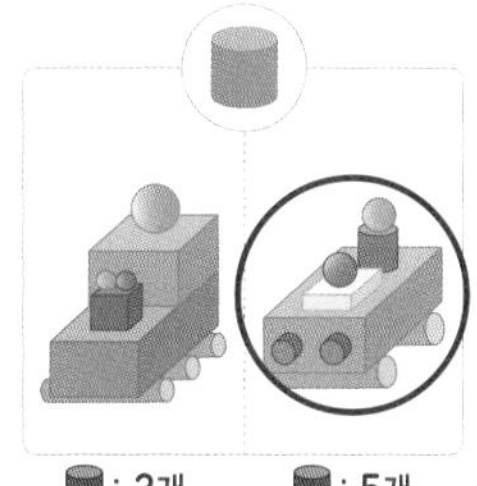

: 3개 : 5개

[14~15] 사용한 모양의 개수를 세어 □ 안에 써넣으세요.

14

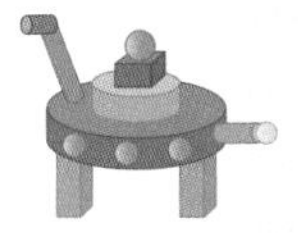

모양	개수
	3 개
	5 개
	5 개

15

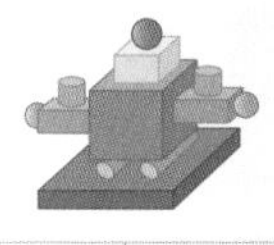

모양	개수
	5 개
	4 개
	3 개

[16~17] 그림을 보고 물음에 답해 보세요.

16 모양은 모두 몇 개일까요?

(2)개

17 굴렸을 때 한 방향으로만 잘 굴러가는 물건을 모두 찾아 ○표 하세요.

18 설명에 알맞은 모양을 가진 것을 주변에서 2가지만 찾아 써 보세요.

전체가 둥글고 어느 방향으로도 잘 구릅니다. → 모양

예 (구슬 , 축구공)

[19~20] 주어진 모양을 모두 사용하여 만든 모양을 찾아 이어 보세요.

19

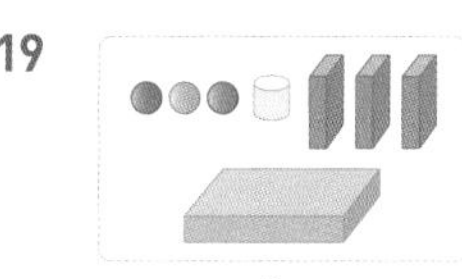

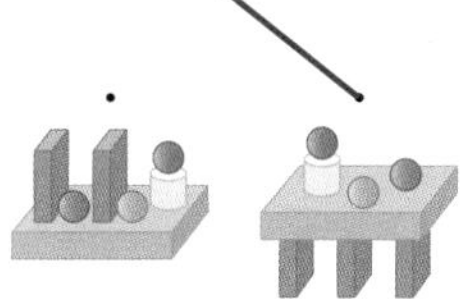

20

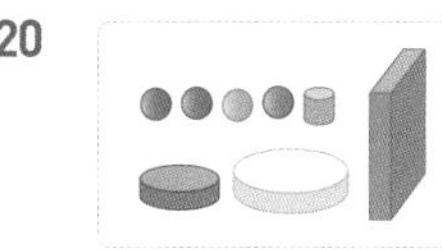

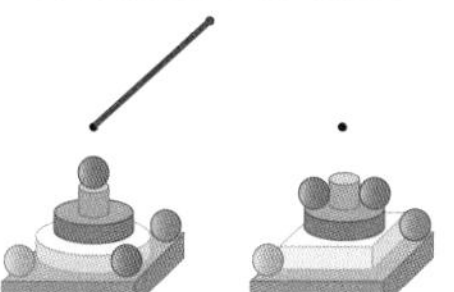

단원평가 2. 여러 가지 모양 정답 16쪽 분 점수 점

1 모양에 ○표 하세요.

2 모양이 아닌 것을 찾아 기호를 쓰세요.

(ㄹ)

3 모아 놓은 모양을 찾아 ○표 하세요.

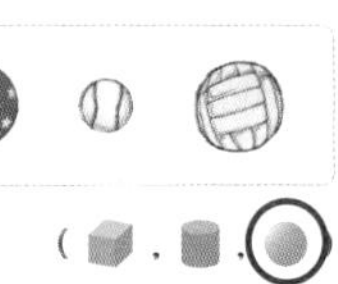

4 관계있는 것끼리 이어 보세요.

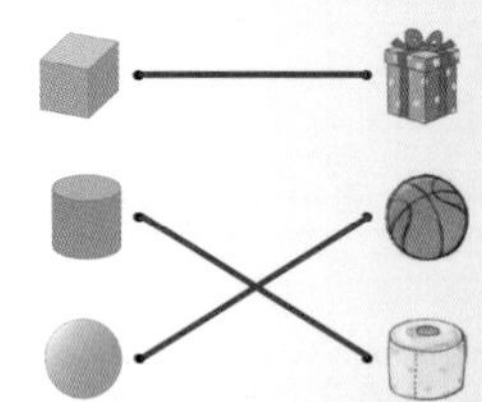

5 모양이 나머지 넷과 다른 하나는 어느 것일까요? (①)

① ②

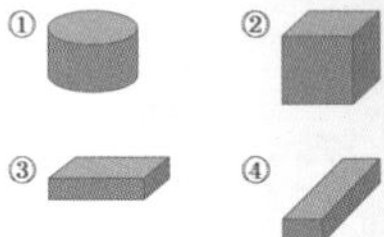

③ ④ ⑤

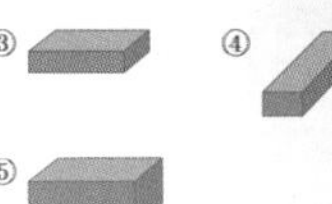

6 모양의 일부분을 나타낸 것을 보고 알맞은 물건을 찾아 이어 보세요.

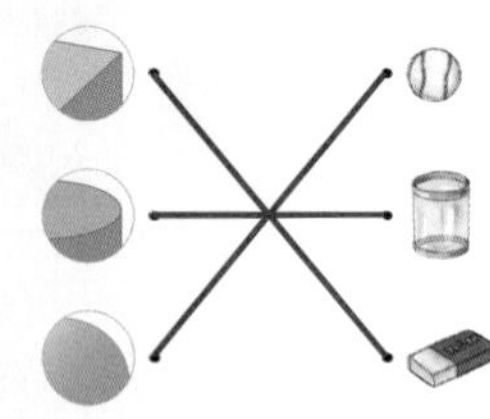

7 여러 가지 모양을 사용하여 만든 것입니다. 모양은 몇 개일까요?

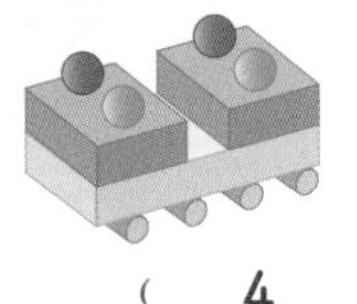

(4)개

8 쌓을 수 있는 것을 모두 찾아 ○표 하세요.

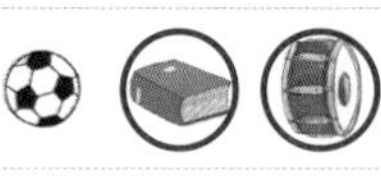

9 설명에 알맞은 모양을 찾아 ○표 하세요.

평평한 부분이 2개입니다.

10 모양에 □표, 모양에 △표, 모양에 ○표 하세요.

11 설명에 알맞은 모양을 찾아 ○표 하세요.

어느 방향으로도 잘 굴러갑니다.

12 사용한 모양의 개수를 세어 안에 써넣으세요.

모양	개수
(상자 모양)	3 개
(둥근기둥 모양)	4 개
(공 모양)	4 개

13 규칙적으로 반복되는 마디를 찾아 점선 위에 선을 그어 보세요.

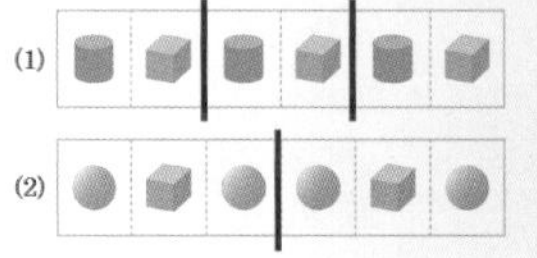

(1)

(2)

14 가장 개수가 적은 모양을 찾아 ○표 하세요.

: 1개 : 3개 : 2개

15 우리 주변에서 모양인 물건을 2가지만 찾아 써 보세요.

예 (컵 , 통조림 캔)

16 주어진 모양을 모두 사용하여 만든 모양에 ○표 하세요.

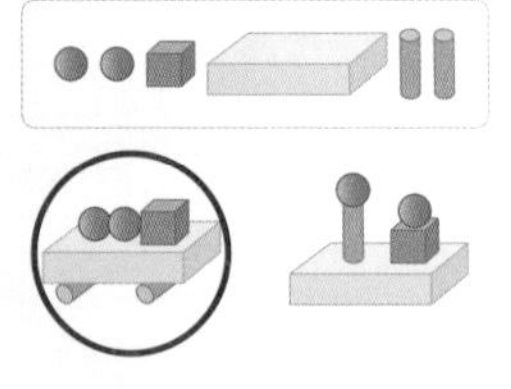

[17~18] 규칙적으로 반복되는 마디를 찾아 ?에 들어갈 알맞은 모양에 ○표 하세요.

17

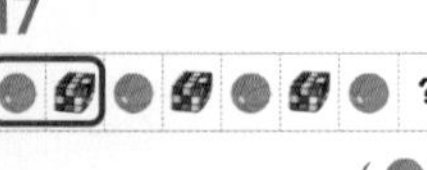

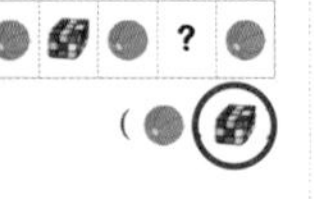

18

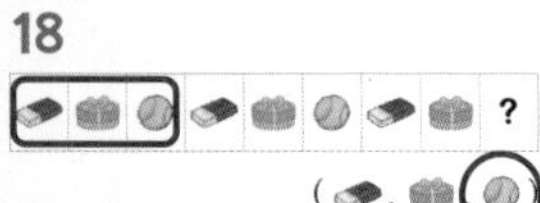

19 다음과 같은 물건의 특징으로 알맞은 것을 모두 찾아 기호를 쓰세요.

㉠ 쌓을 수 있습니다.
㉡ 평평한 부분이 없습니다.
㉢ 뾰족한 부분이 있습니다.
㉣ 한쪽 방향으로만 잘 굴러갑니다.

(㉠, ㉢)

20 주어진 모양의 순서대로 위, 아래 또는 왼쪽, 오른쪽으로 움직이며 미로를 통과하세요.

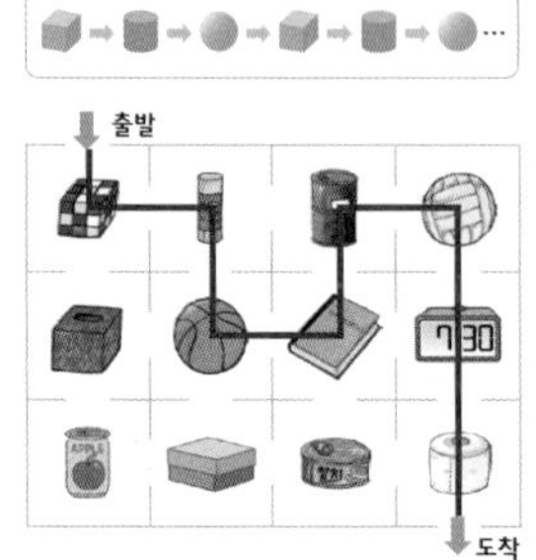

01 모으기와 가르기(1)

정답 17쪽

9까지의 물건을 모으기와 가르기

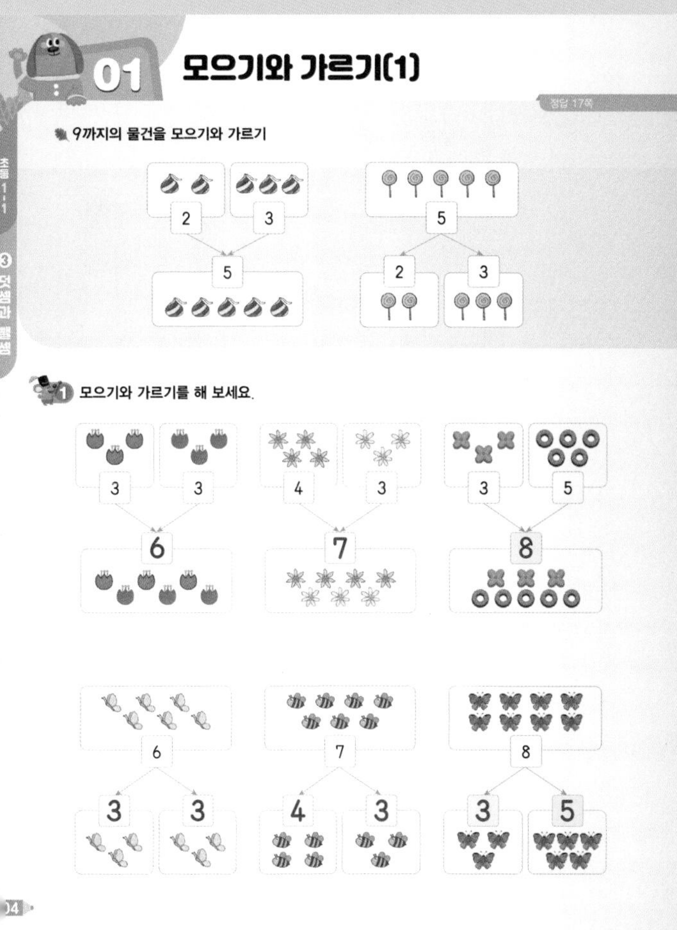

1 모으기와 가르기를 해 보세요.

2 ○에 색칠하고 □ 안에 알맞은 수를 써넣어 모으기를 해 보세요.

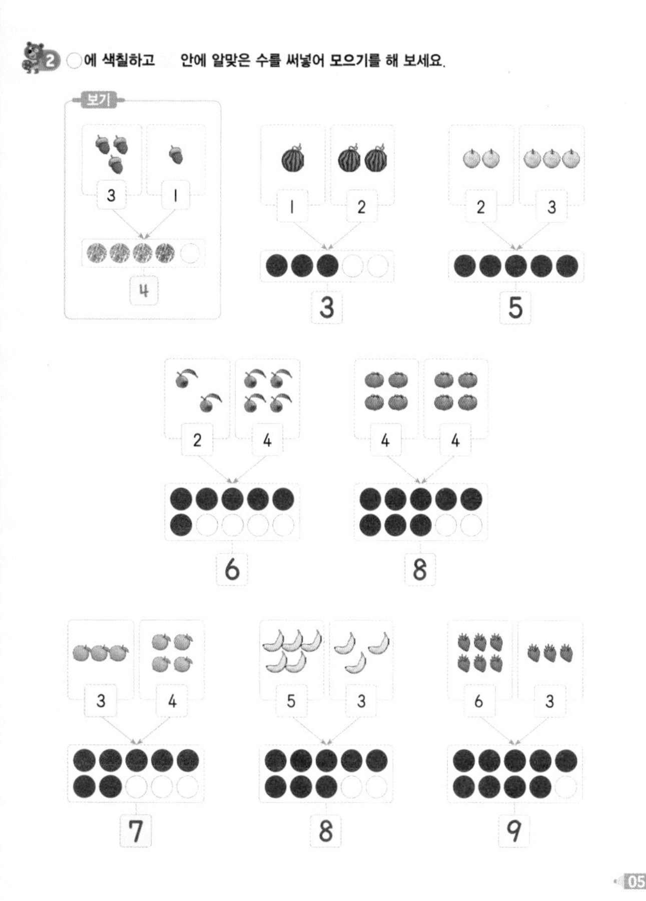

3 빈곳에 ○를 알맞게 그리고 □ 안에 알맞은 수를 써넣어 가르기를 해 보세요.

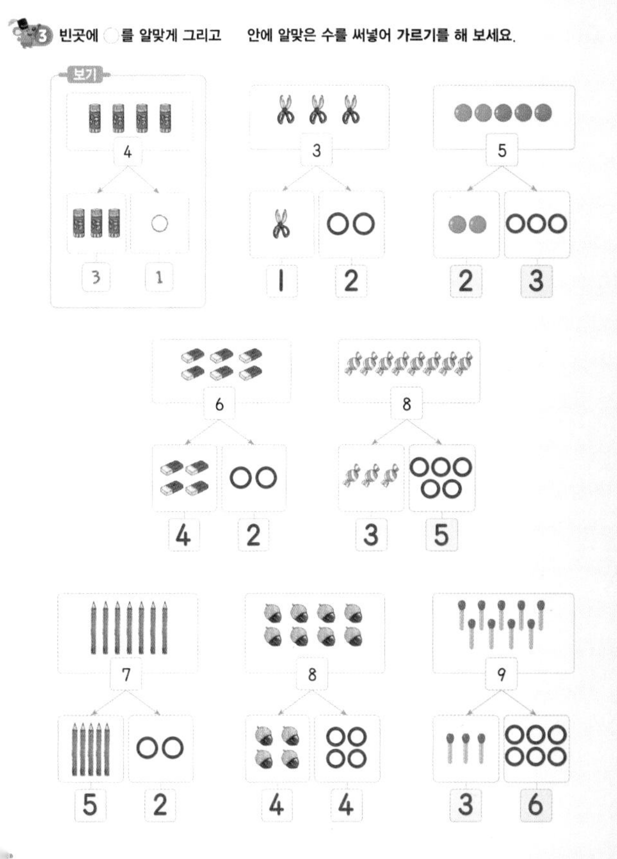

4 도미노 점의 수에 알맞게 ○를 색칠하고, □ 안에 알맞은 수를 써넣어 모으기와 가르기를 해 보세요.

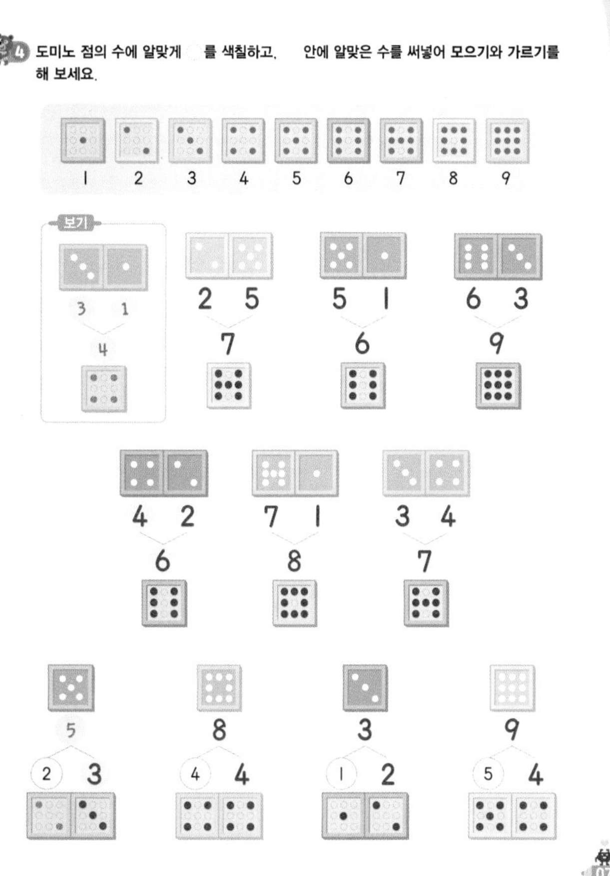

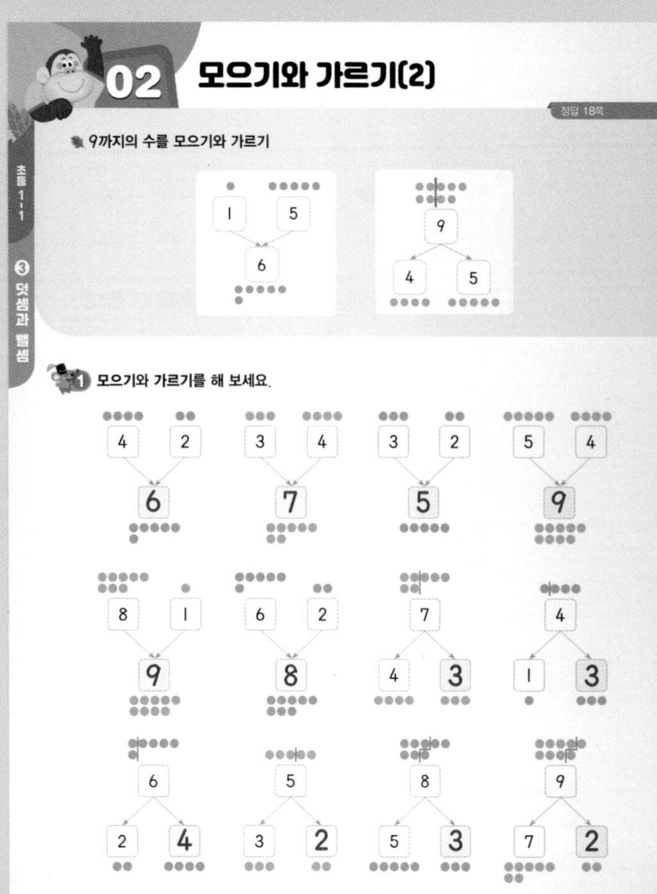
02 모으기와 가르기(2)
정답 18쪽
9까지의 수를 모으기와 가르기
1 모으기와 가르기를 해 보세요.

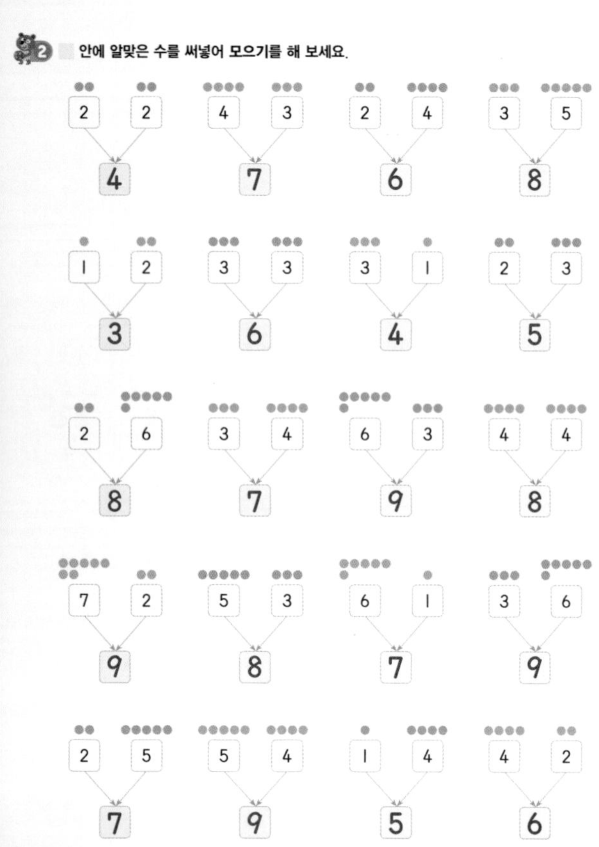
2 안에 알맞은 수를 써넣어 모으기를 해 보세요.

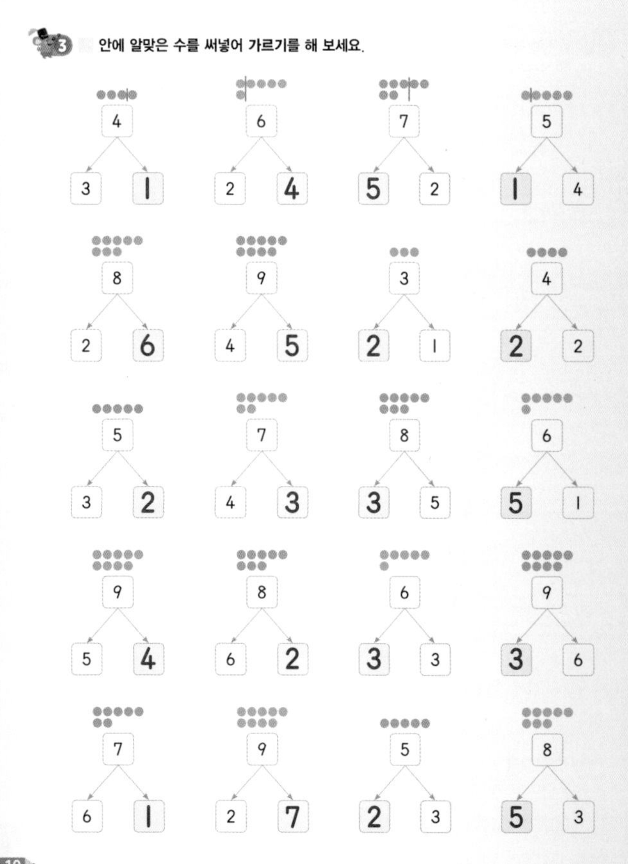
3 안에 알맞은 수를 써넣어 가르기를 해 보세요.

4 여러 가지 방법으로 모으기와 가르기를 해 보세요.
2와 5를 모으기 하면 7이 됩니다.

03 덧셈식으로 나타내기

정답 19쪽

덧셈 상황 이야기 만들기

➡ 두발자전거 3대와 세발자전거 2대가 있습니다. 자전거는 모두 5대입니다.

1 그림을 보고 ☐ 안에 알맞은 수를 써넣어 이야기를 만들어 보세요.

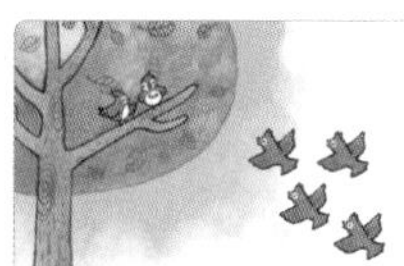

➡ 나뭇가지에 새 2 마리가 있었는데 4 마리가 더 와서 모두 6 마리가 되었습니다.

➡ 목장에 양 5 마리와 젖소 3 마리가 있습니다. 목장에 있는 동물은 모두 8 마리입니다.

➡ 버스에 3 명이 타고 있습니다. 4 명이 더 타면 모두 7 명이 됩니다.

2 그림을 보고 덧셈식을 알맞게 만들어 보세요.

나뭇가지에 새 2마리가 있었는데 3마리가 더 와서 모두 5마리가 되었습니다.
➡ 2 + 3 = 5

코끼리 4마리가 물을 마시고 있었는데 2마리가 더 와서 모두 6마리가 되었습니다.
➡ 4 + 2 = 6

다람쥐 4마리가 도토리를 먹고 있었는데 4마리가 더 와서 모두 8마리가 되었습니다.
➡ 4 + 4 = 8

어항에 물고기 2마리가 있었는데 4마리를 더 넣어서 모두 6마리가 되었습니다.
➡ 2 + 4 = 6

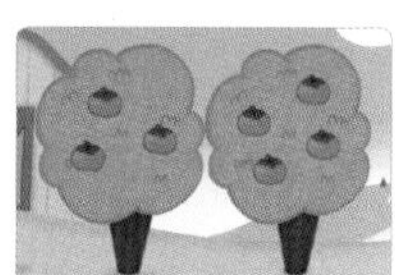

감이 나무 한 그루에 3개 있고 또 한 그루에 4개 있습니다. 감은 모두 7개입니다.
➡ 3 + 4 = 7

3 덧셈식을 2가지 방법으로 읽어 보세요.

+ ➡ 더하기, 합　　= ➡ 같습니다, 입니다.

2 + 1 = 3 ➡	2 더하기 1 은 3 과 같습니다.
	2 와 1 의 합 은 3 입니다.
5 + 4 = 9 ➡	5 더하기 4 는 9 와 같습니다.
	5 와 4 의 합 은 9 입니다.
1 + 7 = 8 ➡	1 더하기 7 은 8 과 같습니다.
	1 과 7 의 합 은 8 입니다.
3 + 4 = 7 ➡	3 더하기 4 는 7 과 같습니다.
	3 과 4 의 합 은 7 입니다.
6 + 3 = 9 ➡	6 더하기 3 은 9 와 같습니다.
	6 과 3 의 합 은 9 입니다.
7 + 2 = 9 ➡	7 더하기 2 는 9 와 같습니다.
	7 과 2 의 합 은 9 입니다.

4 덧셈식을 쓰고 읽어 보세요.

보기

나비의 수

쓰기 3+1=4
읽기 ① 3 더하기 1은 4와 같습니다.
② 3과 1의 합은 4입니다.

공의 수

쓰기 4+4=8
읽기 ① 4 더하기 4는 8과 같습니다.
② 4와 4의 합은 8입니다.

물고기의 수

예
쓰기 6+3=9
읽기 ① 6 더하기 3은 9와 같습니다.
② 6과 3의 합은 9입니다.

공작의 수

예
쓰기 3+4=7
읽기 ① 3 더하기 4는 7과 같습니다.
② 3과 4의 합은 7입니다.

04 덧셈하기

정답 20쪽

○ 수를 세어 더하기

$5 + 3 = 8$

1 ○ 수를 세어 덧셈을 해 보세요.

$4 + 2 = 6$ $2 + 2 = 4$

$5 + 1 = 6$ $6 + 2 = 8$

$3 + 4 = 7$ $4 + 5 = 9$

$5 + 4 = 9$ $2 + 5 = 7$

$8 + 1 = 9$ $7 + 2 = 9$

2 식에 알맞게 ○를 그려 덧셈을 해 보세요.

$2 + 3 = 5$ $4 + 4 = 8$ $4 + 2 = 6$

$2 + 2 = 4$ $5 + 4 = 9$ $2 + 6 = 8$

$2 + 4 = 6$ $2 + 5 = 7$ $1 + 7 = 8$

$4 + 3 = 7$ $3 + 2 = 5$ $2 + 7 = 9$

$3 + 5 = 8$ $6 + 3 = 9$ $1 + 4 = 5$

$5 + 2 = 7$ $7 + 1 = 8$ $3 + 6 = 9$

3 모으기를 이용하여 덧셈을 해 보세요.

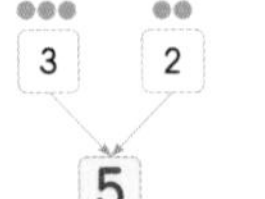

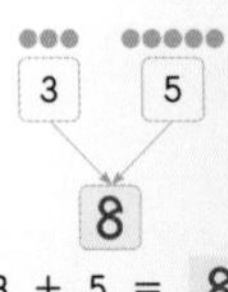

3, 2 → 5 $3 + 2 = 5$ 4, 2 → 6 $4 + 2 = 6$ 3, 5 → 8 $3 + 5 = 8$

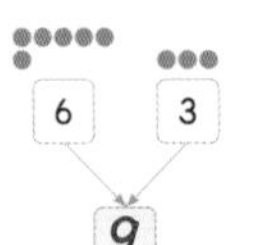

6, 3 → 9 $6 + 3 = 9$ 5, 2 → 7 $5 + 2 = 7$ 4, 3 → 7 $4 + 3 = 7$

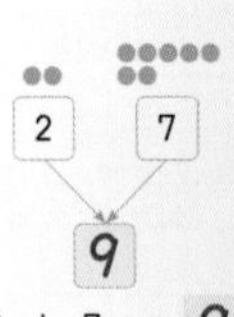

2, 3 → 5 $2 + 3 = 5$ 2, 4 → 6 $2 + 4 = 6$ 2, 7 → 9 $2 + 7 = 9$

6, 2 → 8 $6 + 2 = 8$ 5, 4 → 9 $5 + 4 = 9$ 6, 1 → 7 $6 + 1 = 7$

4 모으기를 하여 덧셈을 해 보세요.

$4 + 2 = 6$ (6) $1 + 2 = 3$ (3) $3 + 2 = 5$ (5)

$5 + 4 = 9$ (9) $7 + 1 = 8$ (8) $2 + 5 = 7$ (7)

$2 + 1 = 3$ (3) $3 + 3 = 6$ (6) $5 + 3 = 8$ (8)

$3 + 4 = 7$ (7) $3 + 1 = 4$ (4) $4 + 5 = 9$ (9)

$4 + 1 = 5$ (5) $6 + 2 = 8$ (8) $3 + 6 = 9$ (9)

$2 + 6 = 8$ (8) $7 + 2 = 9$ (9) $4 + 4 = 8$ (8)

05 덧셈 연습

정답 21쪽

1 덧셈 실력을 점검해 보세요.

실력평가 맞힌 개수 __개 / 제한 시간 10분

1. 1 + 2 = 3	2. 3 + 2 = 5	3. 2 + 4 = 6
4. 2 + 2 = 4	5. 4 + 3 = 7	6. 3 + 1 = 4
7. 4 + 4 = 8	8. 7 + 2 = 9	9. 1 + 4 = 5
10. 2 + 1 = 3	11. 5 + 3 = 8	12. 3 + 3 = 6
13. 5 + 2 = 7	14. 2 + 3 = 5	15. 6 + 1 = 7
16. 3 + 5 = 8	17. 4 + 2 = 6	18. 1 + 3 = 4
19. 8 + 1 = 9	20. 1 + 7 = 8	21. 4 + 5 = 9
22. 6 + 2 = 8	23. 3 + 6 = 9	24. 3 + 4 = 7

2 덧셈을 해 보세요.

+			+			+		
1	2	3 (1+2)	2	2	4	3	2	5
3	1	4	4	2	6	6	3	9
3	4	7	6	2	8	4	4	8
2	3	5	3	6	9	2	5	7
2	4	6	4	3	7	1	3	4
5	3	8	4	5	9	3	3	6

3 덧셈을 해 보세요.

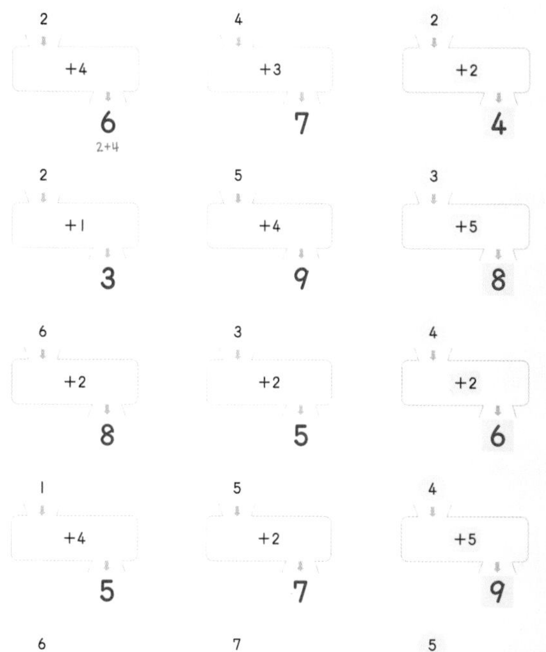

4 올바른 덧셈식이 되도록 선을 그어 보세요.

보기

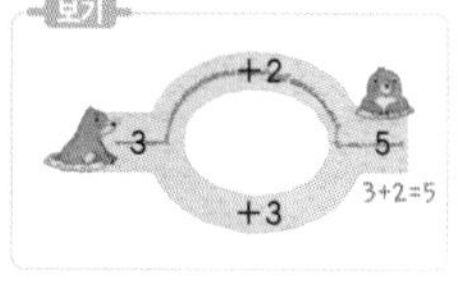

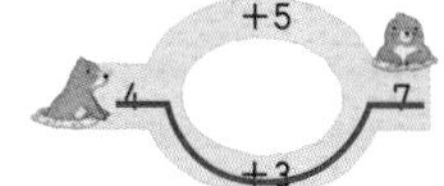

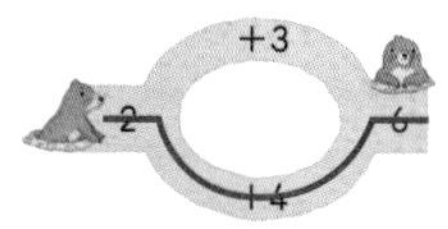

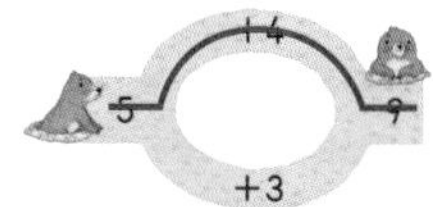

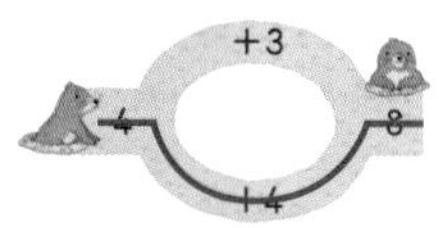

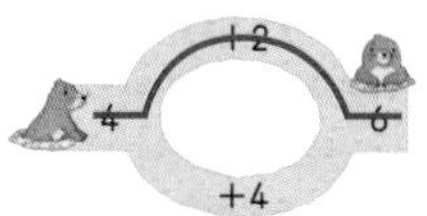

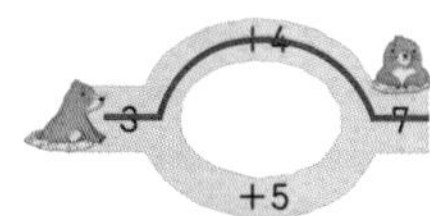

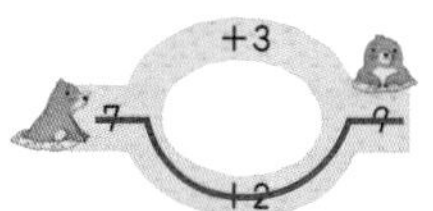

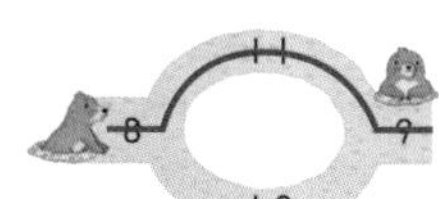

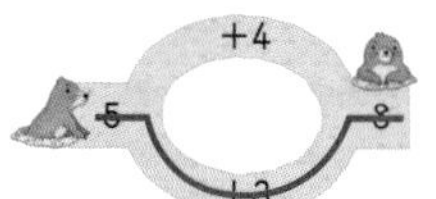

06 뺄셈식으로 나타내기

정답 22쪽

초등 1-1 ③ 덧셈과 뺄셈

뺄셈 상황 이야기 만들기

➡ 당근 7개 중에서 2개를 먹었으므로 당근은 5개 남았습니다.

1 그림을 보고 안에 알맞은 수를 써넣어 이야기를 만들어 보세요.

➡ 꽃밭에 나비 7 마리가 있었는데 3 마리가 날아가서 4 마리 남았습니다.

➡ 버스에 6 명이 타고 있었는데 2 명이 내려서 4 명이 남았습니다.

➡ 윗옷은 6 개, 바지는 3 개이므로 윗옷이 바지보다 3 개 더 많습니다.

24

2 그림을 보고 뺄셈식을 알맞게 만들어 보세요.

연못 안에 오리 5마리가 놀고 있었는데 2마리가 연못 밖으로 나가서 3마리 남았습니다.

➡ 5 - 2 = 3

지붕 위에 새 6마리가 앉아 있었는데 4마리가 날아가서 2마리 남았습니다.

➡ 6 - 4 = 2

사과는 7개, 배는 3개이므로 사과가 배보다 4개 더 많습니다.

➡ 7 - 3 = 4

우산 쓴 아이는 5명, 우산을 쓰지 않은 아이는 4명이므로 우산을 쓴 아이가 우산을 쓰지 않은 아이보다 1명 더 많습니다.

➡ 5 - 4 = 1

파란 꽃이 5송이, 빨간 꽃이 3송이이므로 파란 꽃이 빨간 꽃보다 2송이 더 많습니다.

➡ 5 - 3 = 2

25

3 뺄셈을 2가지 방법으로 읽어 보세요.

− ➡ 빼기, 차　　= ➡ 같습니다, 입니다.

3 − 1 = 2	3 빼기 1 은 2 와 같습니다.
	3 과 1 의 차 는 2 입니다.
5 − 4 = 1	5 빼기 4 는 1 과 같습니다.
	5 와 4 의 차 는 1 입니다.
8 − 3 = 5	8 빼기 3 은 5 와 같습니다.
	8 과 3 의 차 는 5 입니다.
9 − 6 = 3	9 빼기 6 은 3 과 같습니다.
	9 와 6 의 차 는 3 입니다.
6 − 2 = 4	6 빼기 2 는 4 와 같습니다.
	6 과 2 의 차 는 4 입니다.
7 − 5 = 2	7 빼기 5 는 2 와 같습니다.
	7 과 5 의 차 는 2 입니다.

26

4 뺄셈식을 쓰고 읽어 보세요.

보기

쓰기 6−2=4

읽기 ① 6 빼기 2는 4와 같습니다.
② 6과 2의 차는 4입니다.

쓰기 9−3=6

읽기 ① 9 빼기 3은 6과 같습니다.
② 9와 3의 차는 6입니다.

쓰기 3−2=1

읽기 ① 3 빼기 2는 1과 같습니다.
② 3과 2의 차는 1입니다.

쓰기 7−4=3

읽기 ① 7 빼기 4는 3과 같습니다.
② 7과 4의 차는 3입니다.

07 뺄셈하기

정답 23쪽

그림 그려 빼기

〈빼는 수만큼 지워서 빼기〉

5－2＝3

〈짝을 지어 비교하며 빼기〉

5－2＝3

1 그림을 보고 뺄셈을 해 보세요.

3 － 2 = 1　　5 － 3 = 2　　4 － 3 = 1

6 － 4 = 2　　8 － 5 = 3　　9 － 3 = 6

8 － 3 = 5　　6 － 3 = 3　　7 － 4 = 3

6 － 2 = 4　　7 － 5 = 2　　8 － 6 = 2

7 － 3 = 4　　9 － 4 = 5　　6 － 5 = 1

2 식에 알맞게 ／로 지워가며 뺄셈을 해 보세요.

6 － 4 = 2　　5 － 2 = 3　　4 － 3 = 1

6 － 2 = 4　　7 － 4 = 3　　9 － 6 = 3

8 － 5 = 3　　3 － 1 = 2　　7 － 5 = 2

7 － 3 = 4　　6 － 1 = 5　　5 － 4 = 1

6 － 5 = 1　　8 － 4 = 4　　9 － 4 = 5

9 － 5 = 4　　7 － 6 = 1　　8 － 2 = 6

3 가르기를 이용하여 뺄셈을 해 보세요.

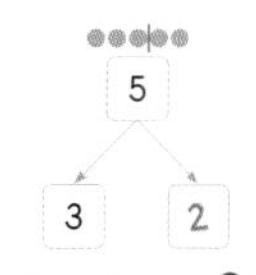

5 → 3, 2　5 － 3 = 2

6 → 2, 4　6 － 2 = 4

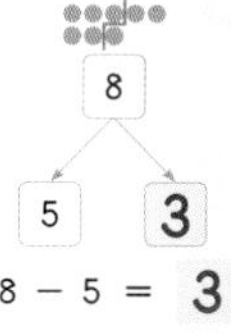

8 → 5, 3　8 － 5 = 3

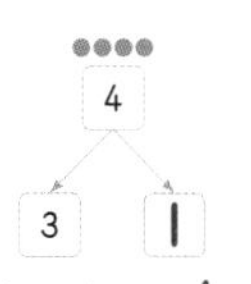

4 → 3, 1　4 － 3 = 1

7 → 4, 3　7 － 4 = 3

9 → 2, 7　9 － 2 = 7

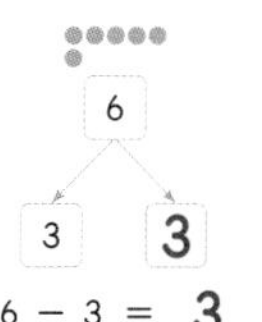

6 → 3, 3　6 － 3 = 3

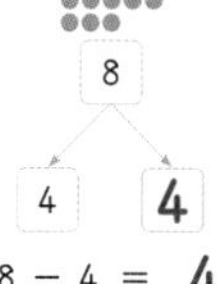

8 → 4, 4　8 － 4 = 4

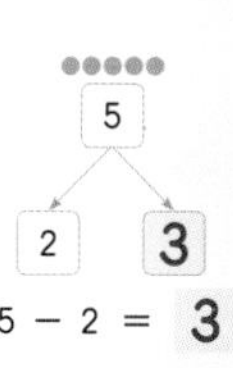

5 → 2, 3　5 － 2 = 3

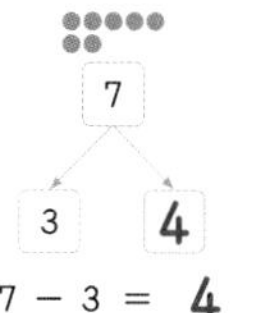

7 → 3, 4　7 － 3 = 4

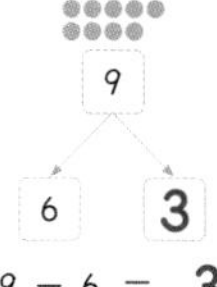

9 → 6, 3　9 － 6 = 3

8 → 3, 5　8 － 3 = 5

4 가르기를 하여 뺄셈을 해 보세요.

4 － 2 = 2 (2, 2)　　5 － 2 = 3 (2, 3)　　7 － 3 = 4 (3, 4)

8 － 2 = 6 (2, 6)　　6 － 3 = 3 (3, 3)　　9 － 3 = 6 (3, 6)

5 － 4 = 1 (4, 1)　　6 － 2 = 4 (2, 4)　　7 － 5 = 2 (5, 2)

9 － 4 = 5 (4, 5)　　4 － 1 = 3 (1, 3)　　8 － 4 = 4 (4, 4)

5 － 1 = 4 (1, 4)　　8 － 6 = 2 (6, 2)　　9 － 5 = 4 (5, 4)

08 뺄셈 연습

정답 24쪽

1 뺄셈 실력을 점검해 보세요.

실력 평가 맞힌 개수 개 / 제한 시간 10 분

1. 3 − 2 = 1	2. 5 − 2 = 3	3. 6 − 3 = 3
4. 4 − 3 = 1	5. 7 − 4 = 3	6. 8 − 2 = 6
7. 5 − 3 = 2	8. 9 − 2 = 7	9. 6 − 4 = 2
10. 6 − 2 = 4	11. 8 − 6 = 2	12. 7 − 5 = 2
13. 7 − 2 = 5	14. 9 − 3 = 6	15. 8 − 4 = 4
16. 4 − 2 = 2	17. 3 − 1 = 2	18. 5 − 4 = 1
19. 9 − 5 = 4	20. 7 − 3 = 4	21. 9 − 7 = 2
22. 8 − 5 = 3	23. 9 − 4 = 5	24. 8 − 3 = 5

2 뺄셈을 해 보세요.

3 →(−1)→ 2 (3−1)	5 →(−4)→ 1	7 →(−2)→ 5
4 →(−3)→ 1	8 →(−5)→ 3	9 →(−3)→ 6
6 →(−2)→ 4	8 →(−3)→ 5	7 →(−5)→ 2
7 →(−3)→ 4	9 →(−6)→ 3	6 →(−4)→ 2
8 →(−4)→ 4	6 →(−5)→ 1	5 →(−2)→ 3
7 →(−4)→ 3	8 →(−2)→ 6	9 →(−5)→ 4

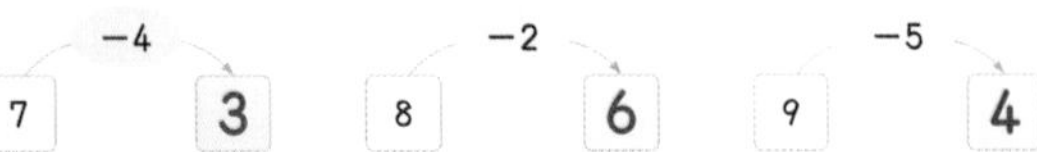

3 보기 와 같은 방법으로 뺄셈을 해 보세요.

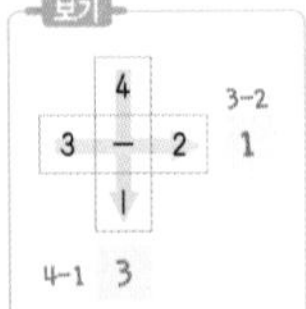

위	왼쪽	오른쪽	아래	가로 답	세로 답
4	5	2	2	3 (5−2)	2 (4−2)
7	6	1	2	5	5
6	5	3	4	2	2
8	7	3	7	4	1
7	6	5	4	1	3
9	4	3	1	1	8
8	5	4	4	1	4
5	9	2	1	7	4
6	7	6	3	1	3
9	6	2	4	4	5
7	8	3	5	5	2

4 갈림길에서 푯말의 조건에 알맞게 길을 따라가세요.

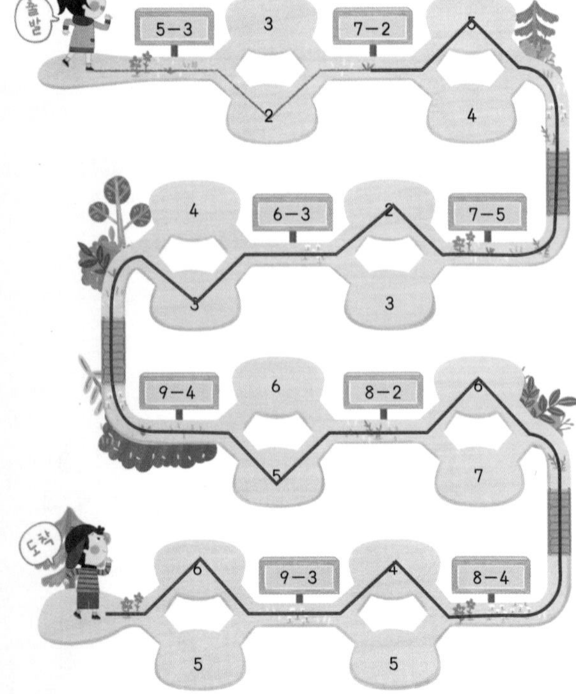

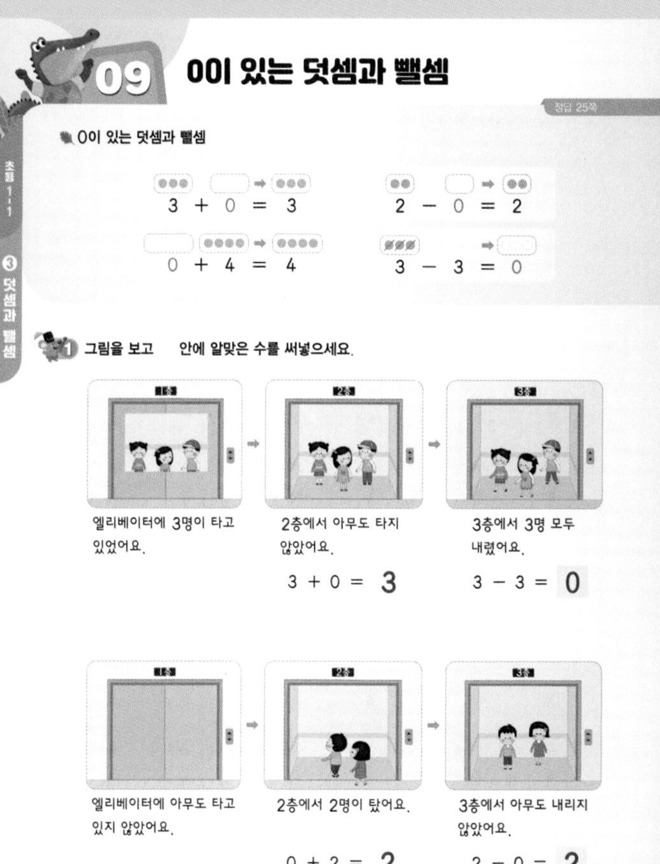

09 0이 있는 덧셈과 뺄셈

정답 25쪽

0이 있는 덧셈과 뺄셈

3 + 0 = 3　　2 − 0 = 2

0 + 4 = 4　　3 − 3 = 0

1 그림을 보고 안에 알맞은 수를 써넣으세요.

엘리베이터에 3명이 타고 있었어요. / 2층에서 아무도 타지 않았어요. / 3층에서 3명 모두 내렸어요.

3 + 0 = 3　　3 − 3 = 0

엘리베이터에 아무도 타고 있지 않았어요. / 2층에서 2명이 탔어요. / 3층에서 아무도 내리지 않았어요.

0 + 2 = 2　　2 − 0 = 2

36

2 그림을 보고 안에 알맞은 수를 써넣으세요.

배에 아무도 타고 있지 않았다가 배에 4 명이 타서 배를 탄 사람은 모두 4 명이 되었습니다.

0 + 4 = 4

꽃집 선반 위에 화분 4 개가 있었습니다. 오늘은 한 개도 팔리지 않아서 화분이 4 개 있습니다.

4 − 0 = 4

버스에 1 명이 타고 있었는데 이번 정류장에서 아무도 타지 않아 버스에 타고 있는 사람은 1 명입니다.

1 + 0 = 1

접시에 도넛 5 개가 있습니다. 현수가 도넛 5 개를 먹었더니 도넛이 하나도 남지 않았습니다.

5 − 5 = 0

37

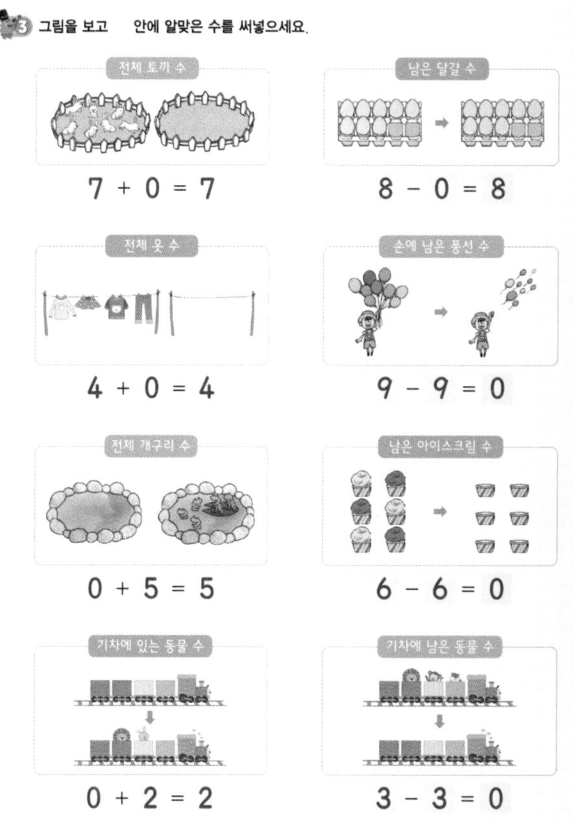

3 그림을 보고 안에 알맞은 수를 써넣으세요.

전체 토끼 수: 7 + 0 = 7　　남은 달걀 수: 8 − 0 = 8

전체 옷 수: 4 + 0 = 4　　손에 남은 풍선 수: 9 − 9 = 0

전체 개구리 수: 0 + 5 = 5　　남은 아이스크림 수: 6 − 6 = 0

기차에 있는 동물 수: 0 + 2 = 2　　기차에 남은 동물 수: 3 − 3 = 0

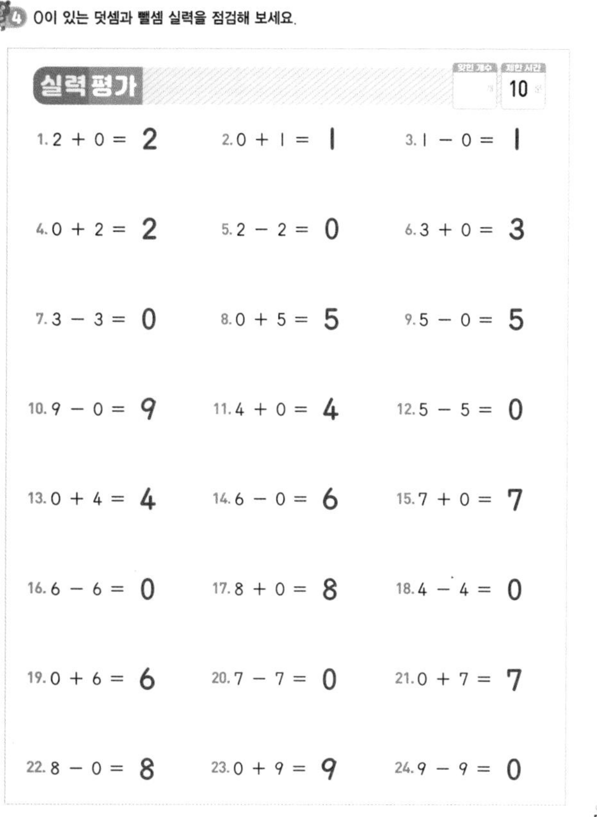

4 0이 있는 덧셈과 뺄셈 실력을 점검해 보세요.

실력평가　맞힌 개수　제한 시간 10분

1. 2 + 0 = 2	2. 0 + 1 = 1	3. 1 − 0 = 1
4. 0 + 2 = 2	5. 2 − 2 = 0	6. 3 + 0 = 3
7. 3 − 3 = 0	8. 0 + 5 = 5	9. 5 − 0 = 5
10. 9 − 0 = 9	11. 4 + 0 = 4	12. 5 − 5 = 0
13. 0 + 4 = 4	14. 6 − 0 = 6	15. 7 + 0 = 7
16. 6 − 6 = 0	17. 8 + 0 = 8	18. 4 − 4 = 0
19. 0 + 6 = 6	20. 7 − 7 = 0	21. 0 + 7 = 7
22. 8 − 0 = 8	23. 0 + 9 = 9	24. 9 − 9 = 0

39

10 덧셈과 뺄셈

정답 26쪽

바꾸어 더하기

3 + 2 = 5
2 + 3 = 5

더하는 두 수의 순서를 바꾸어 더해도 더한 값은 같습니다.

1 더하는 두 수를 바꾸어 계산해 보세요.

4 + 2 = 6, 2 + 4 = 6
5 + 3 = 8, 3 + 5 = 8
2 + 5 = 7, 5 + 2 = 7
3 + 4 = 7, 4 + 3 = 7
2 + 6 = 8, 6 + 2 = 8
7 + 2 = 9, 2 + 7 = 9
5 + 4 = 9, 4 + 5 = 9
8 + 1 = 9, 1 + 8 = 9
3 + 6 = 9, 6 + 3 = 9

덧셈식과 뺄셈식의 관계

3 + 2 = 5 ➡ 5 − 2 = 3
2 + 3 = 5 ➡ 5 − 3 = 2

2 안에 알맞은 수를 써넣으세요.

4 + 3 = 7 ➡ 7 − 3 = 4
3 + 5 = 8 ➡ 8 − 5 = 3
8 + 1 = 9 ➡ 9 − 1 = 8
2 + 6 = 8 ➡ 8 − 6 = 2
5 + 4 = 9 ➡ 9 − 4 = 5
4 + 2 = 6 ➡ 6 − 2 = 4
3 + 4 = 7 ➡ 7 − 4 = 3
3 + 3 = 6 ➡ 6 − 3 = 3
7 + 2 = 9 ➡ 9 − 2 = 7
6 + 3 = 9 ➡ 9 − 3 = 6

3 안에 알맞은 수를 써넣으세요.

3+1=4	4−1= 3
1+3= 4	4−3= 1

3+2=5	5−2= 3
2+3= 5	5−3= 2

2+4=6	6−4= 2
4+2= 6	6−2= 4

5+3=8	8−3= 5
3+5= 8	8−5= 3

3+4=7	7−4= 3
4+3= 7	7−3= 4

2+6=8	8−6= 2
6+2= 8	8−2= 6

4+5= 9	9−5= 4
5+4= 9	9−4= 5

5+2= 7	7−2= 5
2+5= 7	7−5= 2

7+2= 9	9−2= 7
2+7= 9	9−7= 2

6+3= 9	9−3= 6
3+6= 9	9−6= 3

4 주어진 수 카드를 모두 사용하여 덧셈식과 뺄셈식을 각각 2개씩 만들어 보세요.

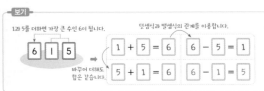

보기

1과 5를 더하면 가장 큰 수인 6이 됩니다. 덧셈식과 뺄셈식의 관계를 이용합니다.

6 1 5 ➡

1 + 5 = 6	6 − 5 = 1
5 + 1 = 6	6 − 1 = 5

바꾸어 더해도 합은 같습니다.

3 5 2 ➡

2 + 3 = 5	5 − 3 = 2
3 + 2 = 5	5 − 2 = 3

7 4 3 ➡

3 + 4 = 7	7 − 4 = 3
4 + 3 = 7	7 − 3 = 4

2 6 8 ➡

2 + 6 = 8	8 − 6 = 2
6 + 2 = 8	8 − 2 = 6

5 4 9 ➡

4 + 5 = 9	9 − 5 = 4
5 + 4 = 9	9 − 4 = 5

11 덧셈과 뺄셈 연습

정답 27쪽

1 덧셈과 뺄셈 실력을 점검해 보세요.

실력평가 맞힌 개수 개 / 제한 시간 10 분

1. 1 + 2 = 3	2. 3 − 2 = 1	3. 2 + 4 = 6
4. 2 − 2 = 0	5. 4 + 3 = 7	6. 3 − 1 = 2
7. 3 + 4 = 7	8. 7 − 2 = 5	9. 1 + 4 = 5
10. 5 − 3 = 2	11. 2 + 1 = 3	12. 3 − 0 = 3
13. 5 + 2 = 7	14. 9 − 3 = 6	15. 5 + 4 = 9
16. 7 − 4 = 3	17. 4 + 2 = 6	18. 8 − 3 = 5
19. 3 + 5 = 8	20. 6 − 2 = 4	21. 4 + 5 = 9
22. 6 − 4 = 2	23. 3 + 6 = 9	24. 9 − 6 = 3

2 보기와 같은 방법으로 덧셈과 뺄셈을 해 보세요.

보기 (+2)

2	4 ← 2+2
4	6 ← 4+2

(−2)

3	1
5	3

(+3)

5	8
3	6

(−4)

6	2
4	0

(+1)

5	6
7	8

(−3)

9	6
5	2

(+2)

3	5
6	8

(−5)

9	4
5	0

(+5)

4	9
1	6

(−6)

8	2
7	1

(+6)

1	7
3	9

(−5)

7	2
6	1

(+4)

3	7
4	8

(−1)

8	7
6	5

(+5)

2	7
3	8

3 보기와 같은 방법으로 덧셈과 뺄셈을 해 보세요.

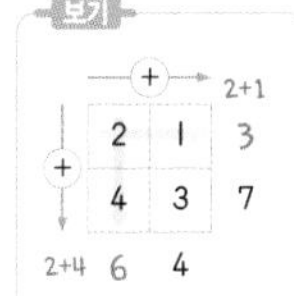

(+)

5	4	9
2	2	4
7	6	

(+)

1	4	5
3	3	6
4	7	

(+)

3	2	5
5	4	9
8	6	

(+)

4	2	6
3	5	8
7	7	

(+)

2	6	8
1	3	4
3	9	

(−)

5	2	3 (5−2)
3	1	2
2 (5−3)	1	

(−)

7	5	2
6	4	2
1	1	

(−)

6	3	3
2	1	1
4	2	

(−)

4	3	1
2	2	0
2	1	

(−)

8	5	3
7	3	4
1	2	

(−)

9	7	2
5	4	1
4	3	

4 화살표를 따라 계산하고 계산한 값의 순서대로 점을 이어 그림을 완성해 보세요.

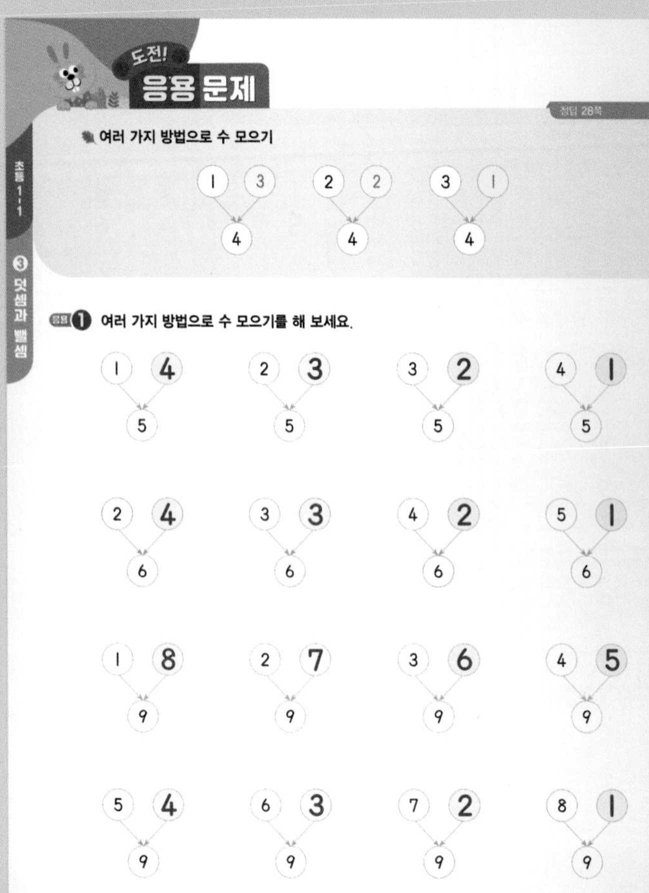

도전!
응용 문제
정답 28쪽
여러 가지 방법으로 수 모으기
응용 1 여러 가지 방법으로 수 모으기를 해 보세요.
초등 1-1
3 덧셈과 뺄셈

응용 2 모으기를 하여 주어진 수가 되는 두 수를 4개씩 찾아 묶어 보세요.

4 모으기

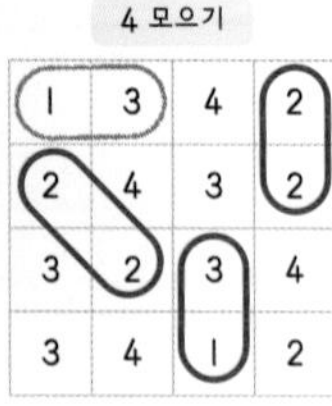

5 모으기

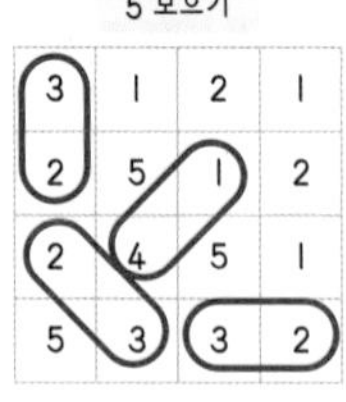

6 모으기

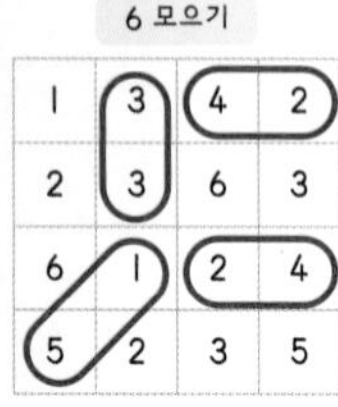

7 모으기

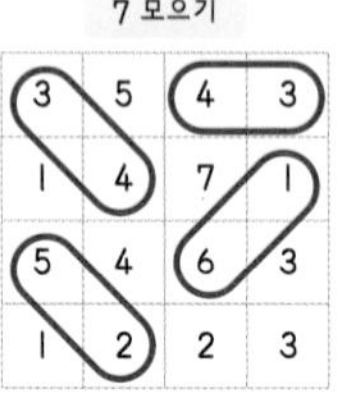

8 모으기

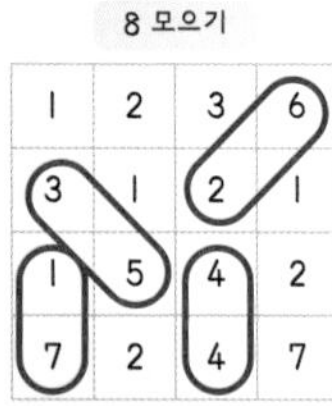

9 모으기

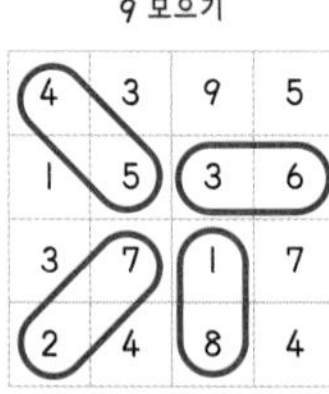

응용 3 주어진 수 카드를 한 번씩만 사용하여 덧셈식을 만들어 보세요.

수 카드	덧셈식
3, 4, 2, 1	1 + 3 = 4 예 2 + 4 = 6
5, 1, 6, 3	예 1 + 6 = 7 3 + 5 = 8
2, 4, 3, 5	예 2 + 3 = 5 4 + 5 = 9
3, 2, 5, 6	예 3 + 6 = 9 2 + 5 = 7
5, 3, 1, 4	예 1 + 3 = 4 4 + 5 = 9
1, 5, 2, 4	예 1 + 4 = 5 2 + 5 = 7
2, 1, 5, 7	예 1 + 5 = 6 2 + 7 = 9
4, 1, 6, 3	예 3 + 6 = 9 1 + 4 = 5
6, 2, 3, 4	예 2 + 6 = 8 3 + 4 = 7

응용 4 주어진 수 카드를 한 번씩만 사용하여 뺄셈식을 만들어 보세요.

수 카드	뺄셈식
2, 9, 1, 5	5 − 2 = 3 9 − 1 = 8
4, 7, 3, 6	6 − 4 = 2 7 − 3 = 4
8, 2, 5, 3	8 − 2 = 6 5 − 3 = 2
7, 4, 5, 8	8 − 4 = 4 7 − 5 = 2
9, 2, 1, 6	2 − 1 = 1 9 − 6 = 3
4, 6, 7, 9	9 − 4 = 5 7 − 6 = 1
4, 1, 7, 2	4 − 2 = 2 7 − 1 = 6
2, 5, 6, 7	6 − 2 = 4 7 − 5 = 2
3, 8, 6, 5	8 − 3 = 5 6 − 5 = 1

형성 평가

정답 29쪽

[01~02] 그림을 보고 물음에 답해 보세요.

01 모으기를 해 보세요.

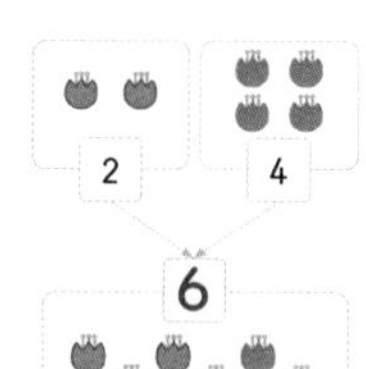

2 4

6

02 가르기를 해 보세요.

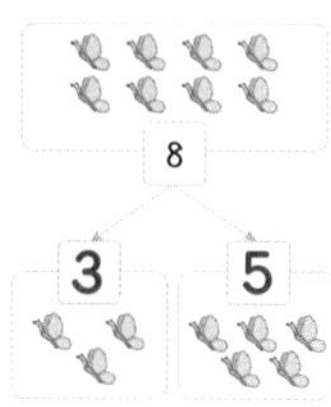

8

3 5

03 도미노 점의 수에 알맞게 ○를 색칠하고, 안에 알맞은 수를 써넣어 모으기와 가르기를 해 보세요.

(1) 2 7 / 9

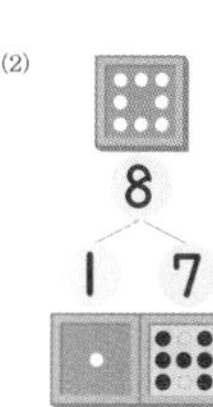

(2) 8 / 1 7

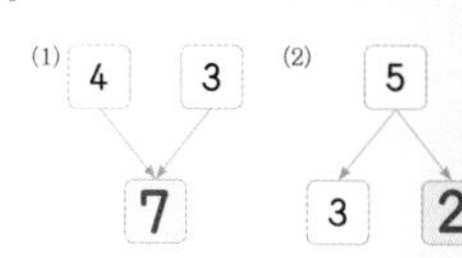

04 모으기와 가르기를 해 보세요.

(1) 4 3 → 7 (2) 5 → 3 2

05 그림을 보고 덧셈식을 만들어 보세요.

꼬리를 편 공작은 2마리이고,
꼬리를 펴지 않은 공작은 5마리이므로
공작은 모두 7마리입니다.

➡ 2 + 5 = 7

06 덧셈식을 2가지 방법으로 읽어 보세요.

3+5=8

① 3 더하기 5는 8과 같습니다.

② 3과 5의 합은 8입니다.

07 모으기 하여 덧셈을 해 보세요.

7 + 2 = 9

9

08 덧셈을 해 보세요.

(1) 4 + 4 = 8

(2) 5 + 2 = 7

09 그림을 보고 뺄셈식을 만들어 보세요.

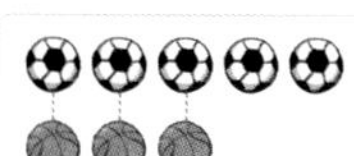

축구공은 5개, 농구공은 3개이므로
축구공이 농구공보다 2개 더 많습니다.

➡ 5 − 3 = 2

10 뺄셈식을 2가지 방법으로 읽어 보세요.

8−6=2

①8 빼기 6은 2와 같습니다.

②8과 6의 차는 2입니다.

11 가르기 하여 뺄셈을 해 보세요.

8 − 2 = 6

2 6

12 뺄셈을 해 보세요.

(1) 7 − 3 = 4

(2) 9 − 4 = 5

13 그림을 보고 안에 알맞은 수를 써넣으세요.

남아 있는 볼링핀 수

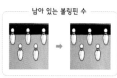

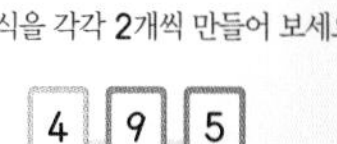

5 − 0 = 5

14 안에 알맞은 수를 써넣으세요.

(1)

1+6=7	➡ 7−6= 1
6+1= 7	7−1= 6

(2)

5+3=8	➡ 8−3= 5
3+5= 8	8−5= 3

15 주어진 수 카드를 모두 사용하여 덧셈식과 뺄셈식을 각각 2개씩 만들어 보세요.

4 9 5

덧셈식 4 + 5 = 9
5 + 4 = 9

뺄셈식 9 − 5 = 4
9 − 4 = 5

16 계산을 해 보세요.

(1) 4 + 3 = 7

(2) 6 − 4 = 2

(3) 1 + 7 = 8

(4) 9 − 0 = 9

(5) 7 − 7 = 0

17 덧셈을 해 보세요.

+4	
4	8
5	9

18 뺄셈을 해 보세요.

−		
8	4	4
6	3	3
2	1	

19 계산 결과가 가장 큰 것을 찾아 ○표 하세요.

5+2 =7 ( ) 9−0 =9 (○) 4+4 =8 ( )

20 모양은 모양보다 몇 개 더 많은지 알아보세요.

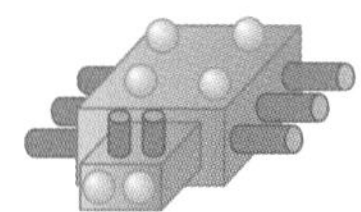

8 − 6 = 2

➡ 모양이 모양보다 2 개 더 많습니다.

=8개
=6개

단원평가 3. 덧셈과 뺄셈

정답 30쪽

1 모으기를 해 보세요.

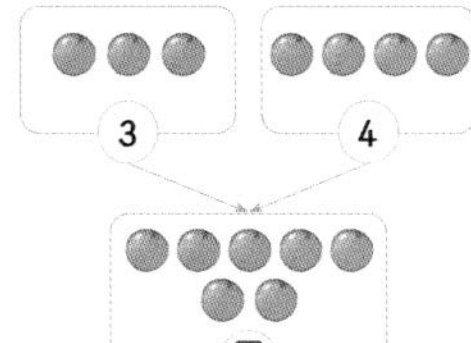

3, 4 → 7

2 안에 알맞은 수를 써넣어 가르기를 해 보세요.

(1) 9 → 2, 7

(2) 8 → 5, 3

3 두 수를 모아 6이 되는 것에 ○표 하세요.

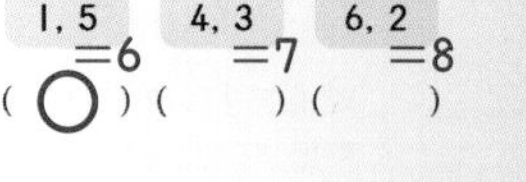

1, 5 =6 (○) 4, 3 =7 ( ) 6, 2 =8 ( )

4 그림에 알맞은 덧셈식을 쓰고 읽어 보세요.

2 + 3 = 5

2 더하기 3 은 5 와 같습니다.

5 덧셈을 해 보세요.

(1) 4 + 4 = 8

(2) 6 + 3 = 9

6 그림에 알맞은 뺄셈식을 쓰세요.

(1)

뺄셈식 7－4＝3

(2)

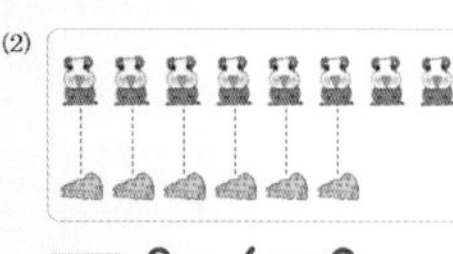

뺄셈식 8－6＝2

7 관계있는 것끼리 이어 보세요.

3+3 — 6
2+3 — 5
7−0 — 7
6+2 — 8

8 계산 결과가 같은 식을 모두 찾아 ○표 하세요.

(7+2) 2+4 (6+3) 8−4
=9 =6 =9 =4

9 안에 + 또는 −를 알맞게 써넣으세요.

5 − 3 = 2

10 그림을 보고 뺄셈식을 써 보세요.

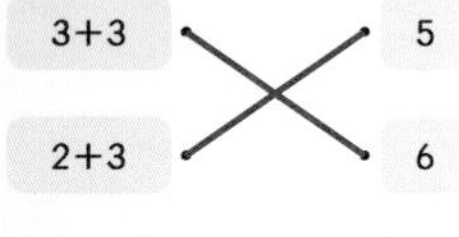

(전체에서 노란색 꽃의 수)

예 7 − 3 = 4

(전체에서 빨간색 꽃의 수)
7－4＝3

(노란색 꽃과 빨간색 꽃의 차)
4－3＝1

11 5를 위와 아래의 두 수로 가르기 해 보세요.

5	1	2	3	4
	4	3	2	1

12 계산 결과가 7인 식을 모두 찾아 색칠해 보세요.

3+3 =6, 8−1 =7, 0+7 =7, 7−7 =0

13 두 수의 합과 차를 각각 구해 보세요.

5 0

5+0= 합 (5)

5−0= 차 (5)

14 덧셈과 뺄셈을 해 보세요.

(1) 3 + 0 = 3

(2) 9 − 3 = 6

(3) 8 + 1 = 9

(4) 4 − 4 = 0

(5) 6 − 2 = 4

15 그림을 보고 덧셈식과 뺄셈식을 만들어 보세요.

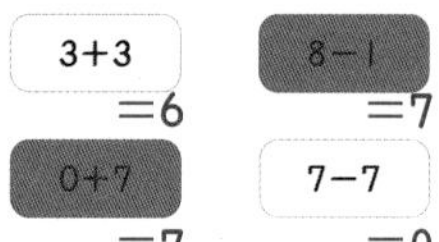

예 4 + 3 = 7

7 − 3 = 4

16 모으기를 하여 주어진 수가 되는 두 수를 4개 찾아 묶어 보세요.

6 모으기

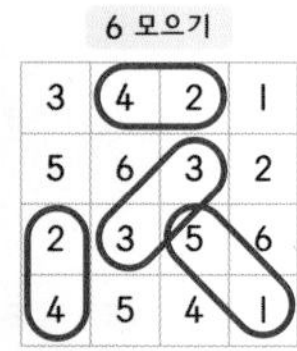

3	4	2	1
5	6	3	2
2	3	5	6
4	5	4	1

17 계산 결과가 큰 것부터 차례로 기호를 쓰세요.

㉠ 8−2=6 ㉡ 3+1=4
㉢ 6+3=9 ㉣ 4+4=8

(㉢, ㉣, ㉠, ㉡)

18 주어진 수를 모두 사용하여 덧셈식과 뺄셈식을 만들어 보세요.

9 4 5

예 4 + 5 = 9

9 − 5 = 4

(5+4=9)

(9−4=5)

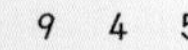

19 두 수의 합이 3인 덧셈식을 만들어 보세요.

예 1 + 2 =3

0 + 3 =3

20 주어진 수 카드를 한 번씩만 사용하여 덧셈식이나 뺄셈식을 만들어 보세요.

예

(1)

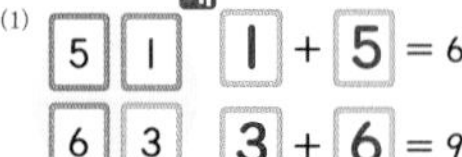

5 1 → 1 + 5 = 6

6 3 → 3 + 6 = 9

(2)

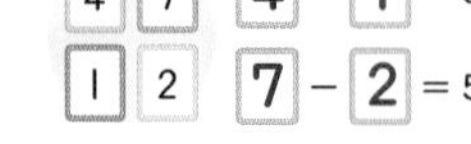

4 7 → 4 − 1 = 3

1 2 → 7 − 2 = 5

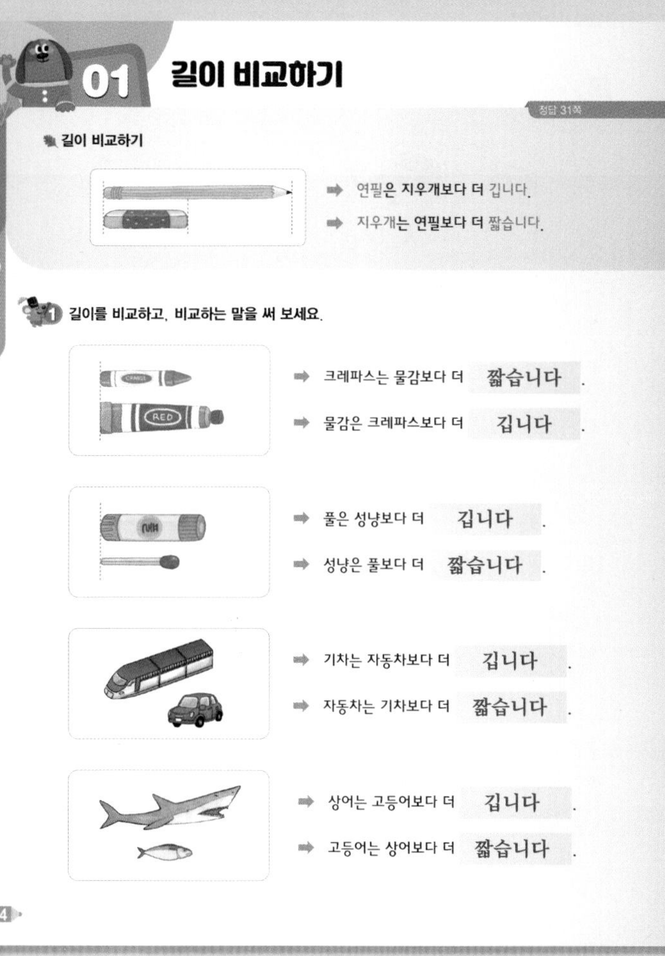

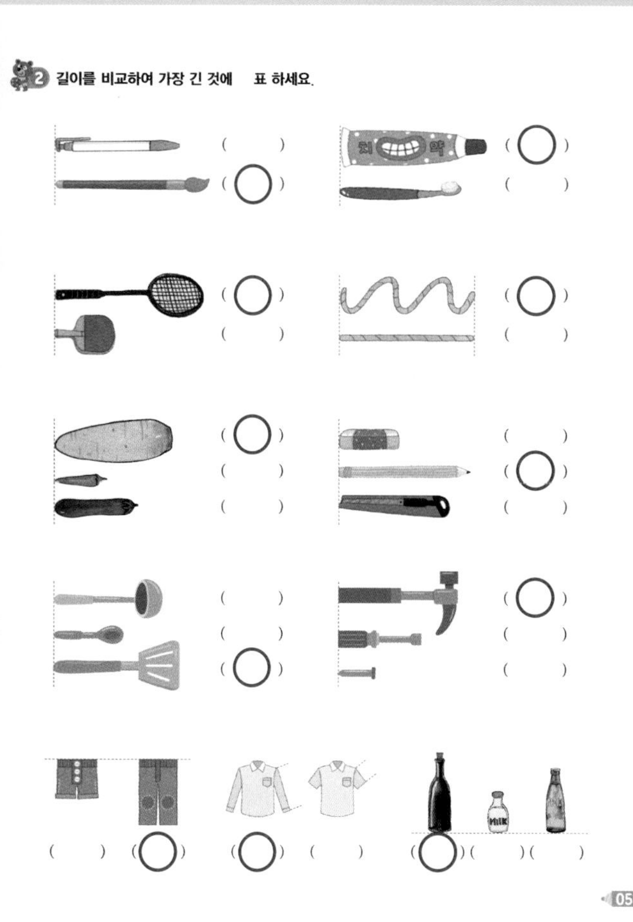

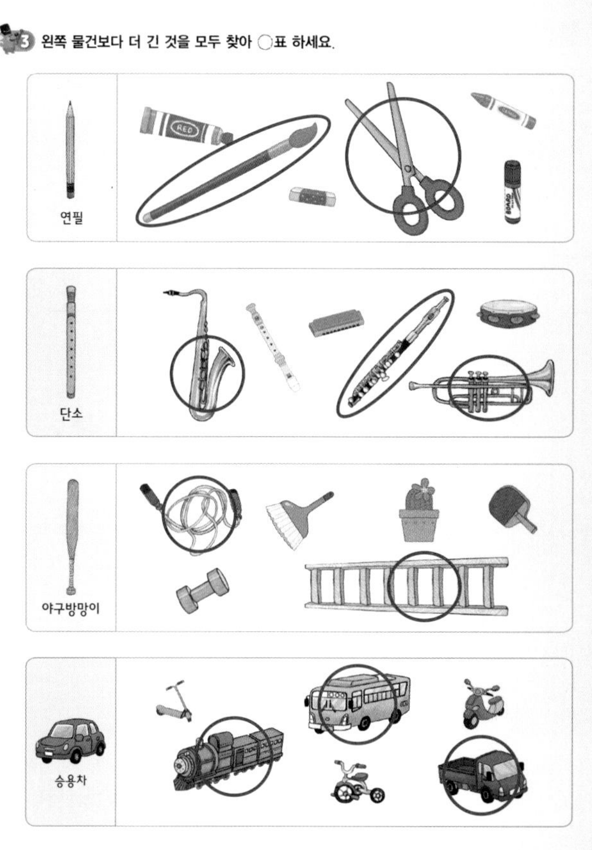

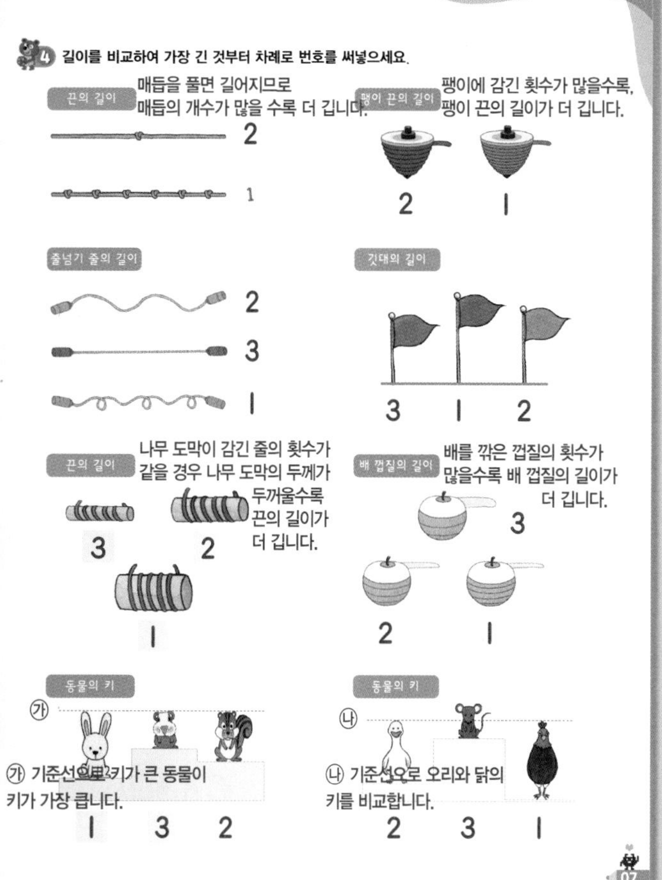

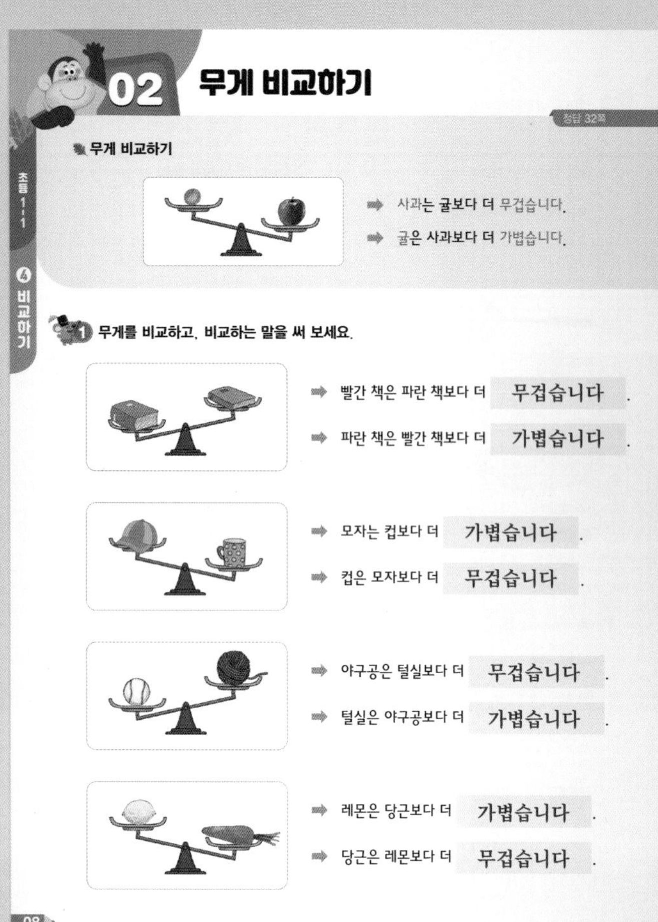

02 무게 비교하기
정답 32쪽
무게 비교하기
사과는 귤보다 더 무겁습니다.
귤은 사과보다 더 가볍습니다.
1 무게를 비교하고, 비교하는 말을 써 보세요.
빨간 책은 파란 책보다 더 무겁습니다.
파란 책은 빨간 책보다 더 가볍습니다.
모자는 컵보다 더 가볍습니다.
컵은 모자보다 더 무겁습니다.
야구공은 털실보다 더 무겁습니다.
털실은 야구공보다 더 가볍습니다.
레몬은 당근보다 더 가볍습니다.
당근은 레몬보다 더 무겁습니다.
08

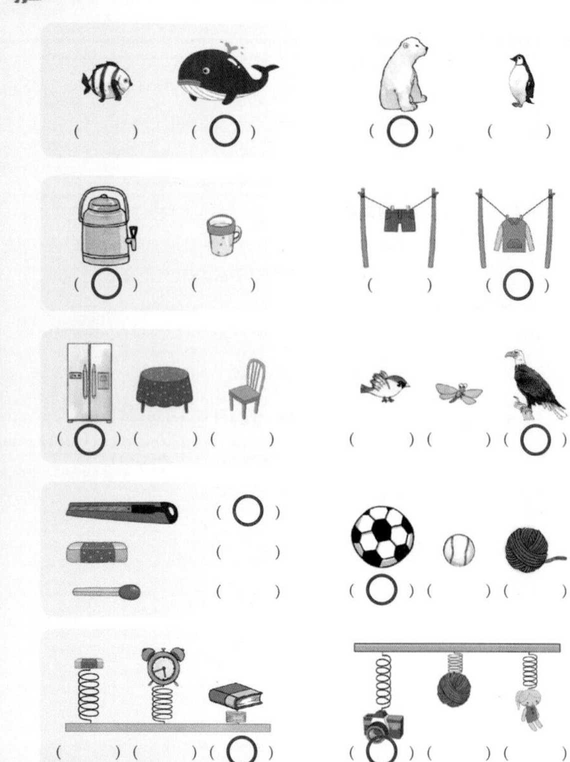

2 무게를 비교하여 가장 무거운 것에 ○표 하세요.

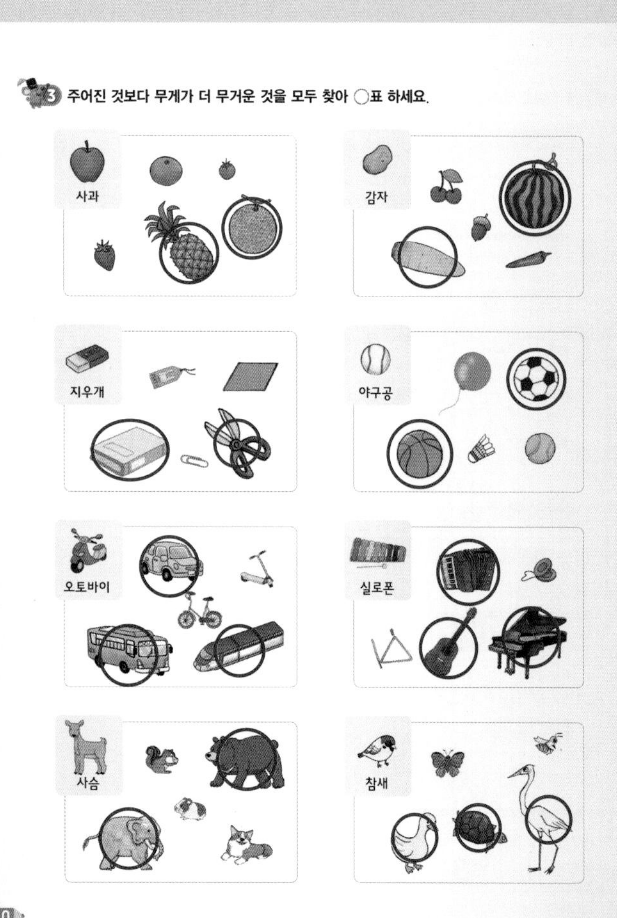

3 주어진 것보다 무게가 더 무거운 것을 모두 찾아 ○표 하세요.
사과
감자
지우개
야구공
오토바이
실로폰
사슴
참새
10

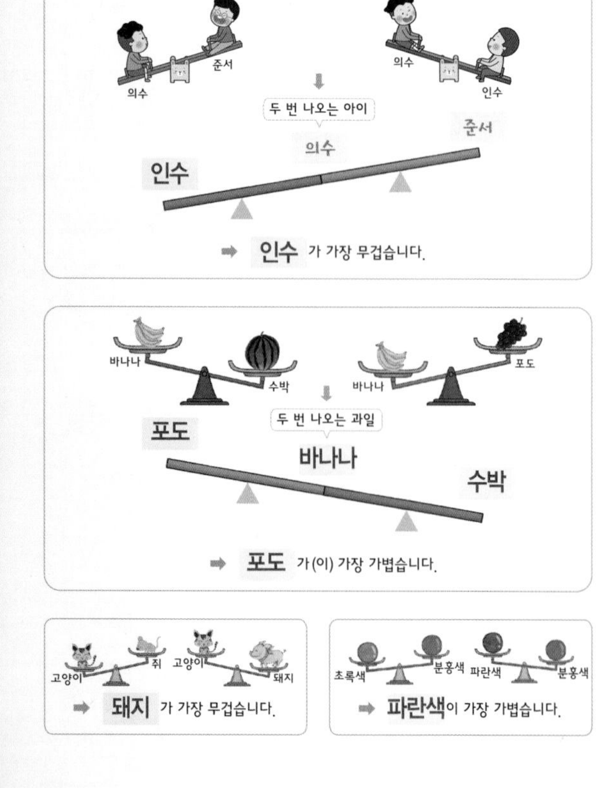

4 무게를 비교하려고 합니다. 안에 알맞게 써넣으세요.
의수
준서
인수
두 번 나오는 아이
인수 가 가장 무겁습니다.
바나나
수박
포도
두 번 나오는 과일
포도 가(이) 가장 가볍습니다.
고양이
쥐
돼지
돼지 가 가장 무겁습니다.
초록색
분홍색
파란색
파란색이 가장 가볍습니다.

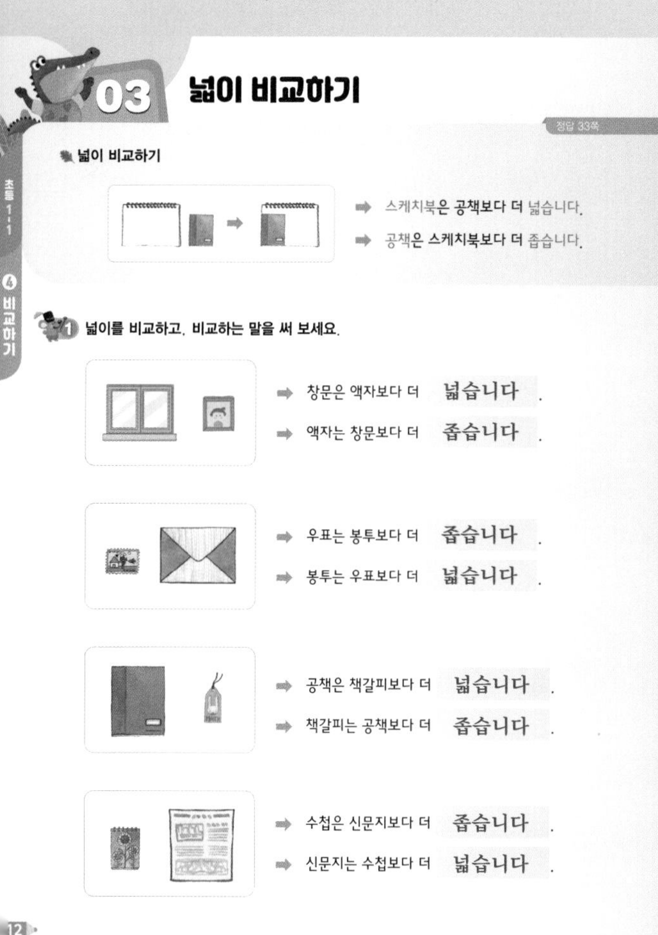
03 넓이 비교하기
정답 33쪽
넓이 비교하기
스케치북은 공책보다 더 넓습니다.
공책은 스케치북보다 더 좁습니다.
1 넓이를 비교하고, 비교하는 말을 써 보세요.
창문은 액자보다 더 넓습니다.
액자는 창문보다 더 좁습니다.
우표는 봉투보다 더 좁습니다.
봉투는 우표보다 더 넓습니다.
공책은 책갈피보다 더 넓습니다.
책갈피는 공책보다 더 좁습니다.
수첩은 신문지보다 더 좁습니다.
신문지는 수첩보다 더 넓습니다.
12

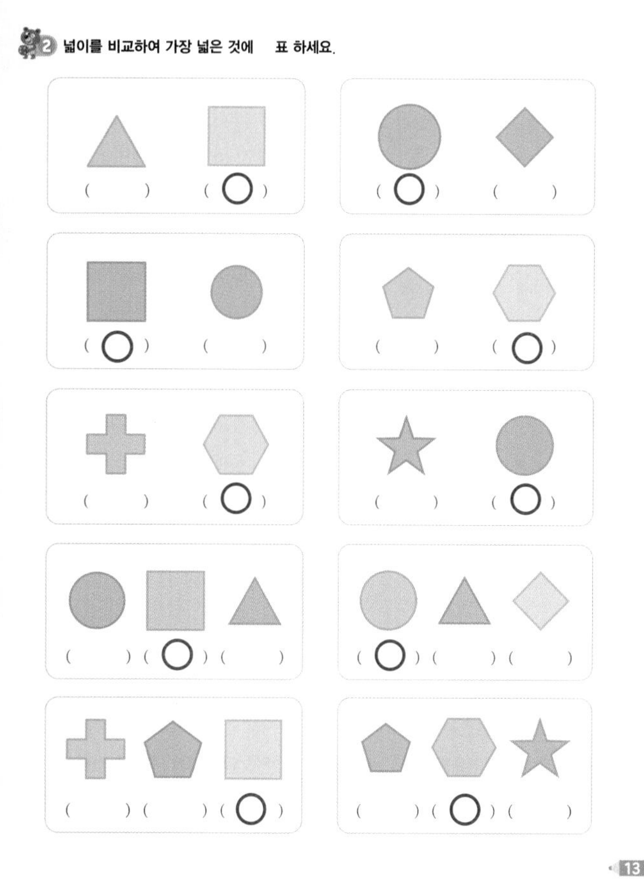
2 넓이를 비교하여 가장 넓은 것에 ○표 하세요.
13

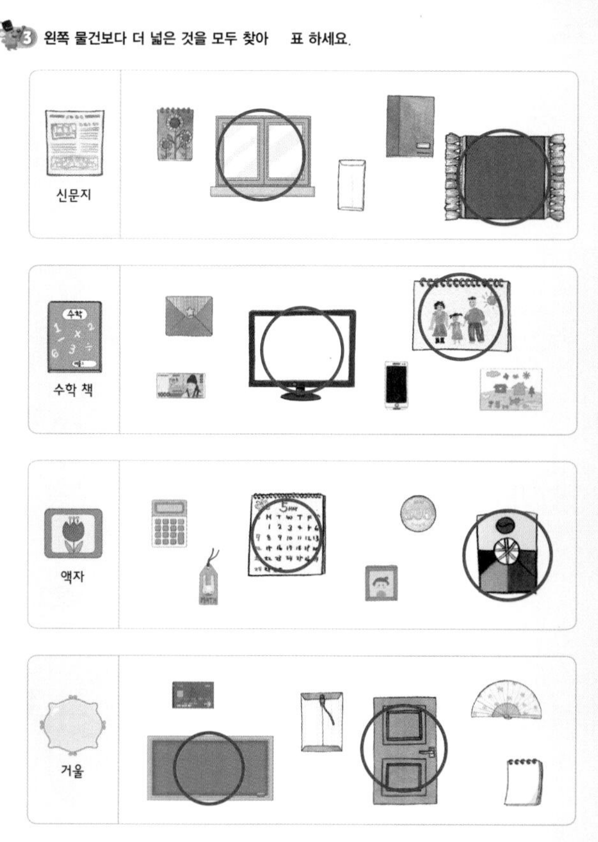
3 왼쪽 물건보다 더 넓은 것을 모두 찾아 ○표 하세요.
신문지
수학 책
액자
거울

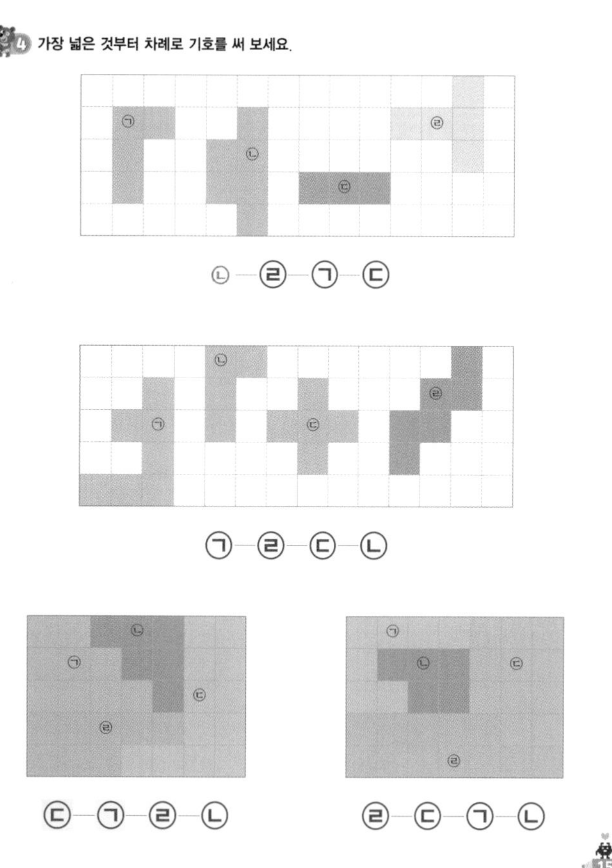
4 가장 넓은 것부터 차례로 기호를 써 보세요.
ㄴ-ㄹ-ㄱ-ㄷ
ㄱ-ㄹ-ㄷ-ㄴ
ㄷ-ㄱ-ㄹ-ㄴ
ㄹ-ㄷ-ㄱ-ㄴ
15

04 들이 비교하기

정답 34쪽

담을 수 있는 양 비교하기

➡ 주전자는 컵보다 담을 수 있는 양이 더 많습니다.
➡ 컵은 주전자보다 담을 수 있는 양이 더 적습니다.

1 들이를 비교하고, 비교하는 말을 써 보세요.

➡ 물통은 주전자보다 담을 수 있는 양이 더 많습니다.
➡ 주전자는 물통보다 담을 수 있는 양이 더 적습니다.

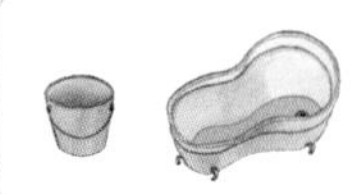

➡ 양동이는 욕조보다 담을 수 있는 양이 더 적습니다.
➡ 욕조는 양동이보다 담을 수 있는 양이 더 많습니다.

➡ 보온병은 컵보다 담을 수 있는 양이 더 많습니다.
➡ 컵은 보온병보다 담을 수 있는 양이 더 적습니다.

➡ 그릇은 냄비보다 담을 수 있는 양이 더 적습니다.
➡ 냄비는 그릇보다 담을 수 있는 양이 더 많습니다.

2 담을 수 있는 양이 가장 많은 것에 ○표 하세요.

(○) (   )

(○) (   )

(   ) (○)

(○) (   )

(○) (   ) (   )

(   ) (○) (   )

(   ) (   ) (○)
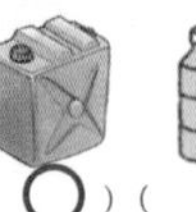

(○) (   ) (   )

(   ) (○) (   )

(   ) (   ) (○)

3 담긴 물의 양이 가장 많은 것에 ○표 하세요.

보기

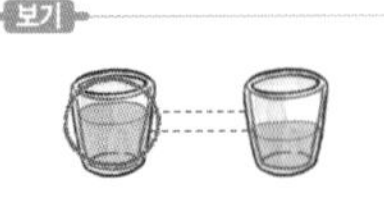
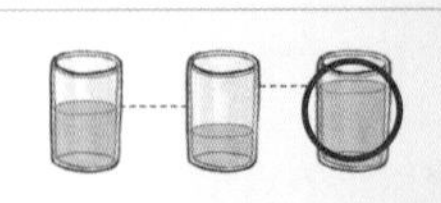

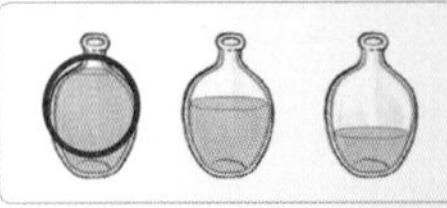
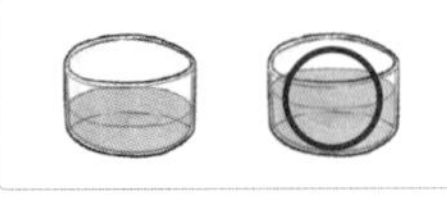
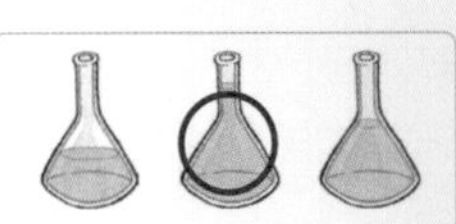
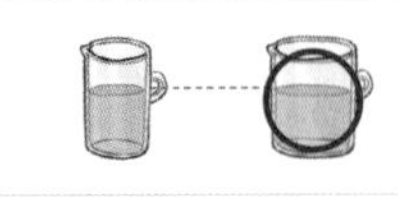
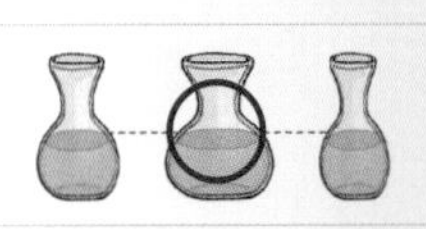
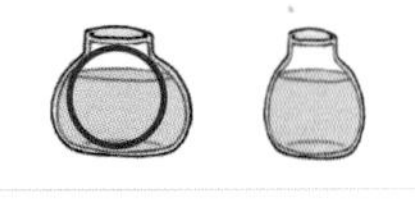
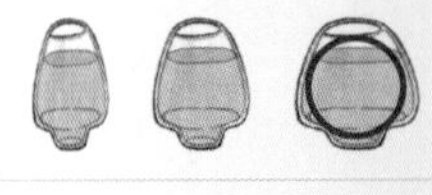

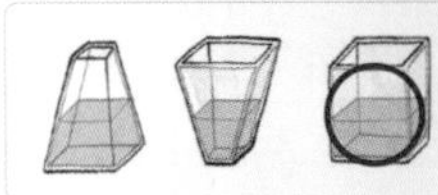

4 물을 옮겨 담으면 어떻게 될지 그려 보세요.

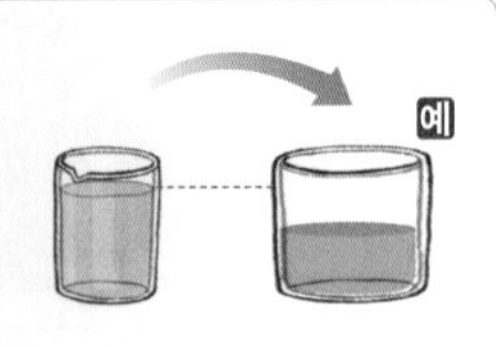

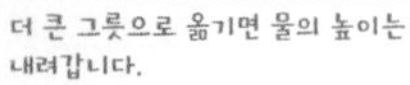
더 큰 그릇으로 옮기면 물의 높이는 내려갑니다.

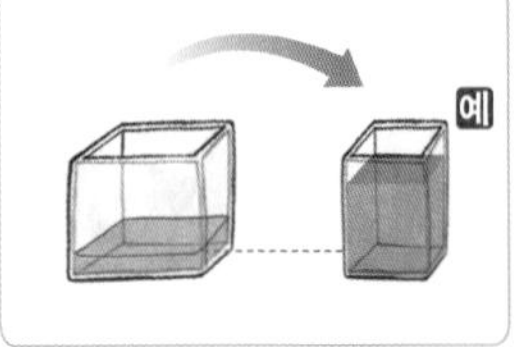

더 작은 그릇으로 옮기면 물의 높이는 올라갑니다.

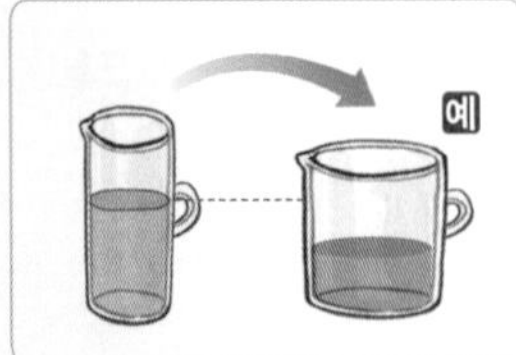

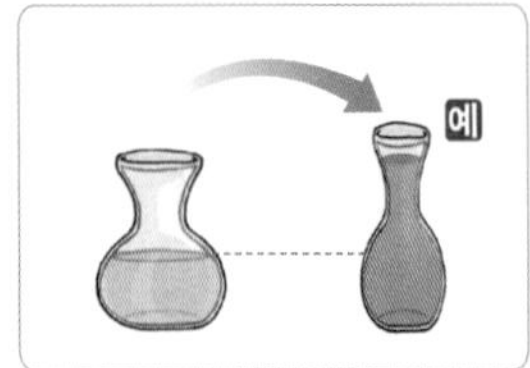

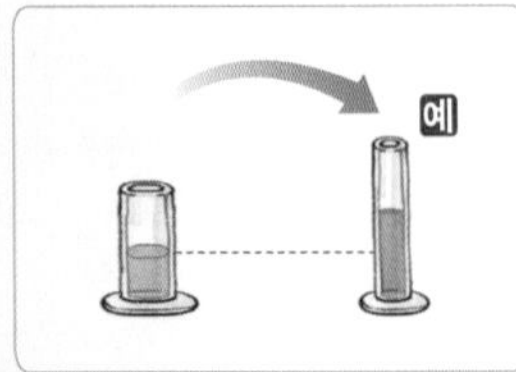

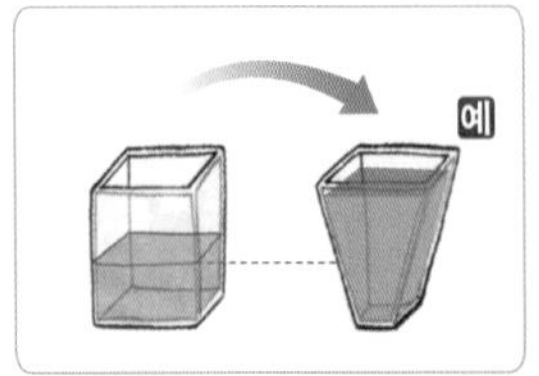

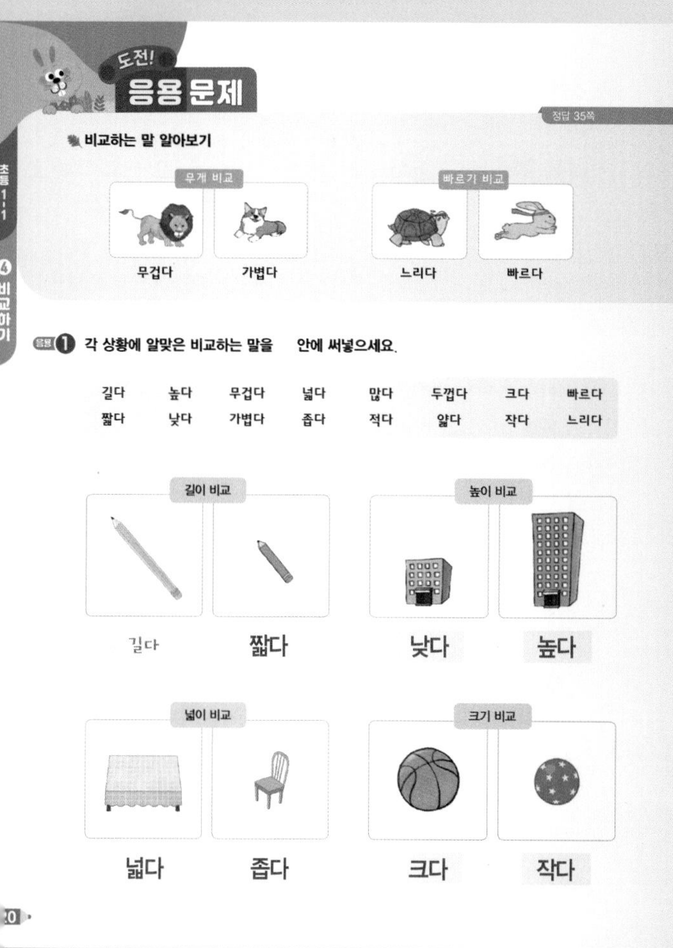
도전! 응용 문제

정답 35쪽

비교하는 말 알아보기

무게 비교		빠르기 비교	
무겁다	가볍다	느리다	빠르다

응용 1 각 상황에 알맞은 비교하는 말을 안에 써넣으세요.

길다	높다	무겁다	넓다	많다	두껍다	크다	빠르다
짧다	낮다	가볍다	좁다	적다	얇다	작다	느리다

길이 비교		높이 비교	
길다	짧다	낮다	높다

넓이 비교		크기 비교	
넓다	좁다	크다	작다

20

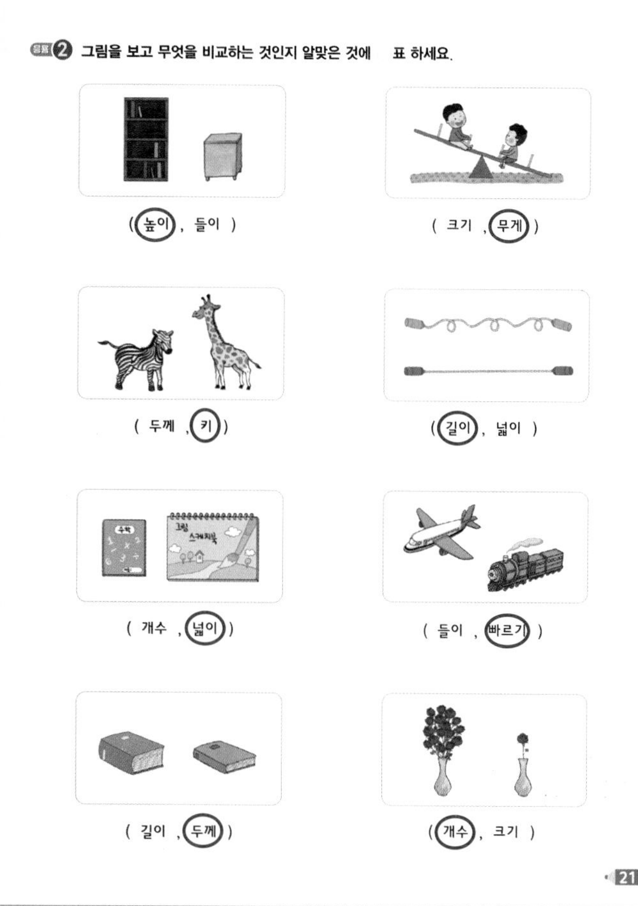
응용 2 그림을 보고 무엇을 비교하는 것인지 알맞은 것에 표 하세요.

(높이 , 들이) — 높이에 표

(크기 , 무게) — 무게에 표

(두께 , 키) — 키에 표

(길이 , 넓이) — 길이에 표

(개수 , 넓이) — 넓이에 표

(들이 , 빠르기) — 빠르기에 표

(길이 , 두께) — 두께에 표

(개수 , 크기) — 개수에 표

21

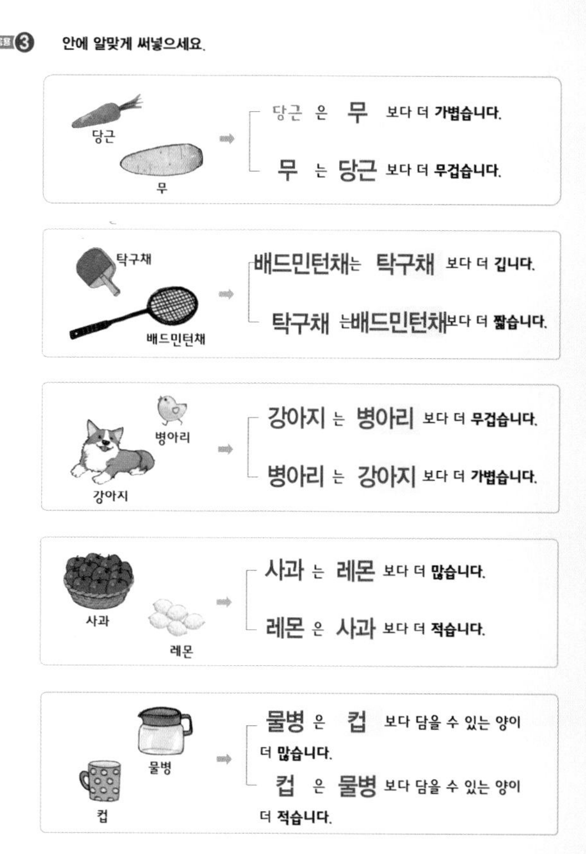
응용 3 안에 알맞게 써넣으세요.

당근 은 무 보다 더 가볍습니다.
무 는 당근 보다 더 무겁습니다.

배드민턴채는 탁구채 보다 더 깁니다.
탁구채 는 배드민턴채 보다 더 짧습니다.

강아지 는 병아리 보다 더 무겁습니다.
병아리 는 강아지 보다 더 가볍습니다.

사과 는 레몬 보다 더 많습니다.
레몬 은 사과 보다 더 적습니다.

물병 은 컵 보다 담을 수 있는 양이 더 많습니다.
컵 은 물병 보다 담을 수 있는 양이 더 적습니다.

응용 4 그림을 보고 알맞은 말에 표 하세요.

배는 감보다 더 (가볍습니다 , 무겁습니다). — 무겁습니다에 표
배는 멜론보다 더 (가볍습니다 , 무겁습니다). — 가볍습니다에 표

주스는 우유보다 담긴 양이 더 (적습니다 , 많습니다). — 적습니다에 표
주스는 물보다 담긴 양이 더 (적습니다 , 많습니다). — 많습니다에 표

㉡은 ㉠보다 더 (짧습니다 , 깁니다). — 깁니다에 표
㉡은 ㉢보다 더 (짧습니다 , 깁니다). — 짧습니다에 표

㉢은 ㉠보다 더 (좁습니다 , 넓습니다). — 좁습니다에 표
㉢은 ㉡보다 더 (좁습니다 , 넓습니다). — 넓습니다에 표

23

형성 평가

정답 36쪽

01 더 긴 것에 ○표 하세요.

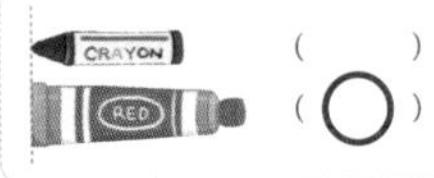

(　　) (○)

02 길이를 비교하는 말을 써 보세요.

➡ 가위는 펜보다 더 길니다 .

➡ 펜은 가위보다 더 짧습니다 .

03 가장 키가 큰 것의 기호를 쓰세요.

(㉡)

04 키를 비교하여 키가 가장 큰 것부터 차례로 번호를 써넣으세요.

1　3　2

05 무게를 비교하는 말을 써 보세요.

➡ 컵라면은 콜라보다 더 가볍습니다 .

➡ 콜라는 컵라면보다 더 무겁습니다 .

06 더 무거운 것에 ○표 하세요.

(○) (　　)

07 가장 무거운 것에 ○표 하세요.

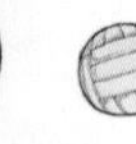

(　　) (　　) (○)

08 가장 무거운 것에 ○표 하세요.

09 넓이를 비교하는 말을 써 보세요.

➡ 100원은 500원짜리 동전보다 더 좁습니다 .

➡ 500원은 100원짜리 동전보다 더 넓습니다 .

10 더 넓은 것에 ○표 하세요.

(1)

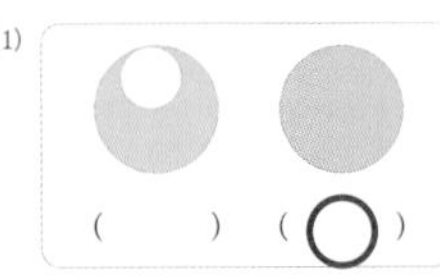

(　　) (○)

(2)

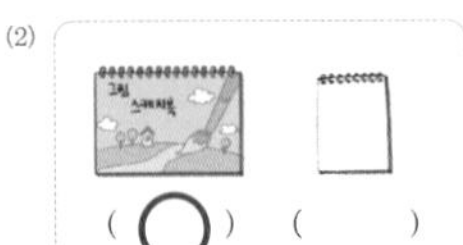

(○) (　　)

11 가장 넓은 것부터 순서대로 번호를 써 보세요.

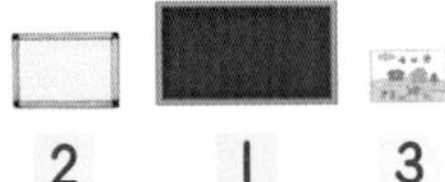

2　1　3

12 작은 한 칸의 크기는 모두 같습니다. 가장 넓은 것부터 차례로 기호를 써 보세요.

(1)

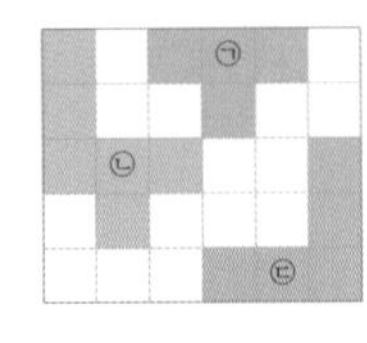

㉡ - ㉢ - ㉠

(2)

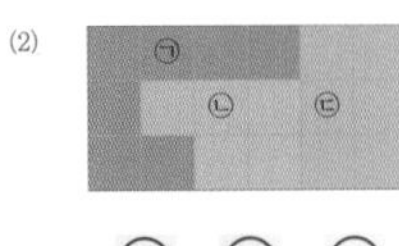

㉠ - ㉢ - ㉡

13 담을 수 있는 양을 비교하는 말을 써 보세요.

➡ 주전자는 그릇보다 담을 수 있는 양이 더 많습니다 .

➡ 그릇은 주전자보다 담을 수 있는 양이 더 적습니다 .

14 담을 수 있는 양이 더 많은 것에 ○표 하세요.

(　　) (○)

15 담을 수 있는 양이 가장 적은 것의 기호를 쓰세요.

㉠　㉡　㉢

(㉢)

16 담긴 양이 가장 많은 것부터 순서대로 번호를 쓰세요.

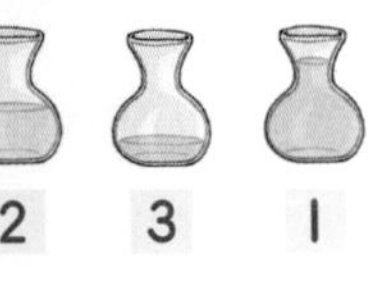

2　3　1

17 물을 옮겨 담으면 어떻게 될지 그려 보세요.

예

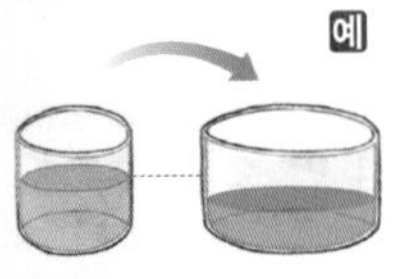

18 키가 더 큰 동물에 ○표 하세요.

19 가지보다 더 긴 것을 모두 찾아 ○표 하세요.

20 짧은 줄넘기 줄부터 차례로 1, 2, 3을 써넣으세요.

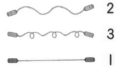

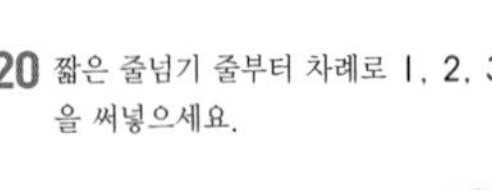

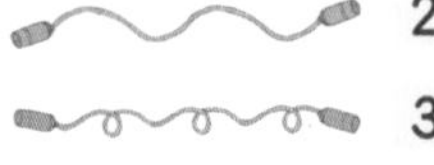

2
3
1

단원평가 4. 비교하기

정답 37쪽

1 더 긴 것에 ○표 하세요.

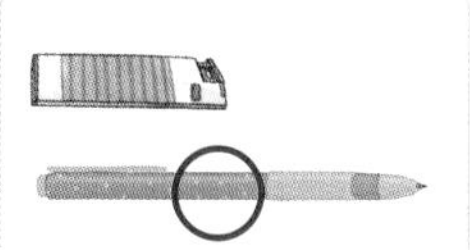

2 그림을 보고 알맞은 말에 ○표 하세요.

양파는 호박보다 더 (가볍습니다, 무겁습니다).

3 더 좁은 것에 색칠해 보세요.

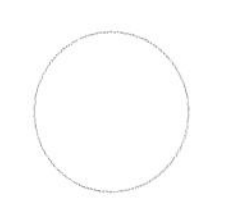

4 담을 수 있는 양이 더 많은 것에 ○표 하세요.

5 관계있는 것끼리 이어 보세요.

(1)

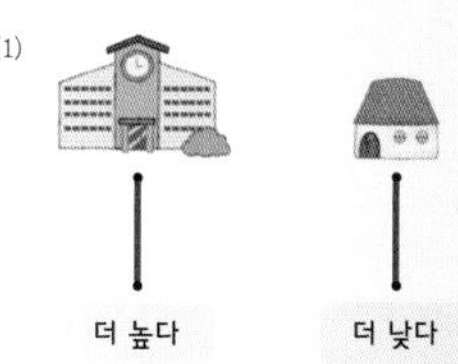

더 높다　더 낮다

(2)

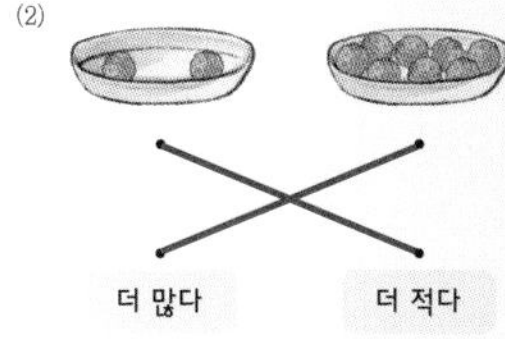

더 많다　더 적다

6 가장 가벼운 것에 ○표 하세요.

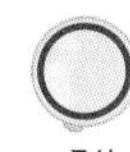

풍선　축구공　수박

7 가장 넓은 것에 ○표, 가장 좁은 것에 △표 하세요.

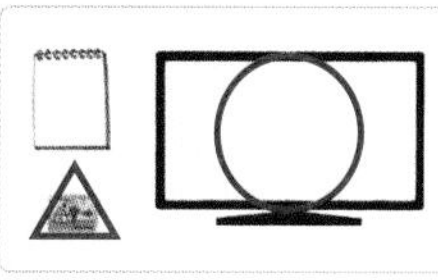

8 물이 가장 많이 담긴 것부터 차례로 1, 2, 3을 써 보세요.

(2)　(3)　(1)

9 건물의 높이를 비교하려고 합니다. □ 안에 알맞은 말을 써넣으세요.

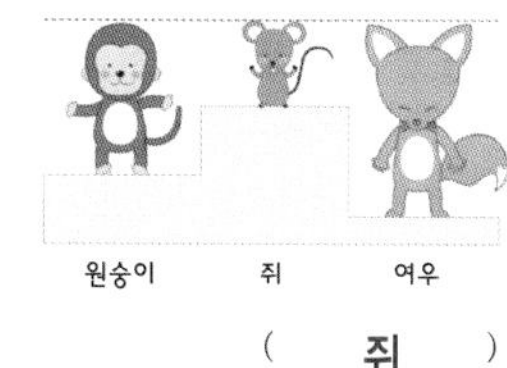

도서관은 경찰서보다 더 높고,
아파트보다 더 낮습니다.

10 키가 가장 작은 동물은 무엇인가요?

원숭이　쥐　여우

(쥐)

11 작은 한 칸의 크기는 모두 같습니다. ㉠과 ㉡ 중에서 더 넓은 곳의 기호를 써 보세요.

(㉠)

12 가장 무거운 것에 ○표, 가장 가벼운 것에 △표 하세요.

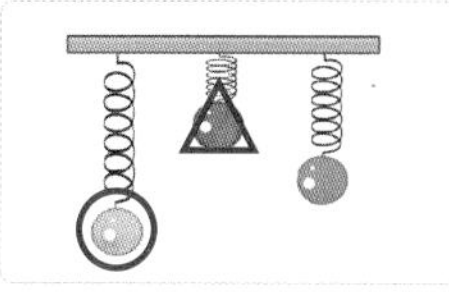

13 물이 가장 많이 들어 있는 그릇을 찾아 ○표 하세요.

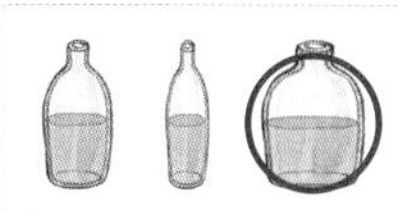

14 길이를 비교하는 말을 □ 안에 알맞게 써넣으세요.

길다　짧다

15 그림을 보고 무엇을 비교하는 것인지 알맞은 것에 ○표 하세요.

(1)

(개수 , 무게)

(2)

(넓이 , 두께)

16 무거운 동물부터 차례로 이름을 써 보세요.

(토끼 , 거북 , 다람쥐)

17 □ 안에 알맞은 말을 써넣으세요.

스케치북　책

스케치북은 책 보다 더 넓습니다.

책 은 스케치북보다 더 무겁습니다.

18 □ 안에 알맞게 써넣으세요.

딸기　도토리

도토리는 딸기 보다 더 많습니다.

딸기 는 도토리보다 더 적습니다.

19 모양과 크기가 같은 컵에 물을 가득 따라 마시고 남은 것입니다. 물을 가장 적게 마신 사람은 누구인가요?

성찬　재훈　은서

(재훈)

20 다음을 읽고 가장 무거운 동물을 찾아 이름을 써 보세요.

• 코뿔소는 낙타보다 무겁습니다.
• 원숭이는 낙타보다 가볍습니다.

(코뿔소)

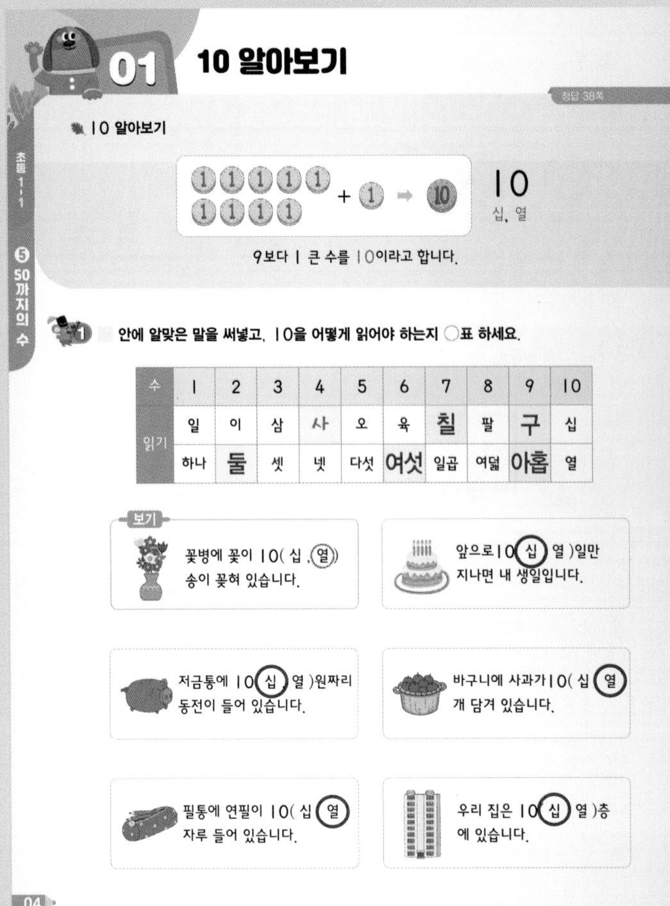
01 10 알아보기
정답 38쪽
10 알아보기
10 십, 열
9보다 1 큰 수를 10이라고 합니다.
1 안에 알맞은 말을 써넣고, 10을 어떻게 읽어야 하는지 ○표 하세요.
수 1 2 3 4 5 6 7 8 9 10
읽기 일 이 삼 사 오 육 칠 팔 구 십
하나 둘 셋 넷 다섯 여섯 일곱 여덟 아홉 열
보기
꽃병에 꽃이 10(십, 열) 송이 꽂혀 있습니다.
앞으로 10(십, 열)일만 지나면 내 생일입니다.
저금통에 10(십, 열)원짜리 동전이 들어 있습니다.
바구니에 사과가 10(십, 열)개 담겨 있습니다.
필통에 연필이 10(십, 열)자루 들어 있습니다.
우리 집은 10(십, 열)층에 있습니다.
04

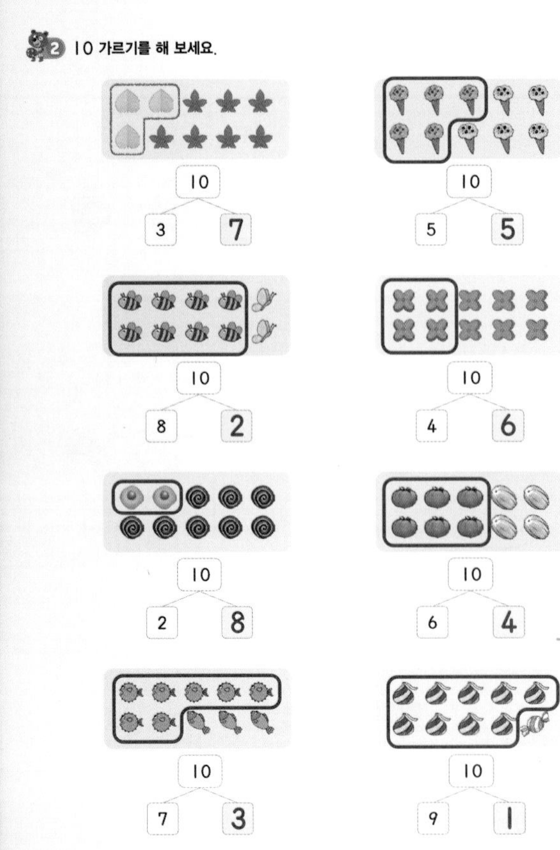
2 10 가르기를 해 보세요.
10 3 7
10 5 5
10 8 2
10 4 6
10 2 8
10 6 4
10 7 3
10 9 1

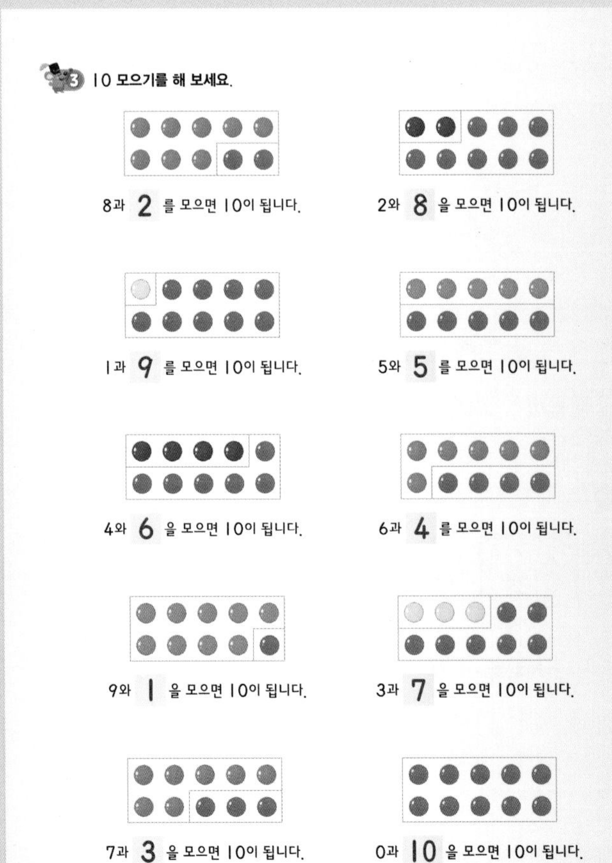
3 10 모으기를 해 보세요.
8과 2를 모으면 10이 됩니다.
2와 8을 모으면 10이 됩니다.
1과 9를 모으면 10이 됩니다.
5와 5를 모으면 10이 됩니다.
4와 6을 모으면 10이 됩니다.
6과 4를 모으면 10이 됩니다.
9와 1을 모으면 10이 됩니다.
3과 7을 모으면 10이 됩니다.
7과 3을 모으면 10이 됩니다.
0과 10을 모으면 10이 됩니다.
06

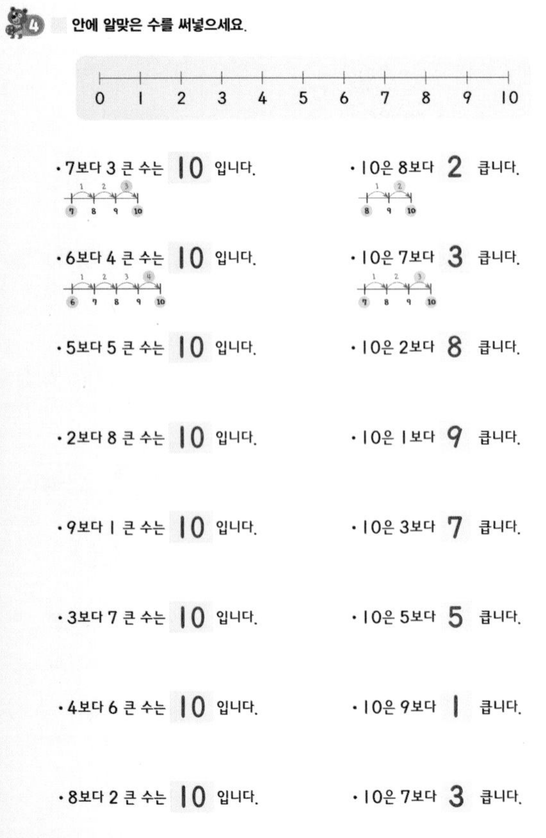
4 안에 알맞은 수를 써넣으세요.
0 1 2 3 4 5 6 7 8 9 10
• 7보다 3 큰 수는 10 입니다.
• 10은 8보다 2 큽니다.
• 6보다 4 큰 수는 10 입니다.
• 10은 7보다 3 큽니다.
• 5보다 5 큰 수는 10 입니다.
• 10은 2보다 8 큽니다.
• 2보다 8 큰 수는 10 입니다.
• 10은 1보다 9 큽니다.
• 9보다 1 큰 수는 10 입니다.
• 10은 3보다 7 큽니다.
• 3보다 7 큰 수는 10 입니다.
• 10은 5보다 5 큽니다.
• 4보다 6 큰 수는 10 입니다.
• 10은 9보다 1 큽니다.
• 8보다 2 큰 수는 10 입니다.
• 10은 7보다 3 큽니다.

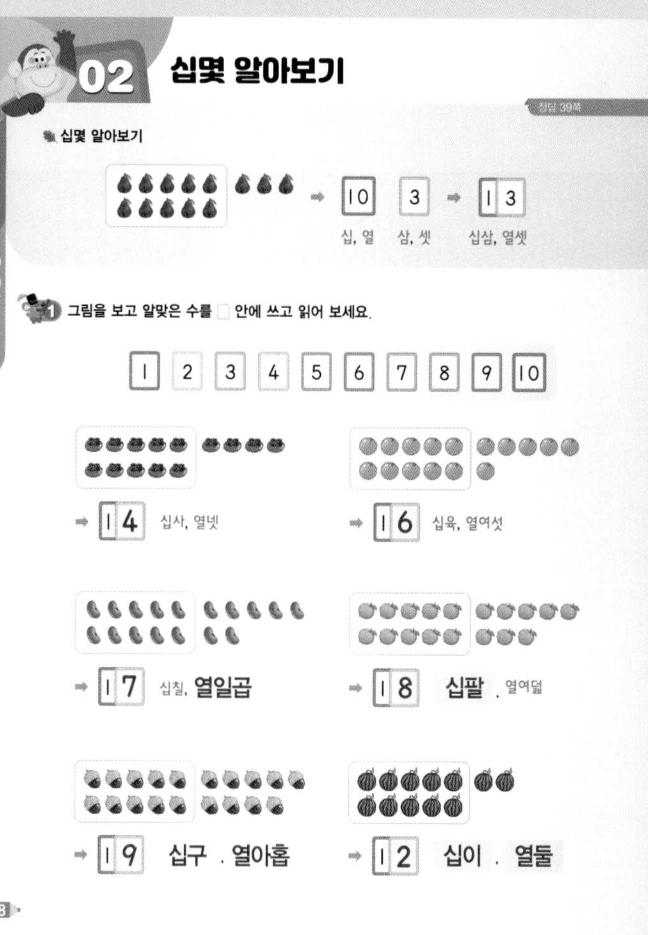

02 십몇 알아보기

정답 39쪽

십몇 알아보기

10 3 → 13
십, 열 삼, 셋 십삼, 열셋

1 그림을 보고 알맞은 수를 □ 안에 쓰고 읽어 보세요.

1 2 3 4 5 6 7 8 9 10

→ 14 십사, 열넷
→ 16 십육, 열여섯
→ 17 십칠, 열일곱
→ 18 십팔, 열여덟
→ 19 십구, 열아홉
→ 12 십이, 열둘

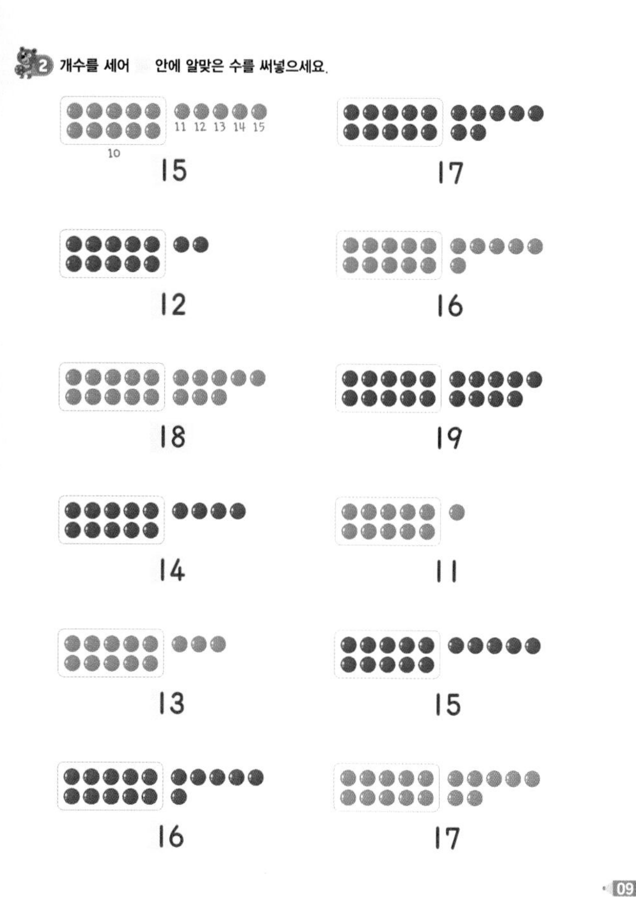

2 개수를 세어 □ 안에 알맞은 수를 써넣으세요.

15 17
12 16
18 19
14 11
13 15
16 17

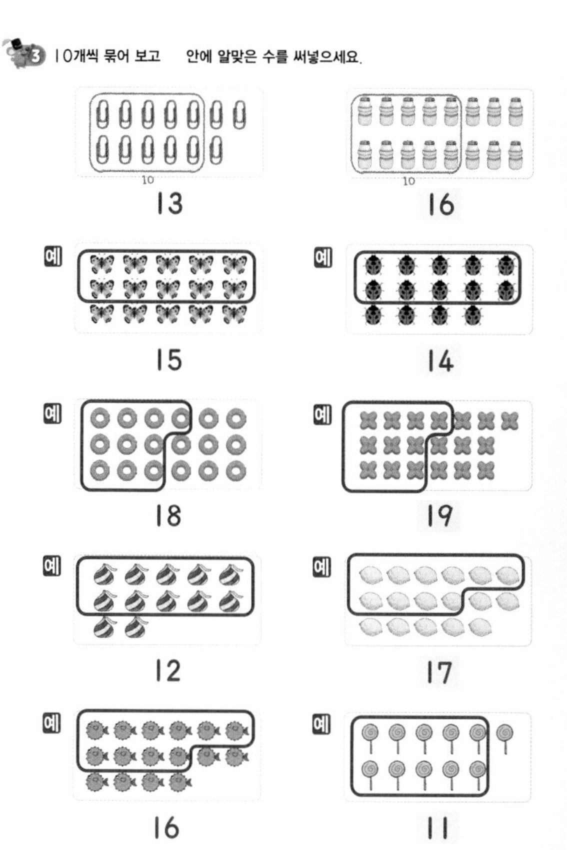

3 10개씩 묶어 보고 □ 안에 알맞은 수를 써넣으세요.

13 16
예 15 예 14
예 18 예 19
예 12 예 17
예 16 예 11

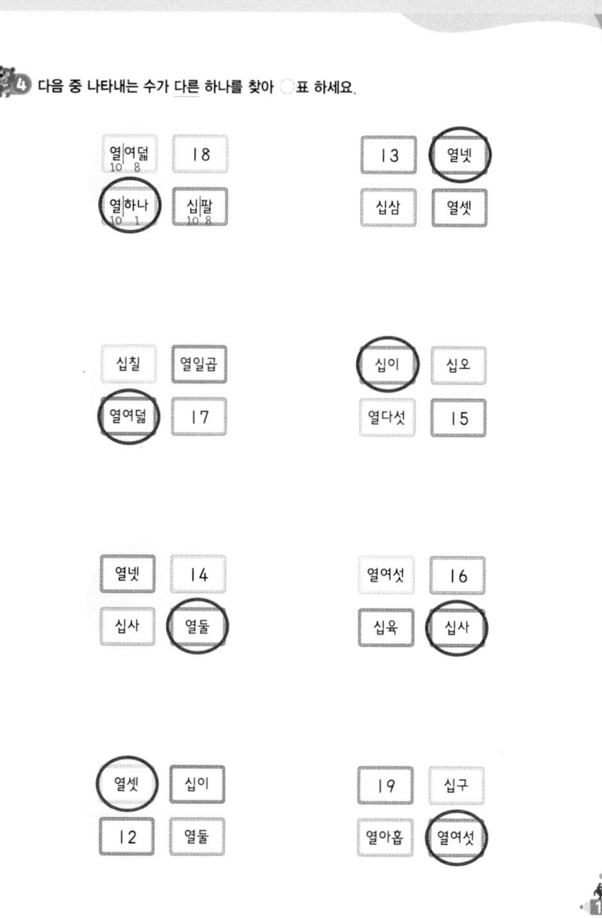

4 다음 중 나타내는 수가 다른 하나를 찾아 ○표 하세요.

열여덟 18 열하나 십팔 | 13 열넷 십삼 열셋
십칠 열일곱 열여덟 17 | 십이 십오 열다섯 15
열넷 14 십사 열둘 | 열여섯 16 십육 십사
열셋 십이 12 열둘 | 19 십구 열아홉 열여섯

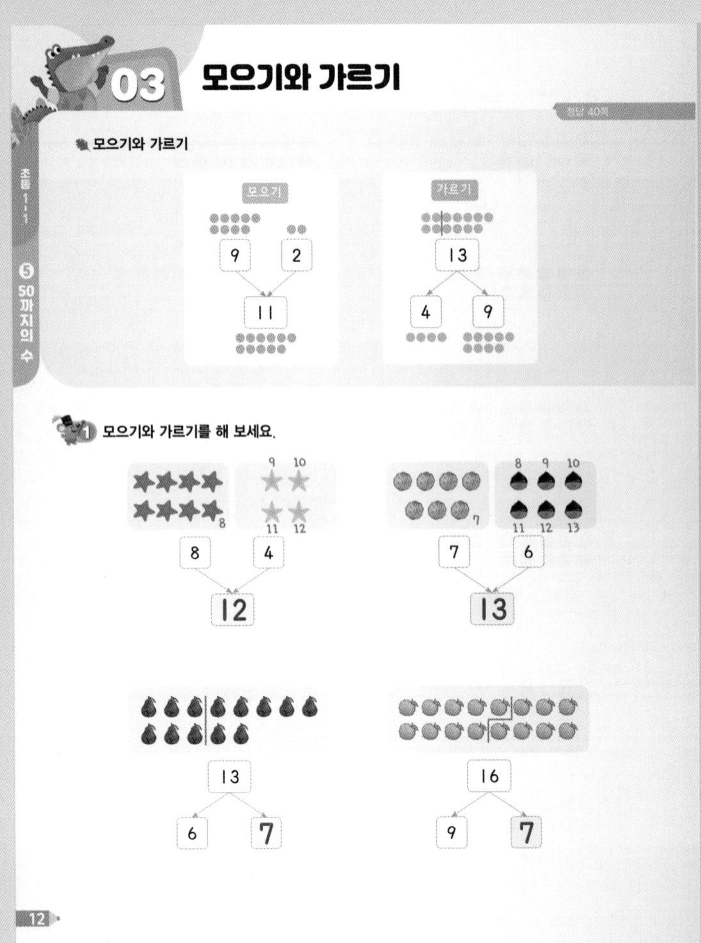

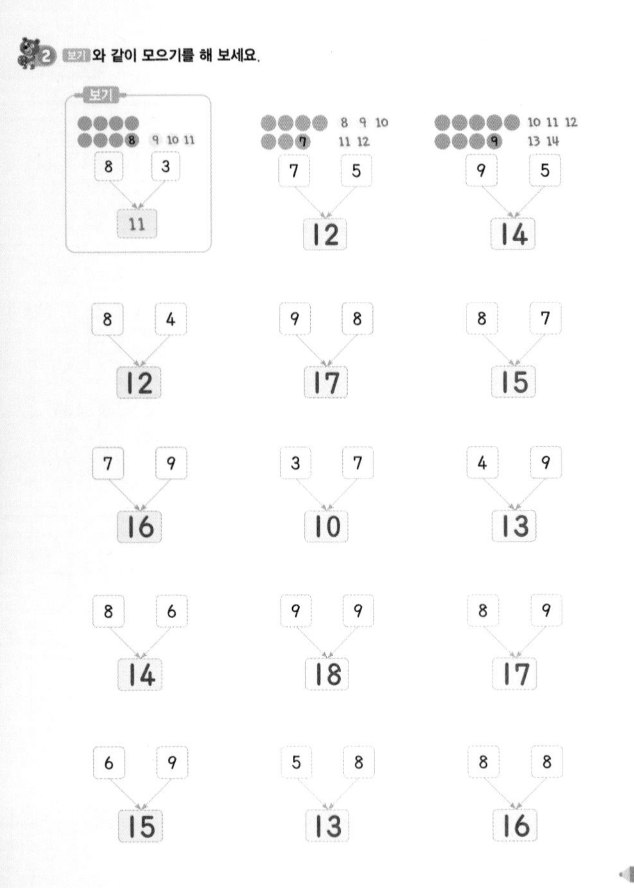

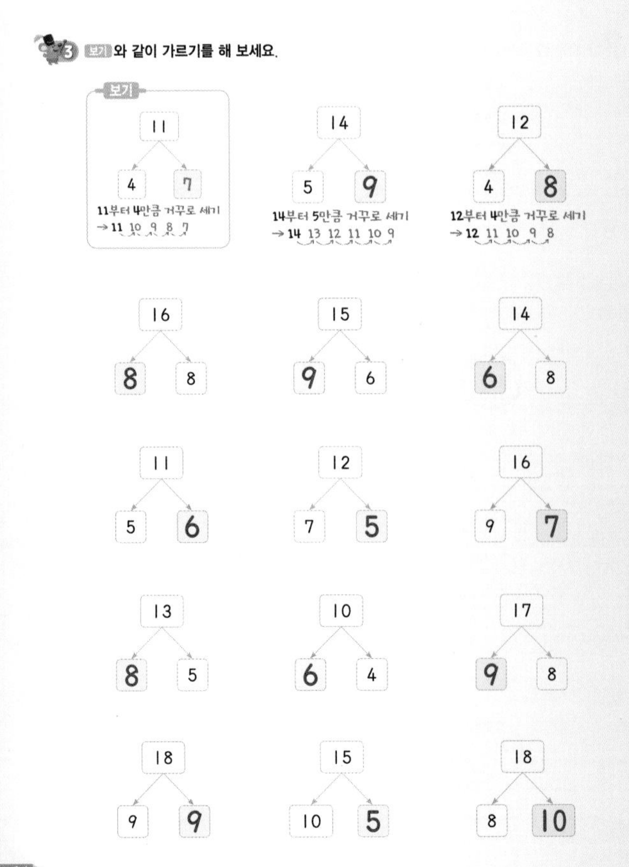

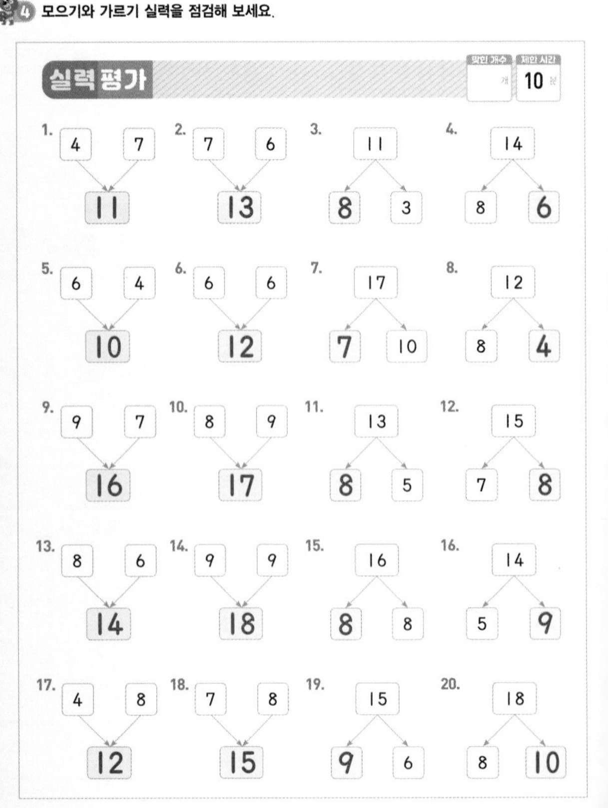

04 10개씩 묶어 세기

정답 41쪽

10 알아보기

1 수를 읽으며 따라 써 보세요.

십	십	십	10	열	열	열
이십	이십	이십	20	스물	스물	스물
삼십	삼십	삼십	30	서른	서른	서른
사십	사십	사십	40	마흔	마흔	마흔
오십	오십	오십	50	쉰	쉰	쉰

2 같은 수끼리 이어 보세요.

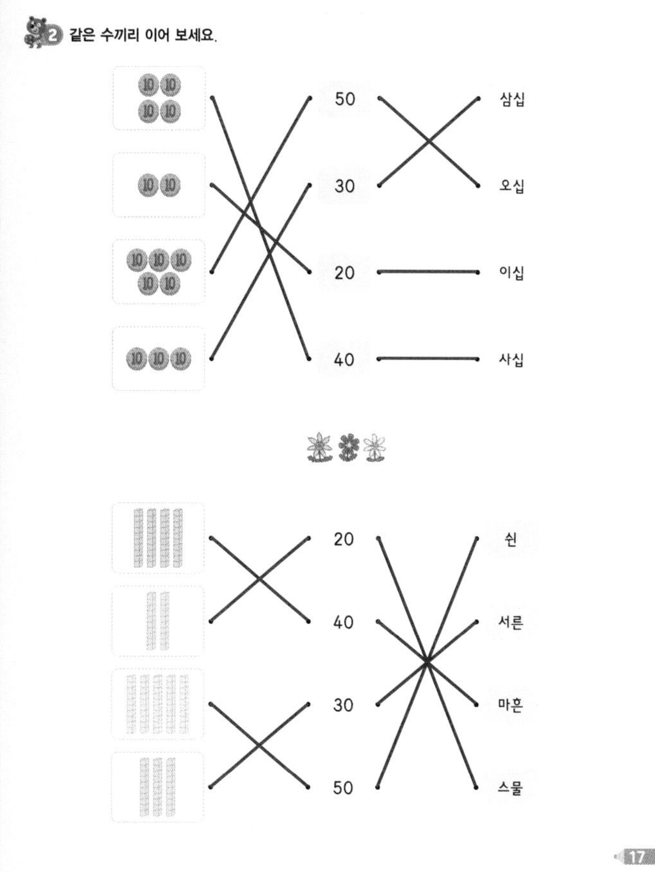

3 그림을 보고 안에 알맞은 수를 써넣으세요.

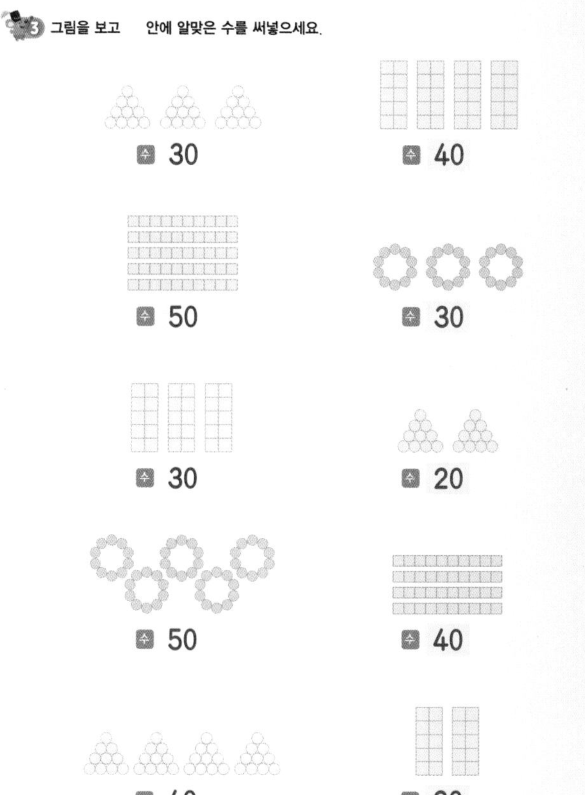

4 10개씩 묶어 세어 보세요.

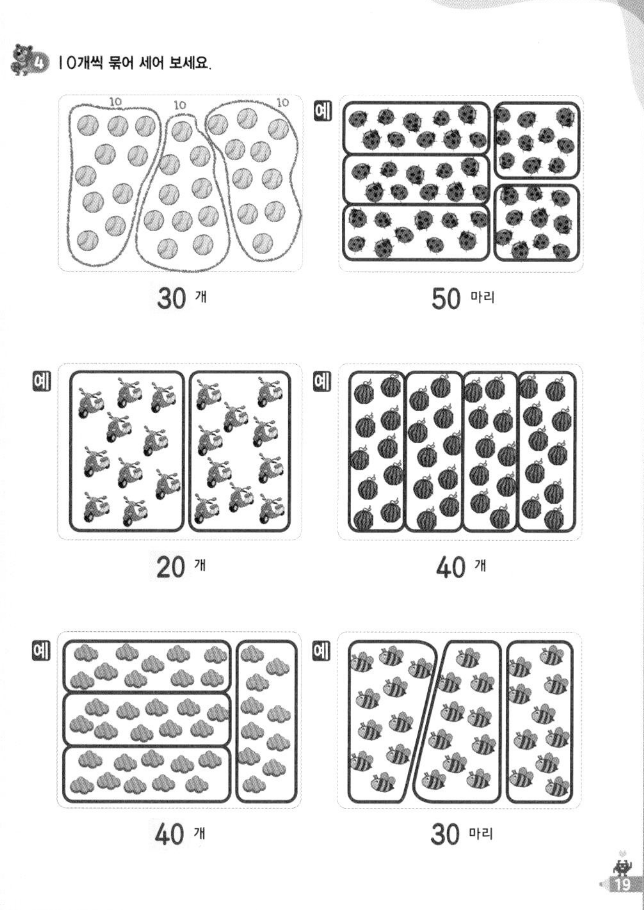

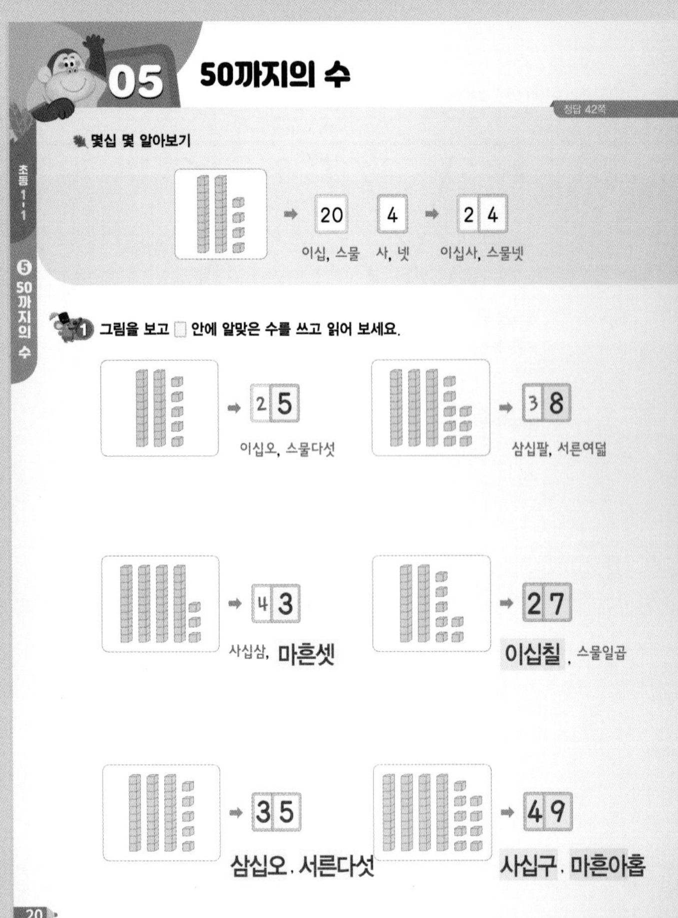
05 50까지의 수
몇십 몇 알아보기
20 4 24
이십, 스물 사, 넷 이십사, 스물넷
1 그림을 보고 안에 알맞은 수를 쓰고 읽어 보세요.
25 이십오, 스물다섯
38 삼십팔, 서른여덟
43 사십삼, 마흔셋
27 이십칠, 스물일곱
35 삼십오, 서른다섯
49 사십구, 마흔아홉

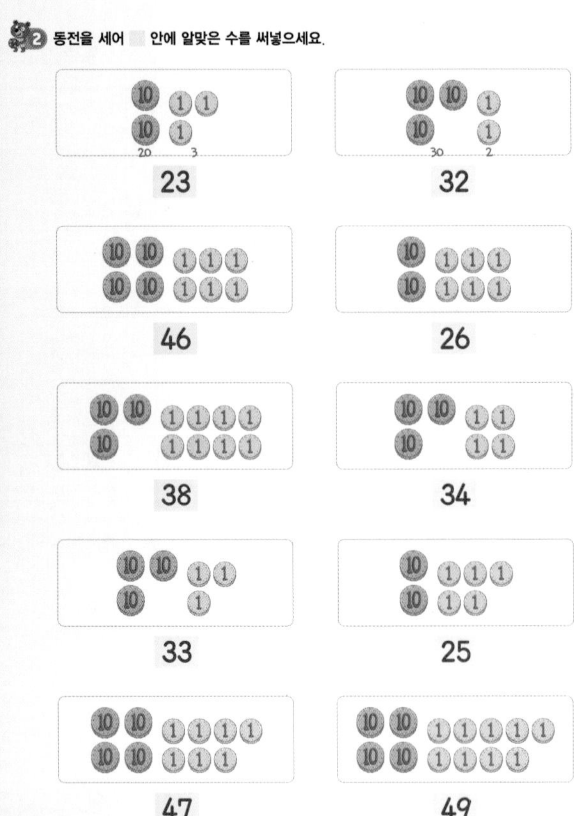
2 동전을 세어 안에 알맞은 수를 써넣으세요.
23
32
46
26
38
34
33
25
47
49

3 그림을 보고 수로 나타내고 읽어 보세요.
수 35 읽기 삼십오, 서른다섯
수 44 읽기 사십사, 마흔넷
수 29 읽기 이십구, 스물아홉
수 27 읽기 이십칠, 스물일곱
수 48 읽기 사십팔, 마흔여덟
수 42 읽기 사십이, 마흔둘
수 36 읽기 삼십육, 서른여섯
수 33 읽기 삼십삼, 서른셋

4 빈 곳에 알맞은 수를 써넣으세요.
이십삼 → 23 삼십이 → 32 십삼 → 13
사십일 → 41 이십이 → 22 사십구 → 49
삼십육 → 36 사십이 → 42 십칠 → 17
사십삼 → 43 삼십팔 → 38 이십칠 → 27
십육 → 16 이십구 → 29 삼십삼 → 33
스물셋 → 23 열아홉 → 19 스물여섯 → 26
마흔일곱 → 47 서른다섯 → 35 마흔넷 → 44
서른일곱 → 37 스물여덟 → 28 서른아홉 → 39
마흔여덟 → 48 열다섯 → 15 스물넷 → 24
서른넷 → 34 마흔여섯 → 46 열여덟 → 18

06 수의 순서 알아보기

정답 43쪽

수의 순서 알아보기

1	2	3	4	5	6	7	8	9	10
11	12	13	14	15	16	17	18	19	20
21	22	23	24	25	26	27	28	29	30
31	32	33	34	35	36	37	38	39	40
41	42	43	44	45	46	47	48	49	50

1 순서를 생각하며 빈칸에 알맞은 수를 써넣으세요.

8 — 9 — 10 — 11 — 12 — 13 — 14 — 15 — 16

28 — 29 — 30 — 31 — 32 — 33 — 34 — 35 — 36

38 — 39 — 40 — 41 — 42 — 43 — 44 — 45 — 46

앞의 수		뒤의 수	앞의 수		뒤의 수	앞의 수		뒤의 수
15	16	17	25	26	27	30	31	32
23	24	25	29	30	31	41	42	43
39	40	41	27	28	29	44	45	46

2 보기 와 같이 규칙을 찾아 빈칸에 알맞은 수를 써넣으세요.

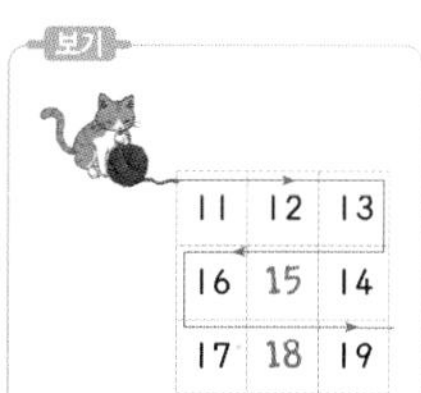

26	25	20
27	24	21
28	23	22

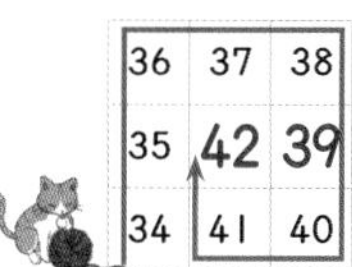

46	45	44
47	48	43
40	41	42

36	37	38
35	42	39
34	41	40

3 수를 순서대로 선으로 이어 보세요.

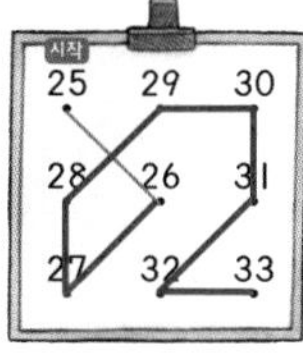

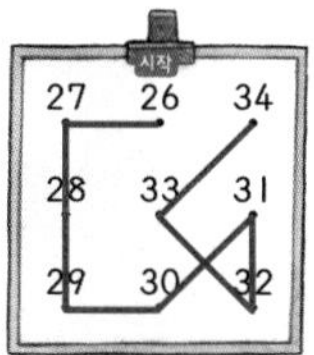

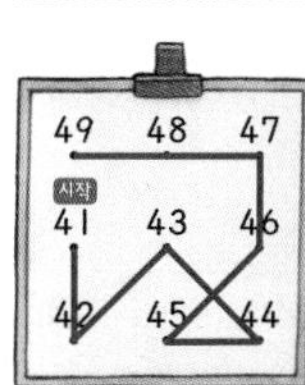

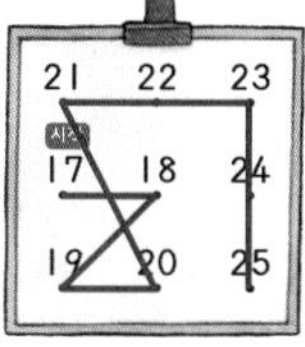

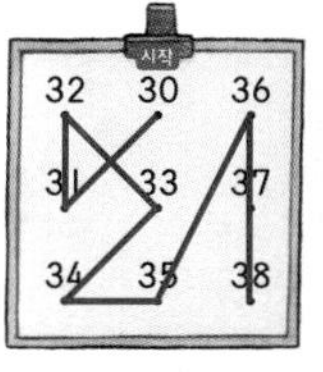

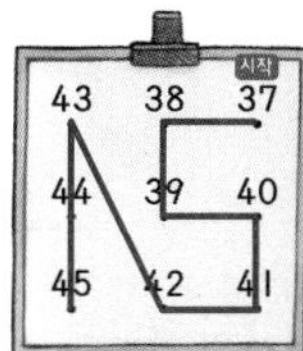

4 주어진 표에서 빠진 수를 찾아 써 보세요.

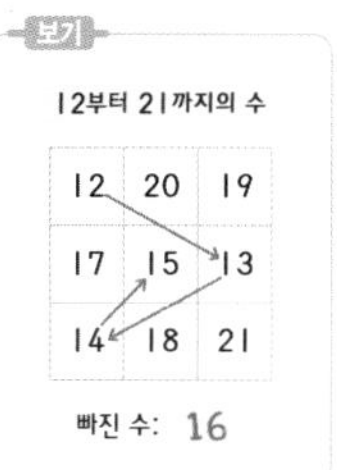

보기
12부터 21까지의 수
12 20 19
17 15 13
14 18 21
빠진 수: 16

24부터 33까지의 수

30	33	26
27	24	31
32	28	25

빠진 수: 29

27부터 36까지의 수

32	34	30
33	27	35
29	36	28

빠진 수: 31

32부터 41까지의 수

33	32	38
39	35	37
34	40	41

빠진 수: 36

35부터 44까지의 수

41	44	35
37	39	38
36	42	40

빠진 수: 43

41부터 50까지의 수

50	47	44
49	46	41
45	43	42

빠진 수: 48

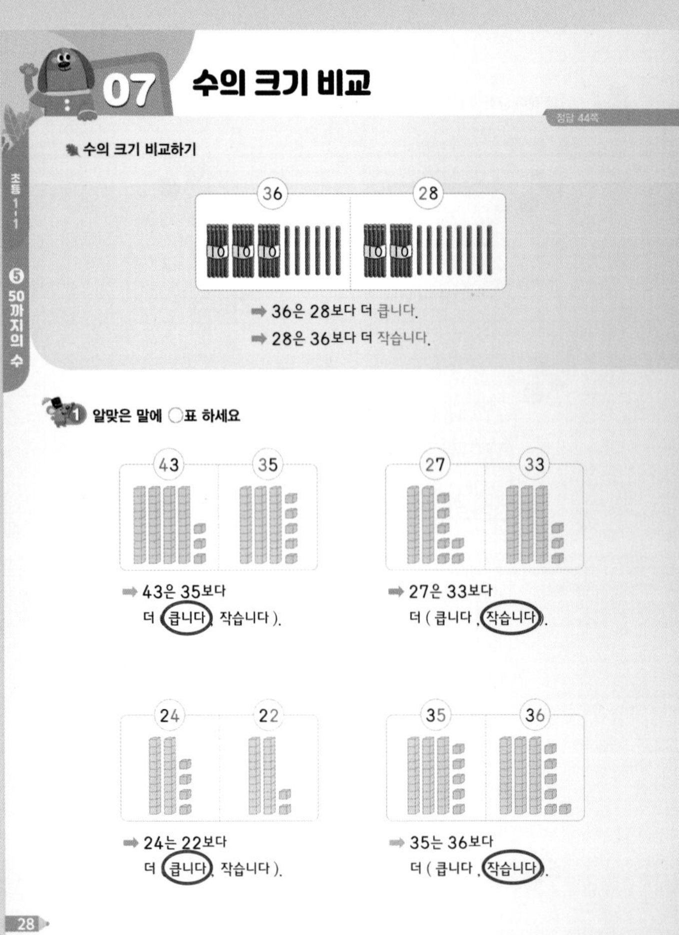
07 수의 크기 비교
정답 44쪽
수의 크기 비교하기
36 28
➡ 36은 28보다 더 큽니다.
➡ 28은 36보다 더 작습니다.
1 알맞은 말에 ○표 하세요
43 35
➡ 43은 35보다 더 (큽니다, 작습니다).
27 33
➡ 27은 33보다 더 (큽니다, 작습니다).
24 22
➡ 24는 22보다 더 (큽니다, 작습니다).
35 36
➡ 35는 36보다 더 (큽니다, 작습니다).
28

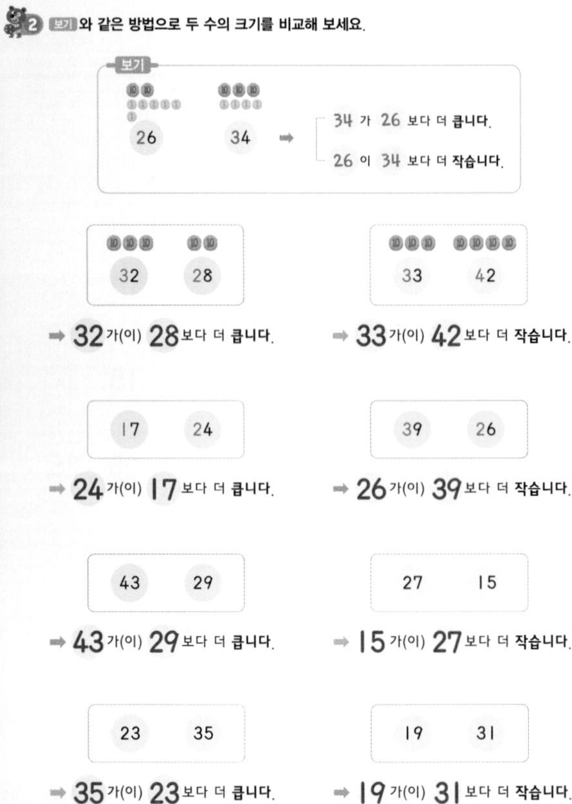
2 보기 와 같은 방법으로 두 수의 크기를 비교해 보세요.
보기
26 34
34 가 26 보다 더 큽니다.
26 이 34 보다 더 작습니다.
32 28
➡ 32 가(이) 28 보다 더 큽니다.
33 42
➡ 33 가(이) 42 보다 더 작습니다.
17 24
➡ 24 가(이) 17 보다 더 큽니다.
39 26
➡ 26 가(이) 39 보다 더 작습니다.
43 29
➡ 43 가(이) 29 보다 더 큽니다.
27 15
➡ 15 가(이) 27 보다 더 작습니다.
23 35
➡ 35 가(이) 23 보다 더 큽니다.
19 31
➡ 19 가(이) 31 보다 더 작습니다.
29

3 보기 와 같은 방법으로 두 수의 크기를 비교해 보세요.
보기
27 25 ➡ 27 25
27 이 25 보다 더 큽니다.
25 가 27 보다 더 작습니다.
32 38
➡ 38 가(이) 32 보다 더 큽니다.
17 14
➡ 14 가(이) 17 보다 더 작습니다.
27 24
➡ 27 가(이) 24 보다 더 큽니다.
42 46
➡ 42 가(이) 46 보다 더 작습니다.
19 16
➡ 19 가(이) 16 보다 더 큽니다.
28 22
➡ 22 가(이) 28 보다 더 작습니다.
43 45
➡ 45 가(이) 43 보다 더 큽니다.
32 37
➡ 32 가(이) 37 보다 더 작습니다.
30

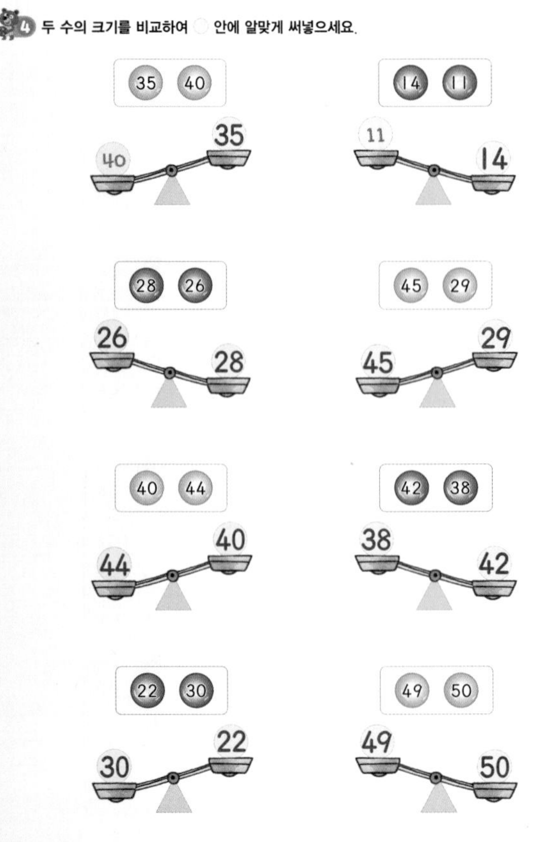
4 두 수의 크기를 비교하여 ○ 안에 알맞게 써넣으세요.
35 40
40 35
14 11
11 14
28 26
26 28
45 29
45 29
40 44
44 40
42 38
38 42
22 30
30 22
49 50
49 50

도전! 응용문제
정답 45쪽
수 배열표 알아보기
응용 1 수 배열표의 일부분입니다. 안에 알맞은 수를 써넣으세요.
1 큰 수
10 큰 수

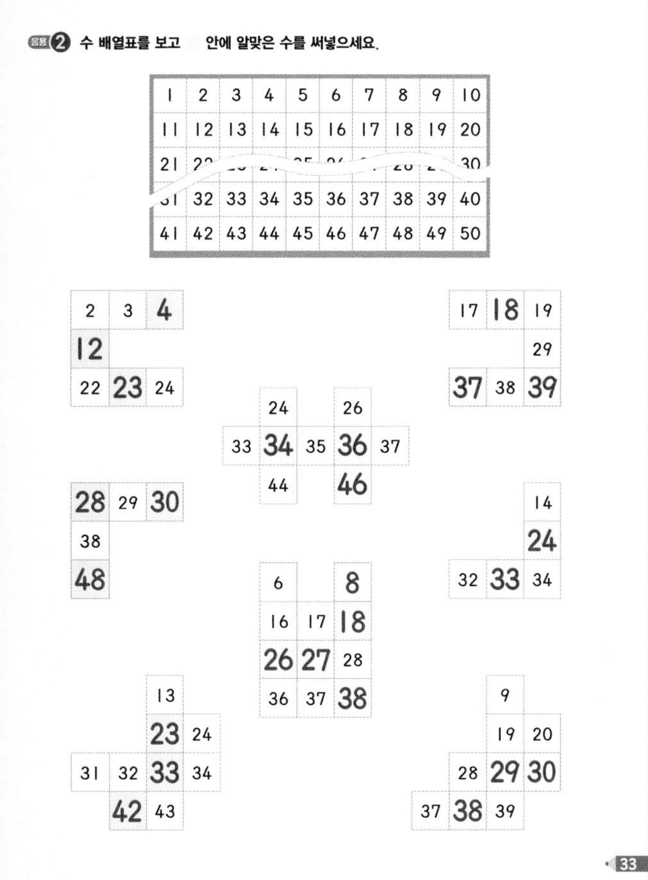
응용 2 수 배열표를 보고 안에 알맞은 수를 써넣으세요.

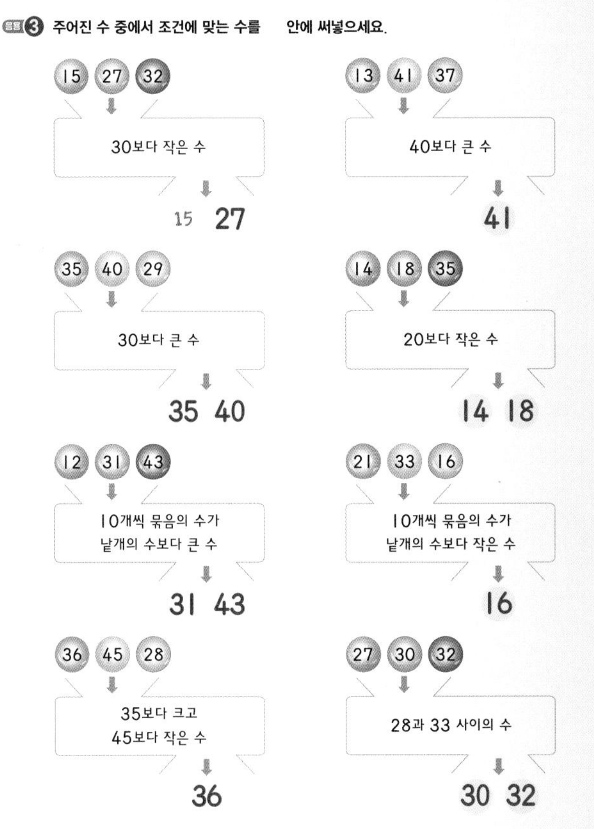
응용 3 주어진 수 중에서 조건에 맞는 수를 안에 써넣으세요.
30보다 작은 수
40보다 큰 수
30보다 큰 수
20보다 작은 수
10개씩 묶음의 수가 낱개의 수보다 큰 수
10개씩 묶음의 수가 낱개의 수보다 작은 수
35보다 크고 45보다 작은 수
28과 33 사이의 수

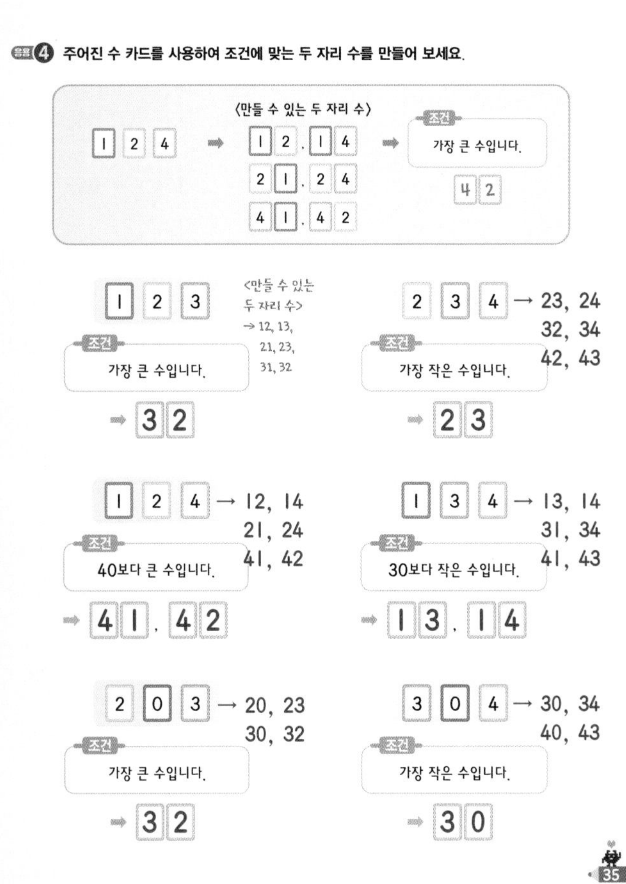
응용 4 주어진 수 카드를 사용하여 조건에 맞는 두 자리 수를 만들어 보세요.
<만들 수 있는 두 자리 수>
조건
가장 큰 수입니다.
가장 작은 수입니다.
40보다 큰 수입니다.
30보다 작은 수입니다.

형성 평가

정답 46쪽 분 점수 점

01 10 가르기를 해 보세요.

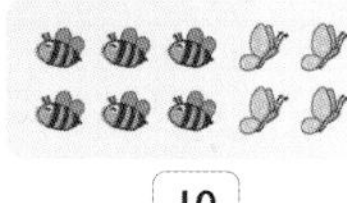

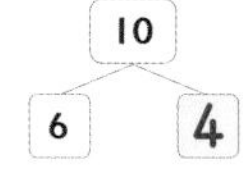

02 10 모으기를 해 보세요.

(1)

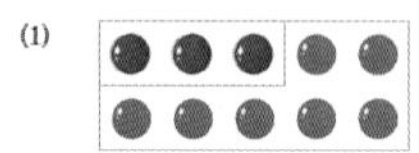

→ 3과 7 을 모으면 10이 됩니다.

(2)

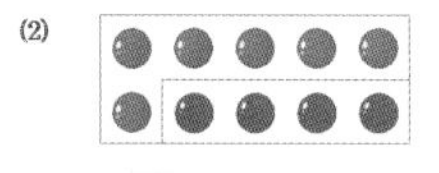

→ 6과 4 를 모으면 10이 됩니다.

03 □ 안에 알맞은 수를 써넣으세요.

(1) 5보다 5 큰 수는 10 입니다.

(2) 10은 3보다 7 큽니다.

04 개수를 세어 □ 안에 알맞은 수를 써넣으세요.

(1)

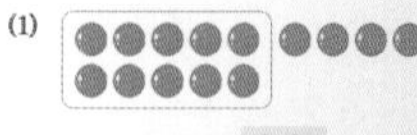

14

(2)

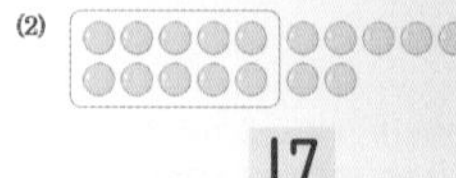

17

05 10개씩 묶어 보고 □ 안에 알맞은 수를 써넣으세요.

예

15

06 다음 중 나타내는 수가 다른 하나를 찾아 ○표 하세요.

07 모으기를 해 보세요.

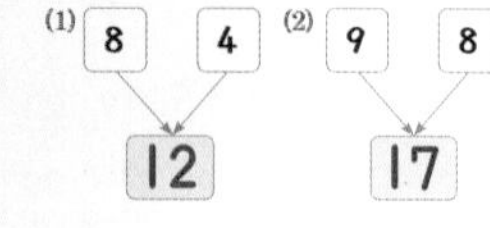

08 가르기를 해 보세요.

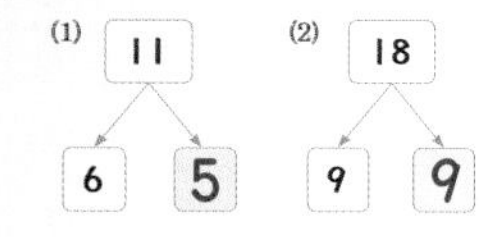

09 같은 수끼리 이어 보세요.

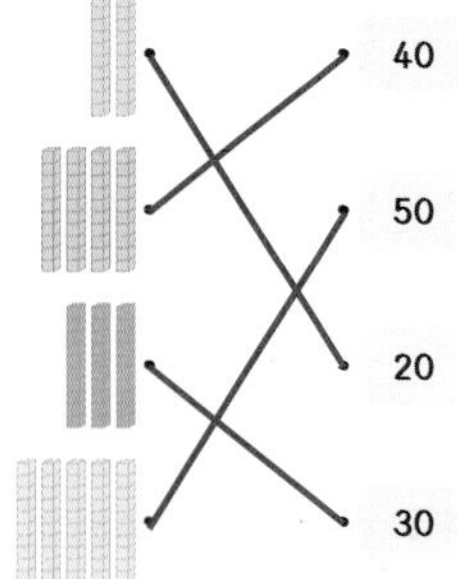

10 수를 두 가지 방법으로 읽어 보세요.

(1)

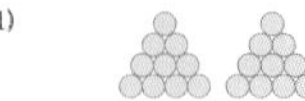

읽기 이십 , 스물

(2)

읽기 삼십 , 서른

11 동전을 세어 □ 안에 알맞은 수를 써넣으세요.

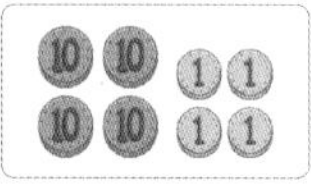

44

12 그림을 보고 수로 나타내고 읽어 보세요.

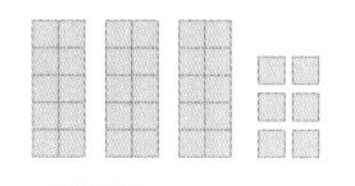

수 36

읽기 삼십육 , 서른여섯

13 빈칸에 알맞은 수를 써넣으세요.

수	10개씩 묶음	낱개
47	4	7
31	3	1

14 빈 곳에 알맞은 수를 써넣으세요.

(1) 삼십팔 → 38

(2) 마흔둘 → 42

15 순서를 생각하며 규칙을 찾아 빈칸에 알맞은 수를 써넣으세요.

(1)

23	24	25
28	27	26
29	30	31

(2)

35	34	33
36	39	32
37	38	31

16 수를 순서대로 선으로 이어 보세요.

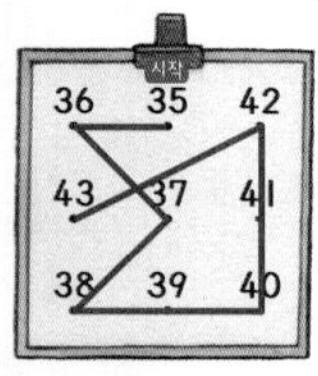

17 두 수의 크기를 비교해 보세요.

(1)

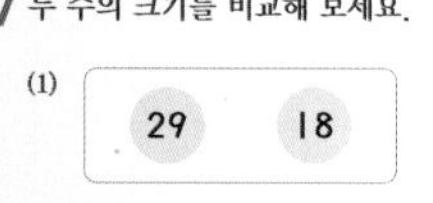

→ 29 가(이) 18 보다 더 큽니다.

(2)

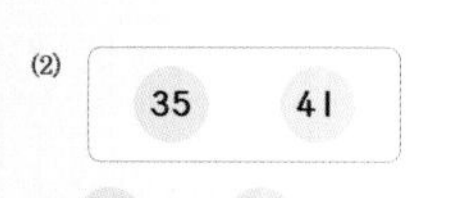

→ 35 가(이) 41 보다 더 작습니다.

18 주어진 표에서 빠진 수를 찾아 써 보세요.

36부터 45까지의 수

41	44	36
37	39	38
45	43	40

빠진 수: 42

19 연습장의 찢어진 쪽수를 모두 써 보세요.

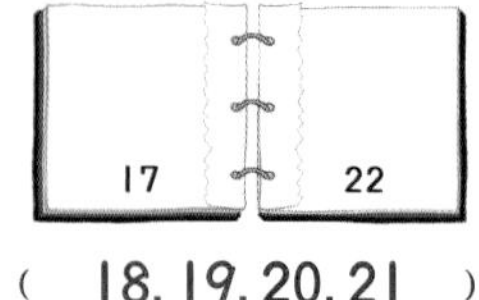

(18, 19, 20, 21)

20 다음 중 나타내는 수가 다른 하나를 찾아 기호를 써 보세요.

㉠ 스물넷 → 24
㉡ 23보다 1 큰 수 → 24
㉢ 10개씩 묶음 2개와 낱개 3개인 수 → 23

(㉢)

5. 50까지의 수

정답 47쪽

1 그림을 보고 안에 알맞은 수를 써넣으세요.

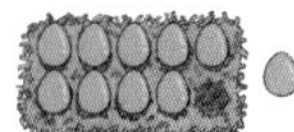

9보다 1 큰 수는 10 입니다.

2 10개씩 묶고 수로 나타내어 보세요.

예

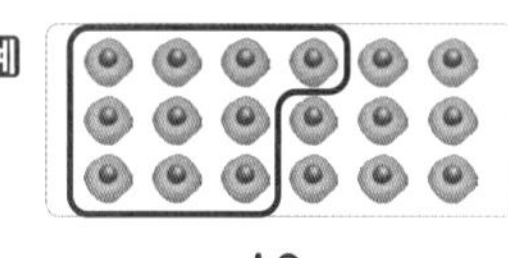

18

3 주어진 수를 2가지 방법으로 읽어 보세요.

49

(사십구 , 마흔아홉)

4 모으기를 하여 빈칸에 알맞은 수를 써넣으세요.

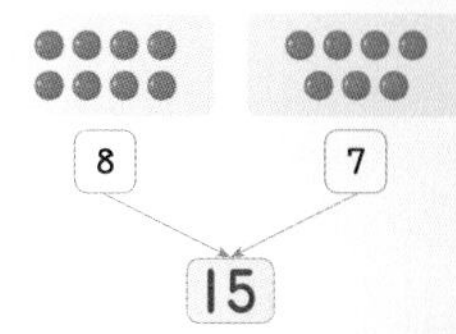

8, 7 → 15

5 같은 수끼리 이어 보세요.

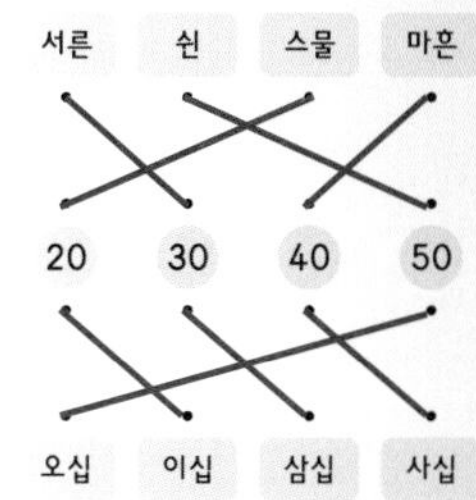

6 가르기를 하여 빈칸에 알맞은 수를 써넣으세요.

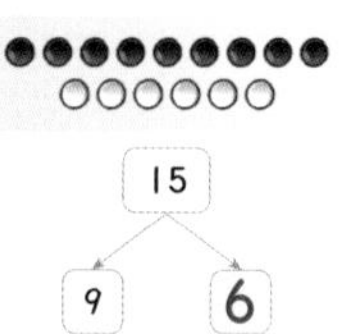

15 → 9, 6

7 그림을 보고 안에 알맞은 수를 써넣으세요.

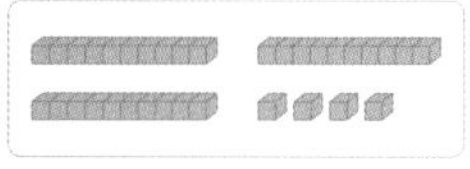

10개씩 묶음 3 개와 낱개 4 개는 34 입니다.

8 빈칸에 알맞게 써넣으세요.

수	읽기	
15	십오	열다섯
38	삼십팔	서른여덟
43	사십삼	마흔셋

9 순서를 생각하며 빈 곳에 알맞은 수를 써넣으세요.

27 - 28 - 29 - 30 - 31

10 그림을 보고 안에 알맞은 수를 써넣으세요.

24 30

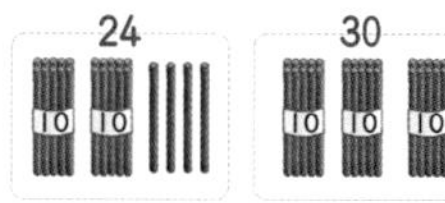

24 는 30 보다 더 작습니다.

11 10이 되도록 ○를 그리고 안에 알맞은 수를 써넣으세요.

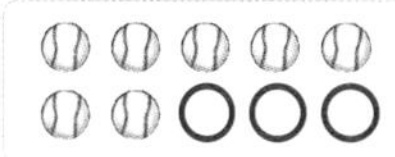

7과 3 을 모으면 10이 됩니다.

12 서로 다른 방법으로 12칸을 2가지 색으로 색칠하고 가르기를 해 보세요.

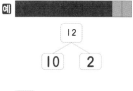

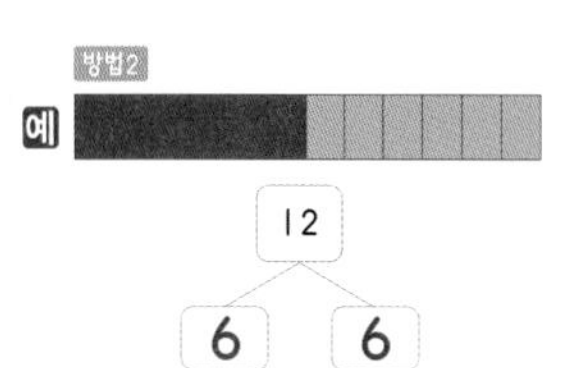

방법1 예 12 → 10, 2

방법2 예 12 → 6, 6

13 안에 알맞은 수를 써넣으세요.

• 50은 10개씩 묶음이 5 개입니다.

• 30 은 10개씩 묶음이 3개입니다.

14 주어진 표에서 빠진 수를 찾아 써 보세요.

32부터 48까지의 수

32	38	42	34
40	35	48	46
44	47	45	37
36	39	33	41

빠진 수: 43

15 가장 큰 수에 ○표, 가장 작은 수에 △표 하세요.

41 39(△) 42(○)

16 수 배열의 규칙을 찾아 알맞은 수를 써넣으세요.

1	16	15	14	13
2	17	24	23	12
3	18	25	22	11
4	19	20	21	10
5	6	7	8	9

17 26보다 큰 수를 모두 찾아 써 보세요.

18 27 40 23 31

(27, 31, 40)

18 주어진 수 중에서 조건에 맞는 수를 안에 써넣으세요.

34

19 빈칸에 알맞은 수를 써넣으세요.

1	2	⋯	6	7	8	9	10
11	12	⋯ 5	16	17	18	19	20
21	22	2 ⋯	26	27	28	29	30
31	32	3 ⋯	36	37	38	39	40
41	42	4 ⋯	46	47	48	49	50

20 주어진 수 카드를 사용하여 조건에 맞는 두 자리 수를 만들어 보세요.

2 3 4

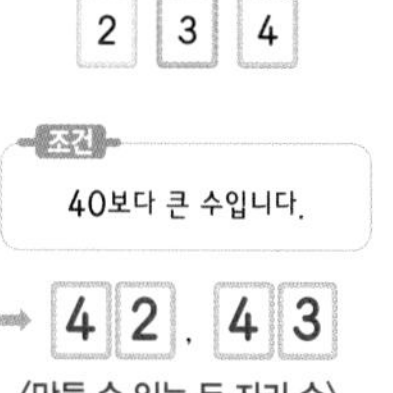

→ 42, 43

〈만들 수 있는 두 자리 수〉
→ 23, 24, 32, 34, 42, 43

memo

논리적 사고력과 창의적 문제해결력을 키워 주는

매스티안 교재 활용법!

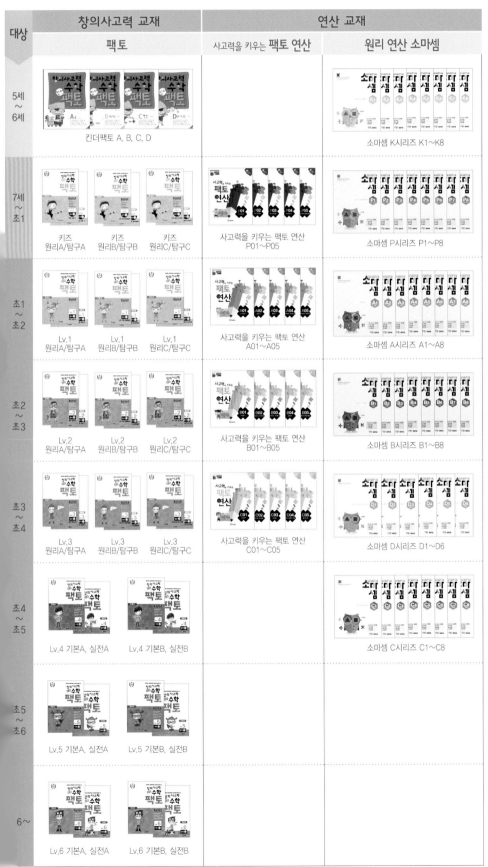

대상	창의사고력 교재 팩토	연산 교재 사고력을 키우는 팩토 연산	연산 교재 원리 연산 소마셈
5세~6세	 킨더팩토 A, B, C, D		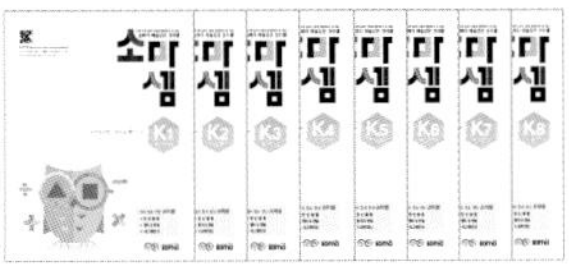 소마셈 K시리즈 K1~K8
7세~초1	   키즈 원리A/탐구A 키즈 원리B/탐구B 키즈 원리C/탐구C	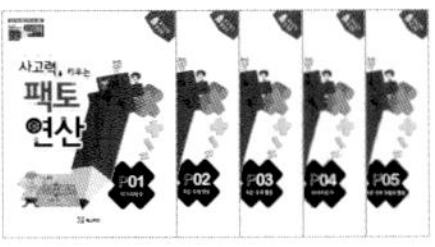 사고력을 키우는 팩토 연산 P01~P05	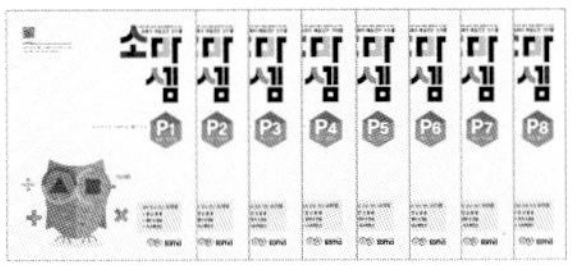 소마셈 P시리즈 P1~P8
초1~초2	   Lv.1 원리A/탐구A Lv.1 원리B/탐구B Lv.1 원리C/탐구C	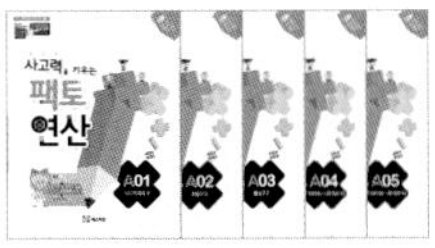 사고력을 키우는 팩토 연산 A01~A05	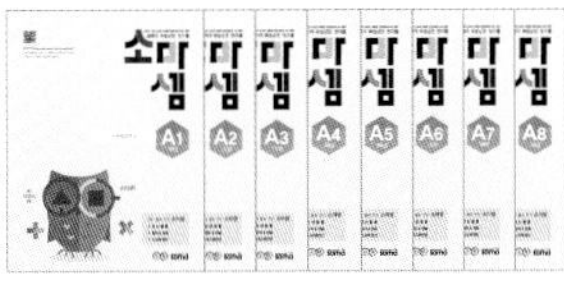 소마셈 A시리즈 A1~A8
초2~초3	   Lv.2 원리A/탐구A Lv.2 원리B/탐구B Lv.2 원리C/탐구C	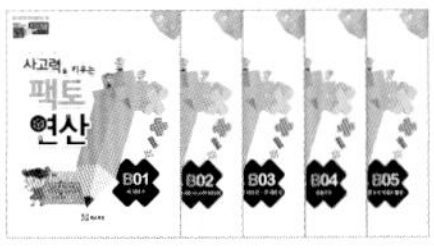 사고력을 키우는 팩토 연산 B01~B05	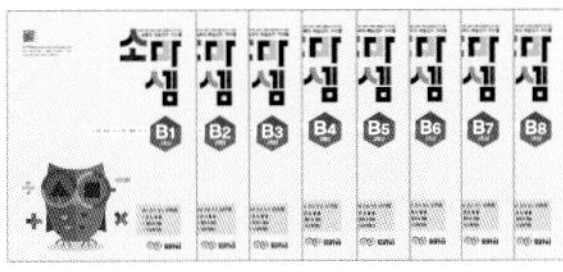 소마셈 B시리즈 B1~B8
초3~초4	   Lv.3 원리A/탐구A Lv.3 원리B/탐구B Lv.3 원리C/탐구C	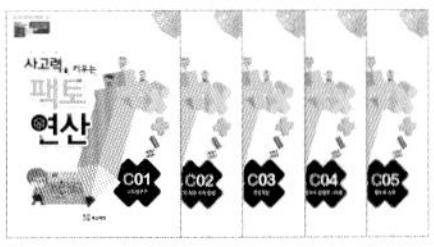 사고력을 키우는 팩토 연산 C01~C05	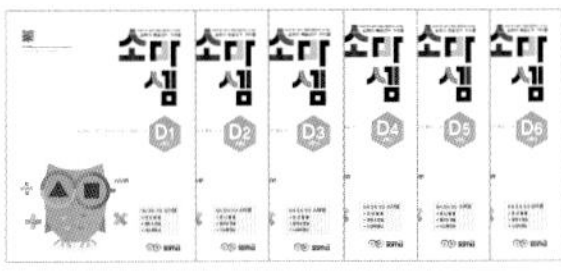 소마셈 D시리즈 D1~D6
초4~초5	  Lv.4 기본A, 실전A Lv.4 기본B, 실전B		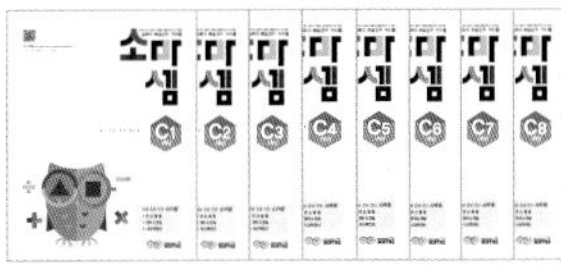 소마셈 C시리즈 C1~C8
초5~초6	  Lv.5 기본A, 실전A Lv.5 기본B, 실전B		
6~	  Lv.6 기본A, 실전A Lv.6 기본B, 실전B		

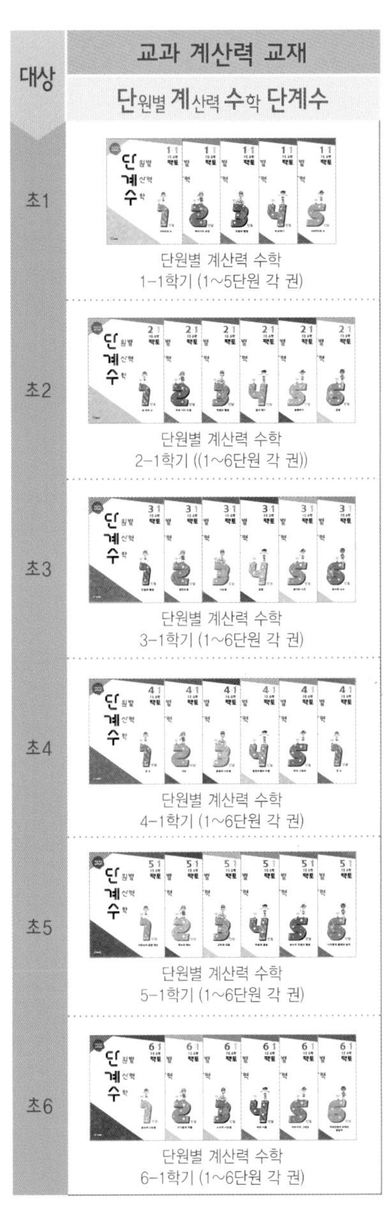

대상	교과 계산력 교재 단원별 계산력 수학 단계수
초1	단원별 계산력 수학 1-1학기 (1~5단원 각 권)
초2	단원별 계산력 수학 2-1학기 ((1~6단원 각 권))
초3	단원별 계산력 수학 3-1학기 (1~6단원 각 권)
초4	단원별 계산력 수학 4-1학기 (1~6단원 각 권)
초5	단원별 계산력 수학 5-1학기 (1~6단원 각 권)
초6	단원별 계산력 수학 6-1학기 (1~6단원 각 권)

대상	교과 수학 교재 1학기	교과 수학 교재 2학기
초1	팩토 수학교과서/익힘책 1-1	팩토 수학교과서/익힘책 1-2
초2	팩토 수학교과서/익힘책 2-1	팩토 수학교과서/익힘책 2-2

단계수 학습 순서

매일 학습

단원별로 꼭 알아야 할 개념만 쏙쏙 학습하고 다양한 연산 문제를 통해 연산 과정을 숙달하여 계산력을 쑥쑥 키울 수 있습니다.

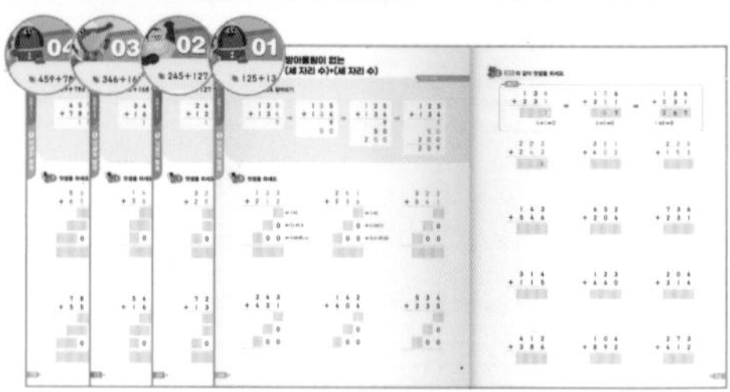

도전! 응용문제

응용 문제와 **서술형** 문제를 통해 사고력과 문제해결력을 기를 수 있습니다.

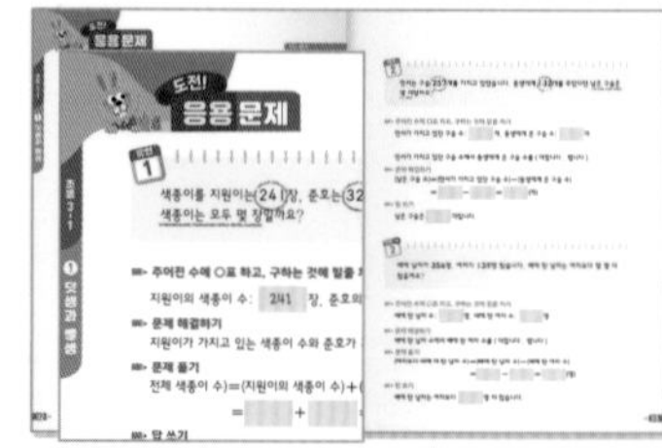

형성 평가

단원의 **복습 단계**로 문제를 풀면서 학습한 내용을 다시 한 번 확인할 수 있습니다.

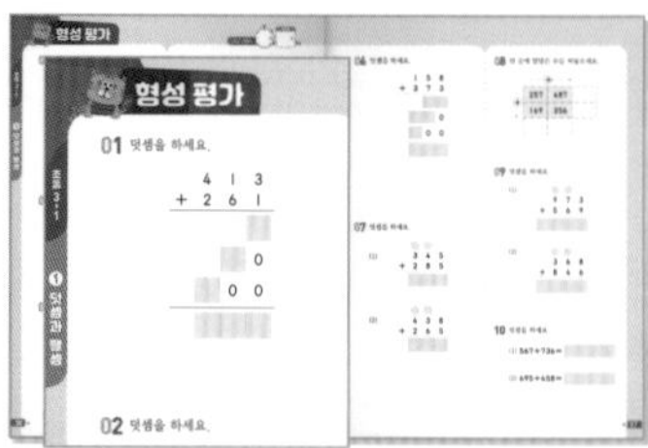

단원 평가

단원의 **마무리 학습**으로 학교 시험에 자주 나오는 문제를 통해 수시 평가 등 학교 시험에 대비할 수 있습니다.

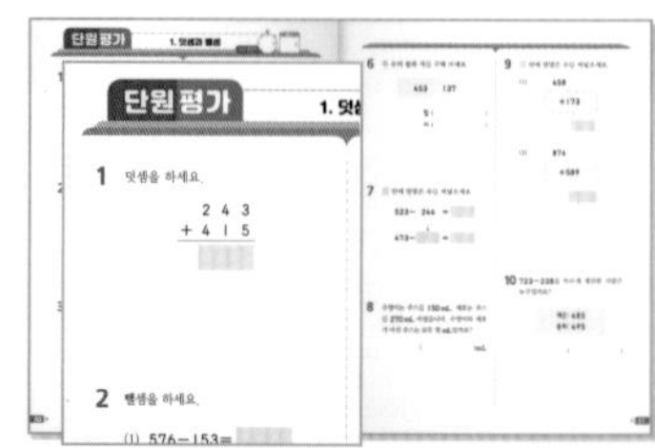

http://www.mathtian.com

자율안전확인신고필증번호 : B361H200-4001
1.주소 : 06153 서울특별시 강남구 봉은사로 442 (삼성동)
2.문의전화 : 1588-6066
3.제조국 : 대한민국
4.사용연령 : 8세 이상
※ KC마크는 이 제품이 공통안전기준에 적합하였음을 의미합니다.

초등학교	반
이름	